John Heinerman

ENCICLOPEDIA DE

FRUTAS,

VEGETALES

y

Hierbas

PRENTICE HALL

Datos de catalogación en la Biblioteca del Congreso de Washington, D.C.

Heinerman, John.
    [Encyclopedia of fruits, vegetables, and herbs. Spanish]
    Enciclopedia de frutas, vegetales y hierbas / John Heinerman; con
prólogo del Lendon H. Smith.
      p. cm.
    Includes index.
    ISBN 0-13-863754-7 (cloth).—ISBN 0-13-863747-4 (paper)
    1. Materia medica, Vegetable—Encyclopedias. 2. Vegetables-
-Therapeutic use—Encyclopedias. 3. Fruit—Therapeutic use-
-Encyclopedias. I. Title.
    RM236.H44718 1998   98-13114
    615'.32'03—dc21   CIP

Título del original en inglés: *Heinerman's Encyclopedia of Fruits, Vegetables and Herbs*

Traducción de Omar Amador y Daniel González
Prólogo del Lendon H. Smith, M.D.

Copyright © 1998 por Prentice Hall, Inc.

Impreso en Estados Unidos de América

10 9 8 7 6 5 4 3 2   10 9 8 7 6 5 4

ISBN 0-13-863754-7 (c)   ISBN 0-13-863747-4 (p)

La información presentada en este libro tiene como objetivo ayudar al lector a hacer decisiones bien informadas acerca de su salud. No tiene el propósito de sustituir la atención médica, ni debe utilizarse como manual de autotratamiento. Si usted sospecha que tiene algún problema médico, debe buscar consejo médico profesional lo antes posible.

PRENTICE HALL
Paramus, NJ 07652

On the World Wide Web at http://www.phdirect.com

CARIÑOSAMENTE DEDICADO A

Briant Strinham Stevens, y a mi padre y hermano, Jacob y Joseph Heinerman

OTROS LIBROS DEL AUTOR

The Science of Herbal Medicine

The Treatment of Cancer with Herbs

The Complete Book of Spices

Herbal Research Manual for Professional Therapeutics

Herbal Dynamics

Aloe Vera, Jojoba and Yucca

Herbal First Aid

Understanding Herbal Medicine and Natural Childbirth
(Coautor con E.P. Donatelle, M.D.)

Basic Natural Nutrition
(Editado con otros colaboradores)

Mormon Corporate Empire
(Coautor con Anson Shupe, Ph.D.)

Enciclopedia de Jugos Curativos

"Los remedios caseros probablemente siempre tendrán un lugar en el tratamiento de los malestares y dolores de la humanidad. Los médicos no esperan, y no desean, que los pacientes salgan corriendo al doctor con cada pequeña incomodidad, cada lesión menor, cada pequeño malestar y dolor. Es lógico atender tales cosas con medios caseros simples y seguros."

—Vincent Askey, M.D., ex-presidente de la *American Medical Association* (Citado en *Stalking the Healthful Herbs,* de Euell Gibbons).

"Una hierba a tiempo puede salvar a nueve."

—John H. Talbot, M.D., ex-editor del *Journal of the American Medical Association (JAMA).* Su comentario apareció en *JAMA* 188:156 (25 de mayo, 1964).

"La cocina es la primera *línea de defensa para tratar la mayoría de las enfermedades."*

—Michael Tierra, C.A., N.D., autor de *The Way of Herbs.*

PRÓLOGO

Creo que todos hemos estado expuestos a remedios naturales en algún momento de nuestras vidas. El emplasto de mostaza, la sopa de pollo, el jugo de melolonta (*June bug*) para las verrugas y los diversos remedios para la tos que su abuelita o tía preparaban a partir de una receta mágica. Allá por los años 20 y 30, mi padre, un pediatra, tenía una lista de remedios para la diversidad de infecciones y problemas que tenía que tratar. Uno de sus favoritos era el enema de maicena (fécula de maíz, *cornstarch*). Todavía me parece escucharlo diciéndole a las madres por el teléfono cómo cocinar la maicena . . . "hasta que se aclare. Luego enfríela, y deje que entre y salga por el cuerpo de su niño". Le daba líquidos al deshidratado, reducía la temperatura del febril y aliviaba los intestinos que habían sido atacados por problemas intestinales. Estoy seguro de que les daba a los padres bastante que hacer, así que se sentían útiles. A medida que avanzaron los años 30 y 40, él se sintió atraído, más bien fascinado, por la nueva ciencia "farmacéutica".

La promesa de la medicina —en realidad, de la industria farmacéutica— era que pronto existiría un medicamento para cada enfermedad. El doctor sería el experto en diagnóstico; cuando el problema se determinara, el remedio se encontraría fácilmente con sólo mirar el índice. El trabajo detectivesco era divertido, los resultados eran generalmente previsibles y los pacientes se sentían gratificados al recuperarse tan rápidamente.

Pero nadie entonces consideraba, o se acordaba de considerar, aquellos remedios antiguos y naturales, a base de hierbas y alimentos, para curarse hasta que se comenzó a notar los desagradables efectos secundarios y las incómodas alergias procedentes de estos medicamentos "milagrosos".

Algunos padres de mis pacientes y muchas de las abuelas comenzaron a preguntarme —realmente, a decirme— acerca de algunas vías alternativas para controlar toses, heridas, llagas, eczemas, gargantas irritadas, quemaduras pequeñas, dolores, malestares, dolores de oídos, insomnio e hiperactividad. Yo estaba fascinado y hasta logré que algunos padres probaran estos métodos. Sobre todo en la mitad de la noche, cuando las farmacias estaban cerradas. Un enema de ajo se usaba contra los parásitos, y partes iguales de ginebra, jugo de limón y miel casi siempre detenían la tos seca que se presenta durante la noche.

Un día, una madre me llamó para decirme que tres días antes, mientras estaba cocinando hamburguesas, dos gotas idénticas de grasa saltaron de su sartén y le cayeron en el antebrazo. Como tenía a mano algunas cebollas crudas y en tajadas, rápidamente tomó un pedazo y apretó la parte interior de la cebolla contra una de las dolorosas quemaduras rojas de su piel. Iba a llevar a cabo un experimento controlado. Mantuvo la cebolla allí hasta que el dolor se alivió y luego se vendó el área durante unas horas. La quemadura sin tratar siguió doliendo y se hizo llaga de la manera acostumbrada; por fin, sanó al cabo de una semana. La que se trató con cebollas, en solo dos días lució como una mancha oscura y arrugada de la piel. Da buenos resultados.

Claro, dirá usted, estas son anécdotas interesantes, pero son preferibles estudios científicos más seguros. Pues bien, éste es el libro que ayudará a demostrar que los buenos alimentos y hierbas *son* tan eficaces como se afirma.

John Heinerman ha reunido historias de casos, su propia amplia investigación producto de años de estudio y muchos viajes, y una completa revisión de otros libros sobre el tema. Muchas compañías farmacéuticas, tratando de encontrar medicamentos "inofensivos" han puesto su atención en plantas, hierbas y semillas. Han extraído la esencia de estas plantas y han creado algo que han podido patentar, pero no se dieron cuenta de que estos elementos de las plantas trabajan en conjunto. La razón de los buenos resultados terapéuticos se encuentra en estas combinaciones de plantas, hierbas y semillas. Las firmas farmacéuticas se han sentido frustradas al ver que estos tés, jarabes y polvos naturales no se pueden patentar —sin patente, no hay ingresos.

Todas las investigaciones han hallado que los seres humanos somos bolsas de agua con vitaminas, minerales, enzimas, hormonas, proteínas, grasas y azúcar flotando en nuestro interior. A lo largo de siglos de experimentos, se ha podido descubrir *qué* elementos de la flora (y algunos de la fauna) tienen un efecto favorable. Ahora, con los análisis bioquímicos sofisticados, podemos entender el *por qué*. Las pruebas pueden determinar qué vitaminas y minerales y aceites están en las plantas y en qué proporciones. Claro, sabemos acerca de las zanahorias y la vitamina A y la ceguera nocturna. Conocemos también el efecto calmante de los alimentos que contienen calcio y magnesio. Ahora bien, el magnesio ayuda al insomnio (el magnesio es necesario para acumular la clorofila, la substancia verde de las plantas), y aliviar el nerviosismo, controlar los calambres musculares, reducir el deseo de comer chocolate y aumentar la tolerancia al ruido. Cuando se descubre que una hierba puede producir estos efectos, entonces sabemos que, al menos, contiene magnesio. Pero puede que sólo tomar magnesio no sea suficiente. Es como si la naturaleza supiera que es necesario incorporar a la planta otros elementos para hacerla más sabrosa o más absorbible. Hay razones para todo.

Ahí está lo bueno de éste último libro de del doctor Heinerman. Usted puede mirar fácilmente cuáles son sus síntomas, encontrar el remedio (los remedios) y averiguar por qué trabaja. Hay muchos "¡Ajá, así que esa es la razón!" en este libro.

Si algo no funciona, puede que usted haya hecho un diagnóstico incorrecto . . . o que haya hecho el remedio con la dosis equivocada, o haber obtenido los ingredientes del suministrador incorrecto. Pero si tiene apendicitis y piensa que su propio remedio de hierbas va a evitarle el bisturí del médico, usted está equivocado. No deseche toda la medicina moderna. Necesitamos lo mejor de Oriente y de Occidente y lo mejor de lo nuevo y de lo viejo.

Gracias, John Heinerman, por abrir todo un mundo nuevo de salud para nosotros.

—Lendon H. Smith, M.D.

Unas palabras del autor

Algunos prominentes médicos que conozco tienen la opinión de que atender sus propios problemas de salud puede, a la larga, ser mucho mejor para usted que usar los servicios de la medicina moderna.

Un tal médico, que practicó medicina en Chicago durante más de 25 años, fue Presidente del Comité de Licencias Médicas del estado de Illinois durante casi seis años, y profesor adjunto de Medicina Preventiva y Salud Comunitaria en la Facultad de Medicina de la Universidad de Illinois, es Robert S. Mendelsohn, M.D.

El Dr. Mendelsohn escribió un controvertido best-séller titulado *Confessions of a Medical Heretic*. En este libro, el cual, sorprendentemente, fue leído a través del país por muchos de sus amigos médicos, muchos de los cuales estuvieron de acuerdo, privadamente, con sus sentimientos, el Dr. Mendelsohn expresaba algunos fuertes puntos de vista en oposición a la práctica de medicina como es hoy en día.

> Ya no creo más en la Medicina Moderna. El mayor peligro para su salud es el médico que practica la Medicina Moderna. Creo que los tratamientos de la Medicina Moderna para las enfermedades pocas veces son eficaces, y que, a menudo, son más peligrosos que las enfermedades que deben curar.

> Usted puede liberarse de la Medicina Moderna, y esto no significa que usted tenga que poner en peligro su salud. En realidad, estará tomando menos riesgos con su salud, ¡porque no existe actividad más peligrosa que entrar a la consulta de un médico, a una clínica o a un hospital!

Pero si el lector piensa que los comentarios del Dr. Mendelsohn son un poquito duros y una excepción a la regla, entonces considere las opiniones, expresadas abiertamente, de otros médicos que están aconsejando a sus pacientes a que busquen más ayuda de remedios caseros y de terapias alternativas de cuidado.

Un número creciente de médicos que escriben libros relacionados con la salud están sugiriendo a sus lectores y pacientes que salgan fuera de los límites de la medicina moderna para obtener remedios más seguros y menos caros para sus problemas de salud. En ningún caso esto es más evidente que con mi amigo, Lendon Smith, M.D. Lendon ha practicado pediatría durante más de 30 años y recientemente se retiró de su puesto como profesor clínico de pediatría en la Facultad de Medicina de la Universidad de Oregón, en Portland. En su best-séller *Feed Yourself Right*, Lendon les dice a los estadounidenses que deben buscar en otros sitios las soluciones a sus problemas de salud, y no solamente en la medicina moderna.

> Usted también debe buscar en otros lugares. Un profesional de la salud con otro título que no sea el de M.D. (Doctor en Medicina), puede que valga la pena. Un quiropráctico por lo general puede hallar algo fuera de lugar y volver a ponerlo en su

sitio. Un religioso puede ayudar con un sentimiento de culpa. Un naturópata puede descubrir un mal funcionamiento alimenticio, nutricional o bioquímico y sugerir tratamientos nutricionales que puedan ayudar a que el cuerpo se autocure. Usted sí tiene algunas alternativas.

Más adelante, Lendon recomienda ciertos vegetales y especias para problemas específicos de salud, tales como la presión sanguínea alta. Entre esos que cita están el ajo y las cebollas, dos remedios sugeridos en este libro también para tratar la hipertensión. Así que usted, lector, puede ver ya que el concepto mismo de este libro, si no algunos de sus remedios, han sido públicamente respaldados por un número creciente de médicos.

Más y más doctores en medicina de todo el país están recomendando que sus pacientes prueben otros métodos de cuidado de la salud y busquen ayuda profesional de aquellos que no necesariamente son médicos practicantes y licenciados. Allí es donde reside la utilidad de un libro como éste. Usted obtiene aquí remedios bastante confiables que son seguros y relativamente baratos, los cuales los puede usar en la privacidad y comodidad de su propio hogar, con un mínimo de conocimiento e instrucción.

Para propósitos legales, sin embargo, debo indicar que todos los remedios mencionados aquí están basados en mi propia intensiva investigación en muchas diferentes culturas y en mis muchos años de experiencia trabajando con curanderos populares de todo el mundo. Por lo tanto, yo soy el único responsable de su selección y recomendación, *no la casa editora*. Así, luego de absolver a mi editor de toda responsabilidad conectada con sus usos y efectividad, amablemente le elogio a usted por haber tenido el valor y la determinación de hacerse más responsable de su propia salud. Ojalá que este trabajo le sirva de ayuda valiosa para lograr un cuidado mejor de la posesión más importante en la vida, ¡su propio cuerpo! Cuando usted se haga cargo, casi seguramente tendrá algunas mejoras en el cuidado de su salud.

—John Heinerman, 1998

TABLA DE SÍNTOMAS

ABRASIONES (véase: **GOLPES** y **HERIDAS**)

ABSCESOS (véase: **LLAGAS BUCALES, INFECCIÓN** y **ÚLCERAS**)

ACCESOS DE CALOR (véase: **SÍNDROME PREMENSTRUAL**)

ACIDEZ ESTOMACAL (véase también: **INDIGESTIÓN**) Aceite de oliva 7; Achicoria 15; Alcaravea 52; Anise 67; Canela 118; Cardamomo 118; Cúrcuma 196; Kiwi 289; Lechuga 292; Vino 485.

ACNÉ (véase también: **ESPINILLAS, LIMPIEZA** y **COSMÉTICA**) Abedul 1; Amaranto 63; Avena 135; Bardana 80; Cúrcuma 193; Espárragos 216; Judías verdes 285; Papaya 250; Pensamiento 400; Pepino 382; Ruibarbo 433; Tomillo 478.

ADICCIÓN A LAS DROGAS (véase también: **ALCOHOLISMO, LIMPIEZA, DOLORES DE CABEZA, HÍGADO** y **NERVIOSISMO**) Acedera bendita 101; Ajenjo 24; Alfalfa 101; Alga marina *kelp* 101; Bardana 101; Berro 101; Botón de oro 99; Cola 348; Cola de caballo 101; Chaparro 99; Diente de león 99; Enebro 99; Espinaca 101; Gordolobo 99; Hierba luisa 99; Manzanilla 99; Menta 100; Miel 101; Musgo irlandés 101; Nébeda 99, 346; Olmo norteamericano 101; Ortiga 101; Pastinaca 101; Perejil 101; Tomillo 99; Toronjil 100; Valeriana 99.

ADITIVOS DE LOS ALIMENTOS (véase: **LIMPIEZA** e **INFECCIÓN**)

AFTA (véase: **CANDIDA ALBICANS** e **INFECCIÓN**)

ALCOHOLISMO (véase: **ADICCIÓN A LAS DROGAS, RESACA, DOLORES DE CABEZA** y **HÍGADO**)

ALERGIAS (véase también: **ASMA, BRONQUITIS,** e **IRRITACIÓN PULMONAR**) Ajo 39; Crisantemo 395; Fenogreco 225; Guayaba 240; Manzanilla 307; Marrubio 309;

Miel 328; Panal de miel 328; Peonía 400; Pepino 379; Prímula nocturna 408.

ALIMENTACIÓN

(véase también: **FATIGA, HIPOGLUCEMIA** y **DEBILIDAD FÍSICA**) Alforjón 144; Cebada 144; Cereales 144; Dátiles 200; Olmo norteamericano 352; Trigo 144.

ALIMENTOS PARA FORTALECER LOS MÚSCULOS

(véase también: **FATIGA, ALIMENTACIÓN, PROTEÍNA** y **DEBILIDAD FÍSICA**) Banana 78; Cebada 131; Frijoles 236; Trigo 131.

AMIGDALITIS

(véase también: **GARGANTA, INFECCIÓN, INFLAMACIÓN** y encabezamientos relacionados) Gordolobo 264.

ANEMIA

(véase también: **FATIGA** y **ALIMENTACIÓN**) Angélica 65; Remolacha 425.

ANEMIA DE CÉLULAS FALCIFORMES

(véase también: **ANEMIA** y encabezamientos relacionados) Fresno espinoso 229

ANEURISMA

(véase: **PROBLEMAS CEREBROESPINALES** y **CONCUSIÓN**)

ANGINA

(véase también: **ATEROESCLEROSIS, CORAZÓN** y **DOLOR**) Cardo bendito 125; Crisantemo 394; Espino 88; Gordolobo 264; Vino 485.

ANOREXIA NERVIOSA

(véase: **TRASTORNOS ALIMENTICIOS, NERVIOSISMO** y **OBESIDAD**)

ANSIEDAD

(véase: **INSOMNIO, NERVIOSISMO** y **ESTRÉS**)

ANTICOAGULANTES

(véase también: **COÁGULOS DE SANGRE**) Alazor 447; Jengibre 282; Piña 246.

APENDICITIS

(véase también: **ESTREÑIMIENTO** e **INFLAMACIÓN**) Margarita 396; Olmo norteamericano 351; Papa 369; Salvado 437.

APETITO, CONTROL DEL

(véase también: **OBESIDAD**) Alforjón 131; Goma de guar 262; Pan 365; Salvado 438.

APETITO, ESTIMULACIÓN DEL

(véase también: **ALIMENTACIÓN** y **DEBILIDAD**) Estragón 221; Hinojo 275.

ARAÑAZOS

(véase: **HERIDAS**)

ARRUGAS

(véase también: **ENVEJECIMIENTO, PIEL Y LABIOS CUARTEADOS** y **COSMÉTICA**) Aceituna 9; Albaricoque 47; Cítricos 168; Clara de huevo 9; Chocolate 154; Manzanilla 306; Miel 327; Pepino 381; Presera 405.

ARTERIOSCLEROSIS

(véase: **ATEROESCLEROSIS**)

ARTRITIS

(véase también: **INFLAMACIÓN** y **DOLOR**) Ajíes y Pimientos 26; Col 178; Cereales 129; Cúrcuma 194; Esculetaria 214; Fresno espinoso 228; Higo 273; Jengibre 282; Laurel 241; Margarita 396; Milenrama 335; Papa 273; Papaya 369; Piña 273; Ruibarbo 432; Yuca 496.

ASMA

(véase también: **ALERGIAS** y **BRONQUITIS**) Ajo 39; Cereza 146; Cebolla 39; Fárfara 224; Gordolobo 263; Guayaba 240; Jengibre 284; Mango 240; Manzanilla 307; Melocotón 316; Mostaza 178; Tomillo 477; Zanahoria 500.

ATEROESCLEROSIS

(véase también: **COLESTEROL**) Ajo 41; Alazor 445; Alcachofa 49; Alfalfa 53; Arroz 138; Cebolla 41; Cereales 129; Col 176; Girasol 446; Salvado 437; Té negro y verde 466; Tomate 471; Vino 485.

AUTISMO

(véase: **ESCLEROSIS MÚLTIPLE, ESTRÉS,** y **PROBLEMAS MENTALES**)

AUTOINMUNES, ENFERMEDADES

(véase también: **ARTRITIS, LUPUS, MÚLTIPLE,** etc.) Pasas 486; Prímula nocturna 408.

BRONQUITIS

(véase también: **ASMA**) Acedera bendita 4; Ajo 39; Cereza 146; Diente de león 204; Fárfara 224; Guayaba 240; Jengibre 284; Laurel 291; Marrubio 309; Mejorana 311; Melocotón 316; Mostaza 178; Orégano 311; Rábano picante 415; Tomillo 477.

BULIMIA

(véase: **TRASTORNOS ALIMENTICIOS**)

BURSITIS (véase: **ARTRITIS** y **DOLOR**)

CABELLO, CUIDADO DEL (véase también: **CALVICIE, CASPA** y **CANAS**) Cebolla 38; Cítricos 166; Chaparro 148; Manzanilla 306.

CAFEINISMO (véase también **ADICCIÓN A LAS DROGAS**) Arroz 139; Endibia 13.

CALAMBRES Berenjena 93; Caléndula 117; Col 178; Comino 183; Grosellas 92; Hierbabuena 325; Jengibre 282; Mejorana 311; Menta verde 325; Orégano 311; Tomillo 479.

CÁLCULOS BILIARES (véase también: **HÍGADO, PROBLEMAS DEL**) Aceituna 9, 171; Achicoria 15; Bardana 80; Cítricos 171; Endibia 15; Gayuba 257; Papa 371; Rábano 419.

CALLOS (véase también: **CUIDADO DE LOS PIES**) Avena 136; Papaya 247; Piña 247.

CALOR INTENSO (manteniéndose fresco) (véase también: **FIEBRE**) Ajíes y Pimientos 25; Melones 322; Panal de miel 329; Tamarindo 460.

CALVICIE (véase también: **CASPA** y **CUIDADO DEL CABELLO**) Ortiga 361.

CANAS (véase: **CUIDADO DEL CABELLO**)

CÁNCER (véase también: **SIDA, HERPES, INFECCIÓN, MONONUCLEOSIS** y **PLAGA**) Aceituna 6; Ajenjo 21; Ajo 34; Banana 75; Bróculi 110, 176, 218; Calabaza 110; Canela 120; Cereales 129; Col 175, 218, 310, 421; Col rizada 176, 421; Coles de Bruselas 176, 421; Coliflor 175; Consuelda 185; Corazoncillo 187; Cúrcuma 195; Chaparro 150; Dátil 199; Ensalada anticáncer 425; Equinácea 212; Espinaca 218; Frijoles 234; Girasol 444; Higo 199, 273; Hojas de mostaza 176, 421; Mostaza 218; Nabo 176, 421; Papa 370; Perejil 383; Pimientos 110; Rábano 420; Remolacha 423, 425; Ruibarbo 431; Semillas 444; Suma 458; Trigo 140; Zanahoria 110, 498; Yuca 495.

CANDIDA ALBICANS (véase también: **HONGOS DE LOS PIES** e **INFECCIÓN**) Áloe 60; Berro 177;

Botón de oro 98; Canela 119; Caqui 122; Cebollino 177; Col 127; Chaparro 149; Espinaca 177; Frambuesas 456; Grosellas 91; Tomillo 477.

CARBUNCLOS (véase también: **FURÚNCULOS; LIMPIEZA, INFECCIÓN** y **LLAGAS**) Melocotón 314; Oreja de ratón 355; Papa 370; Tapioca 462.

CARIES (véase también: **PROBLEMAS DENTALES, LIMPIEZA DE DIENTES** y **DOLOR DE MUELAS**)

CARRASPERA (véase también: **ASMA** e **IRRITACIÓN DE GARGANTA**) Violeta 403.

CASPA (véase también: **CALVICIE** y **CUIDADO DEL CABELLO**) Ajonjolí 449; Chaparro 148; Jengibre 449; Laurel 290; Lúpulo 296; Vinagre de sidra 302.

CATARATAS (véase también: **TRASTORNOS OCULARES**) Áloe 337; Caléndula 337; Cola de caballo 337; Dragón 402; Milenrama 337; Ortiga 337; Perifollo 386.

CEGUERA NOCTURNA (véase también: **TRASTORNOS OCULARES** y **ALIMENTACIÓN**) Acedera bendita 4; Diente de león 204.

CELÍACA, ENFERMEDAD (véase también: **ALERGIAS**) Arroz 134; Banana 77; Cardamomo 123; Maíz 134; Mijo 133; Salvado de sorgo 437.

CHOQUE INSULÍNICO (véase también: **DIABETES**) Banana 78.

CIÁTICA (véase también: **DOLOR DE ESPALDAS, NEURALGIA** y **DOLOR**) Jengibre 449; Mostaza 178.

CIRCULACIÓN MALA (véase también: **COÁGULOS DE SANGRE** y **ANTICOAGULANTES**) Piña 246; Poso del café 103.

CIRROSIS (véase: **HÍGADO, PROBLEMAS DEL**)

CIRUGÍA DENTAL (véase también: **LESIONES DE LIGAMENTOS MUSCULARES, ALIMENTACIÓN** y **HERIDAS**) Áloe 60; Piña 246.

COÁGULOS DE SANGRE (véase también: **ANTICOAGULANTES**)
Ajíes y Pimientos 28; Ajo 40; Cebolla 40;
Chaparro 149; Guisantes 269; Piña 246.

COLESTEROL (véase también: **ATEROESCLEROSIS**)
Aceituna 6; Achicoria 14; Ajonjolí 446;
Aguacate 17; Ajo 41; Alazor 445;
Alcachofa 49; Arroz 138; Avena 134;
Berenjena 94; Cebolla 41; Cereales 41;
Cítricos 27; Col 176; Coles de Bruselas
176; Cúrcuma 195; Esculetaria 214;
Fenogreco 225; Frijoles 234; Girasol 446;
Goma de guar 262; Grosellas 92; Hongos
277; Nabo 132, 342; Papa 372; Pimienta
de Cayena 27; Prímula nocturna 408;
Psilio 410; Rábano 418; Ruibarbo 434;
Salvado 438; Té negro y verde 466;
Vinagre de sidra 302; Vino 485; Zanahoria
498.

COLITIS (véase también: **ENFERMEDADES
AUTOINMUNES** e **INFLAMACIÓN**)
Banana 77; Caléndula 115, 462; Margarita
396; Tapioca 462.

COLON, PROBLEMAS DEL (véase también: **APENDICITIS,
ESTREÑIMIENTO** y **DIARREA**) Fresno
espinoso 229.

CONCUSIÓN (véase: **PROBLEMAS CEREBRO-
ESPINALES**)

CONGELACIÓN (véase también: **HIPOTERMIA**) Pimienta
de Cayena 29; Pimienta negra 388;
Rábano 419.

CONGESTIÓN (véase: **ASMA, BRONQUITIS, RESFRÍO,
INFLUENZA,** etc.)

CONGESTIÓN NASAL (véase también: **ALERGIAS, ASMA,
BRONQUITIS, RESFRÍO, FIEBRE,
INFECCIÓN, INFLUENZA** e **IRRITA-
CIONES PULMONARES**) Ajo 34; Botón
de oro 102; Cerezas 146; Jengibre 34;
Marrubio 309.

CONJUNTIVITIS (véase también: **TRASTORNOS** e
INFECCIONES OCULARES) Botón de
oro 97; Cúrcuma 194; Dragón 402;
Perifollo 387.

CONSERVACIÓN DE ALIMENTOS

Cúrcuma 196; Jengibre 196.

CONTAMINACIÓN DEL AIRE

(véase: **LIMPIEZA** e **IRRITACIÓN PULMONAR**)

CONTROL DE LA NATALIDAD

Achicoria 13.

CONTUSIÓN

(véase: **GOLPES**)

CONVULSIÓN

(véase también: **EPILEPSIA**) Esculetaria 214; Guayaba 241.

CORAZÓN, ENFERMEDAD DEL

(véase también: **ANGINA** y **ATEROESCLEROSIS**) Aceite de alazor 445; Aceite de oliva 4; Achicoria 14; Apio 68; Arroz 138; Avena 134; Bayas 85; Baya del espino 89; Berenjena 94; Cardo santo 125; Cereales 129; Diente de león 203; Esculetaria 215; Guayaba 240; Gordolobo 264; Kava kava 287; Naranja 170; Pensamiento 400; Té 466; Trigo 140; Vino 485.

CORTADURAS

(véase también: **HEMORRAGIAS** y **HERIDAS**) Alga marina *kelp* 27; Papa 370; Pimienta de Cayena 27.

COSMÉTICA

(véase también: **PIEL Y LABIOS CUARTEADOS** y **SALPULLIDO**) Aguacate 118; Albaricoque 47; Anís 67; Avena 135; Cítricos 167; Cola de caballo 182; Chocolate 154; Diente de león 202; Espárrago 216; Fresas 90; Harina de maíz 132; Judías verdes 285; Manzanilla 308; Melocotón 314; Membrillo 314; Miel 327; Papaya 250; Pepino 381; Pera 314; Piña 250; Presera 405; Rábano picante 415; Salvado de arroz 137; Tomillo 428; Uvas 484.

CRIANDO BEBÉS

(véase: **LACTANCIA**)

CULEBRILLA

(véase también: **LOMBRICES**) Ajo 41; Papaya 247; Piña 247.

DEBILIDAD FÍSICA

Bardana 81; Cereales 144; Fresno espinoso 229; Ginseng 259; Membrillo 317; Olmo 352; Pera 317; Polen de abeja 333; Tomillo 477; Zanahoria 498.

DEFICIENCIAS ALIMENTICIAS	(véase también: **ALIMENTACIÓN**) Prímula nocturna 408.
DELIRIO	(véase: **FIEBRE** y **PROBLEMAS MENTALES**)
DENTADURA, PROBLEMAS DE LA	(véase también: **INFLAMACIÓN** y **DOLOR**) Áloe 66; Piña 246.
DENTICIÓN	(véase también: **DOLOR**) Aceite de oliva 11.
DEPRESIÓN	(véase: **PROBLEMAS MENTALES**)
DERMATITIS	(véase también: **ECZEMA, INFLAMACIÓN** y **SALPULLIDO**) Ácido linoleico 155; Áloe 60; Cúrcuma 193; Judías verdes 284; Olmo norteamericano 351; Piña 251; Romero 251.
DIABETES	Ajo 41; Alfalfa 54; Arándano azul 88; Avena 135; Botón de oro 102; Cebolla 41; Cereales 135; Diente de león 203; Espinaca 219; Frijoles 235; Goma de guar 262; Judías verdes 286; Mango 242; Pimienta de Cayena 27; Psilio 410; Salvado 439; Trigo búlgaro 132.
DIARREA	(véase también: **INFECCIÓN** y **PURIFICACIÓN DEL AGUA**) Ajo 42; Algarroba 57; Amaranto 63; Arándano azul 88; Arroz 138; Banana 77; Calabaza 109; Caqui 122; Cebolla 41; Geranio 397; Lúpulo 296; Maicena 133; Manzana 301; Miel 328; Mora negra 92; Naranja 109; Pimienta negra 389; *Pumpkin* 171; Rábano 418; Ruibarbo 433; Tapioca 463; Tomate 468; Zanahoria 498; Zarzamora 88.
DIENTES, FORTALECIMIENTO DE LOS	Ruibarbo 431.
DIENTES, LIMPIEZA DE	(véase también: **MAL ALIENTO, PROBLEMAS DENTALES** y **DOLOR DE MUELAS**) Canela 118; Cítricos 165; Frambuesas 91; Fresas 90; Fresno espinoso 230; Higos 272; Mango 247; Nabo 343; Té negro 466; Tomillo 428.

DIETA	(véase: **CONTROL DEL APETITO** y **OBESIDAD**)
DISENTERÍA	(véase: **DIARREA** e **INFECCIÓN**)
DISFUNCIÓN RENAL	(véase también: **EDEMA, GOTA** e **HIPERTENSIÓN**) Arándano agrio 86; Bayas 86; Calabaza 108; Col 178; Cola de caballo 182; Espárrago 216; Estragón 221; Harina de maíz 132; Hongos 228; Peonía 400; Perejil 384; Rábano 419; Romero 429; Sandía 322.
DISLOCACIÓN	(véase: **FRACTURAS** y **ESGUINCES**)
DISTENSIÓN DE LOS INTESTINOS	(véase también: **INFLAMACIÓN**) Fresno espinoso 228.
DISTROFIA MUSCULAR	(véase: **TRASTORNOS MUSCULARES** y encabezamientos relacionados)
DIVERTICULITIS	(véase también: **INFLAMACIÓN**) Banana 77; Margarita 396; Naranja 171; Salvado 437.
DOLOR	(véase también: trastornos dolorosos específicos como **ARTRITIS, QUEMADURAS, INFLAMACIÓN,** etc.) Ajenjo 21; Cebolla 37; Fresno espinoso 227; Jengibre 282; Mandarina 166; Manzana 303; Melones 322; Milenrama 335; Papa 369; Pimienta picante 29; Piña 245; Tulipán 402; Yuca 496.
DOLOR ABDOMINAL	(véase también: **APENDICITIS** y **CALAMBRES**) Berenjena 93; Comino 183; Harina 183; Hierbabuena 324; Jengibre 282; Mazorca de maíz 133; Mejorana 311; Orégano 311.
DOLOR DE CABEZA	(véase también: **RESACA, HIPERTENSIÓN** y **DOLOR**) Ajonjolí 449; Albahaca 46; Banana 76; Calabaza 109 Calabaza *pumpkin* 109; Cebollino 34; Dondiego de día 206; Jengibre 34; Limón 171; Manzanilla 305; Menta piperita 324; Sandía 322; Té negro y verde 465.
DOLOR DE ESPALDA	(véase también: **INFLAMACIÓN** y **DOLOR**) Calabaza 108; Fresno espinoso 228; Higo 273; Jengibre 283; Laurel 291;

Manzanilla 307; Papaya 248; Rábano picante 415; Valeriana 490; Zurrón de pastor 504.

DOLOR DE OÍDOS	(véase también: **PROBLEMAS DE LOS OÍDOS**) Aceituna 10; Ajo 37; Calabaza 110; Cebolla 37.
DOLOR DE MUELAS	(véase también: **PROBLEMAS DENTALES, DOLOR** y **DIENTES, LIMPIEZA**) Ajo 38; Berenjena 94; Cebolla 37; Clavos de olor 173; Fresno espinoso 230; Jengibre 284; Lima 166; Nébeda 345; Tulipán 403.
ECZEMA	(véase también: **ALERGIAS, DERMATITIS, INFLAMACIÓN, ESCOZOR, SORIASIS, SALPULLIDO**) Abedul 2; Ajonjolí 450; Áloe 61; Amaranto 63; Bardana 80; Corazoncillo 188; Cúrcuma 193; Judías verdes 285; Manzanilla 285; Olmo norteamericano 351; Piña 251; Papa 369; Prímula nocturna 407; Rábano picante 415; Ruibarbo 433; Tapioca 462.
EDEMA	(véase también: **GOTA** y **DISFUNCIÓN RENAL**) Calabaza 108; Calabaza *pumpkin* 107; Cúrcuma 193; Gayuba 257; Lirio 398; Mazorca de maíz 133; Milenrama 335; Perejil 384.
EMBARAZO	(véase también: **PARTO, NÁUSEAS** y **ALIMENTACIÓN**) Frambuesas 90; Grosella espinosa 86; *Squawvine* 456.
ENCÍAS SANGRANTES	(véase también: **PROBLEMAS DENTALES, PROBLEMAS BUCALES** y **HEMORRAGIA**) Limón 165.
ENDURECIMIENTO DE LAS ARTERIAS	(véase: **ATEROESCLEROSIS**)
ENEMA	(Cómo administrarlo) Café 104.
ENFERMEDAD, RECUPERACIÓN DE LA	(véase también: **ALIMENTACIÓN**) Olmo norteamericano 352.
ENFERMEDADES INFANTILES	(véase también: **LIMPIEZA, ESTREÑIMIENTO, FIEBRE, INFECCIÓN** y **SALPULLIDO**) Cúrcuma 193;

Diente de león 204; Gordolobo 264; Guisantes 270; Maicena 133; Mejorana 204; Orégano 311; Pensamiento 400.

ENFISEMA
(véase también: **IRRITACIÓN PULMONAR**) Acedera bendita 4.

ENVEJECIMIENTO, CÓMO RETRASAR EL
(véase también: **COSMÉTICA** y **LONGEVIDAD)** Aguacate 18; Romero 429.

ENVENENAMIENTO CON ALIMENTOS
(véase también: **RETORTIJONES** y **NÁUSEAS**) Berenjena 93; Caqui 121; Cereza 146; Chaparro 149.

ENVENENAMIENTO CON SUSTANCIAS QUÍMICAS
(véase: **LIMPIEZA, DISFUNCIÓN RENAL** y **HÍGADO**)

ENVENENAMIENTO DE LA SANGRE
(véase: **TÉTANOS**)

EPIDEMIA
(véase: **SIDA, CÁNCER, HERPES, PLAGA** y **ENFERMEDADES VENÉREAS**)

EPILEPSIA
(véase también: **PROBLEMAS CERE-BROESPINALES** y **CONVULSIONES**) Guayaba 241; Mejorana 311; Orégano 311; Presera 406.

ERISIPELAS
(véase: **INFLAMACIÓN** y **SALPULLIDO**)

ESCALDADURA
(véase: **QUEMADURAS** e **INFLAMACIÓN**)

ESCALOFRÍOS
(véase: **CONGELACIÓN** e **HIPOTERMIA**)

ESCLEROSIS MÚLTIPLE
(véase también: **MAL DE ALZHEIMER, ENFERMEDADES AUTOINMUNES, INFECCIÓN, TRASTORNOS MUSCU-LARES, ALIMENTACIÓN** y **PARÁLISIS**) Grosellas 91; Corazoncillo 188.

ESCOZOR
(véase también: **SALPULLIDO**) Acedera bendita 3; Áloe 61; Guisantes 270; Maicena 133; Oreja de ratón 355; Piña 251; Ruibarbo 432; Trigo 140; Vinagre de sidra 303.

ESGUINCES
(véase también: **INFLAMACIÓN, LESIONES DE LIGAMENTOS**

MUSCULARES, TENDINITIS y **VENAS VARICOSAS**) Ajenjo 21; Calabacera 108; Calabaza 108; Caléndula 115; Cola de caballo 181; Cúrcuma 194; Esculetaria 215; Jengibre 282; Laurel 291; Malvavisco 299; Mostaza 178; Papa 369; Pimienta picante 29; Piña 245; Romero 429.

ESPASMO MUSCULAR   (véase también: **DOLOR ABDOMINAL** y **RETORTIJONES**) Eucalipto 480.

ESPINILLAS   (véase también: **ACNÉ, LIMPIEZA ESTREÑIMIENTO, COSMÉTICA** y **LLAGAS**) Espárrago 216; Judías verdes 285; Papaya 250.

ESQUIZOFRENIA   (véase: **PROBLEMAS MENTALES** y **ALIMENTACIÓN**)

ESTREÑIMIENTO   (véase también: **EDEMA**) Aguacate 18; Ajonjolí 449; Áloe 61; Arrayán 72; Café 104; Cáscara sagrada 126; Ciruela pasa 162; Col 176; Dátiles 199; Espárrago 216; Frijoles 233; Gordolobo 264; Higos 272; Linaza 294; Mango 242; Manzana 301; Maravilla 399; Melocotón 316; Melón 322; Nabo 341; Oreja de ratón 355; Papa 373; Papaya 242; Piña 242; Psilio 162, 410; Ruibarbo 433; Salvado 437; Tamarindo 459; Zanahoria 499.

ESTRÉS   (véase también: **HIPERACTIVIDAD, HIPERTENSIÓN, NERVIOSISMO** y **ALIMENTACIÓN**) Banana 78; Estragón 221; Ginseng 259; Hongos 278; Kava kava 288; Nébeda 345; Prímula nocturna 408; Tomillo 479; Valeriana 490.

EXCREMENTO Y ORINA CON SANGRE   (véase también: **HEMORRAGIA**) Amaranto 63; Caqui 122.

FATIGA   (véase también: **HIPOGLUCEMIA** y **ALIMENTACIÓN**) Banana 78; Ginseng 259; Kava kava 287; Nuez de cola 348; Pimentón 29; Polen de abeja 332; Tomate 471; Zanahoria 498.

FIEBRE   (véase también: **RESFRÍO, INFECCIÓN** e **INFLUENZA**) Ajíes y Pimientos 74; Albahaca 26; Arrayán 71; Calabaza 109;

Diente de león 204; Fresno espinoso 228; Hongos 278; Mejorana 311; Melocotón 316; Mostaza 178; Orégano 311; Rábano 418; Tamarindo 460; Tomillo 476.

FIEBRE DEL HENO (véase: **ALERGIAS**)

FLATULENCIA (véase: **ACIDEZ ESTOMACAL** e **INDIGESTIÓN**)

FLEBITIS (véase también: **INFLAMACIÓN** y encabezamientos relacionados) Gotu kola 267.

FRACTURAS (véase también: **CONCUSIÓN, INFLAMACIÓN** y **ESGUINCES**) Ajenjo 21; Ajonjolí 447; Calabaza 108; Cola de caballo 181; Cúrcuma 194; Narciso 395; Papa 369; Salvado de arroz 137.

FURÚNCULOS (véase también: **LIMPIEZA, INFECCIÓN** y **LLAGAS**) Banana 75; Bardana 80; Calabaza 110; Dondiego de día 207; Guisantes 270; Higos 272; Melocotón 314; Mostaza 178; Narciso 395; Olmo norteamericano 351; Oreja de ratón 355; Papa 370; Tapioca 462; Tomillo 476; Tulipán 403.

GANGRENA (véase: **INFECCIÓN, LLAGAS, ÚLCERAS, PIEL** y **HERIDAS**)

GARGANTA, PROBLEMAS DE LA (véase también: **LARINGITIS, IRRITACIÓN DE GARGANTA** y **TONSILITIS**) Grosella silvestre 86.

GAS INTESTINAL (véase: **ACIDEZ ESTOMACAL** e **INDIGESTIÓN**)

GLAUCOMA (véase también: **TRASTORNOS OCULARES** y **DOLOR**) Ajonjolí 449; Caléndula 337; Cola de caballo 337; Milenrama 337; Ortiga 337; Perifollo 386.

GOLPES (véase también: **COSMÉTICA, INFLAMACIONES** y **VENAS VARICOSAS**) Ajíes y Pimientos 29; Calabaza 108; Consuelda 186; Corazoncillo 188; Cúrcuma 194; Lirio 398; *Ghee* 478; Melocotón 314; Mostaza 178; Nabo 343; Papa 369; Perejil 384; Rábano 420; Tomillo 478.

GONORREA	(véase: **ENFERMEDADES VENÉREAS**)
GOTA	(véase también: **EDEMA** y **DISFUNCIÓN RENAL**) Calabaza 108; Cerezas 145; Estragón 222; Margarita 396; Mazorca de maíz 133; Milenrama 335; Mostaza 120; Pepino 379; Romero 429.
GRASA, BOLAS o DEPÓSITOS DE	(véase también: **ATEROESCLEROSIS, COLESTEROL** y **OBESIDAD**) Rábano 418.
GRASA EN LA PIEL	(véase: **COSMÉTICA** y **PROBLEMAS DE LA PIEL**)
GRIPE	(véase: **RESFRÍO** e **INFLUENZA**)
HALITOSIS	(véase: **MAL ALIENTO**)
HEMOFILIA	(véase: **HEMORRAGIA**)
HEMORRAGIA	(véase también: **SANGRADO NASAL** y **MENSTRUACIÓN**) Amaranto 63; Arrayán 71; Berenjena 95; Caqui 122; Cola de caballo 182; Cúrcuma 194; Geranio 397; Limón 165; Milenrama 337; Ortiga 360; Pimienta de Cayena 28; Ruibarbo 433.
HEMORRAGIA CEREBRAL	(véase: **PROBLEMAS CEREBRO-ESPINALES** y **CONCUSIÓN**)
HEMORROIDES	Gordolobo 266; Salvado 437.
HEPATITIS	(véase: **HÍGADO, PROBLEMAS DEL**)
HERIDAS	(véase también: **INFECCIÓN** y **LLAGAS**) Abedul 2; Aceituna 7; Ajonjolí 447; Calabaza 111; Caléndula 115; Caqui 122; Consuelda 185; Corazoncillo 188; Cúrcuma 193; Dondiego de día 207; Enebro 88; Geranio 397; Gordolobo 265; *Ghee* 478; Hongos 278; Malvavisco 300; Miel 331; Milenrama 334; Narciso 395; Papaya 250; Tomate 470; Tomillo 477.
HERNIA	(véase también: **INFLAMACIÓN, LESIONES DE LIGAMENTOS MUSCULARES** y **ESGUINCES**) Malvavisco 299; Margarita 396.
HERNIA HIATAL	(véase: **HERNIA**)
HERPES	(véase también: **HERPES ZOSTER, LLAGAS, ENFERMEDADES VENÉREAS**

y **HERIDAS**) Abedul 1; Ajo 330; Áloe 61; Banana 75; Bardana 80; Bayas 91; Botón de oro 97; Equinácea 212; Judías verdes 285; Menta piperita 325; Miel 330; Mirra 339; Oreja de ratón 355; Pasas 486; Uvas 486; Uva silvestre de Oregon 483; Vino 486.

HERPES LABIAL

(véase también: **ÚLCERAS EN LA BOCA, INFECCIÓN** y **PROBLEMAS BUCALES**) Áloe 1; Ciruela 161; Judías verdes 285; Papaya 250; Tomillo 476.

HERPES ZOSTER

(véase también: **ENFERMEDADES INFANTILES, HERPES, INFLAMACIÓN** y **SALPULLIDO**) Melocotón 316; Miel 330.

HIDROCEFALIA

(véase: **PROBLEMAS CEREBRO-ESPINALES**)

HIEDRA VENENOSA

(véase también: **SALPULLIDO**) Botón de oro 102.

HÍGADO, PROBLEMAS DEL

(véase también: **CÁNCER** y **LIMPIEZA**) Ajenjo 23; Acedera bendita 3; Achicoria 14; Alcachofa 50; Arrayán 71; Arzolla 73; Cúrcuma 195; Diente de león 203; Manzanilla 307; Melones 322; Peonía 400; Romero 429; Té negro y verde 466; Tomate 307, 472.

HINCHAZÓN DE LAS FOSAS NASALES

(véase: **INFLAMACIÓN**)

HINCHAZÓN GLANDULAR

(véase también: **ENFERMEDADES INFANTILES, RESFRÍO, FIEBRE, INFLUENZA** e **INFLAMACIÓN**) Gordolobo 264; Jengibre 284; Nabo 342; Oreja de ratón 354.

HIPERACTIVIDAD

(véase también: **NERVIOSISMO** y **ESTRÉS**) Estragón 221; Frijoles 233; Hinojo 275; Manzanilla 305; Menta verde 275; Nébeda 345.

HIPERTENSIÓN

(véase también: **DISFUNCIÓN RENAL** y **ALIMENTACIÓN**) Ajo 35, 40; Banana 76; Cacao 155; Cebolla 35; Cimifuga 160; Crisantemo 394; Diente de león 203; Espárrago 216; Frijoles 235; Grosellas 91;

Jengibre 284; Kiwi 289; Kunkuat 165;
Mango 241; Prímula nocturna 407;
Tomate 469; Valeriana 490.

HIPOGLUCEMIA   (véase también: **FATIGA** y
ALIMENTACIÓN) Pastinaca 425;
Remolacha 425; Zanahoria 498.

HIPOTERMIA   (véase también: **CONGELACIÓN**) Ajo 39;
Mostaza 178; Pimienta de Cayena 29;
Rábano picante 415.

HISTERIA   (véase también: **PROBLEMAS MEN-
TALES** y **ESTRÉS**) Kava kava 287;
Nébeda 245; Orozuz 358; Vainilla 489;
Valeriana 490.

HONGOS   (véase: **CANDIDA ALBICANS** e
INFECCIÓN)

HONGOS DE LOS PIES   (véase también: **CANDIDA**) Canela 119;
Col 177; Piña 252; Vinagre de sidra 312.

ICTERICIA   (véase: **HÍGADO, PROBLEMAS DEL**)

INDIGESTIÓN   (véase también: **ACIDEZ ESTOMACAL** e
INFLAMACIÓN) Acedera bendita 3;
Achicoria 15; Alcaravea 51; Anís 67;
Caléndula 115; Canela 118; Cúrcuma 196;
Dátiles 199; Estragón 221; Kiwi 289;
Lechuga 292; Maíz 132; Melocotón 316;
Membrillo 316; Menta piperita 324;
Menta verde 324; Papa 369; Papaya 251;
Pera 316; Piña 253; Rábano 417; Toronja
170.

INFARTO DEL MIOCARDIO (véase: **CORAZÓN, PROBLEMAS DEL**)

INFECCIÓN   (véase también: **CÁNCER, LIMPIEZA,
ADICCIÓN A LAS DROGAS** y **HERPES**)
Abedul 1; Ajo 412; Alfalfa 55; Arándano
agrio 86; Bardana 212; Bayas 85; Botón
de oro 48, 212; Canela 119; Capuchina
399; Caqui 122; Cebolla 41; Cúrcuma
193; Diente de león 203; Enebro 89;
Equinácea 212; Escaramujo 204;
Grosellas 91; Lúpulo 296; Manzana 302;
Narciso 395; Papa 372; Papaya 251;
Pensamiento 400; Té negro y verde 465;
Tomillo 476; Uva silvestre de Oregon
483.

INFECCIÓN DEL CONDUCTO URINARIO	(véase: **INFECCIÓN**)
INFECCIÓN POR ESTAFILOCOCO	(véase: **INFECCIÓN**)
INFECCIÓN VAGINAL	(véase: **CANDIDA ALBICANS** e **INFECCIÓN**)
INFLAMACIÓN	(véase también: **ARTRITIS, INFLAMACIÓN DE LA VEJIGA, QUEMADURAS, COLITIS, PANCREATITIS, PERITONITIS, FLEBITIS, PROSTATITIS, QUE- MADURA DE SOL, TENDINITIS, ÚLCERAS** y **VENAS VARICOSAS**) Acedera bendita 3; Aceituna 7; Aguacate 17; Áloe 60; Bayas del saúco 89; Caléndula 115, 117; Corazoncillo 190; Cúrcuma 193; Dondiego de día 207; Equinácea 213; Fárfara 224; Fresno es- pinoso 228; Gayuba 257; Gordolobo 264; Grosella espinosa 86; Jengibre 282; Manzanilla 306; Margarita 396; Milenrama 335; Oreja de ratón 355; Papa 369; Pepino 379; Ruibarbo 434; Tapioca 462; Té negro y verde 465.
INFLAMACIÓN DE LA VEJIGA	(véase también: **INFLAMACIÓN** y **PANCREATITIS**) Gayuba 257; Jengibre 282; Melocotón 316; Sandía 322.
INFLAMACIÓN GLANDULAR	(véase: **HINCHAZÓN GLANDULAR**)
INFLUENZA	(véase también: **RESFRÍO** y **FIEBRE**) Ajo 34; Canela 119; Capuchina 399; Caqui 122; Cebollino 34; Cerezas 146; Marrubio 309; Melocotón 316; Miel 333; Mostaza 178; Naranja 255; Nabo 342; Papaya 255; Pimienta de Cayena 28; Piña 255; Propóleos 333; Tomillo 477.
INSECTICIDA	Ajenjo 23; Ajo 43; Pimienta negra 388.
INSOMNIO	(véase también: **NERVIOSISMO** y **ESTRÉS**) Cebolla 40; Eneldo 209; Estragón 221; Kava kava 287; Lúpulo 296; Miel 328; Nébeda 345; Petunia 401; *Squawvine* 457; Valeriana 490.
INTRANQUILIDAD	(véase: **NERVIOSISMO**)

IRREGULARIDAD	(véase: **ESTREÑIMIENTO**)
LACTANCIA, CÓMO DETENER LA	Lúpulo 297; Miel 52.
LACTANCIA, CÓMO ESTIMULAR LA	(véase también: **PARTO**) Albahaca 45; Anís 67; Cardo bendito 125; Eneldo 209; Hinojo 275; Papaya 252.
LARINGITIS	(véase también: **IRRITACIÓN DE GARGANTA**) Ajo 39; Miel 330; Violeta 403.
LEPRA	(véase: **ENFERMEDADES DE LA PIEL**)
LESIONES DE LIGAMENTOS MUSCULARES	(véase también: **INFLAMACIÓN, ESGUINCES** y **TENDINITIS**) Calabaza 108; Higos 273; Jengibre 282; Laurel 291; Rábano picante 415; Romero 429.
LEUCEMIA	(véase: **CÁNCER**)
LEVADURA CASERA	(Para hacer pan) Melocotón 317.
LIMPIEZA	(véase también: **INFECCIÓN** y **TÉTANOS**) Acedera bendita 3; Achicoria 14; Bayas 90; Bardana 80; Batata 374; Café 104; Maravilla 399; Melocotón 10; Membrillo 315; Ñame 374; Oreja de ratón 354; Pera 10.
LLAGAS	(véase también: **ACNÉ, LIMPIEZA, ESTREÑIMIENTO, COSMÉTICA, HERPES, INFECCIÓN, HERPES ZOSTER, ENFERMEDADES VENÉREAS** y **HERIDAS**) Abedul 2; Ajonjolí 450; Alfalfa 54; Áloe 60; Banana 75; Bardana 80; Caléndula 116; Consuelda 185; Dondiego de día 207; Enebro 88; Higos 272; Malvavisco 300; Miel 330; Mostaza 178; Olmo norteamericano 351; Papa 369; Papaya 250; Tapioca 462; Tomate 470; Tomillo 478.
LLAGAS BUCALES	(véase: **PROBLEMAS BUCALES**)
LOMBRICES	Ajenjo 22; Ajo 41; Arrayán 71; Calabaza 109; Caqui 123; Cebolla 41; Granada 268; Papaya 247; Piña 247.
LONGEVIDAD	(véase también: **ENVEJECIMIENTO** y **RADICALES LIBRES**) Cebolla 41; Chaparro 150.

LUNARES	(véase: **CÁNCER, LIMPIEZA, COSMÉTICA** y **VERRUGAS**)
LUPUS ERITEMATOSO	(véase también: **ENFERMEDADES AUTOINMUNES, INFLAMACIÓN** y **ESCOZOR**) Miel 331.
MAL ALIENTO	(véase también: **CANDIDA, PROBLEMAS DENTALES, PROBLEMAS BUCALES** y **LIMPIEZA DE DIENTES**) Canela 118; Clavos de olor 173; Coriandro 191; Eneldo 209; Mirra 339; Perejil 383; Romero 428; Tomillo 476; Zanahoria 497.
MAL DE ALZHEIMER	(véase también: **ENFERMEDADES AUTOINMUNES, LIMPIEZA, HIPOGLUCEMIA, MEMORIA, ESCLEROSIS MÚLTIPLE** y **ALIMENTACIÓN**) Polvo de hornear sin aluminio 486.
MAL DE BRIGHT	(véase: **DISFUNCIÓN RENAL**)
MAL DE PARKINSON	(véase: **PROBLEMAS CEREBROESPINALES, NERVIOSISMO** y **ALIMENTACIÓN**)
MALESTAR MATINAL	(véase: **NÁUSEAS** y **EMBARAZO**)
MAREOS	(véase también: **NÁUSEAS** y **VÉRTIGO**) Crisantemo 395; Jengibre 281; Nébeda 347.
MEMORIA, FALTA DE	(véase también: **MAL DE ALZHEIMER, LIMPIEZA** y **ALIMENTACIÓN**) Alcachofa 50; Anís 67; Gotu kola 266.
MENINGITIS ESPINAL	(véase también: **PROBLEMAS CEREBROESPINALES, INFECCIÓN** e **INFLAMACIÓN**) Ajo 34; Equinácea 212; Pasas 485; Uva silvestre de Oregon 482; Vino 485.
MENOPAUSIA	(véase también encabezamientos relacionados con problemas femeninos) Angélica 66; Milenrama 337.
MENSTRUACIÓN, ESTIMULACIÓN DE LA	Alcaravea 51; Estragón 222; Mejorana 312; Orégano 312.
MENSTRUACIÓN EXCESIVA, REDUCCIÓN DE LA	(véase también: **HEMORRAGIA**) Amaranto 63; Angélica 65; Arrayán 72.

MIASTENIA GRAVIS — (véase: **ENFERMEDADES AUTOINMUNES, PROBLEMAS CEREBROESPINALES** y **ALIMENTACIÓN**)

MONGOLISMO O SÍNDROME DE DOWN — (véase: **MEMORIA, PROBLEMAS MENTALES, ESCLEROSIS MÚLTIPLE** y **TRASTORNOS MUSCULARES**)

MONONUCLEOSIS — (véase síntomas individuales: **FATIGA, HERPES, INFECCIÓN,** etc.)

MORDEDURAS DE SERPIENTE — (véase también: **LIMPIEZA, INFECCIÓN, INFLAMACIÓN** y **TÉTANOS**) Cúrcuma 192; Papaya 243; Uva silvestre de Oregon 483.

MUCOSIDAD, ACUMULACIÓN DE — (véase: **BRONQUITIS, RESFRÍO** e **INFLUENZA**)

MÚSCULOS, FORTALECIMIENTO DE LOS — (véase: **ALIMENTOS PARA FORTALE-CER LOS MÚSCULOS, ALIMENTACIÓN** y **PROTEÍNA**)

NÁUSEAS — (véase también: **INDIGESTIÓN** y **NERVIOSISMO**) Frambuesas 90; Jengibre 281; Lima 171; Papaya 252; Piña 252.

NERVIOSISMO — (véase también: **HIPERACTIVIDAD, HIPERTENSIÓN, INSOMNIO** y **ESTRÉS**) Apio 68; Cimifuga 160; Esculetaria 214; Estragón 221; Frijoles 233; Kava kava 287; Lúpulo 296; Menta piperita 324; Nébeda 345; Valeriana 490.

NEURALGIA — (véase también: **ANTICOAGULANTES, DOLOR** y **PARÁLISIS**) Ajonjolí 449; Calabaza 109; Jengibre 282; Mostaza 178; Papa 369.

OBESIDAD — (véase también: **COLESTEROL, TRASTORNOS ALIMENTICIOS** y **CONTROL DEL APETITO**) Alforjón 131; Alga marina *kelp* 56; Apio 69; Canela 355; Goma de guar 262; Kunkuat 165; Miel 329; Oreja de ratón 355; Ortiga 361; Papa 370; Psilio 410; Salvado 438.

OFTALMÍA — (véase: **TRASTORNOS OCULARES**)

OÍDOS, PROBLEMAS DE LOS — (véase también: **ENFERMEDADES INFANTILES, HINCHAZÓN**

GLANDULAR e **INFECCIÓN**) Aceituna 10; Ajo 37; Ajonjolí 448; Alfalfa 54; Calabaza 109; Cebolla 37; Cúrcuma 193; Fenogreco 226; Girasol 452; Gordolobo 265.

OLOR CORPORAL

(véase también: **MAL ALIENTO** y **LIMPIEZA**) Coriandro 191; Manzana 303; Nabo 343; Rábano 419.

ORINAR, INCAPACIDAD DE

(véase: **DISFUNCIÓN RENAL**)

ORINARSE EN LA CAMA

(véase también: **NERVIOSISMO** y **ESTRÉS**) Barbas de maíz 133.

ORZUELOS

(véase: **LIMPIEZA, ESTREÑIMIENTO, TRASTORNOS OCULARES** e **INFECCIÓN**)

OSTEOPOROSIS

(véase también: **ALIMENTACIÓN**) Cola de caballo 181.

PAN

(Para uso terapéutico, véase: **PROBLEMAS MENTALES;** para levadura casera, véase: **LEVADURA CASERA**)

PANADIZO

(véase: **CALLOS, CUIDADO DE LOS PIES** e **INFLAMACIÓN**)

PANCREATITIS

(véase también: **INFLAMACIÓN**) Gordolobo 264; Nébeda 264.

PAPERAS

(véase: **ENFERMEDADES INFANTILES**)

PARÁLISIS

(véase también: **TRASTORNOS MUSCU-LARES**) Grosellas 92; Fresno espinoso 228; Manzanilla 306.

PARÁSITOS INTESTINALES

(véase: **LOMBRICES**)

PARTO

(véase: **EMBARAZO**)

PERITONITIS

(véase: **INFLAMACIÓN** y encabezamientos relacionados)

PESO, PERDIDA DE

(véase: **CONTROL DEL APETITO** y **OBESIDAD**)

PICADURAS DE ARAÑA

(véase: **LIMPIEZA, INFECCIÓN, INFLAMACIÓN, PICADURAS Y AGUIJONAZOS DE INSECTOS, PARÁLISIS, MORDEDURAS DE SERPIENTE** y **TÉTANOS**)

PICADURAS Y AGUIJONAZOS DE INSECTOS	(véase también: **LIMPIEZA, INFLAMACIÓN** y **DOLOR**) Ajonjolí 450; Áloe 61; Apio 69; Cebolla 36; Dondiego de día 206; Fárfara 224; Limón 172; Maicena 133; Manzana 303; Papa 369; Papaya 243; Pepino 379; Rábano 419; Tulipán 403; Uva silvestre de Oregon. 483.
PIEDRAS EN LOS RIÑONES	(véase también: **LIMPIEZA** y **DOLOR**) Arándano agrio 86; Barbas de maíz 133; Bardana 80; Calabaza 108; Gayuba 257; Jengibre 282; Malva real 397; Rábano 419; Romero 429.
PIEDRAS EN EL HÍGADO	(véase **CÁLCULOS BILIARES**)
PIEL CON GRASA	(véase también: **COSMÉTICA** y **PROBLEMAS DE LA PIEL**) Cítricos 166.
PIEL, CUIDADO DE LA	(véase: **COSMÉTICA**)
PIEL, DECOLORACIÓN DE LA	(véase: **GOLPES**)
PIEL, PROBLEMAS DE LA	(véase también: **CÁNCER, LIMPIEZA** y **ESTREÑIMIENTO** y trastornos específicos, como **ACNÉ, SORIASIS** y **SALPULLIDO**) Abedul 1; Ajo 36; Cebada 130; Gordolobo 265; Grosellas 86; Judías verdes 285; Linaza 294; Lúpulo 295; Manzanilla 306; Tapioca 462; Tomillo 477.
PIEL Y LABIOS CUARTEADOS	(véase también: **COSMÉTICA** y **SALPULLIDO**) Aguacate 17; Cera de abeja 327; Linaza 294; Manzanilla 306; Milenrama 335; Pepino 380.
PIES, CUIDADO DE LOS	(véase también: **HONGOS DE LOS PIES, CALLOS** y **ESGUINCES**) Avena 136; Cítricos 169; Pepino 380; Pimienta de Cayena 29.
PLACA DENTAL, ACUMULACIÓN DE	(véase: **PROBLEMAS DENTALES** y **LIMPIEZA DENTAL**)
PLAGA	(véase también: **SIDA, CÁNCER, HERPES, INFECCIÓN** y **ENFERMEDADES VENÉREAS**) Ajo 32, 42; Angélica 65; Cebolla 42; Tomillo 476.
POLIO	(véase: **INFECCIÓN, TRASTORNOS MUSCULARES, ALIMENTACIÓN** y **PARÁLISIS**)

PÓLIPOS
(véase también: **CÁNCER** y **LIMPIEZA**) Salvado 438.

POLVO DE HORNEAR *(baking powder)*, **ALTERNATIVAS AL**
Tamarindo 461; Uvas 486.

PRESIÓN ALTA
(véase: **HIPERTENSIÓN**)

PROBLEMAS BUCALES
(véase también: **MAL ALIENTO, ÚLCERAS EN LA BOCA, HERPES LABIAL, PROBLEMAS DENTALES, DOLOR DE MUELAS** y **LIMPIEZA DENTAL**) Amaranto 64; Canela 118; Clavos de olor 173; Mirra 339; Perejil 383; Zanahoria 497.

PROBLEMAS CEREBROESPINALES
Corazoncillo 188.

PROBLEMAS DENTALES
(véase también: **PROBLEMAS BUCALES, DOLOR DE MUELAS** y **LIMPIEZA DENTAL**) Áloe 61; Berenjena 94; Canela 118; Frambuesas 91; Fresas 90; Limón 166; Manzana 302; Nabo 343; Piña 246; Ruibarbo 431; Té negro y verde 466; Tomillo 476.

PROBLEMAS ESTOMACALES
(véase temas relacionados como: **ACIDEZ ESTOMACAL, INDIGESTIÓN** y **ÚLCERAS**)

PROBLEMAS MENTALES
(véase también: **TRASTORNOS ALIMENTICIOS, HISTERIA, NERVIOSISMO** y **ESTRÉS**) Gotu kola 266; Kava kava 287; Nébeda 345; Orozuz 358; Pan 365; Papa 373; Prímula nocturna 407; Vainilla 489; Valeriana 490.

PROSTATITIS
(véase también encabezamientos relacionados bajo **INFLAMACIÓN**) Calabaza 109; Jengibre 282.

PROTEÍNA, FALTA DE
(véase también: **ALIMENTOS PARA AUMENTAR LOS MÚSCULOS** y **ALIMENTACIÓN**) Alfalfa 55; Amaranto 63; Banana 78; Cebada 134; Frijoles 235; Trigo 134.

PULMONAR, IRRITACIÓN
(véase también: **ALERGIAS, ASMA, BRONQUITIS,** y **ENFISEMA**) Baya del saúco 89; Cebolla 39; Higos 272; Marrubio 309; Miel 330.

PULMONÍA

(véase también: **BRONQUITIS, RESFRÍO, FIEBRE, INFECCIÓN, INFLUENZA** e **IRRITACIONES PULMONARES**) Diente de león 204; Fresno espinoso 228; Marrubio 309; Mostaza 178.

PURIFICACIÓN DE AGUA

(véase también: **DIARREA** e **INFECCIÓN**) Ajedrea 20; Menta verde 325; Romero 428; Tomillo 476.

QUEMADURAS

(véase también: **INFECCIÓN, INFLA-MACIÓN, DOLOR** y **QUEMADURA DE SOL**) Abedul 2; Aceite de oliva 7; Ajonjolí 451; Áloe 60; Azucena 396; Banana 76; Bayas del saúco 89; Calabaza 109; Cebolla 36; Consuelda 185; Corazoncillo; Enebro 88; Equinácea 213; Gordolobo 265; *Ghee* 478; Manzana 302; Melocotón 314; Membrillo 315; Miel 331; Pera 315; Papa 361; Quingombó 411; Rábano 420; Roble blanco 411; Sandía 323; Tomillo 477; Zanahoria 498.

QUEMADURAS DE SOL

(véase también: **INFLAMACIÓN** y **SALPULLIDO**) Aceite de almendra 265; Aceite de oliva 265; Áloe 60; Azucena 396; Calabaza 107; Gordolobo 265; Melocotón 315; Tomate 470.

RABIA

(véase: **LIMPIEZA, EPILEPSIA, FIEBRE, INFECCIÓN** y **TÉTANOS**)

RADIACIÓN, EXPOSICIÓN A

(véase también: **QUEMADURAS, CÁNCER, LIMPIEZA** e **INFLAMACIÓN**) Áloe 61; Col 178; Prímula nocturna 409.

RADICALES LIBRES, COMO INHIBIR LA DESTRUCCIÓN CELULAR CAUSADA POR LOS

Cúrcuma 193; Chaparro 150; Romero 429.

REEMPLAZO DE LA ARTICULACIÓN DE LA CADERA

(véase también: **HERNIA** y **LESIONES DE LIGAMENTOS MUSCULARES**) Olmo norteamericano 350.

REPELENTE DE ROEDORES

Chocolate 156.

RESACA

(véase también: **ALCOHOLISMO** y **DOLOR DE CABEZA**) Arroz 139; Caqui 121.

RESFRÍO	(véase también: **FIEBRE, INFECCIÓN, INFLUENZA** y **PULMONÍA**) Ajíes y Pimientos 28; Ajo 343; Canela 119; Capuchina 399; Caqui 122; Cebollino 34; Cereza negra silvestre 145; Cítricos 170; Enebro 85; Escaramujo 89; Grosellas 86; Limón 170; Marrubio 309; Nabo 343; Melocotón 316; Mostaza 128; Rábano picante 415; Tomillo 477.
RESPIRAR, DIFICULTADES PARA	(véase: **ALERGIAS, ASMA, BRONQUITIS**)
RETINA, DESPRENDIMIENTO DE LA	(véase: **TRASTORNOS OCULARES, HERNIA** y **ALIMENTACIÓN**)
RETORTIJONES	(véase: **CALAMBRES**)
RETRASO MENTAL	(véase: **FATIGA, HIPOGLUCEMIA, MEMORIA** y **ALIMENTACIÓN**)
REUMATISMO	(véase: **ARTRITIS, INFLAMACIÓN** y **DOLOR**)
RIGIDEZ DE LAS ARTICULACIONES	(véase: **ARTRITIS**)
RUPTURA	(véase: **HERNIA, INFLAMACIÓN, LESIONES DE LIGAMENTOS MUSCULARES** y **ESGUINCES**)
SALIVA	(Para estimularla) Fresno espinoso 228.
SALPULLIDO	(véase también: **ALERGIAS, LIMPIEZA, COSMÉTICA** e **INFLAMACIÓN**) Áloe 60; Banana 76; Botón de oro 102; Grosella silvestre 86; Maíz 133; Manzanilla 306; Melocotón 314; Oreja de ratón 355; Piña 251; Quingombó 412; Tomillo 478.
SANGRADO	(véase: **HEMORRAGIA**)
SANGRADO NASAL	(véase también: **HEMORRAGIA**) Berenjena 94.
SARAMPIÓN	(véase: **ENFERMEDADES INFANTILES**)
SECRECIONES VAGINALES	(véase también: **CANDIDA, LIMPIEZA, INFECCIÓN** y encabezamientos relacionados con problemas femeninos) Amaranto 64; Arrayán 72; Canela 119.
SENILIDAD	(véase: **MEMORIA, FALTA DE LA**)

SENOS, DOLORES EN LOS   (véase también: **INFLAMACIÓN**) Botón
                               de oro 103; Tapioca 463.

SEXUAL,   Ajo 35; Chocolate 156; Esquizandra 493;
REJUVENECIMIENTO   Gingko 493; Ginseng 260; Jalea real 334;
                               Jazmín 280; Lúpulo 297; Perejil 384;
                               Vainilla 489; Yohimbina 493.

SIDA   (véase también: **CÁNCER, ADICCIÓN A
                               LAS DROGAS, HERPES, INFECCIÓN** y
                               PLAGA) Equinácea 212; Hongos 278;
                               Manzanilla 308.

SÍFILIS   (véase: **ENFERMEDADES VENÉREAS**)

SÍNDROME DE FATIGA   (véase: **FATIGA, MONONUCLEOSIS,
CRÓNICA   ALIMENTACIÓN** y **DEBILIDAD,
                               FÍSICA**)

SÍNDROME DEL TIC   (véase: **PROBLEMAS CEREBRO-
                               ESPINALES, EPILEPSIA, TRASTORNOS
                               MUSCULARES, NERVIOSISMO,
                               ALIMENTACIÓN** y **ESTRÉS**)

SÍNDROME PREMENSTRUAL   (véase también encabezamientos rela-
                               cionados con problemas femeninos)
                               Angélica 65; Cimifuga 160; Grosellas 91;
                               Prímula nocturna 407.

SMOG O AIRE   (véase también: **LIMPIEZA, ADICCIÓN
CONTAMINADO   A LAS DROGAS, NERVIOSISMO,
                               ALIMENTACIÓN, ESTRÉS** y **SUSTITU-
                               TOS DEL TABACO**) Arzolla 74; Ñame
                               473; Tomillo 480

SOBREPESO   (véase: **OBESIDAD**)

SORIASIS   (véase también: **ARTRITIS, LIMPIEZA,
                               INFLAMACIÓN, ESCOZOR** y **SALPU-
                               LLIDO**) Abedul 1; Aguacate 17;
                               Amaranto 64; Avena 136; Bardana 80;
                               Corazoncillo 188; Cúrcuma 193; Judías
                               verdes 285; Manzanilla 18; Melocotón
                               315; Piña 251; Quingombó 412; Ruibarbo
                               432.

SUDORACIÓN, CÓMO   (véase también: **OLOR CORPORAL,
INDUCIR LA,   LIMPIEZA, FIEBRE** y **CALOR
                               INTENSO**) Maravilla 399.

SUICIDIO,   (véase también: **PROBLEMAS
PREVENCIÓN DEL   MENTALES**)

SUSTITUTO DE LA SAL	(véase también: **HIPERTENSIÓN**) Alga marina *kelp* 56; Cebolla 36.
SUSTITUTO DEL TABACO	(véase también: **ADICCIÓN A LAS DROGAS**) Fárfara 224.
SUSTITUTO DEL TÉ	Arroz 139.
SUSTITUTOS DE LA LECHE	(véase: **ALERGIAS, ASMA, BRONQUITIS, LIMPIEZA** e **IRRITACIONES PULMONARES**)
TEMBLOR	(véase: **CONVULSIÓN, NERVIOSISMO, ALIMENTACIÓN, ESTRÉS** y **MAL DE PARKINSON**)
TENDINITIS	(véase también: **INFLAMACIÓN** y encabezamientos relacionados y **LESIONES DE LIGAMENTOS MUSCULARES**) Calabaza 108; Cola de caballo 181; Grosellas 91; Jengibre 282; Laurel 291; Manzanilla 108; Mostaza 178; Narciso 395; Piña 245.
TENIA	(véase: **LOMBRICES**)
TENSIÓN	(véase: **NERVIOSISMO** y **ESTRÉS**)
TÉTANOS	(véase también: **LIMPIEZA** e **INFECCIÓN**) Enebro 88; Oreja de ratón 354; Pan 365; Maravilla 398.
TINNITUS/TIMBRE EN LOS OÍDOS	(véase: **PROBLEMAS DE LOS OÍDOS**)
TOS	(véase también: **ASMA, BRONQUITIS, RESFRÍO,** e **INFLUENZA**) Anís 67; Baya del saúco 89; Cebolla 39; Cereza negra silvestre 145; Jengibre 284; Laurel 291; Marrubio 310; Miel 39; Rábano 418; Violeta 403.
TRAGAR OBJETOS FORÁNEOS	Banana 374; Papa 374; Ñame 374.
TRANSFUSIÓN NATURAL DE SANGRE	(véase también: **HEMORRAGIA**) Quingombó 411.
TRANSPIRACIÓN, EXCESO DE	(véase: **SUDORACIÓN**)
TRASTORNOS ALIMENTICIOS	(véase también: **INDIGESTIÓN, PROBLEMAS MENTALES,**

NERVIOSISMO y **OBESIDAD**) Canela 118; Rosa 400.

TRASTORNOS EMOCIONALES

(véase: **PROBLEMAS MENTALES**)

TRASTORNOS MUSCULARES

(véase también: **ESCLEROSIS MÚLTIPLE, ALIMENTACIÓN** y **PARÁLISIS**) Jengibre 228; Zurrón de pastor 503.

TRASTORNOS OCULARES

(véase también: **CATARATAS, CONJUNTIVITIS** y **GLAUCOMA**) Ajonjolí 448; Albahaca 45; Baya del saúco 89; Botón de oro 97; Crisantemo 394; Cúrcuma 193; Dondiego de día 206; Dragón 402; Frambuesas 457; Hinojo 275; Mango 242; Nébeda 346; Papa 370; Pepino 379; Perifollo 386; *Squawvine* 457; Tomillo 477.

TRIGLICÉRIDOS, NIVEL ELEVADO DE

(véase: **COLESTEROL**)

TRISMO

(véase: **TÉTANOS**)

TROMBOFLEBITIS

(véase: **COÁGULOS SANGUÍNEOS, ANTICOAGULANTES, FLEBITIS** y **VENAS VARICOSAS**)

TUBERCULOSIS

(véase: **INFECCIÓN** e **IRRITACIÓN PULMONAR**)

TUMORES BENIGNOS

(véase también: **CÁNCER** y **LIMPIEZA**) Aceituna 7; Col 175; Espinaca 218; Rábano 420.

ÚLCERAS EN LA BOCA

(véase también: **HERPES LABIAL, PROBLEMAS DENTALES, INFECCIÓN** y **PROBLEMAS BUCALES**) Bardana 80; Botón de oro 98; Mirra 339.

ÚLCERAS EN LA PIEL

(véase también: **LIMPIEZA, ESTREÑIMIENTO, DIABETES, INFECCIÓN, LLAGAS** y **HERIDAS**) Aceituna 7; Alfalfa 54; Áloe 60; Banana 75; Caqui 122; Dondiego de día 207; Gordolobo 265; Malvavisco 300; Miel 330; Narciso 395; Olmo norteamericano 351.

ÚLCERAS ESTOMACALES (véase también: **HEMORRAGIA, INDIGESTIÓN** y **HERIDAS**) Ajíes y Pimientos 28; Aceituna 7; Áloe 61; Banana 77; Berenjena 94; Cereales 129; Col 177; Caléndula 115; Consuelda 185; Malva real 397; Orozuz 358; Salvado 438; Tapioca 462.

URTICARIA (véase también: **HERPES, SALPULLIDO** y **LLAGAS**) Amaranto 64; Banana 75; Maicena 133; Milenrama 337; Oreja de ratón 355.

ÚTERO DESCENDIDO (véase encabezamientos relacionados con problemas femeninos)

VARICELAS (véase: **ENFERMEDADES INFANTILES, FIEBRE** y **HERPES**)

VENAS VARICOSAS (véase también: **ANTICOAGULANTES** y los diversos encabezamientos bajo **INFLAMACIÓN**) Arrayán 71; Caléndula 116; Gotu kola 267.

VENÉREA, ENFERMEDAD (véase también: **LIMPIEZA** e **INFECCIÓN**) Bardana 80; Equinácea 212; Maravilla 399; Oreja de ratón 355; Zarzaparrilla 502.

VERRUGAS Áloe 60; Banana 76; Diente de león 202; Papaya 247; Piña 247.

VÉRTIGO (véase: **MAREOS, INDIGESTIÓN, NÁUSEAS** y **NERVIOSISMO**)

VIRUS BARR-EPSTEIN (véase: **CÁNCER, HERPES, INFECCIÓN** y **MONONUCLEOSIS**)

VISIÓN, DETERIORO DE LA (véase: **TRASTORNOS OCULARES** y encabezamientos relacionados)

VÓMITO, CÓMO PREVENIR EL (véase: **NÁUSEAS**)

ABEDUL
(Betula alba, B. lenta)
(Birch en inglés*)*

Breve descripción

El abedul blanco puede alcanzar unos 70 pies (22 metros) de altura y abunda principalmente en el norte de Estados Unidos, Canadá y el norte de Europa. Su corteza es blanca y sus hojas de color verde claro están cubiertas de una fina pelusa. Por su parte, el abedul negro alcanza una altura de 60 a 85 pies (18 a 26 metros) y abunda en la región comprendida entre los estados de Maine y Georgia, así como en las tierras al oeste de Michigan. Cuando el árbol es joven su corteza, de líneas horizontales, es de color marrón, más tarde adquiere un tono gris oscuro. En los árboles muy viejos, la corteza se quiebra de forma más irregular. Sus hojas son ovaladas, puntiagudas y se alternan en parejas.

Un remedio insuperable para las llagas y heridas

El abedul es prácticamente el mejor remedio, entre los que pueden obtenerse de las cortezas de los árboles, para el tratamiento de eczema, soriasis, herpes, acné y otras enfermedades crónicas de la piel. Los indígenas de Estados Unidos solían hacer té con la corteza y se lo aplicaban en la piel como cataplasma o emplasto para curar quemaduras, heridas, contusiones, eczema y llagas. Un té similar puede prepararse en esta manera: ponga a hervir 1 cuarto de galón (litro) de agua; baje el fuego; agregue 3 cucharadas de corteza seca, cubra y deje hervir durante 10 minutos a fuego lento. Luego retire la corteza del fuego y deje en remojo por 1 hora. Cuele la solución y humedezca una tela de muselina limpia, exprima ligeramente y aplíquela en la parte afectada para hacer una buena cataplasma.

En su número del mes de noviembre de 1979, la revista soviética de medicina *Vestnik Khirurgii Imeni* publicó un artículo sobre una solución compuesta de 20% de tintura de botones de abedul y 70% de alcohol que fue utilizada con éxito en el tratamiento de cavidades y heridas superficiales y profundas en 108 pacientes. Para preparar su propia tintura, combine 4 onzas (aproximadamente 8 cucharadas) de polvo o trozos de corteza o de botones de abedul (si se pueden conseguir en su área) con 1 pinta (1/2 litro) de vodka. Agite diariamente, permitiendo que la corteza o los botones se extracten durante unas dos semanas. Deje que los materiales se asienten y vierta la tintura en un recipiente, pasándola por un colador o un paño fino. Aplique tantas veces como sea necesario para curar heridas y llagas. La corteza de abedul puede ordenarse por correo a *Indiana Botanic Gardens*, en Hammond (vea el Apéndice).

ACEDERA BENDITA O COL AGRIA
(Rumex crispus)
(Yellow dock en inglés*)*

Breve descripción

La acedera bendita es una planta perenne considerada por algunos como una hierba problemática en muchos campos y tierras baldías de Europa, Estados Unidos y el sur de Canadá. De su espigada raíz primaria, de color amarillo, se desprende un tallo suave y delgado de 1 a 3 pies (30 a 90 cm) de altura. Sus hojas largas y estrechas de color verde claro tienen los bordes predominantemente ondulados. Las hojas de la parte inferior son más grandes y puntiagudas que las de la parte superior. Sus numerosas flores verdes se agrupan lánguidamente alrededor de varios puntos del tallo, formando racimos paniculados. La semilla es una especie de nuez puntiaguda y triangular con forma de corazón.

El mejor purgante que existe

¿Qué puede ser dicho acerca de esta hierba maravillosa que no se puede decir de las otras hierbas purificadoras en este libro? Basta señalar que su extraordinaria raíz es un magnífico purificador sanguíneo que puede ser utilizado para curar casi todas las enfermedades eruptivas imaginables. Para preparar un útil cocimiento de la misma, simplemente ponga a hervir un cuarto de galón (litro) de agua. Baje el fuego y añada 1 taza de raíz de acedera bendita verde o seca, cortada en pedazos. Tape la vasija y déjela hervir a fuego lento durante 12 minutos. Apártela del fuego y manténgala cubierta otros 90 minutos. Cuele el líquido, endúlcelo con miel y beba hasta 4 tazas al día, especialmente durante un fin de semana, sometiéndose a una breve dieta a base de líquidos y de comidas ligeras.

Muchas afecciones de la piel pueden ser tratadas con baños de este té, una vez que está frío, para aliviar la picazón y la inflamación. Con partes iguales de esta raíz y de salvia *(sage)* se puede preparar un estupendo té para beber mientras se toma un baño sauna o se está sentado en un *jacuzzi* (las personas con problemas de hipertensión, sin embargo, deben evitar el calor en exceso).

Para aliviar los síntomas del enfisema

Un jarabe de acedera bendita es un agradable remedio para aliviar problemas respiratorios tales como el enfisema. Se hierve media libra (225 g) de la raíz en 1 pinta (1/2 litro) de agua destilada hasta que el líquido se reduzca a 1 taza. Cuele y tire la raíz usada y añádale al líquido 1/2 taza de melaza *(blackstrap molasses),* 1 cucharada de almíbar de arce puro *(pure maple syrup)* y un poquito de vainilla genuina. Mezcle todo hasta que obtenga un jarabe uniforme. Tome 1 cucharadita para aliviar la sensación de cosquilleo en la garganta y los pulmones causada por la bronquitis, el asma y otras enfermedades respiratorias.

Fortalece la vista en casos de ceguera nocturna

El fallecido forrajeador Euell Gibbons sostenía que "las hojas verdes de la acedera bendita son más ricas en vitamina A que las zanahorias". Gibbons creía que comer muchas raciones de estas hojas ayuda a mejorar de forma definitiva la visión durante la noche, particularmente cuando se debilita a causa de la edad.

LAS HOJAS DE GIBBONS

Según Gibbons, la mejor época para recoger acedera bendita es o a principios de la primavera o a finales del invierno, justo después de la primera o segunda helada. Para Gibbons, es una verdadera delicia el combinar partes iguales de hojas verdes de acedera bendita y berro *(watercress)* en un poco de agua y cocerlas durante unos 15 minutos. Luego se escurren las hojas, se cortan en pedazos y se sazonan con alga marina *kelp*, mantequilla, cebolla morada o española picada, trozos de tocino (panceta, *bacon)* tostado, rebanadas de huevo hervido y un poco de jugo de lima o limón verde (algo que agrego yo como una buena medida).

"Esto hará una sabrosa cena que yo disfrutaría sólo por el sabor", confesó en una ocasión, "aunque no tuviera todas esas vitaminas y minerales saludables". Gibbons creía además que un poco de vinagre de sidra *(apple cider vinegar)* hace que las hojas de acedera bendita sean aun más deliciosas.

Como la acedera bendita es una planta de gran tamaño que crece en terrenos muy extensos, una sola recolección puede alcan-

zar para varias comidas. Prepare la acedera bendita sola o mézclela con otras legumbres frescas. La acedera bendita no se cuece
demasiado, por lo que es particularmente buena para enlatar;
sólo siga las instrucciones normales apropiadas para enlatar
legumbres. También se puede congelar. Guarde las hojas en bolsas plásticas, después de descolorarlas en agua hirviendo por un
par de minutos, luego envuélvalas en papel de congelador para
que no se pongan oscuras en su congelador.

ACEITUNA U OLIVA
(Olea europaea)
(Olive en inglés*)*

Breve descripción

La mata de olivo o aceituna es un árbol siempre verde que se encuentra comúnmente en todos los países mediterráneos, pero se cultiva ampliamente también en los climas tropicales. La madera dura y amarilla del nudoso tronco está cubierta por una corteza verde grisácea. Las ramas se extienden hasta 25 pies (8 metros) hacia arriba o más. Las hojas coriáceas son de un verde oscuro por encima y por debajo tienen escamitas plateadas. El árbol da flores blancas y fragantes y un tipo de fruto oblongo o casi redondo llamado drupa, que se vuelve negro y brillante cuando está maduro. Otros tipos de drupas se convierten en ciruelas, cerezas, albaricoques y melocotones. El aceite que se hace de este fruto es muy valioso y tiene fama internacional por sus excelentes propiedades para cocinar y hornear.

Previene las enfermedades del corazón y el cáncer

En el pasado se ha prestado considerable atención a las virtudes de aceites poliinsaturados como el aceite de maíz, el cual se sabe que ayuda a reducir el colesterol en la sangre. El problema con los poliinsaturados es que, sin embargo, tienden también a bajar el colesterol "bueno" (lipoproteínas de alta densidad o *HDL* por las siglas en inglés) y parecen promover los tumores.

Pero últimamente se les ha brindado mucha atención favorable a las grasas poliinsaturadas como el aceite de oliva, por ejemplo. El aceite de oliva no sólo baja el colesterol "malo" (lipoproteínas de baja densidad o *LDL*) sino que, al igual que el aceite de maíz, no afecta de manera adversa el colesterol bueno *HDL* ni tampoco promueve el cáncer. Estas son dos ventajas definitivas que parece tener el aceite de oliva y que superan a las de muchos otros aceites de cocina.

Estudios epidemiológicos llevados a cabo en cuatro ciudades europeas—Uppsala, Suecia; Londres, Inglaterra; Ginebra, Suiza; y Nápoles, Italia— hallaron que sólo la población del sur de Italia tenía una incidencia muy baja de muertes por enfermedades cardiacas coronarias y bajas concentraciones del colesterol malo *LDL*. Y esto se debe sobre todo al "uso casi exclusivo del aceite de oliva como la única grasa visible" en sus dietas.

Además, datos sobre la disponibilidad de alimentos en 30 países diferentes fueron analizados por computadora en relación a los niveles de muertes por cáncer de mama, de próstata, de ovario y del colon. Los niveles de mortalidad para los 4 cánceres estaban relacionados con el consumo total de grasas y el consumo de grasas de origen animal, pero no con el consumo de grasas vegetales. El consumo de leche, carne, proteínas y calorías de origen animal estaba positivamente asociado con los niveles de muertes por cáncer. Especialmente interesante, sin embargo, fue el hecho de que los habitantes de los países en los que el aceite de oliva es una importante fuente de grasa en la dieta, tienden a tener riesgos más reducidos en todos esos 4 tipos de cánceres, sobre todo el cáncer del seno. Estos datos aparecieron en el número de diciembre de 1986 de *Cancer*.

Alivia y cura la inflamación

El aceite de oliva es excelente para las úlceras y las quemaduras. Para aliviar el acidez estomacal, la indigestión y las úlceras provocadas por el estrés, las comidas picantes, el alcohol, el café y alimentos semejantes, mezcle 2 cucharadas de aceite de oliva virgen puro con la clara de un huevo. Tome esto varias veces al día para experimentar un alivio inmediato.

Las quemaduras serias en la superficie de la piel se pueden tratar eficazmente con tan sólo aceite de oliva y claras de huevo, cuando no hay otra cosa disponible. Mi propia experiencia personal con esta receta durante un invierno a mediados de los años 70 me convenció de sus genuinos efectos curativos. En aquel tiempo vivíamos en una pequeña granja en la comunidad de Manti, en el centro de Utah. Yo había colocado una lata de miel granulada en la parte trasera de nuestra estufa de carbón y madera, que en ese momento estaba encendida a fuego intenso. Temiendo que la miel se fuera a esparcir por encima de la estufa y fuera después difícil de limpiar, reaccioné sin pensarlo bien y me acerqué, con un par de guantes de cocinar puestos, para quitar la lata. En el momento en que lo estaba haciendo, un chorro caliente de miel se lanzó hacia arriba

saliendo del borde de la lata y rociando la parte interior de mi antebrazo derecho. Dí un fuerte grito de dolor y tiré al piso lo que tenía
en las manos.

Casi con un súbito instinto, corrí hacia afuera y metí mi brazo
lesionado en una pila de nieve para encontrar alivio temporal del
intenso dolor y el ardor. Mi padre me tiró encima una vieja manta de
retazos para que me pudiera mantener con un poco de calor.

Me quedé afuera hasta que ya no pude resistir el frío. Mi padre,
mientras tanto, preparó un sencillo remedio que su madre, Barbara
Liebhardt Heinerman, había traído con ella de Temesvar, Hungría
(ahora parte de Rumania) hace muchos años.

Consistía de una mezcla de 2 tazas de aceite de oliva virgen con
las claras de 6 huevos de granja frescos que nuestras gallinas habían
puesto el día anterior. Entonces tomó una vieja brocha de adobar de
una de las gavetas de la cocina, la esterilizó bien con agua caliente y
la secó totalmente antes de usarla para untar sobre mi brazo la mezcla de aceite y huevo. Después, me vendó ligeramente el brazo lesionado desde el hombro hasta el codo con una gasa no muy apretada.

La gasa fue cambiada al día siguiente, unas 16 horas después.
Aunque pasó un tiempo antes de que el dolor se aliviara, la curación
ya era evidente a la tarde siguiente. Para mi sorpresa, no había cicatrices, excepto por una pequeña marca de 2 por 2 cm a unos 10 cm
por encima de la muñeca, donde la gasa aparentemente se había
soltado un poco y la piel había quedado expuesta, causando posi-
blemente que parte de la mezcla de aceite y huevo fuera secada por
mis frazadas la noche anterior mientras dormía. En menos de una
semana, yo estaba completamente recuperado y no necesité atención
médica en absoluto.

Maravilloso desgrasador

El aceite de oliva constituye un maravilloso agente desgrasador para
quitar otros tipos de aceites de la piel. Un mecánico de autos de
Porstmouth, New Hampshire, me dijo una vez que él nunca se lava las
manos con agua y jabón después de trabajar en los vehículos de sus
clientes. "Claro que no", dijo. "Yo me echo un poco de aceite de oliva
en ellas y lo froto bien en la suciedad grasienta. Luego tomo unos
cuantos papeles absorbentes y me las seco. Y si todavía no están
limpias, repito el mismo proceso otra vez hasta que toda la grasa haya

sido eliminada. Luego, para quitar el aceite de oliva, me echo en ellas un poco de agua caliente y las seco con otro papel absorbente".

Ayuda a estirar la piel colgante

Quienes tienen problemas con las bolsas de piel colgante alrededor de la cara y del cuello, o en el área abdominal debido a recientes pérdidas de peso, pueden probar un remedio eficaz usado por Paul Neinast, de Dallas, en su famoso salón de belleza. Neinast toma las yemas de dos huevos y las bate bien con 1/2 taza de aceite de oliva. Luego, esparce esta mezcla sobre el rostro y el cuello de la cliente y la deja allí durante 10 minutos. Después de esto, coloca encima las claras batidas de los dos huevos, y deja esta mascarilla durante una media hora. ¡El asegura que esto realmente estira bien la piel!

Elimina los cálculos biliares

Para eliminar por completo los cálculos biliares, el siguiente remedio parece haber funcionado para varios miles de personas en Estados Unidos y Canadá. De este número estimado, yo he entrevistado personalmente a 125 de ellas en la última década durante mis conferencias de costa a costa en ambos países. En cada uno de los casos, el tratamiento, con ligeras variaciones aquí y allá, siempre parece haber tenido éxito. A partir de estas diferentes variaciones, yo he creado un programa sencillo y bastante básico que tiene una garantía de un 90% para eliminar los cálculos biliares.

El primer paso involucra una fácil limpieza interna de dos días con alimentos suaves que ayudará a preparar al cuerpo para los pasos siguientes. Sólo se deben consumir vegetales y frutas, tales como melocotones (duraznos), peras, ciruelas pasas en remojo (y su jugo), higos y semillas de psilio *(psyllium)*. En una licuadora, combine 1 taza de jugo de zanahoria (fresco o enlatado), 1 taza de melocotones en pedazos y 1 de peras picadas a la mitad (frescos o enlatados con sus siropes respectivos), unas 5 ciruelas pasas sin semillas y en remojo, y 1/4 taza de jugo de ciruelas pasas, 1 puñado de perejil picado y 2 cucharadas de semillas de psilio en polvo, disponible en cualquier tienda local de alimentos naturales. Licue bien durante 3 ó 4 minutos. Esto da 1 cuarto de galón (litro) y puede ser refrigerado durante varios días. Beba 2 tazas de este saludable cóctel de jugo cada 4 horas a lo largo de este ayuno de 2 días, durante el cual también debe consumir muchas sopas y ensaladas, pero debe evitar la carne, el pan, los productos lácteos, el café, los refrescos, los condimentos (salsa de tomate, mostaza, pepinos encurtidos, mayonesa), las comidas fritas, los dulces y alimentos por el estilo.

El segundo paso involucra el administrarse varios enemas profundos para limpiar adecuadamente los intestinos. Esto puede hacerse en las noches de los 2 días. Se recomiendan los enemas de café (Vea las instrucciones completas para administrarlos en la sección CAFÉ).

Sólo en el tercero, el cuarto o el quinto día, comienza el tratamiento con aceite de oliva, continuando al mismo tiempo con su dieta de alimentos suaves. *Con el estómago vacío*, por la mañana, por la tarde y por la noche, beba una mezcla bien batida de 8 cucharadas de aceite puro de oliva virgen, 3 cucharadas de jugo de toronja (pomelo, *grapefruit*) sin endulzar, y 2 cucharaditas de vinagre de sidra de manzana *(apple cider vinegar)*, todo lo cual se endulza con 1 cucharada de almíbar de arce puro *(pure maple syrup)*. A veces, la reacción puede ser un poco más lenta de lo normal, por lo que tal vez haya que seguir el tratamiento durante una semana o más. En tales casos, es obviamente necesario regresar a una dieta más completa para obtener la fuerza y la energía que tanto se necesita, pero el consumo de carnes, de grasas animales y de carbohidratos refinados debe modificarse lo más posible para poder asegurar el mayor éxito en la recuperación.

Consumir 2 cucharadas de gránulos lecitina *(lecithin)* cada 3 días parece evitar que los cálculos se vuelvan a formar después. Este programa funciona bien cuando se aplican un poco de paciencia, sentido común y modestos sacrificios dietéticos, con la intención seria de eliminar los cálculos biliares de una vez y por todas.

Cura segura para el dolor de oídos

Un amigo mío que vive en el barrio de judíos ortodoxos de Brooklyn, en la ciudad de Nueva York, Joel Bree, creó una solución muy sencilla y eficaz para tratar dolores de oído e infecciones del oído interno. Esto sucedió como resultado de la necesidad de encontrar un alternativo a los antibióticos que el pediatra local le estaba administrando a sus hijos durante las numerosas visitas hechas a su consultorio para tratar infecciones de los oídos.

Su remedio sencillo llevaba aceite de oliva (marca *Eden*), aceite de vitamina E en cápsula (marca *Schiff*) y aceite de ajo en cápsula (marca *San Helios*). "He experimentado con otros tipos de aceites de vitamina E y de ajo, pero nunca encontré que trabajaran con tanta efectividad como éstos", me comentó durante una visita que le hice a él y a su familia a mediados del verano de 1987.

Primero, tome un recipiente de vidrio pequeño y limpio (un frasco vacío de comidas para bebé sirve). Luego agregue, con un gotero, 13 gotas de aceite de oliva. Después, corte y exprima en el frasco el contenido de una sola cápsula de vitamina E d-alfa toco-ferol de 400 unidades internacionales (*I.U.* por las siglas en inglés). Finalmente, corte y vacíe 1 cápsula de aceite de ajo para obtener por lo menos 7 gotas. Debido a la dureza de la cápsula, tal vez sea necesario apretar muy fuerte para sacar el aceite.

Mezcle bien todos estos aceites agitando el frasco de un lado al otro. Luego coloque el frasco en una olla para sopa y derrame un poco de agua bastante caliente alrededor. Deje el frasco en la olla durante 1 minuto hasta que esté confortablemente caliente. Se aconseja probar primero la temperatura del aceite echando un poquito sobre su muñeca para así evitar quemar el oído del niño.

Después, con la cabeza del niño inclinada hacia un lado, eche la misma cantidad de gotas en ambos oídos. Quite el exceso pasando suavemente un pedazo de algodón por el interior del oído. No frote fuertemente. También es una buena idea, mientras se pone el aceite en el oído, frotar delicadamente con la punta de los dedos el espacio hueco que está directamente debajo del lóbulo del oído para permitir que entre más aceite al canal del oído y así reducir el dolor y detener la infección. Este remedio es bueno también para cuando se tiene una sensación de timbre en los oídos y para combatir la acumulación de agua debido a la natación o a las duchas. Sin embargo, Joel aconseja que este remedio no se debe usar si sale pus del oído o si se ha roto el tímpano.

Alivia el dolor de los primeros dientes

Cuando los bebés comienzan su período de dentición, muy a menudo sienten diversos grados de dolor. Esto parece ser más evidente cuando se les da el alimento con cucharas de metal, por lo que se debe usar una cuchara de madera. Otra manera de reducir su dolor es frotándoles las pequeñas encías irritadas con un poco de aceite de oliva virgen varias veces al día.

Decore sus ensaladas con traje formal

En estos días existe una gran cantidad de aliños para sus ensaladas favoritas. Uno que me gusta en especial es una combinación de varias recetas que yo he modificado y pedido prestadas al excelente libro de Frances Sheridan Goulart *The Whole Meal Salad Book* (Donald I. Fine, Inc., 1985) a quien le doy las gracias por dejarme usarlas.

VINAGRETA DE LIMA Y LICOR

Ingredientes: 1 diente de ajo pequeño machacado; 1/2 cucharadita de alga marina *kelp;* 2 1/2 cucharaditas de jugo de lima (limón verde, *lime*); 1/4 taza de jugo de manzana sin endulzar; 3 cucharadas de licor de cualquier fruta *(fruit-flavored liqueur);* 1/2 cucharadita de pimentón *(paprika);* 1/8 cucharadita de tomillo *(thyme);* 1/8 cucharadita de romero *(rosemary);* 1/2 cucharadita de almíbar de arce puro *(pure maple syrup);* 2/3 de taza de aceite puro de oliva virgen.

Preparación: Aplaste el ajo y el alga marina en un tazón pequeño hasta hacerlos una pasta, usando el dorso de una cuchara gruesa. Añada el jugo de lima, el licor, el pimentón, el tomillo, el romero y el almíbar, y mézcle todo bien. Luego agregue gradualmente el aceite de oliva y el jugo de manzana, batiéndolos con un batidor de alambre, hasta que la mezcla esté suave y espesa. Debe dar aliño suficiente para cuatro porciones de una ensalada grande y elegante como para hacer toda una cena.

ACELGA SUIZA
(véase: Remolachas)

ACHICORIA, ENDIBIA Y ESCAROLA
(Cichorium intybus, C. endiva-latifolia)
(Chicory, Endive y *Escarole* en inglés)

Breve descripción

La achicoria *(chicory)* es una maleza perenne que es usualmente cultivada, pero que crece también de manera silvestre en Estados Unidos y Europa. La planta posee numerosos tallos delgados de 2 a 3 pies (60 a 90 cm) de altura, abundante follaje y savia lechosa. Lo más sorprendente de la achicoria son sus flores de un color azul claro, casi iridiscente, que brotan incongruentemente de los tallos, como si hubieran sido pegadas a la planta equivocada. La rizoma es de color amarillo claro por fuera, blanco por dentro y contiene un jugo amargo y lechoso.

En Estados Unidos el nombre endibia *(endive)* se refiere usualmente a la planta pequeña, pálida, con forma de cigarro, mientras que la que se conoce como escarola *(escarole)* es más tupida y tiene las hojas enceradas. Se cree que los Hijos de Israel comían de las 3 plantas de esta familia —endibia, achicoria y escarola— durante las pascuas hebreas, antes de su apresurado éxodo desde Egipto. La raíz de achicoria es utilizada frecuentemente en sustitutos naturales del café y agregada al café regular le da un sabor más rico y reduce ligeramente su contenido de cafeína.

El café de achicoria como anticonceptivo masculino

Existe cierta evidencia clínica de que la raíz de achicoria podría servir para hacer al semen masculino temporalmente infértil. Científicos de Ahmedadbad, en el estado indio de Gujarat, administraron una infusión de extractos de polvo seco de raíces de achicoria a 30 ratas machos adultas, mientras que a otro grupo le dieron de beber sólo agua. Al cabo de una semana y media las ratas fueron sometidas a una autopsia. Aquellas que tomaron infusión de achicoria registraron un número considerable de espermatozoides infértiles y una disminución en el peso de sus testículos. Esta información podría ser útil para hombres que prefieren no usar condones.

Las raíces de achicoria tostadas de buena calidad, ya sean cortadas o en polvo, pueden ser obtenidas en tiendas de alimentos naturales o pueden ordenarse por correo a *Indiana Botanic Gardens,* en Hammond (vea el Apéndice). Conviene cocer la raíz tostada utilizando el método *drip* para preparar el café, a fin de obtener una mezcla de gran sabor. Preparar el café de achicoria muy fuerte y tomar hasta 6 tazas al día debería ser suficiente para esterilizar el semen del hombre por lo menos durante una semana sin tener que recurrir a otros métodos anticonceptivos.

Un purificador eficaz del hígado

Utilizando el mismo método se puede preparar una bebida excelente para limpiar el hígado y el bazo así como para curar la ictericia (*jaundice*). Un promedio de 2 tazas diarias puede ser suficiente para estos fines.

Combate la grasa en el organismo

Roedores de laboratorio alimentados deliberadamente con una dieta rica en grasas y un alto contenido de raíces de achicoria experimentaron una sorprendente disminución en los niveles de colesterol de la sangre. Esto nos lleva a pensar que cuando se ingieren alimentos fritos o carnes grasosas conviene tomar 1 ó 2 tazas de infusión de raíz de achicoria para prevenir el posible endurecimiento de las arterias.

Reduce la taquicardia

Hace algunos años un grupo de científicos egipcios realizó un estudio sobre el uso potencial de la raíz de achicoria en el tratamiento de la taquicardia, el ritmo excesivo de los latidos del corazón. Su estudio reveló la existencia de un principio similar al de la planta digital (*digitalis*) en la raíz, tanto seca como tostada, de la achicoria que de hecho disminuye el ritmo y el volumen de los latidos del corazón. Sus efectos fueron demostrados en corazones de ranas.

Aunque, obviamente, se deberán realizar estudios posteriores antes de que pueda determinarse el alcance de sus efectos en la salud humana, tal parece que 1 ó 2 tazas de la infusión de raíz de achicoria, preparada de la forma como se prepara el café, podría ayudar a aliviar esta condición.

Neutraliza la indigestión

Una taza de infusión de achicoria *fría* es excelente para aliviar los malestares estomacales y corregir la indigestión y la acidez.

Disuelve los cálculos biliares

El té de raíz de achicoria y endibia es muy bueno para deshacerse de los cálculos biliares. Añada 3 cucharadas de raíces picadas a un cuarto de galón (litro) de agua hirviendo. Baje el fuego y deje hervir a fuego lento durante 20 minutos; luego retire del fuego y agregue 1/2 taza de raíces crudas de endibia finamente picadas, tape y deje en remojo durante unos 45 minutos. Tome varias tazas 2 veces al día entre comidas, pero especialmente unas dos horas antes de acostarse.

Un bocadillo de achicoria completo

Para disfrutar de algo diferente y un poco fuera de lo ordinario, a la vez saludable y estimulante, pruebe un bocadillo preparado con las 3 clases de la especie de achicoria. Acompañe esta inusual ensalada con 1 taza de bebida natural instantánea de achicoria de *Old Amish Herbs* (vea el Apéndice).

ENSALADA DE HOJAS DE ACHICORIA

Ingredientes: 1 cebolla mediana, picada y separada en ruedas; 1 taza de hongos frescos, rebanados; 1 diente de ajo picado; 2 cucharaditas de mantequilla; 1/2 cucharadita de albahaca (*basil*) seca machacada; 1/2 taza de pasas *(raisins);* 2 cucharadas de vinagre de sidra de manzana *(apple cider vinegar);* 2 tazas de hojas de endibia y 2 de escarola cortada en pedazos con tijeras de cocina.

Preparación: En una sartén grande, sofría en mantequilla a fuego lento, la cebolla, los hongos y el ajo, hasta que se ablanden, pero no los deje dorar. Salpique, si quiere, la albahaca seca con un poco de alga marina *kelp.* Luego, agregue ambas clases de hojas de achicoria y las 2 cucharadas de vinagre de sidra de manzana. Deje cocer los ingredientes, moviéndolos de vez en cuando, durante 2 1/2 minutos o hasta que las hojas comiencen a lucir lánguidas o reblandecidas. Justo antes de retirar de la sartén, agregue las pasas y remueva por última vez.

Inmediatamente coloque todo en una fuente. Debe comerse mientras aún está tibia. Puede acompañar esta ensalada con dos rebanadas tostadas de pan negro con un poco de mantequilla y 1 taza de café de achicoria caliente.

AGUACATE O PALTA
(Persea americana)
(Avocado en inglés)

Breve descripción

El aguacate, que guarda cierto parentesco con el laurel, crece en climas tropicales. Los huertos de aguacate abundan desde Santa Bárbara, California, hasta Lima, Perú. En la actualidad, el estado de California cosecha alrededor de 600 millones de aguacates al año. Los gigantescos y perezosos animales prehistóricos se alimentaban de aguacates maduros, comiendo grandes cantidades de masa aceitosa a la vez, para luego defecar las semillas sin apenas notarlo. El famoso especialista en plantas amazónicas, Richard Spruce, escribió que en los bosques tropicales encontró jaguares salvajes que se reunían algunas veces alrededor de un árbol de aguacate, "mordisqueando las frutas caídas y gruñendo por ellas como suelen hacer muchos felinos".

Reduce el nivel de colesterol en la sangre

Médicos del Hospital de Veterans' Administration, en Coral Gables, Florida, administraron alrededor de 1/2 a 1 1/4 aguacates al día a un grupo de pacientes en los 27 y 72 años de edad. Los pacientes fueron sometidos a exámenes sanguíneos 2 veces por semana. Un 50% de ellos mostró una clara reducción en el suero de colesterol de 8,7 a 42,8%. Ingerir 1/2 aguacate cada 2 días probablemente le ayudará a reducir su nivel de colesterol.

Aguacate y manzanilla para la soriasis

Una manera extraordinaria de atacar por dos frentes la picazón causada por la soriasis consiste en ingerir 1/2 aguacate al día y aplicar en la piel una riquísima crema de extracto de flores de manzanilla. Los aceites del aguacate trabajarán internamente hacia la superficie de la piel, calmando la inflamación de los músculos, Los aceites contenidos en la crema *CamoCare* ayudan a la piel a reparar literalmente por sí misma los daños causados por la soriasis. *CamoCare* es distribuida en Estados Unidos por *Abkit, Inc.*, de Nueva York (vea el Apéndice) y está disponible en la mayoría de las tiendas de alimentos naturales de todo el país.

Un secreto de belleza de la antigua cultura maya

Mientras trabajaba en un sitio arqueológico cerca de la frontera entre Honduras y Guatemala, hace algunos años, noté que todas las mujeres de la tribu chorti (descendientes de los mayas) se restregaban el pelo y el cuerpo con un aceite que los mantenía suaves y flexibles.

A través de nuestro intérprete, aprendí que usaban el aceite de aguacate para evitar que el ardiente sol, la lluvia y el viento maltrataran su piel. Incluso se frotaban los labios con él para mantenerlos húmedos y en buen estado.

Algunas de las mujeres de la tribu chorti parecían tener alrededor de 30 años de edad. Imagínese mi sorpresa cuando mi intérprete me dijo que la mayoría de ellas tenía entre 55 y 60 años. Yo soy bastante bueno para deducir la edad de una persona, gracias a mis estudios de antropología, pero el uso constante del aceite de aguacate me engañó esa vez, con respecto a la edad que pensé que tenían.

Usted también puede volver a disfrutar de una belleza casi eterna con sólo usar aceite de aguacate en lugar de otras cremas y lociones.

Receta para preparar un laxante de acción inmediata

Mi padre, Jacob Heinerman, utiliza frecuentemente aguacates maduros como un laxante de acción inmediata. Él pela 2 aguacates y machaca bien la masa en un plato, rociando un poco de alga marina *kelp*, 3 cucharadas de vinagre de sidra de manzana *(apple cider vinegar)* y 1 cucharadita de jugo de limón. Después de mezclar todo, unta la pasta en algunas espigas de trigo *(sprouted cracked wheat)* o pan negro *(pumpernickel)*.

Los sandwiches son increíblemente deliciosos, y usualmente en tan sólo un par de horas o menos causan un movimiento bastante vigoroso en los intestinos. Como resultado de esta receta, y a pesar de sus 74 años de edad, muy raras veces mi padre ha sufrido de estreñimiento.

Otra receta de aguacate

LA MEJOR SALSA DE GUACAMOLE

Ingredientes: 4 aguacates pelados y deshuesados; 7 cucharaditas de cebolla rallada; 1/8 cucharadita de pimienta de Cayena *(Cayenne pepper);* 1/2 cucharadita de alga marina *kelp;* 2 latas de 8 onzas (235 ml) de tomates pelados; 4 cucharadas de yogur sin sabor; 1/2 cucharadita de jugo de limón; 1/2 cucharadita de salsa inglesa *Worcestershire.*

Preparación: Haga un puré con todos los ingredientes en un envase grande y revuélvalo hasta que la mezcla quede bastante suave. Póngala en el refrigerador antes de servir. Use *chips* de maíz natural *(natural corn chips)* para comer con la salsa.

AJEDREA
(Satureja hortensis)
(Savory en inglés*)*

Breve descripción

Esta hierba anual crece de forma silvestre en el área del Mediterráneo y es ampliamente cultivada en todo el mundo como un excelente condimento. Su raíz produce un tallo cubierto de pelusa que crece a más de 1 pie (30 cm) de altura y suele adquirir con el tiempo una tonalidad púrpura. Las hojas, pequeñas y oblongas, se desprenden directamente del tallo y tienen los bordes cubiertos de pelusa. Sus flores, blancas o rosadas, formadas de dos pétalos, crecen en forma de racimos. Toda la planta es extremadamente aromática.

Un afrodisíaco infalible

La ajedrea ha sido considerada durante siglos como la "hierba del amor". El famoso botánico francés Maurice Mességué la utiliza con frecuencia en lugar del ginseng para ayudar a las parejas a consumar su matrimonio. Mességué sugiere a estas parejas que sazonen todas las carnes que comen con ajedrea en polvo. A los hombres con problemas de impotencia y a las mujeres frígidas les aconseja frotar la base de su espina dorsal con un cocimiento de ajedrea y fenogreco (*fenugreek).*

Ponga a hervir a fuego lento 3 1/2 cucharadas de semillas de fenogreco en un cuarto de galón (litro) de agua y tape la vasija durante 5 minutos. Retire del fuego y agregue 2 puñados de ajedrea. Manténgala cubierta otros 50 minutos. Tome 2 tazas antes de acostarse y aplíquesela también en la parte inferior de la espalda.

AJENJO
(Artemisia absinthium)
(Wormwood en inglés*)*

Breve descripción

El ajenjo es una hierba perenne de 1 a 3 pies (hasta 1 metro) de altura, con tallos de color blanco grisáceo cubiertos por una fina pelusa. Sus hojas, también cubiertas de pelusa, son sedosas y glandulares con pequeñas partículas de resina y tienen un color verde amarillento. La planta desprende un olor aromático y su sabor es bastante condimentado y un tanto amargo. Originaria de Europa, África septentrional y el occidente asiático, es cultivada actualmente en diversos lugares del mundo.

Las partes que se utilizan del ajenjo son las hojas y los tallos florecientes (frescos o secos), cosechados justo antes o durante la etapa de florecimiento. El ajenjo es utilizado también para elaborar vermut. El ajenjo dulce, otra especie *(A. annua)* es cultivado con frecuencia como planta ornamental, pero contiene un aceite esencial que combate los hongos y las bacterias.

Un poderoso alivio para el dolor

En su libro *Herbs—An Indexed Bibliography*, el equipo de Simon, Chadwick y Creaker mencionan que "el ajenjo es utilizado para aliviar el dolor que las mujeres sienten durante el parto y para combatir tumores y cánceres". Una tintura alcohólica hecha de ajenjo aplicada externamente tiene con frecuencia un efecto profundo en el alivio de los dolores musculares, los dolores que acompañan a la hinchazón de las coyunturas relacionada con la artritis, y los terribles dolores causados por una torcedura, la dislocación de un hombro o una rodilla y la fractura de un hueso.

El hijo mayor del profeta mormón Joseph Smith, Jr., contó el siguiente incidente, el cual ocurrió cuando era un adolescente en Nauvoo, Illinois, y tuvo esta experiencia con el ajenjo:

> Nuestro carruaje se detuvo al lado del camino para almorzar y dejar descansar a los caballos. Al regresar a mi

asiento, tras el breve intervalo, sin darme cuenta puse la mano alrededor de uno de los postes del carruaje y cuando el conductor cerró la puerta dos de mis dedos resultaron terriblemente magullados.

Las heridas sangraron profusamente. Mi madre (Emma Smith) las vendó con algunos paños que traía en su bolso y continuamos el viaje. Los dedos me dolían mucho y después de un rato nos detuvimos en una alquería. Mi madre me quitó las vendas, las mojó con agua tibia y volvió a vendarme las heridas con paños limpios. Sacando una pequeña botella de whisky y ajenjo de su baúl, me volteó las yemas de los dedos y vertió el líquido sobre las vendas, tras lo que, por primera vez en mi vida, ¡sufrí un desmayo! Pareció como si hubiera vertido esta fuerte medicina directamente sobre mi corazón, tan agudo fue el dolor que sentí y tan rápido su efecto circulatorio.

Cuando recobré la conciencia, me encontraba acostado en un canapé colocado contra la pared y mi madre me estaba lavando solícitamente el rostro. Pronto me recuperé y continuamos el viaje. Llegamos a casa a tiempo y sin más percances.

Para preparar una tintura eficaz capaz de aliviar un dolor insoportable, combine 1 1/2 taza de la hierba cortada en pedazos u 8 cucharadas de ajenjo en polvo en 2 tazas de Whisky *Jim Beam*. Agite el frasco diariamente y deje que el ajenjo se extracte por 11 días. Permita que las hierbas se asienten y vierta luego la tintura, colando el polvo con un paño fino o un filtro de papel de los que se utilizan para preparar café. Vuelva a embotellar el líquido y selle bien la tapa del frasco hasta que sea necesario utilizarlo. Guárdelo en un lugar fresco y seco. Cuando use esta tintura para aliviar el dolor externo, recuerde que, debido a su enorme potencia, una pequeña cantidad puede ser suficiente. También el aceite de ajenjo es utilizado externamente para aliviar el dolor.

Destruye los parásitos intestinales

La sabiduría de nuestros antepasados con frecuencia pasa las pruebas de la ciencia moderna. Un ejemplo de esto es cierto pasaje que aparece en el *Zhou Hou Bei Ji Fang (Manual de prescripciones para emer-*

gencias), escrito por un herbolario llamado Ge Hong, quien murió a los 110 años de edad (231-341 d.C.): "Tome un puñado de ajenjo dulce, póngalo en remojo en un sheng (aproximadamente un litro) de agua, extráigale el jugo y tómeselo como remedio contra la malaria".

Una investigadora del Instituto de Materia Medica China de la Academia de Medicina Tradicional China, quien había estado escudriñando textos médicos antiguos en busca de una nueva cura contra la malaria, decidió probar si remojar el ajenjo, en lugar de hervirlo, evitaba que se perdieran sus propiedades antimaláricas. Ella y sus colegas no sólo comprobaron que era cierto, sino que pudieron de hecho poner a prueba las propiedades de la hierba en personas infectadas con el parásito de la malaria. Los resultados clínicos fueron estupendos.

Químicos de la División de Terapia Experimental del Instituto de Investigación Militar Walter Reed, en Washington, D.C., comenzaron recientemente a realizar sus propias investigaciones acerca de la capacidad que posee el ajenjo dulce para bajar la fiebre, eliminando los parásitos intestinales que la originan.

La tintura a la que nos referimos anteriormente podría ser utilizada en este caso con fines internos. Usando un gotero, añada 10 gotas de tintura a 1 cucharada de miel o de melaza *(blackstrap molasses)*. Mezcle bien antes de tomarla. La miel y la melaza ayudan a suavizar el amargo sabor de la tintura.

Repelente para los insectos

Desmenuce un puñado de hojas de ajenjo hasta lograr una pulpa pastosa y luego mézclelo con un poco de vinagre de sidra de manzana *(apple cider vinegar)*. Después, coloque una pequeña cantidad de la mezcla en una banda de gasa de unas 6 pulgadas (15 cm) cuadradas de ancho. Una las esquinas de la gasa y átelas. Frótese la piel cuidadosamente con esta bolsita para repeler las moscas de mula *(horseflies)*, los mosquitos y los jejenes *(gnats)* cuando se encuentre al aire libre. La misma mezcla puede ser frotada directamente a las mascotas del hogar para protegerlos de moscas, pulgas y garrapatas.

Remedio contra la ictericia y la hepatitis

Un estudio publicado en un número reciente de la revista *Planta Medica* (37:81-85) señala que varias especies de ajenjo han sido empleadas clínicamente para el tratamiento de la hepatitis y para proteger al hígado de posibles lesiones producidas por la ingestión de productos químicos nocivos.

Otra revista (*Chem. Pharm. Bulletin* 31:352) indicó que el ajenjo es un remedio importante para el tratamiento de la ictericia y la inflamación de la vesícula biliar (colecistitis). Un té podría resultar útil en tales circunstancias. Ponga a hervir 2 tazas de agua. Retire del fuego y añada 4 cucharadas de hojas o tallos. Tape y deje en remojo hasta que el líquido quede ligeramente tibio. Tome 1/2 taza en la mañana, en la tarde y en la noche con el estómago vacío. Endulce con un poco de almíbar de arce puro *(pure maple syrup).*

También puede combatir estos problemas tomando 2 cápsulas de ajenjo en polvo 2 veces al día, pero de forma intermitente. Recuerde que el ajenjo es una droga (como lo son las raíces de botón de oro o *goldenseal*), el chaparro *(chaparral)* y otras hierbas medicinales citadas en este texto) por lo que debe ser usado con sumo cuidado y sólo cuando sea necesario, y no de forma indiscriminada.

Ajíes picantes y Pimientos dulces
(Capsicum annuum, C. frutescens)
(Hot peppers y *Sweet peppers* en inglés*)*

Breve descripción

La especie *capsicum* está dividida en dos grupos: los pimientos dulces o de sabor suave, utilizados primordialmente como verduras; y los ajíes picantes, conocidos también como chiles, que son usados para dar un toque picante a las salsas y los aderezos.

El pimiento o ají dulce (también conocido como pimiento morrón y *bell pepper* en inglés) es la variedad más dulce y alargada. Se vende por lo regular cuando aún está verde, pero también se pueden comprar rojos, amarillos o morados. Los de colores brillantes son simplemente aquellos que se han dejado madurar por más tiempo en la planta y son más dulces.

El otro grupo está compuesto por la clase muy picante, y se clasifican de acuerdo con la intensidad de su sabor. La pimienta de Cayena (también conocida como pimienta roja y *Cayenne pepper* en inglés) es una planta perenne en las áreas tropicales de América, de donde es oriunda, pero es anual cuando se cultiva fuera de las zonas tropicales. Su tallo lampiño, que alcanza una altura de 3 pies (1 metro) o más, es leñoso en la parte inferior y ramificado cerca de la parte superior. Las hojas son de aovadas a lanceoladas, lisas y pecioladas. Sus flores lánguidas, blancas o amarillas, crecen solas o en grupos de tres, entre abril y septiembre. El fruto maduro o ají es una vaina de muchas semillas con un exterior flexible y elástico de varias tonalidades de rojos o amarillos. Existe una gran variedad de chiles picantes; el serrano, el de cera amarilla y el jalapeño son los chiles de California más comunes en el mercado.

Manténgase fresco con chiles picantes

El ingrediente activo contenido en la pimienta de Cayena y otros chiles picantes, la capsaicina, es el que le da la fuerza ardiente a la comida mexicana, convierte una salmuera simple en salsa de Tabasco, hace que la gaseosa de *ginger ale* realmente quite la sed, le da el sabor picante a la cocina criolla de Luisiana y hace del polvo de *curry* una especia mucho más interesante.

La capsaicina, de hecho, puede estimular y luego insensibilizar los detectores de calor de la glándula del hipotálamo, de modo que un descenso en la temperatura corporal es evidente. Esto permite que los nativos de países de climas calurosos, tales como el centro y sur de América y de África, por ejemplo, toleren mejor el calor. Ésa es una de las razones por las que consumen tantos pimientos y ajíes picantes, para mantenerse frescos, ¡aunque usted no lo crea!

Alivia la artritis

La pimienta roja *(red pepper)*, por extraño que pueda parecerle a algunos escépticos, proporciona un alivio increíble a las personas que padecen de artritis reumática. Parece que el dolor que sufren las víctimas de artritis se origina más o menos así: una proteína única llamada factor de crecimiento nervioso *(nerve growth factor* o *NGF* en inglés) ayuda a producir una hormona conocida como sustancia P, que transmite todas las señales de dolor a través del cuerpo al cerebro, de forma tan veloz como el relámpago, produciendo la esperada respuesta verbal de "¡Ay, eso duele!", o un gesto facial de dolor. Ahora bien, cuando la pimienta de Cayena es ingerida en forma regular, su componente principal, la ardiente capsaicina, hace varias cosas: (A) bloquea el suministro de *NGF;* (B) causa la liberación masiva de la sustancia P del hipotálamo, que aumenta al principio el dolor provocado por la artritis, pero después disminuye bastante; (C) al producir tal reducción de la sustancia P del hipotálamo, las señales de dolor ya no pueden llegar al cerebro. El primer resultado perceptible, en quienes padecen de artritis, es LA AUSENCIA DE DOLOR. Una interesante nota al margen a todo esto es que, de acuerdo con la revista *Science Digest* de septiembre de 1983, algunos médicos de la Marina de Estados Unidos *(U.S. Navy)* han estudiado la utilidad de la especie *capsicum* para ayudar a aliviar el "dolor del miembro fantasma", que sufren con frecuencia los veteranos de guerra a quienes se les ha amputado algún miembro.

La dosis recomendada para alivio eficaz del dolor causado por la artritis es aproximadamente 2 cápsulas, 3 ó 4 veces al día, con leche o jugo de manzana. Esto debe hacerse en forma regular, para obtener beneficios duraderos. No se preocupe por el aumento de dolor que podría experimentar al principio: disminuirá muy pronto, dejando su cuerpo relativamente libre de sufrimientos.

Baja el nivel de azúcar en la sangre

Un informe publicado en la revista *West Indian Medical Journal* (31:194-97) refirió cómo a un grupo de perros cruzados recogidos de las calles de Kingston, Jamaica, se le suministró pimienta de Cayena en polvo. El resultado fue una impresionante reducción de sus niveles de azúcar en la sangre por varias horas cada vez.

Lo que significa, si usted es diabético, que un promedio de 3 cápsulas de *capsicum* de *Nature's Way* o cualquier marca de una tienda de alimentos naturales ayudará a bajar estupendamente los niveles de azúcar en la sangre. Si su caso es justamente el opuesto, si es hipoglucémico, lo mejor es que evite consumir *capsicum* del todo, tanto en sus comidas como en las fórmulas herbarias.

Reduce el colesterol

Un grupo de roedores fue alimentado con dietas ricas en grasas, pero se le dio también pimienta de Cayena. Las ratas mostraron un incremento en la excreción de colesterol en sus heces y ningún aumento del colesterol en el hígado. Así que cuando consuma cualquier clase de comida grasosa, asegúrese de tomar un vaso de 8 onzas (250 ml) de jugo de tomate que contenga 1,8 cucharaditas de pimienta de Cayena y jugo de limón.

Detiene las hemorragias rápidamente

En cualquier caso de cortadura o herida grave repentina, simplemente aplique suficiente pimienta de Cayena o alga marina *kelp,* o ambas, sobre la herida hasta que se detenga la hemorragia. Yo me corté una mano entre el pulgar y el dedo índice hace varios años mientras cenaba en un restaurante. Una pequeña muchedumbre rodeó mi mesa cuando pedí que me dieran un poco de *capsicum* para aderezar la herida. La hemorragia cesó por completo en cuestión de minutos, provocando que algunas expresiones de asombro acompañaran el éxito de mi tratamiento.

Previene los coágulos en la sangre

The New England Journal of Medicine informó que los habitantes de Tailandia no tienen prácticamente ningún problema de coagulación sanguínea de que hablar, gracias al consumo frecuente de pimienta roja. Si usted consume *capsicum* en forma regular, nunca tendrá que preocuparse de tener coágulos en la sangre. Unas 2 cápsulas al día son buenas para mantenerse en buen estado de salud; ingerir más comida mexicana, india y otros tipos de comidas picantes condimentadas con pimienta roja garantizará prácticamente que su sangre se mantenga bastante ligera y que circule adecuadamente.

Cura las úlceras

¿Cómo puede algo tan picante ayudar a curar algo tan doloroso y sensible como una úlcera estomacal? El consumo interno de *capsicum* estimula a las células mucosas de los intestinos a liberar una mayor cantidad de sustancia viscosa que cubre bien las paredes de los intestinos, incluyendo las úlceras dolorosas sangrantes. Si alguna vez ha visto a un perro lamerse las heridas o si se ha llevado un dedo quemado a la boca, sabrá a qué clase de alivio me refiero. Algo similar ocurre cuando las úlceras se cubren de una buena cantidad de materia mucosa. Así es cómo la pimienta de Cayena ayuda a curar las úlceras estomacales. Se recomienda tomar una cápsula 2 ó 3 veces al día con las comidas.

Elimina los malestares causados por la gripe y el resfrío

Algunas abuelas judías de Brooklyn, en la ciudad de Nueva York, han confiado siempre en una pizca de pimienta de Cayena y un diente de ajo finamente picado en una sopa de pollo caliente, como la mejor manera de combatir los dolores y la fiebre causados por la gripe y el resfrío. Llamado por muchos "la penicilina judía", es recomendada con frecuencia por los doctores en lugar de los antibióticos.

La pimienta de Cayena también parece funcionar bastante bien con la vitamina C. De hecho, por alguna razón la vitamina C no funciona tan bien si no va acompañada de pimienta de Cayena. Un remedio de *Old Amish Herbs* llamado *Super C* está compuesto de pimienta de Cayena, jengibre y vitamina A, para dar más potencia a la vitamina C (vea el Apéndice).

Mantiene los dedos de sus pies cálidos en invierno

Espolvorear pimienta de Cayena en sus calcetines mantiene sus pies cálidos en invierno. Conozco a un viejo cazador de patos de Malad, Idaho, que siempre pone un poco de pimienta de Cayena en sus calcetines de lana y también en los dedos de sus guantes cuando se queda a la intemperie en invierno, en busca de patos por largos períodos de tiempo.

Antídotos para reducir el sabor picante de los pimientos

Lo que otorga a los chiles picantes sus propiedades ardientes, la capsaicina, se disuelve en grasa o alcohol, lo que explica probablemente por qué la leche o la cerveza son tan populares para ayudar a apagar las inflamaciones estomacales cuando cualquiera de estas especies es ingerida con fines dietéticos o médicos.

Bálsamo para torceduras y moretones

Un ungüento usado con frecuencia en China continental y Taiwán, para el tratamiento de lesiones atléticas y de trabajo (tales como torceduras, magulladuras y dolor e hinchazón en las coyunturas) se prepara con una porción de pimienta picante *(hot pepper)* molida por cada 5 de vaselina. Prepare añadiendo la pimienta picante en polvo a la vaselina derretida. Mezcle bien y deje enfriar hasta que se cuaje. Este ungüento se debe aplicar una vez al día, o una vez cada 2 días, directamente sobre el área afectada.

En un informe publicado en 1965 por una revista de medicina tradicional de Zhejiang, 7 de 12 pacientes que fueron tratados se curaron y 3 mostraron mejoría, mientras que 2 no respondieron a este tratamiento. En los casos en que resultó eficaz, entre 4 y 9 aplicaciones fueron suficientes.

Recetas energizadoras

Se sabe que el *capsicum* y el pimentón *(paprika)* aumentan, hasta cierto punto, los niveles de energía en el cuerpo. El *capsicum*, especialmente, es incluido en algunos productos naturales para dar energía, tales como el *Herbal Up*, de *Nature's Way*, disponibles en la mayoría de las tiendas de alimentos naturales en la actualidad. Cuando me encontraba realizando un estudio en la entonces Unión Soviética, en 1979, el doctor Venyamene Ponomaiyov, profesor de química y farmacología del Instituto Farmacéutico de Pyatigorsk, en Georgia, me informó que él y algunos de sus colegas habían descubierto que la pimienta de Cayena incrementaba dramáticamente la intensidad de las auras de energía eléctrica alrededor de voluntarios que consumieron el *capsicum* con frecuencia. Este descubrimiento demuestra la capacidad que posee la pimienta de Cayena para aumentar la fortaleza física.

Las tres recetas a continuación usan una o varias clases de los ajíes, pimientos y pimientas citados en esta sección. Están concebidas no sólo con el propósito de satisfacer el apetito llenando el estómago, sino de dar energía y vitalidad adicionales para una vida activa.

PIMIENTOS MORRONES RELLENOS

Ingredientes: 6 pimientos morrones (ají dulce, *bell pepper*) verdes de tamaño mediano; 3 tazas de arroz español sabroso y 1 taza de salsa de tomate no picante (vea las instrucciones para ambos a continuación).

Preparación: Lave y sáquele el corazón a los pimientos, pero no los tire. Corte los corazones con las semillas en cubitos finos y mézclelos con el arroz español. Cocine a vapor por 20 minutos. Luego, rellene cada pimiento con 1/2 taza de esta mezcla de arroz. Colóquelos en una fuente para hornear y cúbralos con la salsa de tomate. Ponga en el horno a 350° F por 45 minutos, o hasta que se ablanden. Suficiente para 6 personas.

ARROZ ESPAÑOL SABROSO

Ingredientes: 1 cebolla mediana picada; 1 pimiento (ají) verde dulce pequeño picado; 1/4 libra (115 g) de carne magra de res molida; 1/2 taza de arroz moreno *(brown rice);* 1 diente de ajo picado; 2 tazas de tomates picados; 1 hoja de laurel *(bay)*; 1/8 cucharadita de pimienta de Cayena *(Cayenne pepper)*.

Preparación: Saltee la cebolla y el ají verde hasta que se ablanden. Ponga a dorar la carne molida y escúrrala. Mezcle todos los ingredientes. Ponga a hervir, revuelva y baje el fuego. Deje cocer a fuego lento por 45 a 60 minutos, o hasta que el arroz se haya ablandado. Revuelva frecuentemente para evitar que se pegue. Retire la hoja de laurel antes de servir.

Salsa de tomate no picante

Ingredientes: 1 taza de salsa de tomate enlatada; 1 cucharada de vinagre de sidra de manzana *(apple cider vinegar);* 2 cucharaditas de salsa inglesa estilo *Worcestershire;* 1 cucharadita de cebolla finamente cortada en cubitos ; 3/4 cucharada de pimentón *(paprika);* 1/2 cucharadita de ajo finamente picado.

Preparación: Mezcle y ponga a hervir. Baje el fuego y deje cocer a fuego lento por aproximadamente 8 minutos. Sirva sobre pimientos morrones rellenos con arroz español.

Estas tres recetas fueron adaptadas de *Recipes to Lower Your Fat Thermostat* de La Rene Gaunt (vea el Apéndice) y usadas con el amable permiso del autor y su casa editora.

Ajo y Cebollas
(Garlic y Onions en inglés)

Ajo
(Allium sativum)

Cebolla
(Allium cepa)

Cebolla verde
(Allium fistulosum)

Cebollino o Cebollín
(Allium schoenoprasum)

Chalote
(Allium ascalonicum)

Puerro
(Allium porrum)

Breve descripción

El ajo es un pariente cercano de la cebolla y era utilizado comúnmente en la antigüedad como afrodisíaco, repelente contra las plagas, antídoto para espantar a los demonios y vampiros, y agente embalsamador, para no mencionar que era también un condimento muy popular. Las hojas de la planta de ajo son largas, estrechas y planas como las de la hierba de jardín. Su bulbo es de naturaleza compuesta y consiste de numerosos "dientes" agrupados entre las escamas membranosas y encerrados en una corteza blanca que los contiene como en un saco.

Créalo o no, el elegante y bello lirio de Pascua *(Easter lily)* y la seca, vieja y maloliente cebolla son parientes cercanos, ya que ambos provienen de la familia de las liliáceas. Esto es casi como decir que la encantadora princesa Grace de Mónaco era hermana gemela de la anciana y hasta cierto punto demacrada comediante Phyllis Diller. Esta es la rama más grande de la familia de las cebollas, que consta de un número abrumador de variedades que van desde las suaves hasta las dulces. Sus cáscaras pueden ser blancas, bronceadas o rojas. La variedad de cebolla americana, que tiene forma de globo, es la más picante y puede ser de color blanco perla, amarillo o rojo. La cebolla morada o española *(Bermudas o Spanish onions)* tiene un sabor mucho más suave y es un tanto más larga y achatada y de color blanco o amarillo. Una costumbre curiosa en el antiguo Egipto, para la gente que iba a hacer un juramento, consistía en levantar una mano y poner la otra sobre una cebolla, como se hace actualmente en las cortes utilizando una Biblia.

Los cebollinos (cebollín, *chives* en inglés), por su parte, son los más pequeños, aunque probablemente los de mejor sabor entre los miembros de la tribu de las cebollas. Pertenecen a la misma especie *Allium* a la que pertenecen el ajo y las cebollas. Difíciles de encontrar en la vida silvestre, esta resistente planta perenne es cultivada hoy en todo el mundo, desde Córcega, Grecia y Suiza hasta la Siberia y toda Norteamérica. Los bulbos crecen bastante cerca unos de otros en racimos densos y tienen una forma alargada, con vainas blancas sumamente firmes. Los cebollinos son usados como condimento en tortillas de huevo, requesón, puré de papa o papas al horno, salsas, ensaladas y aderezos.

Las hojas de encima de la cebolla verde (*green onion* en inglés) son de color verde claro y sus bulbos son muy pequeños. Su sabor puede ser suave o ligeramente dulce. El puerro (*leeks* en inglés) es a la cocina francesa lo que la cerveza y los *hot dogs* son a los partidos de béisbol en Estados Unidos. Estas cebollas grandes poseen hojas achatadas con forma de cintas y tienen la apariencia, pero no el sabor, de sus primas menores, las cebollas verdes. Este es uno de los vegetales que los hebreos más extrañaban y por el que se quejaban ante Moisés, cuando partieron de Egipto en busca de la Tierra Prometida (véase Números 11). Los chalotes (*shallots* en inglés) son definitivamente para los verdaderos amantes de la buena cocina, quienes prefieren un sabor delicado y distintivo que sea a la vez dulce y penetrante. Sus pequeños bulbos se asemejan un poco a los del ajo.

Un último detalle genealógico, para aquellos que gustan de los datos curiosos, es que el espárrago también es un pariente cercano de la familia de las cebollas, aunque exento de sus nocivos olores.

Alivia los dolores de cabeza provocados por el resfrío

Un remedio simple para aliviar los dolores de cabeza debidos a la congestión nasal que causan la gripe y el resfrío, es un té hecho de cebollino y jengibre *(ginger)*. Ponga a hervir 1 taza de agua y agréguele 1 1/2 cucharada de cebollino cortado en pedazos muy finos y 1/2 cucharadita de trozos de jengibre. Tape con un plato llano por media hora. Cuélelo y tómelo tibio. El dolor de cabeza desaparece en menos de 20 minutos. Repita tantas veces como sea necesario.

El ajo es un antibiótico natural

El mundo de la medicina está aceptando poco a poco la creencia de muchos curanderos tradicionales de todo el planeta de que el ajo es algo así como la penicilina de la naturaleza. Según señaló en 1983 la revista *Medical Hypotheses,* 12:227-37, existen aparentemente datos suficientes que indican que el ajo es, de hecho, un "antibiótico natural". La revista llegó incluso a afirmar que "el ajo puede jugar un papel importante en la medicina preventiva y está en una posición prometedora como agente terapéutico con un espectro muy amplio".

Como antibiótico, el ajo ha ayudado a curar un 82% de los casos de meningitis en la espina dorsal, mientras que la anfetericina (*BEPHA Bulletin,* julio de 1986) sólo ha resultado eficaz en un 15% de los casos. Asimismo, junto con el puerro, el ajo ha reducido el efecto de la poliomielitis en más de un 30%, comparado con un grupo de control no sometido al tratamiento (*Antibiotics Annual,* 1958-59).

No obstante, es en el área del cáncer donde el ajo parece haber alcanzado sus logros más importantes hasta el momento. Las siguientes 4 referencias son sólo una muestra de las múltiples informaciones publicadas que relacionan al extracto de ajo con la reducción de tumores y otros tipos de malignidades:

➤ *American Journal of Chinese Medicine* 11:69-73.

➤ *Science* 126:1112-14.

➤ *Journal of Urology* 136:701-705;137:359-62.

Uno de los investigadores de las propiedades del ajo en el tratamiento del cáncer más importantes de la actualidad es Benjamin Lau, M.D., Ph.D., profesor del departamento de microbiología de la Facultad de Medicina de la Universidad de Loma Linda, en California. En un estudio publicado en *Current Microbiology* (13:73-76) en 1986, el doctor Lau señaló que un extracto de ajo inhibe completamente la actividad y el desarrollo de un hongo parasitario *(Coccidioides immitis)* que ha sido asociado recientemente con algunas víctimas del SIDA y que provoca fiebre, así como otros síntomas similares a los que producen la neumonía y las lesiones de la piel.

Algunos de los trabajos más importantes del doctor Lau estudian los efectos de un extracto de ajo sin olor con relación a cierta vacuna *(Corynebacterium parvum)* para controlar el carcinoma celular transitorio y el cáncer en la vejiga. El doctor Lau observó que el "*Allium sativum* liberaba macrófagos (grandes células que se alimentan de podredumbre) y linfocitos (las células blancas de la sangre) que provocan la destrucción citotóxica de las células cancerosas".

En una carta personal, escrita a principios de julio de 1987, el doctor Lau me dijo: "Tenemos una muy buena opinión acerca del ajo como un remedio natural contra varias enfermedades. Creemos además que el ajo es un valioso suplemento alimenticio en términos de la salud en sentido general. Estoy trabajando actualmente en un proyecto en el que intentaremos aislar e identificar los componentes del ajo que combaten los tumores y estimulan el sistema inmunitario". Existen varios productos del ajo que carecen de olor, pero sólo uno ha probado tener méritos medicinales y científicos. Se trata del extracto de ajo añejo *Kyolic (aged garlic extract)* que utilizó el doctor Lau en sus experimentos y que está disponible bajo la etiqueta de *Wakunaga.*

Buen sustituto de la sal

Las personas sometidas a una dieta sin sodio, debido a problemas de hipertensión, podrían agregar una o dos cebollas verdes a sus comidas para satisfacer su gusto por las cosas saladas. Para almacenar, pele y lave las cebollas, envuélvalas libremente en una servilleta humedecida para conservar la humedad. Guárdelas en el refrigerador por no más de una semana para mantenerlas lo más frescas posibles. Una cebolla verde sabe especialmente bien con un buen trozo de pan de corteza dura.

Terapia contra las quemaduras y las picaduras de insectos

Uno de los platos favoritos de la cocina francesa es también uno de los mejores remedios franceses. La sopa fría de puerro con papa, conocida como *Vichyssoise* —creada por un famoso cocinero francés— ha sido usada también por diversos herbolarios franceses famosos como un remedio casi perfecto contra las quemaduras graves y las picaduras de abejas, avispas, avispones, hormigas rojas y ciempiés.

Para preparar una buena *vichyssoise* con fines curativos, más que como comida, sólo se necesitan los siguientes ingredientes en las cantidades que especificamos a continuación: 2/3 taza de puerro cortado en rebanadas finas (en caso de que no se consiga, el puerro puede sustituirse por cebolla verde); 2/3 taza de cebolla blanca cortada en rebanadas finas; 1/2 cucharada de aceite de oliva; 2/3 taza de papa pelada y cortada en rebanadas finas; 1/2 taza de agua; 1/2 taza de mezcla de leche y crema de leche (*half-and-half* en inglés).

Primero, dore lentamente el puerro y las cebollas en el aceite, con el fuego a término medio, sin permitir que se quemen o que ocasionen humo, hasta que adquieran un color pajizo. Agregue las rebanadas de papa y el agua. Tape la cacerola y ponga a hervir a fuego lento durante aproximadamente media hora. Haga pasar el contenido, mientras está todavía tibio, a través de una criba ordinaria *(coarse sieve),* para que la papa adquiera la consistencia de un puré. Después, agréguele 1/2 taza de la mezcla *half-and-half,* revuelva bien y deje enfriar antes de colocar en el refrigerador.

Cuando es usada externamente, la *vichyssoise* debe ser bastante espesa. Esta cantidad es suficiente como para cubrir una quemadura de aproximadamente 1 1/2 pie (1/2 metro) de largo por 1 pie (30 cm) de ancho. Después se pueden aplicar bandas de gasa fina sujetas con esparadrapo para sujetar la cataplasma de *vichyssoise*. Este no es sólo el remedio más refrescante que conozco para el tratamiento de quemaduras, sino que además es uno de los más eficaces para acelerar el proceso curativo. Para las picaduras y las mordeduras, aplique una pequeña cantidad en la parte afectada y sujétela con un poco de gasa y esparadrapo *(tape)*.

Como variantes de este tema, se puede agregar jugo de cebollas a la mezcla *half-and-half* o sujetar durante aproximadamente 3 horas, una rebanada de cebolla pelada alrededor de una mordedura o de la picadura de un insecto. Por lo regular, cuando se retira la cataplasma de cebolla cruda, el aguijón ya ha sido expulsado. O si prefiere, en lugar de tomarse todo el trabajo de preparar el cataplasma de *vichyssoise* (que es mejor para las quemaduras), una alternativa más fácil podría lograrse al mezclar 1/2 taza de jugo de cebollas con 1 taza de yogur natural sin sabor y aplicarla a la quemadura.

También se puede moler cebolla blanca y aplicarla directamente sobre un tobillo que haya sufrido una torcedura; o sobre una contusión en la rodilla, un hombro dislocado, un brazo fracturado u otras lesiones similares (como las que se producen con frecuencia en los deportes o en los trabajos manuales) para eliminar el dolor y la hinchazón.

Dígale adiós a los dolores de muelas y de oído

Una fallecida anciana de Queensland, Australia, llamada Edith Evans, inventora de un famoso acondicionador natural para el pelo, dio a conocer a la prensa canadiense un remedio verdaderamente eficaz para el dolor de oído durante una visita a ese país, en octubre de 1981. "Ponga a hornear una cebolla", dijo, "luego, córtela en rebanadas ligeramente gruesas. Coloque una de esas rebanadas, mientras aún esté bastante tibia, en la parte externa del oído afectado y cúbrala con un paño tibio. Mantenga las otras rebanadas en el horno a fuego lento hasta que las necesite. Cuando la primera rebanada se haya enfriado, cámbiela por una tibia. Haga esto hasta que el dolor de oído desaparezca completamente. La cebolla caliente realmente elimina el dolor".

O prepare un aceite de ajo y cebolla poniendo 1/2 cebolla picada en trozos y 3 dientes de ajo desmenuzados en 1 taza de aceite de oliva durante 10 días. Luego, con un gotero aplique de 5 a 7 gotas de aceite tibio en el oído. Otra alternativa es usar un aceite comercial de hierbas naturales hecho a base de cebollas verdes, cebollas blancas y ajo que está disponible bajo la marca de *Great American* (vea el Apéndice).

Eche varias gotas del aceite en una cuchara que haya colocada previamente al fuego, lo que lo calentará sólo lo suficiente para que pueda verterlo en un oído enfermo. Recline la cabeza y cubra el oído con un paño o una toalla pequeña por un rato. El dolor deberá desaparecer dentro de poco tiempo.

Para aliviar un terrible dolor de muelas, simplemente humedezca cuidadosamente un poco de algodón con este aceite especial antes de colocarlo sobre la pieza afectada. Si el aceite no está disponible de inmediato, sólo pele y machaque un diente de ajo y colóquelo sobre la muela. El dolor desaparecerá rápidamente.

Un estupendo acondicionador de cabello

Si usted quiere probar un estupendo acondicionador que dejará su cabello increíblemente suave y resaltará su color natural, entonces debe probar esta solución hecha en su totalidad nada menos que de... ¡cebollas peladas!

La parte que se debe usar es la cáscara limpia y seca de la cebolla roja o dorada, y no la parte interna húmeda. Guarde la cáscara en una bolsa de papel, cada vez que use una cebolla con fines culinarios. Cuando tenga alrededor de 2 1/2 tazas de cáscara de cebolla ligeramente apretada, póngala en una sartén y agregue un cuarto de galón (litro) de agua hirviendo. Tape y deje en remojo durante 50 minutos, luego cuele a través de un cedazo *(sieve)*.

Después de lavarse el cabello con champú, séquelo ligeramente con una toalla. Enjuáguese varias veces con el acondicionador de cáscara de cebolla, antes de enjuagarse finalmente con agua limpia. Este acondicionador le da no sólo una textura mucho más suave, sino también un matiz verdaderamente adorable al color natural de su cabello. El acondicionador de cáscara de cebolla les ha, incluso, suavizado las canas a personas mayores con sólo usarlo 1 vez por semana.

Deshágase de los escalofríos

Un profesor adjunto de química medicinal de la Universidad de Puerto Rico, en San Juan—al que conocí en una conferencia científica celebrada en julio de 1987, en la Universidad de Rhode Island, en Kingston—, me contó que había descubierto un interesante remedio para la hipotermia. Encontró que moler un par de dientes de ajo y mezclarlos con una pizca de pimienta de Cayena *(Cayenne pepper)* antes de envolver el material en una capa de estopilla (gasa, *cheesecloth*) para aplicarlo a la base de cada talón por un rato, reducía los escalofríos o la sensación de frialdad que padecen las personas mayores. La cataplasma debe retirarse cuando los talones se calientan.

Elimina la tos

Un viejo remedio vasco, común en la cadena montañosa de los Pirineos, que corre a lo largo de la frontera entre Francia y España, elimina todo tipo de tos, desde la poco insistente hasta la grave tos convulsiva que padecen los fumadores y las personas asmáticas.

Tome 2 cebollas grandes, pélelas y córtelas en rebanadas muy finas. Colóquelas en un tazón de madera y cúbralas casi por completo con 2 tazas de miel oscura. Luego, tape el tazón con una tabla o un plato llano y déjelo reposar hasta el día siguiente. Tarde en la mañana, extraiga el jarabe y agréguele un vasito *(jigger)* de coñac. Embotelle y guarde en el refrigerador. Tómese 1 cucharadita del jarabe cada 2 ó 3 horas, tantas veces como sea necesario, para eliminar la tos, así como el cosquilleo en la garganta y los pulmones.

Para eliminar la congestión bronquial

Los fumadores y las personas que padecen de asma o que son alérgicas al polen, o aquellas que están simplemente agripadas o resfriadas, podrían beneficiarse enormemente con este ungüento. Pele y desmenuce unos 7 dientes de ajo. Colóquelos en un frasco de boca ancha con capacidad para 1 pinta (1/2 litro) y agregue sólo la suficiente manteca *Crisco shortening* derretida como para cubrir el ajo. Entonces, deje el frasco abierto en una sartén de agua hirviendo durante aproximadamente 3 horas. Mueva bien el contenido y permita que se enfríe; luego viértalo, sin colar, en pequeños frascos de compota, póngales las tapas y guárdelos.

Aplique un poco de este ungüento en la garganta, el pecho, el abdomen y la parte superior de la espalda, entre los omóplatos, y cubra el área con una toalla de baño gruesa durante un rato. Este tratamiento es muy eficaz para aflojar la flema acumulada y facilitar la respiración.

Un ingrediente opcional podría ser el agregar 1/8 cucharadita de aceite de eucalipto a la manteca derretida, lo que serviría sólo para aumentar la efectividad del ungüento, pero no es realmente necesario.

Medicamentos "milagrosos" para múltiples problemas

El ajo y las cebollas juntos son muy buenos para una amplia gama de problemas de la salud, duplicando en ocasiones sus beneficios en el tratamiento de las mismas enfermedades. La siguiente lista detalla sus usos y explica cómo podrían ser aplicados para combatir las dolencias señaladas. En cada caso, han demostrado ser bastante eficaces, tanto por la verificación clínica como por el uso popular.

Usos	Métodos de aplicación
Evitan la coagulación sanguínea	El ajo y las cebollas evitan que las proteínas se solidifiquen y formen coágulos nocivos, por lo que deben siempre acompañar las comidas grasosas.
Reducen la hipertensión y el insomnio	La prostaglandina A es el factor de las cebollas que combate la hipertensión. Tomar de 2 a 3 cápsulas diarias de Ajo *Kyolic* o 5 gotas del aceite de ajo y cebolleta de la marca *Great American* (vea el Apéndice) ayudan a controlar la presión elevada. Comer cebollas cocidas puede ayudarlo a relajarse y, aunque parezca extraño, colocar un pedazo de cebolla cruda debajo de su almohada sirve para combatir el insomnio.
Aumentan la longevidad	Un prominente sociólogo del *National Institute of Aging* realizó una encuesta entre más de 8.500 personas centenarias hace más de una década, y encontró que dos alimentos prevalecían en la mayoría de sus dietas: el ajo y las cebollas.

Eliminan las lombrices	Un viejo remedio amish del Condado de Lancaster, en el estado de Pensilvania, sugiere utilizar el ajo y la cebolla para ayudar a expulsar los parásitos intestinales en los seres humanos y en los animales. Rebanadas de ambos vegetales crudos o aceites preparados con ambos son generalmente consumidos con estos fines.
Ayudan a combatir la diabetes	El número de la revista médica *Lancet* correspondiente al 11 de septiembre de 1976, señaló que tanto el ajo como la cebolla son muy hipoglucémicos, lo que significa que son bastante útiles para reducir los niveles de azúcar en la sangre de las personas que padecen de diabetes. Se sugiere a las personas diabéticas ingerir hasta 4 cápsulas de Ajo *Kyolic* o unas 7 gotas diarias del aceite de ajo y cebolla verde de *Great American* (vea el Apéndice); no obstante, las personas que padecen de presión baja deberán evitar en lo posible ingerir estos dos vegetales.
Reducen el colesterol	El ajo y las cebollas suben el nivel del colesterol "bueno", lo que a su vez elimina el colesterol "malo" que obstruye las arterias, obstaculizando el flujo de la sangre a través del corazón. Es adecuado ingerir 2 cápsulas de ajo o 5 gotas de aceite de ajo y cebolla verde al día para proteger al organismo contra la ateroesclerosis.
Previenen las plagas, combaten las infecciones, detienen las bacterias que producen diarrea, y alivian el dolor de oído	El cirujano general de Estados Unidos declaró al SIDA "una epidemia nacional con proporciones de plaga". Algunos médicos piensan que 4 cápsulas de ajo o 10 gotas de aceite de ajo y cebolla al día proporcionan una protección razonable contra este virus. Una ducha vaginal hecha de 4 dientes de ajo cortados puestos en remojo durante 30 minutos en 3 tazas de agua caliente ayuda a curar

las infecciones bacterianas. Los viajeros aquejados de diarrea en países extranjeros podrían encontrar alivio mascando ajo crudo o ingiriendo hasta 10 cápsulas de aceite de ajo al día para matar la bacteria. El aceite de ajo tibio también alivia el dolor de oído intenso. Durante el Primer Congreso Mundial sobre el Ajo, realizado en Washington, D.C., en agosto de 1991, numerosos científicos internacionales hicieron varias disertaciones con el propósito de probar que el extracto de ajo añejo *Kyolic* era superior a otros preparativos comerciales a base de ajo en el tratamiento contra las infecciones. El doctor Lau mostró evidencias para demostrar las sorprendentes propiedades anticancerosas del extracto de ajo añejo *Kyolic* (si el *Kyolic* no está disponible en su tienda de alimentos naturales, consulte el Apéndice, bajo *Wakunaga of America*).

Repelente contra los insectos

El frotar sus brazos, piernas, manos, cara y cuello con aceite de ajo mantendrá a los jejenes, mosquitos y otros insectos alejados de usted durante el verano y el otoño. Pele y machaque 10 dientes de ajo y póngalos en 1 pinta (1/2 litro) de aceite de oliva. Déjelos en remojo durante 10 días antes de usarlos. También puede utilizarse para combatir las pulgas y garrapatas en los animales domésticos.

Además de repelente, el ajo puede ser un magnífico insecticida. Los estudiantes de un curso de horticultura para ancianos en Reedley, California, experimentaron con un pulverizador de aceite de ajo elaborado de la siguiente manera: se introdujo una gran cantidad de ajo desmenuzado en aceite mineral durante por lo menos 24 horas. Se le agregó alrededor de 2 cucharaditas del aceite a 1 pinta (1/2 litro) de agua en la que había sido disueltas 2 1/4 cucharadas de jabón *Palmolive*. Esto fue mezclado cuidadosamente y vertido luego en un recipiente de vidrio para almacenarlo. Cuando era utilizado como pulverizador, se agregaba 1 ó 2 cucharadas de la mezcla a 1 pinta (1/2 litro) de agua.

Los resultados reportados por la clase de Reedley fueron impresionantes. Las polillas y las orugas de la col, los gusanos de oído, las langostas o saltamontes, los mosquitos (incluyendo las larvas), las moscas blancas y algunos áfidos murieron al contacto. Las moscas caseras, los insectos de junio y los insectos que atacan a la calabaza murieron minutos después de haber sido rociados. Las cucarachas, los insectos lygus, las babosas y las larvas de los esfíngidos murieron más lentamente.

Una delicia de la "familia de las cebollas"

En las dos recetas que presentamos a continuación, y que constituyen un almuerzo completo, se encuentra una verdadera delicia culinaria que usted no olvidará.

DELICIOSO ARROZ ESPAÑOL

Ingredientes: 2 cebollas españolas grandes, cortadas en rebanadas muy finas; 2 dientes de ajo desmenuzados; 1 puerro *(leeks)* picado en trozos muy finos; 1 bulbo de chalote *(shallot)* picado finamente; 4 cucharadas de aceite de oliva; 2 tazas de arroz moreno *(brown rice)*; 1 taza de nueces de nogal *(walnuts)* descascaradas y picadas, sin sal; 4 1/2 tazas de agua hirviendo; 2 pimientos morrones verdes (ajíes verdes dulces, *sweet green bell peppers*), rebanados con los corazones de las semillas picados finamente; 2 cucharaditas de cúrcuma *(turmeric)*; 3 cucharadas de perejil fresco picado.

Preparación: Saltee las cebollas, el ajo, el puerro y el chalote en aceite de oliva hasta que se pongan dorados. Luego agregue el arroz y las nueces picadas. Revuelva bien y cocine hasta que todo el aceite sea absorbido. Después añada el agua y espere a que hierva. Tape la sartén y baje el fuego a término medio, hasta que todo el líquido se consuma. Mientras tanto, saltee los pimientos y sus centros picados. Saque el arroz de la sartén, agregándole la cúrcuma, el perejil y los pimientos. Sirva caliente. El resultado es un plato suficiente para 6 personas, delicioso cuando se acompaña con la salsa cuya receta damos a continuación.

Sabrosa salsa de puerro y cebollino

Ingredientes: 4 tazas de papa roja *(Pontiac red potatoes)* pelada y cortada en cubitos; 3 1/2 tazas de puerro *(leeks)* cortado en rebanadas finas; 1/2 taza de cebollino *(chives)* picado finamente; 1/2 taza de cebolla verde *(green onion)* picada fina; 3 1/4 tazas de agua; 1 cucharada de alga marina *kelp;* 1/2 taza de la mezcla de leche y crema de leche *(half-and-half);* un poco de crema agria *(sour cream);* un poco de perejil picado.

Preparación: Ponga a cocer a fuego lento las rebanadas de papa, el cebollino, la cebolla verde, el agua y el alga marina en una sartén grande y resistente durante 45 minutos o hasta que se ablanden los ingredientes. Machaque los vegetales utilizando un tenedor o un moledor de papas y luego haga un puré en la licuadora. Coloque el puré nuevamente en la sartén y caliéntelo un poco. Después, retire del fuego y agregue la mezcla *half-and-half,* la crema agria y el perejil. El resultado debería tener la consistencia de una salsa. Sirva para comer con las raciones del arroz español.

Ajonjolí
(véase: Semillas)

ALBAHACA
(Ocimum basilicum)
(Basil en inglés*)*

Breve descripción

La albahaca es cultivada mundialmente como una planta anual. Muchas variedades tienen composiciones y sabores diferentes. La hierba es afectada en gran medida por factores ambientales tales como la temperatura, la localización geográfica, el suelo y las lluvias. Su delgada raíz ramificada produce tallos tupidos que alcanzan entre 1 y 2 pies (30 a 60 cm) de altura, con hojas de un matiz púrpura y flores de dos pétalos, de colores que van desde el blanco hasta el rojo, en ocasiones también con un tinte púrpura.

Un té con diversos usos medicinales

Maurice Mességué, un curandero francés de fama internacional, jura que con la albahaca se prepara un té excelente para el desasosiego y la migraña. Recomienda también el té para producir más leche en las madres que están en el período de lactancia y como gargarismo para combatir la *Candida albicans* o infecciones causadas por hongos en la garganta y la boca. Además es muy, muy bueno que las mujeres lo tomen antes y después del parto con el fin de estimular la circulación sanguínea.

Los pacientes aquejados de fiebre pueden cubrirse la cabeza con una sábana e inhalar los vapores del té de albahaca caliente. El té frío es bueno para toda clase de problemas en los ojos, tanto como enjuague como bebida.

Obviamente, es preferible hacer el té con hojas o semillas enteras de albahaca frescas. Si se pueden conseguir donde vive, ponga a hervir 2 pintas (1 litro) de agua y añada 15 semillas de albahaca. Tape el recipiente y baje el fuego, dejando cocer las semillas a fuego lento por aproximadamente 45 minutos. Retire del fuego, agregue 1 1/2 puñado de albahaca fresca o seca y deje en remojo durante otros 25 minutos. Tome o haga gárgaras usando un promedio de 2 tazas de té al día, por tanto tiempo como sea necesario. El té tibio puede también ser usado como enjuague para los ojos.

Si sólo está disponible la albahaca en polvo, se puede hacer y utilizar otro tipo de té como remedio para la mayoría de los problemas descritos con anterioridad, excepto como enjuague para los ojos. Ponga a hervir 3 1/2 tazas de agua; retire del fuego y añada 1 1/4 cucharadita rasa de albahaca en polvo. Tape y deje en remojo por media hora. Endulce con un poquito de almíbar de arce puro *(pure maple syrup)* y tome alrededor de 1 taza 2 veces al día.

Alivio mágico para el dolor de cabeza

¿Algunas veces sufre de dolores de cabeza y necesita un remedio simple para aliviarse? Aquí tiene uno que es fácil de preparar. Ponga 1 cucharadita rasa de albahaca seca en polvo en 1 taza de agua caliente durante 10 minutos; luego cuele el líquido. Cuando se enfríe, agregue 2 cucharadas de tintura de hamamelis *(Witch Hazel Tincture),* puesta a refrigerar previamente durante un rato. Usted puede conseguir la tintura de hamamelis en su farmacia o supermercado local. Aplique la solución como una compresa sobre la frente y en las sienes, para un alivio que usted no creería posible.

ALBARICOQUE O DAMASCO
(Prunus armeniaca)
(Apricot en inglés*)*

Breve descripción

Los botánicos caracterizan a esta fruta agridulce como una especie de ciruela, aunque pertenece a la familia de los melocotones y las almendras. Esta fruta de color bronceado se originó en el Asia Central. Se dice que cuando el primer grupo de emigrantes que abandonó la Torre de Babel en el centro de Iraq cruzó las montañas del Caúcaso y se dirigió rumbo al oeste, en dirección al Mar Caspio, llevaba consigo brotes de árboles de albaricoque, algunos de los cuales plantaron en el camino.

Una suntuosa crema embellecedora

Un tratamiento que presenté recientemente ante audiencias selectas de Estados Unidos recibió elogios por parte de las personas que lo probaron, quienes me informaron cómo su piel se había vuelto mucho más suave y libre de arrugas. El método fue creado por mi abuela húngara, Barbara Liebhardt Heinerman, cuya piel era tan limpia y tersa como el trasero de un bebé, cuando ya había pasado los ochenta años.

Primer paso: ponga suficientes albaricoques frescos, cortados, en una licuadora con 1 taza de agua, o vierta 1 taza de jugo concentrado, sin agua. Luego, agregue las 2 mitades de un aguacate pelado, sin la semilla, cortadas en pedazos o en rebanadas. Licue cuidadosamente hasta que la mezcla quede suave y adquiera una consistencia uniforme. Añada una pizca de aceite puro de oliva y vuelva a licuar durante 1 ó 2 minutos.

Aplique una capa delgada y uniforme de esta mascarilla sobre el rostro, el cuello y la garganta, y déjesela puesta por 45 minutos. Enjuáguese con agua. El momento ideal para hacerlo es unas horas antes de acostarse.

Segundo paso: ponga un poco de crema de leche espesa o la mezcla de leche y crema de leche *half-and-half* en un plato y añada el jugo de 1/2 limón; mezcle bien. Use sólo lo suficiente para cubrir las áreas que limpió a profundidad con la mascarilla de albaricoque y aguacate. Dése un masaje con las yemas de los dedos o con un poco de algodón, frotando con movimientos rotatorios. Esto puede demorarse un poco, pero asegúrese de frotar todas las áreas cubiertas previamente por la mascarilla. Después, váyase a dormir.

A la mañana siguiente, lávese suavemente el rostro con un jabón de cebada *(barley)* o de avena *(oatmeal),* que puede obtener en su tienda de cosméticos o de alimentos naturales. No recomiendo el uso de rubor o de otros cosméticos mientras se encuentre bajo este tratamiento.

La mascarilla de albaricoque y aguacate puede usarse 2 ó 3 veces por semana, pero la combinación de crema de leche espesa con limón debe aplicarse todas las noches antes de acostarse. En cuestión de semanas, su piel lucirá más suntuosa y provocará los comentarios de los que le rodean, quienes se preguntarán dónde se hizo usted su "cirugía plástica".

Una receta deliciosa

Esta fantástica ensalada de frutas ha sido adaptada de *Eating Healthy Cook Book*, editado por la revista *Better Homes & Gardens*.

Ensalada de frutas con albaricoques

Ingredientes: 1 lata de 16 onzas (470 g) de mitades de albaricoques sin pelar; 1/2 taza de uvas verdes sin semillas cortadas por la mitad; 4 hojas de lechuga romana; 2 onzas de queso Neufchatel (blando); 1/4 cucharadita de jengibre *(ginger)* en polvo y nuez moscada (*nutmeg*) en polvo.

Preparación: Ponga una lata cerrada de albaricoques en el refrigerador varias horas antes de servir. Después, cuele los albaricoques y reserve 1 cucharada del jugo. Corte las mitades de albaricoque por la mitad, para formar cuartos. Ponga los albaricoques y las uvas en 4 platos de ensalada revestidos de lechuga. Mezcle el queso Neufchatel y el jengibre. Agregue gradualmente el jugo de albaricoque reservado para lograr una consistencia uniforme. Salpique sobre las frutas. Espolvoree la nuez moscada. Suficiente para 4 personas.

ALCACHOFA
(Cynara scolymus)
(Artichoke en inglés*)*

Breve descripción

Maurice Mességué dice que la parte de la alcachofa que estamos acostumbrados a comer es la menos activa, mientras que todo el resto, que es increíblemente amargo, es en realidad lo más nutritivo y terapéutico. Él señala enfáticamente, "yo uso todas las partes de la alcachofa e insto a los demás a hacer lo mismo".

Dos vegetales se conocen como alcachofa, pero no guardan absolutamente ninguna relación. Las diferenciamos como la alcachofa común (*globe artichoke* en inglés) y la alcachofa de Jerusalén *(Jerusalem artichoke)* o pataca. La primera es un vegetal de color verde, similar a una col diminuta, salvo que sus hojas son más pequeñas y gruesas. Mientras que la segunda ni siquiera es una alcachofa, ni tiene nada que ver con Jerusalén. Proviene de Sudamérica y fue primero llamada "girasole", por su similitud con esa flor. Más tarde, el nombre degeneró en "Jerusalén". Los tubérculos tienen un sabor lo suficientemente agradable como para ser consumidos, pero no tienen ningún valor medicinal alguno.

Estupenda para controlar el colesterol

Para preparar su propia tintura especial de hojas, a fin de controlar los problemas causados por el exceso de colesterol, machaque ligeramente 5 1/4 tazas de hojas de alcachofa y póngalas en remojo en 2 pintas (2 litros) de alcohol durante 10 días. Cuele y tome 1 cucharada 2 veces al día entre las comidas. Esto debería ayudarle a evitar que el colesterol se acumule y forme globos de grasa en el organismo.

El Volumen 5 de *Experimental Medicine & Surgery,* de 1947, confirmó bastante bien las propiedades de la alcachofa para combatir el colesterol. Gallinas ponedoras y seres humanos que presentaron síntomas tempranos de ateroesclerosis redujeron sus niveles de colesterol, mediante la administración de polvo de alcachofa. El cinarín es el compuesto de la alcachofa que evita que las arterias, tanto de los seres humanos como de los animales, se endurezcan y que mantiene bajos los niveles del suero de triglicéridos.

Alimento para el cerebro y para mantenerlo alerta

Para aumentar sus poderes mentales, desmenuce una alcachofa en pedazos, hoja por hoja, y póngala en un frasco con apenas suficiente agua como para cubrirla. Coloque un platillo sobre el frasco y póngalo dentro de una sartén con agua hirviendo por 2 horas, agregándole más agua a la sartén, a medida que se vaya consumiendo. Retire el frasco de la sartén y cuele el contenido, exprimiendo bien las hojas. Tome 3 ó 4 cucharadas de esta infusión 3 veces al día.

Las hojas de alcachofa parecen tener un efecto farmacológico en el cerebro y en algunas partes del sistema nervioso central. Según el número de abril de 1978 de *Nutrition Reviews*, las hojas de esta planta contienen "varios compuestos activos similares a la cafeína", en cierto modo. Una nueva clase de combinación de hierbas llamada *Artichoke/Garlic* puede ser obtenida a través del correo, solicitándola a *Old Amish Herbs*, en St. Petersburg, Florida (vea el Apéndice). Se recomienda ingerir de 2 a 4 cápsulas al día con las comidas, durante tanto tiempo como sea necesario.

Remedio para los problemas del hígado

Ciertos ácidos de la alcachofa ayudan definitivamente a activar las funciones del hígado. De acuerdo con numerosas publicaciones científicas, muchos pacientes aquejados de problemas del hígado han registrado una mejoría definitiva, después de que empezaron a utilizar la alcachofa de forma regular.

Una ensalada en 3 minutos

¿Algunas veces tiene prisa y no le alcanza el tiempo para prepararse algo de comer? ¿Qué le parece una ensalada instantánea de alcachofa? Antes, cuando disponga de más tiempo, cocine algunos corazones de alcachofa hasta que se ablanden; cuélelos, luego haga una marinada con vinagre de sidra de manzana *(apple cider vinegar)* y guárdelos en el refrigerador hasta que los necesite. Corte un tomate maduro grande en rebanadas o en cuartos. Ponga algunas hojas de lechuga romana frías alrededor de los corazones de alcachofa. Agréguele un poco de yogur, espolvoree con alga marina *kelp* y disfrútela.

ALCARAVEA
(Carum carvi)
(Caraway en inglés*)*

Breve descripción

La alcaravea es una planta bianual o perenne que se cultiva y se encuentra silvestre en el norte y el noroeste de Estados Unidos, así como en Europa y Asia. El tallo hueco, surcado, angular y ramificado comienza a crecer al segundo año de una raíz blanca, con forma de zanahoria. Las hojas son bi o tripinadas e irregularmente denticulares. Las hojas de la parte superior tienen los peciolos en forma de vainas. Sus pequeñas flores, blancas o amarillas, aparecen a finales de la primavera (usualmente entre mayo y junio). Las semillas son de color marrón oscuro, planas y oblongas.

Té para la menstruación tardía

Con los siguientes ingredientes se puede preparar un nutritivo caldo o té de hierbas y verduras para las mujeres que sufren de demoras en sus períodos, a fin de incentivar el comienzo de su ciclo menstrual. Ponga a hervir un cuarto de galón (litro) de agua. Añada 1 cucharadita de semillas de alcaravea, 1/2 zanahoria pequeña cortada en cubitos, 1/2 de un tallo de apio picado y 1/2 cucharadita de raíces de jengibre *(ginger root)* en polvo. Tape el recipiente y deje cocer a fuego lento durante 25 minutos. Luego, destápelo y retírelo del fuego. Agregue 1 cucharadita de perejil fresco cortado y 1 cucharadita de trozos de berro *(watercress)* fresco, menta piperita *(peppermint)* seca y milenrama *(yarrow)*. Vuelva a cubrir y deje en remojo por otros 20 minutos. Cuele, endulce y condimente con unas cuantas gotas de miel y una pizca de canela *(cinnamon)*. Tome 3 tazas diarias en ayunas hasta que le llegue el período.

Medicamento natural para aliviar los gases estomacales

Para prevenir la acidez estomacal *(heartburn)* y la indigestión, simplemente ponga a hervir 2 tazas de agua y añada 4 cucharaditas de semillas de alcaravea ligeramente machacadas. Cocine a fuego lento durante 5 minutos, luego retire del fuego y deje en remojo otros 15 minutos. Endulce a su gusto con un poco de miel y tome 1 taza con cada comida para ayudarle a digerir los alimentos. Cuando se toma tibio, el té también provoca el comienzo de la menstruación, ayuda a aliviar los calambres uterinos, estimula la secreción de leche en los senos de las madres durante el período de la lactancia y ayuda a eliminar la mucosidad en la parte posterior de la garganta. Se pueden administrar con éxito pequeñas cantidades a los recién nacidos que sufren de gases intestinales.

Valor culinario

Las semillas de alcaravea no sólo añaden un cierto sabor picante a la col, los nabos, las papas y los panes, sino que ayudan también a digerir los almidones de algunas de estas comidas. Las semillas son indispensables a la hora de preparar el pan de centeno, el pan negro y los panes suecos. Asimismo, forman parte importante de muchos platos europeos, especialmente los guisos y las sopas, desde los guisos húngaros *gulasch* hasta la sopa de remolacha rusa *Borsht*. Tampoco deberían faltar en el puré de manzana, la remolacha en salmuera, la col picada en salmuera y el pastel de calabaza.

ALFALFA
(Medicago sativa)
(Alfalfa en inglés*)*

Breve descripción

La alfalfa es una hierba perenne que abunda comúnmente a orillas de los campos y en los valles y que es cultivada en gran medida por los granjeros para alimentar a los ganados. Su tallo suave y erecto crece de una raíz primaria alargada y puede alcanzar más de 1 pie (30 cm) de altura. Sus flores son de color azul o púrpura durante los meses de verano y producen finalmente unas características vainas enrolladas en forma de espiral.

Los persas utilizaban la alfalfa para alimentar a sus caballos, a fin de hacerlos más ágiles y fuertes. Los árabes bautizaron a este alimento para el ganado, como "el padre de todos los alimentos". Algunos herbolarios modernos han ido aún más lejos, llegando a referirse a la alfalfa como "el gran abuelo de todos los alimentos", en términos de valor nutritivo, considerando que la planta es tan rica en calcio que las cenizas de sus hojas son casi 99% calcio puro.

Ayuda a prevenir el endurecimiento de las arterias

Este es un descubrimiento reciente de los científicos y, sorpresivamente, no de los herbolarios tradicionales. Los nutricionistas clínicos demostraron claramente que la alfalfa previno la ateroesclerosis y ayudó a reducir el nivel de colesterol en la sangre de monos enjaulados cuyas dietas incluían altos niveles de colesterol.

Basados en tales descubrimientos médicos, se recomienda enérgicamente ingerir 2 cápsulas de alfalfa en polvo con cada comida, cuando se tiene problema de colesterol alto. Su tienda de alimentos naturales probablemente vende alfalfa bajo la etiqueta de *Nature's Way* o alguna marca de calidad similar.

Combate la infección

El médico Henry G. Bieler, quien durante años trató a muchas estrellas de cine de Hollywood, contó un episodio relacionado con la alfalfa en su libro *Food Is Your Best Medicine*.

Tal parece que mientras se encontraba practicando medicina en las áreas rurales de Idaho hace muchos años, Bieler viajó una gran distancia para visitar a un granjero que estaba padeciendo de una terrible úlcera en una pierna. La llaga abierta estaba supurando pus, justo encima del tobillo y toda la pierna parecía encontrarse peligrosamente cerca de ser afectada por la gangrena.

El doctor Bieler preguntó al granjero y a su esposa si tenían algunos vegetales alcalinos alrededor de la casa, pero desafortunadamente no había ninguno disponible. La única planta que se les ocurría era la alfalfa, de la cual tenían grandes cantidades. Bieler convenció a la sorprendida mujer de que recogiera los brotes tiernos de alfalfa, los picara finamente y los combinara con partes iguales de agua y jugo de toronja (pomelo, *grapefruit*) enlatado.

Además, dio de comer al paciente vegetales enlatados, pan integral y leche cruda en las cantidades debidas. Sometido a esta dieta, de manera estricta, la enfermedad en la pierna del paciente se curó por completo.

El rico contenido de clorofila que se encuentra en la alfalfa y en otras plantas similares era utilizado por algunos doctores en los hospitales más importantes durante los años 40, para curar infecciones producidas por incisiones quirúrgicas, llagas causadas por permanecer mucho tiempo en cama, y problemas del oído interno. En tales casos, las cápsulas de *Alfa-Max*, de *Nature's Way,* que se pueden conseguir en su tienda local de alimentos naturales, pueden resultar muy beneficiosas. Mejor aun, sin embargo, sería el jugo fresco hecho de brotes de alfalfa *(alfalfa sprouts)* crudos batidos en una licuadora o en un extractor de jugos. Entre 4 y 6 onzas de jugo tomado y aplicado externamente a la vez sobre cualquier infección superficial serían de considerable ayuda.

Cómo cosechar sus propios retoños

Para cosechar sus propios retoños, ponga 1 cucharadita de semillas de alfalfa en un cuarto de galón (litro) de agua templada. A la mañana siguiente, enjuague las semillas cuidadosamente con agua templada y cuélelas. Colóquelas en un frasco herméticamente sellado con estopilla humedecida. Almacénelas en un lugar oscuro. Enjuague las semillas 2 veces al día y cuélelas bien, volviendo a ponerlas en la oscuridad tras cada enjuague. Después de 4 ó 5 días, coloque los retoños al sol por unas cuantas horas para darles color, luego guárdelos en el refrigerador. Use los retoños de alfalfa como sustitutos de la lechuga, ya que son más nutritivos.

Ayuda a controlar la diabetes

Según la información publicada en la edición de agosto de 1984 de la revista *Journal of Nutrition,* un grupo de científicos de la Universidad de California, en Davis, encontró que los extractos de alfalfa con mucho manganeso mejoraron de forma definitiva la condición de un diabético que no respondía a la insulina. Se cree que en situaciones semejantes vale la pena probar con 2 cápsulas 2 ó 3 veces al día.

Tremendamente nutritiva

La alfalfa en polvo contiene vitaminas A, B-1, B-6, B-12, C, E y K-1, niacina, ácido pantoténico, biotina, ácido fólico, etcétera, así como otros aminoácidos esenciales y no esenciales. Contiene, además, entre un 15 y 25 % de proteínas, los minerales más importantes y microelementos tales como calcio, fósforo, manganeso, hierro, zinc y cobre, junto a muchos azúcares naturales (sucrosa, fructosa, etcétera).

Porcentaje de dosis diaria recomendada

Nutriente	Alfalfa (1 onza)	Perejil (1 onza)	Alga marina (0,1 onza)	Melaza (3 cdas.)	Leche en polvo (1 onza)
Proteína	10%	10%	0%	0%	14%
Calcio	75%	43%	5%	51%	38%
Yodo	0%	0%	3300%	0%	0%
Hierro	85%	100%	0%	96%	2%
Magnesio	45%	20%	7%	45%	9%
Fósforo	14%	13%	1%	6%	29%
Potasio	25%	41%	5%	59%	13%
Sodio	0%	3%	4%	2%	4%

(*Bestways,* 11/81)

Alforfón
(véase: Cereales)

Alga marina *KELP*
(Fucus vesiculosus)
(Kelp en inglés*)*

Breve descripción

El nombre común de *kelp* se aplica a una gran variedad de algas marinas de diferentes especies; pero para quienes usan las hierbas con frecuencia, el *kelp* se refiere probablemente a las algas marinas del orden de las algas marrones conocidas como laminariales, que poseen frondas de gran tamaño, achatadas y de aspecto similar al de las hojas. La llamada alga *bladderwrack* es generalmente la más usada para elaborar los productos hechos a base de alga marina *kelp*.

Su contenido de yodo controla la obesidad

Al alga marina *kelp* se le atribuyen muchas propiedades medicinales y es utilizada con diversos propósitos. Uno de los más populares es el control de la obesidad. Este papel se le atribuye al alto contenido de yodo de la planta, que se cree estimula la producción en el organismo de hormonas ricas en yodo que ayudan a las personas a mantenerse delgadas. Los médicos reconocen que la glándula tiroides es la que controla el ritmo del organismo, ya sea haciendo que nuestro motores celulares simplemente asomen la cabeza o que se lancen en una carrera vertiginosa. Cuando la tiroides se mueve a la velocidad de un caracol, la grasa no se quema con la suficiente rapidez, por tanto, se acumula en el cuerpo. Sin embargo, cuando la tiroides se mueve aprisa, la grasa desaparece más rápidamente, antes de que pueda formar depósitos en los tejidos de alguna parte del cuerpo.

Se recomienda consumir tabletas o cápsulas de alga marina *kelp* de la marca *Nature's Way* —que puede conseguir en su tienda de productos naturales— por lo menos 2 veces al día con una comida. Si usted está bajo una dieta sin sodio, sin embargo, debe supervisar cuidadosamente el consumo de este producto.

ALGARROBA
(Ceratonial siliqua)
(Carob en inglés*)*

Breve descripción

Las vainas de la algarroba crecen de un árbol siempre verde con forma de bóveda, que posee hojas compuestas de color verde oscuro, consistentes de 2 a 5 pares de hojuelas brillantes, redondas y de gran tamaño. El árbol puede alcanzar la extraordinaria altura de 50 pies (15 metros) y es originario del suroeste de Europa y de Asia Occidental, pero se cultiva también en abundancia en la región mediterránea.

Las vainas de este árbol son las que consumió Juan el Bautista cuando vivía en el desierto, de ahí el otro nombre con que se le conoce comúnmente —"pan de San Juan". Las semillas de la algarroba (en inglés, *carob*) eran usadas en la antigüedad como unidades de medida para el oro, de donde presuntamente se derivó el término de *"carat"* (que en inglés significa "quilate"). El hijo pródigo de la famosa parábola de Jesús sobrevivió gracias a vainas de algarroba desechadas, según se relata en Lucas 15:16: "y deseaba llenar su vientre de las algarrobas que comían los cerdos".

Revierte la deficiencia de los riñones

En la revista *Nouv-Presse-Med.*, un médico francés contó cómo un caso clínico de deficiencia crónica de los riñones fue revertido con éxito utilizando resina de algarroba. Aproximadamente 2 cucharaditas rasas de polvo de algarroba disuelto en leche o jugo de arándano agrio *(cranberry)*, 4 ó 5 veces al día debería ayudar a estimular los riñones inactivos.

Un remedio extraordinario para combatir la diarrea

El polvo de algarroba es uno de los mejores remedios que existen para curar la diarrea en los niños, los adultos y el ganado. En uno de sus números, la revista *Western Dairy Journal* instó a mezclar polvo de algarroba con pasto ordinario para curar y prevenir la diarrea en los novillos. Un uso aún más eficaz para poner alto a la misma condición en los seres humanos, se puede encontrar en el siguiente episodio relatado por el propietario de un rancho de ovejas de Montana, quien reside cerca de Harlowton:

> Tengo 65 años y durante mucho tiempo he sufrido de diarrea. Siempre estaba desganado y cansado. El trabajo me agotaba. No me daba cuenta de que casi todo mi problema se debía a la diarrea.
>
> Probé el polvo de algarroba y fue una maravilla. En mi caso, me hace falta 1 cucharada de sopa colmada para reponerme. La tomo con cada comida.... He usado la algarroba y me ha ayudado muchísimo. Ojalá la hubiera conocido antes.
>
> Los médicos me recetaron medicamentos similares al *Kaopectate,* tenía que tomarlas en enormes cantidades para aliviarme. Para hallar alivio durante la noche, necesité en muchas ocasiones unas 4 onzas (120 ml) de *Kaopectate,* o un poco menos del medicamento recetado por el médico para lograr los mismos resultados. La algarroba trabaja mucho mejor.

Cuando usted viaje al extranjero, lleve siempre consigo una lata de polvo de algarroba. Las vainas de algarroba son particularmente ricas en una clase de tanino que posee poderosas propiedades antivirales. Por lo tanto, parece que el polvo de algarroba funciona tan bien como ciertas clases de medicamentos antibióticos recetados con frecuencia para el tratamiento de la diarrea inducida por bacterias.

Y para la diarrea en los niños —que es aparentemente un problema muy común—, el polvo de algarroba da magníficos resultados. Numerosos artículos publicados en la revista *Journal of Pediatrics* demuestran de manera contundente que la algarroba es capaz de corregir completamente esta peligrosa molestia en los niños. El polvo puede ser mezclado con la leche o, si el niño está en edad de ingerir sólidos, se le puede dar de comer mezclado con puré de manzana o con alguna clase de budín. Los resultados son magníficos.

Excelente sustituto de chocolate y cacao

Usar la algarroba en lugar de chocolate o cacao presenta numerosas ventajas. Primero, tiene mucho menos calorías que el cacao o el chocolate dulce. Segundo, es muchísimo más barata. Tercero, como es tan dulce por naturaleza, se necesita una cantidad mucho menor para preparar bizcochos o batidos. Cuarto, a diferencia de las otras, no contiene cafeína, que es una sustancia adictiva potencialmente peligrosa para los niños. Finalmente, no interfiere con la asimilación del calcio, como el cacao o el chocolate. Y tampoco causa acné.

Recetas que no engordan

He aquí algunas recetas para platos que usted se puede dar el lujo de comer sin temor a engordar o a que le salgan espinillas y sin sentirse culpable de ingerir alimentos poco saludables.

BROWNIES DE ALGARROBA

Ingredientes: 1/2 taza de miel; 1/2 taza de aceite de girasol *(safflower)*; 1/2 taza de polvo de algarroba; 2 huevos batidos; 2 tazas de harina de trigo entero; 1/4 cucharadita de sal marina; 1/2 taza de lecitina *(lecithin)* granular; 1 cucharadita de extracto de almendras *(almond extract)*; 1/2 taza de nueces en polvo o picadas en trozos pequeños.

Preparación: Mezcle la miel, el aceite y el polvo de algarroba en una licuadora. Agregue los huevos batidos, la harina y la sal. Añada la lecitina y el extracto de almendras, luego las nueces. Vierta el contenido en una fuente de 8 pulgadas (20 cm) cuadradas. Ponga a hornear a 350° F durante 30 minutos. Deje enfriar y corte en porciones cuadradas.

ÁLOE O ZABILA
(Aloe vera)
(Aloe en inglés*)*

Breve descripción

El áloe es una suculenta planta perenne originaria de África oriental y meridional, pero cultivada también en las Antillas y en otros países tropicales. Su raíz, fuerte y fibrosa, produce una roseta de hojas carnosas que parten de la base. El tejido en el centro de la hoja contiene una gelatina mucilaginosa que produce la gelatina de áloe o gelatina de *aloe vera*. Cuando Colón partió hacia América, escribió en su diario: "Asimismo, ¡tenemos áloe a bordo!". El áloe fue el material utilizado para embalsamar al faraón Ramsés II y para preservar el cuerpo de Jesucristo.

La gelatina de áloe acaba con las verrugas

Una dama de Lubbock, Texas, tenía en su brazo una verruga del tamaño de la goma de borrar de un lápiz. Todas las mañanas, la mujer humedecía un pequeño pedazo de algodón en gelatina de áloe y se lo colocaba con esparadrapo sobre la verruga. Cada 3 horas, le agregaba más gelatina con un gotero. Al día siguiente, utilizaba un algodón nuevo y repetía el proceso. Para el cuarto día, la verruga había comenzado a secarse. Dos semanas más tarde, cuando se quitó el algodón, lo que quedaba de la verruga se desprendió por completo. No le quedó siquiera una cicatriz como indicio de que una vez tuvo una verruga en ese lugar.

El medicamento que los doctores alaban

Los médicos y los dentistas modernos no han elogiado a ninguna otra hierba tanto como han elogiado las maravillosas virtudes curativas del áloe vera. Los doctores modernos han utilizado el áloe para curar quemaduras ocasionadas por el sol, los rayos X o los productos químicos; quemaduras de primer grado; tejidos traumatizados (tras la limpieza normal y regular); llagas causadas por permanecer mucho tiempo en cama; dermatitis candidal primaria (inflamación de la piel causada por la infección del hongo *Candida albicans*); úlceras intestinales entre el estómago y esa porción del intestino delgado llamada el yeyuno; herpes simple; cirugía periodontal; mordidas y picaduras de insectos; irritaciones causadas por los aguijones de algunas plantas (tales como los de la ortiga) y otras manifestaciones dermatológicas menores.

Un cirujano bucal de Dallas, Texas, dio a conocer los sorprendentes resultados obtenidos al usar el áloe en el tratamiento del edema (hinchazón) facial, la colocación de dentaduras inmediatas, el tétano (como enjuague bucal) y el herpes labial (como enjuague bucal).

Cómo utilizar el áloe

El áloe vera viene en varias formas: gelatina natural; ungüento, bálsamo o loción elaborados; bebida concentrada y polvo en cápsula. Varios tipos de quemaduras menores, hinchazones e inflamaciones (tanto internas como externas) se pueden curar rápidamente frotándose un poco de la gelatina natural extraída de la hoja cortada. Para inflamaciones mayores (como las ocasionadas por los rayos del sol), quemaduras serias (causadas por productos químicos) o llagas (como las asociadas con el herpes), lo mejor sería usar un buen ungüento, bálsamo o loción con una gran concentración de gelatina de áloe purificada. En estos casos, se puede utilizar también un simple emplasto. Uno de los ungüentos más confiables para el uso continuo se puede obtener a través de *AVA* de Dallas, Texas (vea el Apéndice).

Su uso interno cae dentro de varias categorías. Los problemas orales pueden ser resueltos con la gelatina natural que se obtiene de la hoja rota o cortada. Para usar como laxante, conviene adquirir el áloe vera en cápsulas de *Nature's Way,* que se puede encontrar en su tienda de alimentos naturales. Para todos los usos internos, el áloe líquido de mayor efecto curativo que conozco es una mezcla de jugo de áloe concentrado (1 onza o 30 ml por cuarto de galón o litro; o sea, 4 onzas por 1 galón), disponible sólo si se ordena por correo a *Great American,* en St. Petersburg, Florida (vea el Apéndice).

Propiedades nutritivas

El áloe vera contiene un 96% de agua, que provee agua a los tejidos lesionados sin cerrar el paso al aire necesario para la reparación del tejido. Según el número de diciembre de 1981 de la revista *Runner's World,* "el 4% restante de la pulpa contiene moléculas de carbohidratos complejos, consideradas esenciales para el valor natural del áloe como humectante. Entre las sustancias presentes se encuentran ... enzimas; microazúcares; una proteína que contiene 18 aminoácidos; vitaminas; minerales tales como azufre, silicio, hierro, calcio, cobre, sodio, potasio, manganeso y otros. La mezcla de los ingredientes activos del áloe es llamada aloína *(aloin)* y se obtiene de la savia que se encuentra en la hoja. La aloína es la sustancia responsable de las cualidades curativas de la planta".

AMARANTO
(Amaranthus hypochondriacus, A. cruentus)
(Amaranth en inglés*)*

Breve descripción

El amaranto no es realmente un cereal, sino más bien una fruta que pertenece a la misma familia *(chenopodium)* que la hierba comestible cenizo *(lamb's quarter)*. Parecido al ajonjolí, el amaranto tiene un agradable sabor picante y se puede freír en rosetas, como el maíz, o cocer al vapor y convertirlo en hojuelas. Requiere de muy poca agua y fertilizante y crece casi en cualquier lugar donde crece la hierba común. Se cree que el amaranto fue traído a este hemisferio por aquellos primeros emigrantes de la Torre de Babel que viajaron hacia el oriente a través de la China y lanzaron sus barcazas al Océano Pacífico, alcanzando con el tiempo lo que es hoy el occidente de México alrededor del año 2000 a.C.

La comida del futuro

La edición del 25 de noviembre de 1985 de la revista de información general *U.S. News & World Report* se refirió a la semilla de amaranto como el "alimento del pasado rico en proteínas y perfecto para las comidas del futuro". Robert Rodale, el editor de las revistas *Prevention* y *Organic Gardening*, fue el primero en introducir el amaranto en Estados Unidos, a principios de los años 70, después de que el Departamento de Agricultura estadounidense mostró su falta de interés en él. En estos momentos, sólo está disponible en una o dos compañías especializadas, como *Nu-World Amaranth Inc.*, de Naperville, Illinois (vea el Apéndice), pero se espera que esté en los supermercados en el futuro.

Tratamiento para la diarrea y la hemorragia

Las hojas y semillas del amaranto son usadas como astringente para contener la diarrea y la sangre en la orina y en la evacuación intestinal, así como la menstruación excesiva. Sirven también como un buen lavado para los problemas de la piel, desde el acné y el eczema hasta la soriasis y la urticaria. Asimismo, el amaranto es una ducha excelente para la limpieza vaginal, un buen gargarismo para las llagas en la boca, encías, dientes y garganta y un fantástico enema para inflamaciones en el colon y las llagas rectales.

Para preparar un té de amaranto con estos fines, simplemente ponga a hervir 3 tazas de agua, añada 2 cucharaditas de semillas, tape y deje cocer a fuego lento por 5 minutos. Retire la vasija del fuego y agregue 1 cucharadita de hojas (si las tiene disponibles) o deje en remojo por 30 minutos. Tome 2 tazas al día para aliviar problemas intestinales.

ANGÉLICA
(Angelica archangelica)
(Angelica en inglés*)*

Breve descripción

Esta resistente hierba bianual o perenne prefiere los lugares fríos y húmedos y es, por lo tanto, bastante común en países como Gran Bretaña, Escocia e Islandia. En el folclor de todos los países del norte de Europa, la angélica es objeto de la más alta estima, por ser una "protección contra el contagio, por purificar la sangre y por curar todas las enfermedades concebibles".

De acuerdo con las leyendas, un ángel reveló en un sueño la existencia de la angélica para curar la mortífera plaga bubónica.

El "remedio para las mujeres" más famoso en China

La angélica ha sido utilizada en China durante varios miles de años para el tratamiento de muchas clases de problemas femeninos. Las 10 diferentes especies de angélica, conocidas colectivamente por el nombre de *dang-qui* (también como *dong-quei* o *dong-quai* o *tang-kuei*), ocupan el segundo lugar en China, después del ginseng.

En su libro *Secrets of the Chinese Herbalists,* Richard Lucas afirmó que la angélica posee "una afinidad con la constitución femenina", ya que es buena para curar la anemia y la debilidad de las glándulas, regular el período menstrual, corregir las bochornos y los espasmos vaginales (síntomas comunes que preceden a la menstruación) y ayudar a las mujeres durante la difícil transición de la menopausia.

Lucas recomendó ingerir 2 cápsulas de *dong-quai* 2 ó 3 veces al día para el tratamiento de los problemas femeninos serios y una dosis menor para las condiciones moderadas. Mencionó además que "ya que su sabor guarda cierta similitud con el apio, se pueden abrir las cápsulas y añadir su contenido a sopas o a caldos calientes".

Existe información de que la angélica ha ayudado a aliviar el síndrome premenstrual (*PMS* por las siglas en inglés), al usarse como sustituto del estrógeno.

Una mujer de mediana edad oriunda de San Rafael, California, me escribió hace algunos años en relación con la extraordinaria transición hacia la menopausia que logró con la ayuda de esta hierba.

> Durante la mayor parte de mi vida adulta nunca me molestaron los problemas usuales del síndrome premenstrual que sufren generalmente las otras mujeres. Así que cuando entré en la menopausia pensé que sería facilísima. ¡Qué equivocada estaba!

> Todos mis órganos femeninos internos me dolían como el demonio. No podía dormir apropiadamente, porque me despertaba a media noche con unos calambres terribles.

> Una amiga me recomendó visitar a un herbolario que conocía, en el centro de San Francisco. Debido a la dificultad de mi caso, el herbolario me sugirió tomar 2 cápsulas 3 veces al día hasta que desaparecieran todos mis espasmos y mis órganos dejaran de dolerme; y, luego, seguir tomando sólo 1 cápsula 2 veces al día hasta que la fase de la menopausia hubiera terminado.

> El dong-quai funcionó como por encanto y mis sentimientos miserables desaparecieron en un poco más de una semana.

Rica en cumarinas

El rizoma de esta hierba desprende un agradable olor dulce y aromático. Esto se debe en gran medida a la rica presencia de muchas cumarinas, compuestos blancos y cristalinos que huelen a vainilla. Estas cumarinas poseen la virtud de reducir los edemas de proteína alta, especialmente la hinchazón de los nudos linfáticos (linfedema), así como de curar la soriasis que acompaña con frecuencia a la artritis. El *bergapten* es el elemento constituyente de la angélica que actúa contra la soriasis, mientras que otros compuestos, tales como el linalol y el borneol, ayudan a explicar sus actividades antibacterianas y fungicidas. Entre otros constituyentes se encuentran la resina, el almidón y numerosos azúcares naturales, tales como la sucrosa, la fructosa y la glucosa.

ANÍS
(Pimpinella anisum)
(Anise en inglés*)*

Breve descripción

El anís gozó de popularidad, durante muchos siglos, en los antiguos sistemas médicos chino y ayurvédicos. Existen distintas variedades de anís, siendo la más común la de color ceniza, de España. El anís pertenece a la misma familia botánica *(umbelliferal)* que el perejil y las zanahorias.

Té curativo multipropósito

Imagine que existiera un té que lo librara de una piel grasosa, mejorara su memoria, calmara una tos molesta, estimulara la producción de leche en madres que amamantan y sirviera como antiácido natural, en lugar de *Tums* o *Rolaids,* para la irritación estomacal y la indigestión.

Bien, todas estas cosas maravillosas pueden lograrse simplemente hirviendo 1 cuarto de galón (litro) de agua. Luego agregue aproximadamente 7 cucharaditas de anís, baje el fuego al mínimo y hierva a fuego lento hasta que el contenido se reduzca a 1 1/2 pinta (700 ml). Luego cuele y mientras todavía está caliente, agregue 4 cucharaditas de miel y 4 de glicerina (que puede conseguir en una farmacia) para preservar el té almibarado.

Beba 2 cucharaditas de este jarabe a intervalos de pocas horas para aliviar la tos áspera o 2 cucharadas tres veces al día para reforzar la memoria. Si lo va a consumir como té, omita lo anterior y beba 2 tazas una o dos veces al día para problemas de la piel, si necesita producir leche o aliviar molestias estomacales.

APIO
(Apium graveolens)
(Celery en inglés*)*

Breve descripción

El apio es uno de los vegetales más viejos utilizados en la historia de la humanidad. Se sabe que los antiguos egipcios recogían apio de las áreas costeras pantanosas para utilizarlo como alimento. Es una planta con múltiples usos y pocos desperdicios: las hojas y las semillas secas pueden ser utilizadas como un buen condimento; las nervaduras externas son mejores si se cocinan, mientras que las internas se pueden comer crudas, ya que de esa manera son buenas para el corazón.

La variedad de apio que se consigue con más frecuencia es el apio de Pascal, de color verde claro. Posee usualmente una superficie brillante y se quiebra con mucha facilidad. Como miembro de la distinguida familia del perejil, el apio disfruta en parte de la misma reputación medicinal que se le atribuye a esta hierba. Los antiguos griegos del istmo de Corinto, hacia el año 450 a.C., coronaban regularmente a sus atletas vencedores con tallos y hojas de apio.

En 1982, el estadounidense promedio consumía 7,8 libras (3 1/2 kilos) de apio, 11% más que 5 años atrás. En 1983, la cosecha de apio en Estados Unidos alcanzó los $235 millones de dólares, comparado con $184,5 millones para la zanahoria y $152 millones para el bróculi. El estado de California suple más del 60% de toda la producción de apio del país.

Calma los nervios

Las semillas y los tallos del apio poseen un componente sedativo llamado "ftálido". En la China continental, el jugo de apio ayudó a reducir la hipertensión en 14 de cada 16 pacientes. El jugo se mezclaba con iguales cantidades de miel y se daba de tomar a los pacientes aproximadamente 8 cucharaditas 3 veces al día durante una semana. Prepare su propio jugo de apio en casa con un extractor de jugos o adquiéralo en su tienda de alimentos naturales. Mezcle partes iguales del jugo con jugo de zanahorias y tome un vaso de 8 onzas (235 ml) 1 vez al día para fortalecer los nervios.

Rápido alivio contra el aguijonazo de los avispones

Hace varios años, mientras participaba como instructor en una expedición de identificación de plantas en el cañón de Provo, cerca del centro vacacional para esquiadores *Sundance,* de Robert Redford, una integrante de nuestro grupo que andaba descalza pisó accidentalmente un avispón negro. El dolor intenso y la hinchazón comenzaron en pocos minutos.

Le pedí a todos los participantes que buscaran en los alrededores algún plátano o milenrama, pero fue imposible encontrarlos. Otro miembro de nuestro reducido grupo tenía algunos tallos de apio en una bolsa plástica. Le pedí que me diera uno, lo mastiqué con fuerza hasta convertirlo en una pulpa. Luego, le apliqué esta pulpa de apio y saliva directamente sobre las heridas y la mantuve allí durante unos 15 minutos. La hinchazón cesó y ella se sintió mejor a partir de ese momento. Más tarde, una compresa de barro conteniendo más apio masticado le produjo alivio por algunas horas. Nuestra compañera logró cojear con el resto de nosotros, ayudada por dos de sus amigos.

Ayuda a combatir el sobrepeso

Robin W. Yeaton, Ph.D., quien trabajó para el Simposio de Desarrollo en la Universidad de California, en Los Ángeles (*UCLA*) en octubre de 1985, me dijo a bordo de un avión que perdió más de 30 libras en 2 1/2 meses, con sólo mordisquear tallos de apio cada vez que tenía deseos de comer una merienda. El sodio parecía además tener un efecto positivo, ayudándola a perder algunas libras adicionales.

Cómo usar el apio en sus recetas

Asegúrese de usar siempre apio tan fresco y firme como sea posible. Evite toda clase de apio que luzca marchito, marrón o enfermo. Y, sobre todo, no guarde el apio en su refrigerador por más de 3 semanas. Según el número de noviembre y diciembre de 1985 del *Journal of Agricultural Food Chemistry,* las furocumarinas presentes en cantidades muy pequeñas en el apio fresco pueden aumentar 25 veces o más después de 3 semanas de almacenamiento. El apio viejo ha causado cáncer en algunos animales.

Para preparar un plato simple, al estilo de un *stir-fry,* añada apio rebanado a pedazos de pollo, tape el recipiente y ponga a cocer a fuego lento durante 20 ó 30 minutos. O utilice cordero con apio, en lugar de pollo. La crema de apio, otro de los platos de invierno favoritos de los años 30 y 40, puede adaptarse al estilo de la cocina de hoy condimentándola con queso o con nueces. Las almendras tostadas le añaden el crujido a esta interesante versión.

Crema de apio con almendras

Ingredientes: 8-10 ramas de apio con las hojas; 1 cucharada de chalotes *(shallots)* cortados en cubitos; 3 cucharadas de mantequilla; 1/4 cucharadita de sal marina; 1 cucharadita de harina de trigo entero; 1/2 taza de crema; 1/2 taza de caldo de pollo; 1 taza de almendras *(almonds)* tostadas.

Preparación: Corte el apio en rebanadas diagonales, derrita la mantequilla en una cacerola con una tapa ajustada. Primero agregue los chalotes, luego el apio. Tape la cacerola; cocine durante unos 8 minutos, hasta que el apio se ablande. No es necesario añadir ningún líquido. Agite la cacerola de vez en cuando para evitar que el apio se pegue. Cuando se haya ablandado, agregue la sal marina y la harina de trigo. Mueva el apio con una cuchara para distribuir bien la harina.

Coloque la cacerola sobre un hervidor doble; añada la crema y el caldo de pollo. Deje cocer unos 5 minutos, hasta que desaparezca el sabor a harina cruda y la mezcla se espese ligeramente. Agregue 3/4 taza de almendras tostadas. Coloque la mezcla de apio en un plato de mesa; corónela con las almendras restantes. Espolvoree pimentón *(paprika)* y sirva. Suficiente para 3 ó 4 personas.

ARÁNDANO
(véase: Bayas)

ARÁNDANO AZUL
(véase: Bayas)

ARROZ
(véase: Cereales)

ARRAYÁN
(Myrica cerifera)
(Bayberry en inglés)

Breve descripción

El arrayán o mirto de cera *(wax myrtle)* es un arbusto siempre verde originario de la zona este de Estados Unidos, desde Nueva Jersey hasta el sur de la Florida y hasta Texas al oeste. También crece en las Bahamas, las Antillas y las islas Bermudas. Su fruta es una nuez redonda en forma de drupa, de color blanco grisáceo, cubierta de una corteza encerada. Sus propiedades medicinales son similares a las del bérbero *(barberry)* o a las de las raíces de la uva silvestre de Oregón.

Cura y previene las venas varicosas

Mike Tierra, un herbolario de California, recomienda usar el arrayán como un fomento, para "aliviar, curar y prevenir las venas varicosas". Se prepara sumergiendo una toalla o paño absorbente en un poco de té de arrayán y aplicándola sobre las piernas afectadas, tan caliente como sea posible sin causar quemaduras. Se cubre la toalla con un paño de franela y se le coloca encima una almohadilla para calentar *(heating pad)* o una bolsa de agua caliente. Se puede utilizar una cubierta de plástico para proteger la cama si se aplica durante la noche.

Reduce la fiebre y expulsa los parásitos

Si desea preparar un poderoso té de uso externo para las venas varicosas, e interno para controlar una fiebre incontenible, parásitos intestinales y problemas del hígado y los riñones, simplemente ponga a hervir un cuarto de galón (litro) de agua, añada de 2 a 3 cucharadas de corteza picada, tape y deje cocer a fuego lento durante 5 minutos. Retire del fuego y deje en remojo 40 minutos. Cuele, endulce con miel o almíbar de arce puro *(pure maple syrup)* y tome 2 ó 3 tazas diarias, durante el tiempo que sea necesario.

Ayuda a mejorar los malestares femeninos

Dos o tres tazas diarias de este té, tomadas o usadas como una ducha vaginal, pueden ser muy útiles para contener hemorragias en los pulmones, los intestinos o el útero, así como en el tratamiento del prolapso de útero, la menstruación excesiva y las hemorragias vaginales. Es también un excelente laxante, ya sea en cápsulas (tómese 3 a la vez) o en té (1 ó 2 tazas diarias).

ARZOLLA O CARDO DE MARÍA
(Silybum marianum)
(Milk thistle en inglés*)*

Breve descripción

La arzolla o cardo de María (cardo mariano o lechero) es una robusta planta anual o bianual que alcanza una altura de 1 a 3 pies (hasta 1 metro). Sus hojas lampiñas, de bordes ondulados y espinas agudas, son de un color verde oscuro brillante en la parte superior y marcadamente rayadas de blanco a lo largo de las venas. Los cabezales son de color púrpura rojizo, con brácteas que terminan en espinas.

Las semillas de la arzolla contienen un importante compuesto llamado silimarín (*silymarin* en inglés), el cual posee un enorme potencial curativo en el tratamiento de las enfermedades del hígado.

Un remedio increíble para la mayoría de las enfermedades del hígado

Nada parece trabajar mejor para proteger al hígado contra la intoxicación causada por los productos químicos nocivos y para el tratamiento de ciertas enfermedades del hígado que las semillas de arzolla. Aunque el jurado podría no haber alcanzado aún un veredicto definitivo, la comunidad científica reconoce que nada supera a las semillas de arzolla como antídoto contra sustancias tóxicas peligrosas para el hígado.

Detalles sobre las evidencias en favor de la arzolla podrían encontrarse en el libro *Herbs, Spices and Medicinal Plants* (Oryx Press, 1986) de Craker y Simon. Tómese en cuenta, por ejemplo, que a dos grupos de ratas se les administró un determinado compuesto que se encuentra en una especie de hongos venenosos. El grupo no sometido al tratamiento murió 3 horas más tarde, debido a una hemorragia interna alrededor del hígado, mientras que el grupo que fue tratado con semillas de arzolla sobrevivió sin mayores complicaciones.

En otra prueba, las semillas de arzolla administradas a tiempo no sólo demostraron que son capaces de evitar la destrucción del hígado en animales que fueron expuestos a sustancias químicas muy nocivas para este órgano, sino que prolongaron la vida de algunos animales a quienes les fueron administradas más tarde, después de que las sustancias ya habían hecho algunos estragos.

Pese a que la arzolla es extremadamente popular en Europa, todavía no ha sido ampliamente adoptada por la industria de plantas medicinales de Estados Unidos. Uno de los pocos productos en los que podría conseguirse es en el *Thisilyn*, de *Nature's Way,* disponible en la mayoría de las tiendas de alimentos naturales. Tres cápsulas al día parecen ser suficientes para proteger al hígado contra la mayoría de las sustancias tóxicas que ingerimos a diario de forma inconsciente, desde los alimentos que comemos y el agua que bebemos hasta el aire que respiramos.

Avena
(véase: Cereales)

Azucena amarilla
(véase: Plantas ornamentales)

BANANA O PLÁTANO
(Musa sapientum)

Breve descripción

El plátano o banana es una planta herbácea que crece hasta 20 pies o más (6 metros) de altura. Tiene un tronco fuerte, cilíndrico suculento que sale de un tallo bulboso pulposo y grande. Este tallo produce una serie de serpollos que forman racimos. La banana es oriunda, en sus variadas formas, de regiones que van desde la India a Birmania, por todo el archipiélago malayo hasta Nueva Guinea, Australia, Samoa y la zona tropical de África. Se cultiva universalmente en las regiones tropicales.

Curiosos usos de la cáscara de banana

Un truco familiar utilizado en las comedias del cine mudo era que alguien resbalara sobre la cáscara de banana.

Pero otros usos más sobrios y serios para la cáscara de banana aparecen en la literatura médica popular de todo el mundo. En Curaçao las cáscaras de bananas verdes se pueden rallar y secar, o quemar y hacer cenizas, y luego se aplican a las llagas cancerosas, las lesiones de herpes y las úlceras de las piernas de los diabéticos, y se obtienen buenos resultados. En Trinidad, una cataplasma de cáscara de banana madura se aplica en la frente y en la parte posterior del cuello para aliviar los terribles dolores de la migraña. En las Bahamas, el cocimiento de la cáscara de banana verde fresca se toma como un remedio para la hipertensión. También, la superficie interna de la cáscara de banana madura puede aplicarse directamente en las quemaduras, las urticarias y los furúnculos para obtener alivio. Curiosamente, el interior de la cáscara puede usarse también como un pulimento de zapatos para borrar las rayaduras.

Un médico cura más de 200 casos de verrugas con cáscara de banana madura

Uno de los remedios populares más asombrosos que he encontrado tiene que ver con la eliminación exitosa de las verrugas plantares (en las plantas de los pies).

Matthew Midcap, M.D., compartió conmigo algunas de sus experiencias de primera mano con la cáscara de la banana madura, la cual él usa en su práctica clínica en Morgantown, West Virginia.

El Dr. Midcap afirma que la cura trabajará en todo tipo de verrugas y que "hasta ahora siempre ha sido efectiva en un 100%".

La primera vez que leí acerca de este tratamiento con la cáscara de banana fue en el número de diciembre de 1981 del *Journal of Plastic Reconstructive Surgery*. En un artículo breve escrito por un médico israelí de la ciudad de Safad se contaba cómo él había tratado a una sola paciente —una chica de 16 años con dolorosas verrugas en las plantas de los pies— solamente con cáscara de bananas maduras. El doctor de la ciudad de Wheeling con quien yo estaba trabajando en capacidad de empleado de oficina cuando yo era aún un estudiante de medicina en aquel entonces, decidió unirse a mí para llevar a cabo experimentos adicionales basados en este único episodio que había sido publicado. Su nombre es Dr. Phillip Polack.

Uno de nuestros primeros pacientes era un hombre de raza blanca, de 48 años de edad. Él es un prominente banquero de Wheeling a quien le gusta jugar al golf. Pero una acumulación de verrugas en la planta de un pie, de unas 2 pulgadas (5 m) de diámetro, le impedía disfrutar de su deporte favorito. Cuando vino a vernos, ya había tratado todo el arsenal normal de terapias médicas disponibles: terapia ácida, crioterapia que congela la verruga y la hace caer, cirugía e inclusive radiación. Pero nada parecía funcionar: las verrugas volvían a salir de nuevo. Yo corté un pedazo de cáscara de banana madura y apliqué su superficie interior, blanca y blanduzca, sobre las verrugas, haciendo que se mantuviera en su lugar por medio de una cinta adhesiva (esparadrapo).

Le di indicaciones de que la dejara allí, y que la quitara solamente cuando se bañara o se diera una ducha. Después de lo cual, tenía que secarse bien el pie y aplicarse de nuevo otro pedazo de cáscara de banana madura. Regresaba cada semana para que le raspáramos el viejo y muerto tejido de las verrugas. En menos de un mes podíamos observar que sus verrugas se estaban reduciendo de tamaño. En 6 meses no sólo estaba completamente curado, sino que desde entonces no ha experimentado otra recurrencia de las verrugas. En todo este tiempo ha estado practicando muchísimo el golf sin sentir ningún dolor.

Una fruta curativa

En partes de América Central, la pulpa de la banana cocinada se da como un remedio para la diarrea. En otras partes, la pulpa aplastada de la fruta se ata alrededor del cuello para aliviar la garganta irritada y reducir la inflamación de los adenoides. Es útil en algunos casos de úlceras estomacales, diverticulitis y colitis, pero no siempre. El aceite en la banana hace que éste sea un alimento difícil de digerir para algunos adultos, sobre todo para los ancianos. La banana necesita ser *bien* masticada y consumida en porciones pequeñas para que se pueda digerir apropiadamente.

Según un número de 1959 de la revista *Postgraduate Medicine,* una dieta de banana es ideal para tratar la enfermedad celíaca, una susceptibilidad alérgica al gluten de algunos cereales y que es más frecuente en los niños pequeños. Médicos de la Facultad de Medicina de la Universidad de Vanderbilt, les suministraron hasta 10 bananas por día a algunos de sus pacientes jóvenes con asombrosos resultados positivos. Cuando se esté tratando a un niño pequeño que padece de esta enfermedad, consulte con una autoridad médica o de la salud apropiada con respecto a la dieta en general del niño o la niña, ya que productos como los caramelos y el azúcar, por lo general, están también restringidos.

Una merienda saludable para los adultos

En los textos de medicina se ha informado acerca de los diversos beneficios para la salud que tiene el consumo de bananas para las personas de mayor edad. En un estudio en el que se suministró una banana para ser consumida como merienda, ya fuera sola o con leche, durante el periodo de descanso diario, disminuyeron los informes de enfermedades entre las trabajadoras de las industrias. Para ellas, la fruta constituía una merienda energizante a media mañana. En un segundo informe, se observó una mejoría en la moral laboral y un descenso del absentismo entre los empleados de oficina a los que se les suministraron suplementos de bananas. Los trabajadores a los que se les dio esta merienda de fruta natural, estaban más alegres y atentos y menos cansados en el trabajo que aquellos que no consumieron bananas. El último de estos experimentos fue llevado a cabo en un asilo de ancianos *(retirement home)*. 117 residentes recibieron una banana madura todos los días por periodos de 16 a 30 días. Después de un tiempo, estos residentes ya no sufrían de ningún trastorno digestivo. La banana es también buena para compensar el choque insulínico en los diabéticos.

Para crear músculos

Las bananas son buenas para aumentar unos cuantos kilos con los cuales se puede adquirir más músculos y fuerza para ciertos tipos de deportes competitivos que exigen una gran interacción física, como son el fútbol americano y la lucha libre. Los doctores especializados en medicina deportiva que trabajan con atletas, por lo general recomiendan alimentos como bananas, papas y arroz junto al usual levantamiento de pesas y otros ejercicios para crear músculos, para que el peso adicional que se gana sea adquirido en forma de músculo útil y no en forma de pura masa. Los luchadores japoneses de sumo comen enormes cantidades de arroz y banana para poder mantener sus increíbles barrigas (¡las cuales son *todo* músculo, por cierto!).

A aquellas personas que necesitan aumentar unos 20 kilos, se les recomienda que se coman un par de bananas todos los días, ya sea en una bebida líquida o en forma de budín, o en su forma natural, lo que ayudará a producir adicionales proteínas para los músculos, cuando se acompañan con los ejercicios acostumbrados.

Delicioso pan de banana

Esta deliciosísima receta de pan de banana y dátiles ha sido adaptada de una que aparece en el libro *Eating Healthy Cook Book* de la revista *Better Homes & Gardens,* el cual recomiendo.

Ingredientes: 1 1/2 taza de harina *(all-purpose flour);* 1/2 cucharadita de bicarbonato de soda *(baking soda);* 1/2 cucharadita de canela *(cinnamon)* molida; 1/4 cucharadita de polvo de hornear *(baking powder);* 1/4 cucharadita de nuez moscada *(nutmeg)* molida; 2 claras de huevo; 3/4 taza de miel oscura; 1/4 taza de melaza *(blackstrap molasses);* 1 taza de bananas maduras y aplastadas; 1/4 taza de aceite de oliva; 1/2 taza de dátiles sin carozo *(pitted dates)* picados; y un poco de lecitina en líquido *(liquid lecithin),* de cualquier tienda de alimentos naturales.

Preparación: Mezcle todos los ingredientes secos juntos. Luego, mezcle bien las claras de huevo, la melaza y las bananas; añada el aceite y siga revolviendo. Luego agregue la mezcla de harina. Añada los dátiles. Engrase ligeramente con lecitina una fuente para hacer pan de 8 × 4 × 2 pulgadas (20 × 10 × 5 cm). Coloque la mezcla en la fuente. Hornee durante 55 minutos a 350° F. Deje que se enfríe en la fuente durante 10 minutos y luego sáquela y póngala a enfriar en una parrilla de metal.

BARDANA
(Arctium lappa)
(Burdock en inglés*)*

Breve descripción

Existen básicamente dos clases de bardanas. La bardana común o lampazo menor *(Arctium minus)* es la clase que se encuentra con más frecuencia en el medio oeste estadounidense, entre los surcos de maíz y de trigo. Por otra parte, la bardana mayor es la que se cosecha por su raíz, como una importante fuente alimenticia para los japoneses, quienes la consumen del mismo modo que nosotros consumimos la zanahoria. Esta variedad de bardana posee grandes cardas marrones, redondas y cerdosas, de ahí el nombre común de cardo ajonjero (*cocklebur* en inglés).

Insuperable purificador de la sangre

La raíz de la bardana es quizás el más usado de todos los purificadores sanguíneos, entre los mejores que el reino vegetal nos ofrece, y el más importante para el tratamiento de problemas crónicos de la piel. Es uno de los pocos vegetales con que se puede tratar efectivamente el eczema, el acné, la soriasis, las úlceras y las llagas producidas por la sífilis y el herpes, los orzuelos, los carbúnculos, las llagas gangrenosas y otras enfermedades similares.

Para preparar un té eficaz, ponga a hervir 1 cuarto de galón (litro) de agua. Baje el fuego y añada 4 cucharaditas de raíces secas. Ponga la tapa y deje cocer a fuego lento durante 7 minutos. Luego, retire del fuego y déjela en reposo por otras 2 horas. Tome por lo menos 2 tazas al día en ayunas (o más, si persisten los problemas crónicos de la piel). Se puede preparar una cantidad mayor y usarla para lavarse la parte afectada con frecuencia. También puede tomar cápsulas (4 al día) de la marca *Nature's Way,* disponibles en su tienda de alimentos naturales.

Elimina los cálculos renales y biliares

El té de raíz de bardana y nébeda *(catnip)* es un gran remedio para eliminar los cálculos (piedras) biliares y renales. Ponga a hervir 4 tazas de agua y añada 2 cucharadas de raíces frescas o secas. Baje el fuego, tape y deje cocer a fuego lento durante 10 minutos. Luego, retire del fuego y añada 3 cucharaditas de hierba de nébeda fresca o seca.

Deje remojar durante 1 1/2 hora. Después cuele el líquido, agregue a cada taza 1 cucharadita de jugo de limón y endulce con 1/2 cucharadita de almíbar de arce puro *(pure maple syrup)* o de melaza *(blackstrap molasses)*. Beba lentamente. Exactamente 10 minutos después, tome 1 cucharadita de aceite puro de oliva.

Repita este tratamiento 3 veces al día. El té calma la inflamación de los tejidos y ayuda a romper o disolver parcialmente los cálculos, mientras que el aceite actúa como lubricante, a fin de expulsarlos más fácilmente del organismo. Durante este tratamiento, es muy importante no consumir comidas grasosas o fritas, bebidas gaseosas, carbohidratos refinados, tales como productos hechos a base de harina o azúcar blancas, o carnes rojas y aves.

Una vez que haya tomado la última taza de té y la cucharadita de aceite, antes de acostarse, asegúrese de dormir del lado derecho, con una almohada debajo de la axila. Esta postura, según aseguran algunos, parece facilitar la expulsión de los cálculos del organismo.

Un postre de planta silvestre

¿Quién iba a pensar que se pueden preparar postres deliciosos a base de vegetales, en lugar de los típicos helados y tartas? Pues bien, en el caso de la raíz de bardana, usted puede obtener un postre capaz de satisfacer a un rey.

RAÍCES DE BARDANA AL ESTILO HAWAIANO

Ingredientes: 2 cucharadas de mantequilla dulce; 1/4 de taza de azúcar morena *(brown sugar);* 1 cucharadita de jugo de limón; 1 taza de trozos de piña (ananá, *pineapple)* enlatada (conserve 1 taza del almíbar); 2 cucharadas de maicena (fécula de maíz, *cornstarch);* 2 tazas de raíces de bardana picadas en rodajas y cocidas hasta que estén blandas.

Derrita la mantequilla a fuego lento en una sartén, agregue el azúcar morena y el jugo de limón y revuelva el contenido. Mezcle el almíbar de piña con la maicena, revuelva bien y añada la mezcla de azúcar y mantequilla. Revuelva constantemente durante 20 minutos, a fuego lento, hasta lograr una salsa espesa. Añada las raíces de bardana y los trozos de piña y espere a que se calienten. Sirva antes de que se enfríe.

Una nutritiva sopa de hierba y pescado

Durante una conferencia en Rhode Island, un médico especializado en tratamientos alternativos de Tokio, Japón, me dijo lo que recetaba a muchos de sus pacientes que se recuperaban de cirugías o enfermedades recientes, o a quienes les faltaban energía, vitalidad y bríos.

Primero, consiga algún pescado de agua dulce en su supermercado o pescadería local. La carpa, el salmón y la trucha son los mejores. Se necesita alrededor de una libra de pescado y 1/2 libra de raíces de bardana frescas; 1 cucharada de aceite de ajonjolí *(sesame seed oil)*; 2/3 de taza de perlas de cebada *(barley pearls)* crudas; 1 cucharada de raíz de jengibre *(ginger root)* fresca rallada; varias bolsas de té verde; 1/2 taza de cebollinos *(chives)* picados; 2 cucharadas de jugo de lima (limón verde, *lime*) y un poco de alga marina *kelp*.

No se le debe quitar nada al pescado; la cabeza, aletas, escamas y espinas deben conservarse intactos. Corte el pescado entero en pedazos de 1 1/4 pulgada (3 cm o aproximadamente 12 porciones). Luego, corte la cabeza en varias partes y sáquele los ojos. Pique las raíces de bardana en rodajas *muy finas*. Saltee las raíces en aceite de ajonjolí durante media hora. Luego, coloque los pedazos de pescado sobre la base de bardana salteada. Cubra con agua suficiente sólo para mantener un nivel de aproximadamente 3 pulgadas (8 cm) sobre el pescado.

Después, esparza la cebada sobre el pescado y las raíces, junto con los cebollinos y el alga marina *kelp*. Coloque varias bolsas de té en rincones opuestos de la cacerola *y encima* del pescado. Tape y ponga a hervir. Luego baje el fuego y cocine a fuego lento durante por lo menos 5 1/2 horas. Al final de este período, quite la tapa de la cacerola y retire las bolsas de té. Agregue la raíz de jengibre rallada y el jugo de lima, cubra y deje cocer a fuego lento una vez más, por un lapso de 15 a 20 minutos. Puede consumir la sopa durante varios días.

Bayas
(Berries en inglés*)*

Breve descripción

La siguiente lista es una selección de bayas conocidas tanto por sus propiedades nutritivas como medicinales.

ARÁNDANO AGRIO (*Vaccinium macrocarpum, Cranberry* en inglés). Planta trepadora baja, común en los estados de Nueva Inglaterra y en las áreas pantanosas. Se distingue por su fruto de color rojo. Se consume con mayor frecuencia en días festivos, tales como el día de Acción de Gracias y Navidad.

ARÁNDANO AZUL (*Vaccinium gaylussacia, V. corymbosum, Blueberry* en inglés). La clase cultivada, de color negro azulado, se consume principalmente por sus propiedades alimenticias.

BAYA DE DEDAL (*Rubus parviflorus* o *R. nutkanus, Thimbleberry* en inglés). Común en el noroeste pacífico de Estados Unidos, sus bayas de color rojo, similares a las frambuesas, tienen forma de dedal, de ahí su nombre. Posee una textura particularmente suave, como el terciopelo, que casi se derrite literalmente en la boca.

BAYA DEL ENEBRO (*Juniperus connumis, Juniper berry* en inglés). Arbusto perenne que se encuentra en suelos secos y rocosos de Norteamérica, Europa, Asia e incluso en el Círculo Polar Ártico. Su fruto es un cono con forma de baya, que posee un color verde el primer año y que al madurar, el segundo año, adquiere un color negro azulado o púrpura oscuro.

BAYA DEL ESPINO (*Crataegus oxyacantha, Hawthorn berry* en inglés). Existen muchas especies de esta planta alrededor del mundo. Algunas son más sabrosas que otras. Sus bayas pueden ser rojas, púrpuras o casi negras, dependiendo de la especie, y se encuentran tanto en árboles como en arbustos.

BAYA DEL SAÚCO (dulce, negra, roja) (*Sambucus canadensis, S. nigrum, S. racemosa, Elderberry* en inglés). Árbol o arbusto que produce moras que van del color marrón rojizo al negro brillante.

BOYSENBERRY o BAYA DE BOYSEN (de la especie *Rubus*). Fruta de gran tamaño, de sabor similar al de la frambuesa, conocida con el nombre de su originador, Rudolph Boysen.

DEWBERRY (Rubus canadensis). Forma parte de la familia de la zarzamora y es considerada como la más sabrosa de toda la especie *Rubus*. De la zarzamora fue desarrollada la zarzamora híbrida.

ESCARAMUJO o MOSQUETA SILVESTRE (de la especie *Rosa*, *Rose hips* en inglés). Existen más de 100 clases de esta planta en el mundo. Su fruto se asemeja a una baya, pero es en realidad un hipantio (un agrandamiento del toro debajo del cáliz) maduro. Notable por su gran contenido vitamínico.

FRAMBUESA (roja, negra) (*Rubus idaeus, R. crataegifolius, R. occidentalis, Raspberry* en inglés). La frambuesa roja da frutos durante la primavera y el otoño. Los frutos del otoño son de sabor más dulce, debido al clima fresco (a no ser que la primavera sea fresca también). La frambuesa roja tiene menos semillas y es más jugosa que la variedad negra. La negra es más oscura y de forma más irregular, más parecida a un casquete que a una pelota, como lo es la roja. Su temporada dura sólo 4 semanas (entre junio y julio).

FRESA o FRUTILLA (cultivada, silvestre) (*Frangaria ananassa, F. vesca, Strawberry* en inglés). Tan conocida que no hace falta describirla.

GROSELLA (negras, rojas) (*Ribes nigrum, R. rubrum, Currants* en inglés). Mora pequeña y agria de color rojo, negro o incluso blanco, perteneciente a la misma familia que la grosella espinosa.

GROSELLA ESPINOSA (*Ribes grossularia, Gooseberry* en inglés). Su pequeña fruta parece una pequeña pelota de baloncesto verde con un tallo, porque su cáscara tiene líneas estriadas que dan la impresión de dividir la baya en secciones de distintos tamaños. La grosella espinosa tiene un sabor ácido.

MORA (*Morus alba, M. rubra, M. microphila, Mulberry* en inglés). La mora blanca, de la que existen numerosos híbridos, abunda en Nueva Inglaterra; la roja en los Montes Apalaches y la mora de Texas en ese estado. El jugoso fruto de la mora tiene un sabor ácido, pero agradable.

OLLALLIEBERRY (de la especie *Rubus*). Originaria de Oregón, pero cultivada extensamente en California, esta planta es un cruce entre la zarza de Logan y la *youngberry.*

RÁSPANO (*Vaccinium myrtillus, Huckleberry* en inglés). Semejante al arándano azul, pero más notable por sus propiedades medicinales. Su fruta puede ser de color rojo o negro azulado. Ambas clases de arándano azul están estrechamente vinculadas al arándano agrio.

SALMONBERRY (Rubus spetabilis). Su nombre proviene de su color salmón. Común en el noroeste de Estados Unidos, posee un fuerte sabor agrio. Sabe mejor cocida que cruda.

ZARZA DE LOGAN o FRAMBUESA AMERICANA (*Rubus loganobaccus, Loganberry* en inglés). Este árbol, desarrollado en California por un escocés, es un híbrido entre la frambuesa y la zarzamora. Su fruto es de gran tamaño, largo, de color rojo oscuro y de un fuerte sabor ácido.

ZARZAMORA o MORA NEGRA (*Rubus villosus, Blackberry* en inglés). Conocida por el intenso color negro-púrpura de sus frutos.

Beneficios generales para la salud

Una de las características de casi todas las bayas es que son buenas como tónicos para rejuvenecer tanto el corazón como la sangre. Una importante revista médica señaló que una ración extra de frutas frescas, tales como las bayas, cada día, podría reducir el riesgo de un ataque de apoplejía hasta en un 40%, pese a otros factores de riesgo conocidos, debido a su alto contenido de potasio.

Por otra parte, son agentes limpiadores extraordinarios que sirven como estimulantes eficaces para la vejiga y el colon. Además, aparentemente son un complemento ideal para comidas pesadas que contienen carnes grasosas.

Finalmente, puede decirse que la mayoría de las bayas tienen varios grados de actividad antiviral. En el volumen 41 de *Journal of Food Science,* correspondiente al año 1976, apareció un interesante artículo titulado "La actividad antiviral de los extractos de fruta", el cual demostraba que el extracto de fresa inactiva el virus de la polio.

Otras frutas, tales como la frambuesa, el arándano azul y el arándano agrio ayudan a desactivar otros virus intestinales, entre ellos el virus del herpes simple. Las bayas, además, purifican la sangre, limpian la piel y aumentan la belleza del cutis. A continuación, detallamos algunas de las cualidades de la mayoría de las bayas incluidas en este libro y las propiedades medicinales que se les atribuyen, aunque algunas de ellas pueden tener hasta más de una docena de aplicaciones.

Remedios a base de grosella espinosa de la época de los pioneros

Las mujeres del viejo oeste americano hacían un té del fruto y las hojas de la grosella espinosa *(gooseberry)* para ayudar a curar cualquier dificultad uterina después de dar a luz a muchos niños. La solución de algunas de las mujeres a un resfrío consistía en añadir un poco de jalea de grosella roja a un vaso de whisky y darlo de beber al paciente antes de dormir. El jugo de la baya de grosella negra o de grosella espinosa mezclado con un poco de miel era considerado en el viejo oeste como un remedio infalible contra la irritación de la garganta. Las indígenas de las Montañas Rocosas anhelaban comer grosella espinosa durante las etapas iniciales del embarazo, al igual que las mujeres en la actualidad sienten el inusual deseo de comer pepino y helado. Cualquier clase de inflamación de la piel, desde las erisipelas hasta las erupciones causadas por la hiedra venenosa podía ser curada en esos días con una infusión de grosellas espinosas maduras, colándolas bien y frotando luego la loción en la parte afectada para conseguir alivio inmediato.

Arándano agrio para los riñones

Si usted sufre de problemas en los riñones, debería tomar jugo de arándano agrio *(cranberry juice)* todos los días. Al menos, eso es lo que numerosas revistas médicas reconocidas y algunos doctores tienen que decir al respecto. Un informe señaló que 60 pacientes aquejados por una infección aguda del sistema urinario ingirieron 2 tazas o 16 onzas (470 ml) de jugo de arándano agrio al día durante 3 semanas. Más del 70% de ellos mostró una mejoría entre moderada y excelente. El *Journal of Urology* correspondiente al año 1984 reveló "que el jugo de arándano agrio es un potente inhibidor de la adherencia bacteriana" en el sistema urinario.

El jugo de arándano agrio sirve también para disolver las piedras (cálculos) en los riñones. Así lo afirmó un médico de la Marina de Estados Unidos en el número del 3 de enero de 1963 del *New England Journal of Medicine*. En esa ocasión, escribió: "He encontrado que un vaso de 8 onzas (235 ml) [de jugo de arándano agrio] cuatro veces al día por varios días, y luego seguido de un vaso lleno 2 veces al día constituye una valiosa terapia para los pacientes que padecen de cálculos". Un amigo mío, Charles Eady, de Harahan, Luisiana (un suburbio de Nueva Orleans), me dio un testimonio personal en ese sentido.

> Hace 4 años, al cargar una pesada caja de muestras, en una posición incómoda, conseguí de alguna manera desalojar un cálculo que aparentemente había tenido en los riñones durante mucho tiempo. Comencé a orinar sangre y a sufrir fuertes dolores como resultado de esto. Comencé a tomar jugo de arándano agrio de la tienda de alimentos naturales y en 3 días el problema se había curado completamente — no más sangre, ardor ni dolor.

Recientemente, salió al mercado una fórmula de arándano agrio altamente concentrada para limpiar los riñones. El polvo en cápsula está hecho parcialmente a base de un viejo remedio holandés de Pensilvania, de las tierras de los amish, cerca de Lancaster, en el estado de Pensilvania. Se puede ordenar por correo a *Old Amish Herbs*, en St. Petersburg, Florida. Asimismo, un producto de jugo de arándano agrio en cápsulas igualmente bueno, de la marca *Nature's Way*, se puede conseguir en su tienda de alimentos naturales. Se recomienda tomar en ayunas 3 cápsulas diarias de cualquiera de estos productos.

Arándano azul para los diabéticos que no son dependientes de insulina

El arándano azul *(blueberry)* posee una sustancia llamada *myrtillin* que reduce el azúcar en la sangre, del mismo modo que la insulina. Si desea preparar un té que combata la diabetes para un paciente que no usa insulina, ponga en remojo 1 cucharadita de hojas secas de arándano azul en 1 taza de agua recién hervida, hasta que esté tibia. Tome 1 taza 4 veces al día. Existe evidencia clínica que prueba que varios miembros de la especie *Rubus* (zarzamora, arándano azul, frambuesa, etc.) produjeron un notable descenso de los niveles de azúcar en la sangre en conejos y seres humanos que padecen de diabetes. Pero el té de hojas de bayas debe ser tomado 2 ó 3 veces al día de forma regular, o de lo contrario los niveles de glucosa suben desmesuradamente. El efecto hipoglucémico se debe probablemente a un aumento en la producción de insulina por parte de las células beta del páncreas. El fruto y las hojas del arándano azul también poseen propiedades similares a las de la zarzamora *(blackberry)* contra la diarrea.

No existe nada como la baya de enebro para las llagas y heridas

Las bayas de enebro *(Juniper berries)* son usadas para dar sabor a los tónicos a base de ginebra y alcohol. Un fuerte té de bayas (8 cucharadas de bayas en un cuarto de galón o litro de agua hirviendo, puesto en reposo por 1 hora) sirve como remedio para las escaldaduras, quemaduras, llagas y toda clase de heridas infectadas cuando se usa para lavar meticulosamente el área afectada varias veces al día.

Hace algunos años en nuestra finca familiar, ubicada en el desierto del sur de Utah, me hice accidentalmente una seria herida en la mano con un alambre de púas oxidado. Mientras meditaba sobre la situación momentáneamente, una idea me cruzó por la mente como un relámpago. Se me ocurrió pedir que uno de los trabajadores de nuestro rancho recogiera algunas bayas de enebro de un árbol cercano e hiciera con ellas una cataplasma y la aplicara sobre mi herida. Hicimos esto y vendamos mi mano con un pañuelo limpio y húmedo. Para la noche, la hinchazón había cesado, y al llegar la mañana, la laceración empezó a curarse maravillosamente.

La baya del espino es una buena medicina para el corazón

La baya del espino *(hawthorn)* es un medicamento valioso para el tratamiento de varias enfermedades del corazón y los trastornos sanguíneos, incluyendo la angina. Las bayas del espino se pueden conseguir en cualquier tienda de alimentos naturales, bajo la marca de

Nature's Way. Aproximadamente 2 ó 3 cápsulas al día son suficientes para mantener el funcionamiento adecuado del corazón. Se puede preparar un té poniendo en remojo 1 cucharada de bayas machacadas en 1 1/2 taza de agua destilada fría durante 8 horas. Luego, ponga a hervir rápidamente y cuele. Endulce con miel y beba tibio. Como siempre, en casos graves de enfermedades de esta naturaleza, busque y siga las instrucciones de un profesional de la salud confiable.

Bayas del saúco para la inflamación y la tos

El jugo fresco de bayas del saúco *(elderberry)* evaporado a fuego lento y convertido en jarabe, mezclado con manteca o una base cremosa, sirve como ungüento para curar las quemaduras. Cociendo ligeramente las bayas, se puede preparar una relajante loción para aliviar el dolor en los ojos. También se puede conseguir un extracto de la marca *Nature's Way* en las tiendas de alimentos naturales.

Para preparar un buen tónico para la garganta, ponga a hervir 1 cuarto de galón (litro) de jugo de baya del saúco con 1 cucharada de clavos de olor *(cloves)*, 1 cucharada de nuez moscada *(nutmeg)* y 1 de canela *(cinnamon)*. Cuele el líquido 30 minutos después, agregue 1/2 taza de miel oscura y melaza, ponga a hervir y saque la espuma. Espere a que se enfríe y guarde en el refrigerador. Puede diluirse o usarse puro para calmar la tos, el dolor de garganta y la irritación en los pulmones.

Escaramujo para la neumonía y los trastornos respiratorios

La mayoría de nosotros reconoce que la vitamina C del escaramujo (mosqueta silvestre, *rose hips*) es buena para combatir la gripe y el resfrío. Pero es también un excelente remedio contra la neumonía, la bronquitis y otros problemas respiratorios.

Si no tiene escaramujos frescos a su disposición, entonces prepare su propio té con escaramujos secos que puede conseguir en cualquier tienda de alimentos naturales. Recuerde, sin embargo, que una gran parte de la vitamina C desaparece durante el proceso de secado y se pierde aún más al preparar el té. Una compañía que ha podido aparentemente conservar una buena porción del ácido ascórbico en las cápsulas de su producto *Old Fashioned Rosehips* es la *Old Amish Herbs,* de St. Petersburg, Florida (vea el Apéndice).

Sin embargo, los escaramujos contienen una cantidad de minerales y otros agentes antibióticos, que no son afectados por el calor, suficientes como para erradicar un resfrío. Ponga a entibiar 1 cuarto de galón (litro) de agua. Retire del fuego y añada 6 cucharadas de escaramujo. Deje en remojo por 20 minutos, aproximadamente. Después de colar, agregue un poco de miel, revuelva bien y tómelo en seguida. También, puede tomar 3 ó 4 cápsulas de escaramujo de *Nature's Way* varias veces al día con un poco de agua o jugo tibio.

Hojas de frambuesa para agilizar el parto

Una madre mormona de Utah tomó té de hojas de frambuesa *(raspberry)* para hacer que sus partos fueran mucho más fáciles. Al principio, en sus primeros partos había sentido mucho dolor. Pero cuando comenzó a tomar este té durante el embarazo, los dolores de parto se redujeron y casi desaparecieron por completo. La señora cuenta que en el cuarto de convalecencia se encontraban con ella "varias mujeres jóvenes que acababan de dar a luz, quejándose y gruñendo", mientras que ella se sentía muy bien.

La mujer tomó 1 taza de té al día durante sus 9 meses de embarazo y alrededor de 4 tazas de té fuerte bien caliente antes de ingresar al hospital. Las contracciones comenzaron un par de horas más tarde y dio a luz rápidamente y casi sin sentir dolor. Para preparar el té, ponga a hervir 4 tazas de agua. Saque del fuego y agregue 6 cucharadas de hojas de frambuesa secas. Deje en remojo 40 minutos. Tome el té frío diariamente para aliviar el malestar matinal y muy caliente justo antes de entrar en la sala de parto. Este té es también excelente para la náusea.

Fresas para limpiar los dientes y embellecer la piel

No hay nada como las fresas (frutillas, *strawberries*) para limpiar la piel. Una herbolaria que conozco, Kathi Keville, me dio la receta de su crema facial de fresas:

CREMA FACIAL DE FRESAS DE KATHI KEVILLE

Ingredientes: 1/2 taza de jugo fresco de fresas (frutillas, *strawberries)*; 1 taza de aceite de almendras *(almond oil)*; 1/2 onza de cera de abejas *(beeswax)*; 1 cucharada de lanolina *(lanoline)*.

Preparación: Derrita la cera y la lanolina en el aceite. Deje enfriar a temperatura del cuerpo o apenas un poco más tibia. Ponga a entibiar el jugo a la misma temperatura y bata ambos líquidos hasta que se enfríe la mezcla. Vierta en una jarra y déjelo descansar. El olor de las fresas se diluye fácilmente en la lanolina, de manera que podría necesitar unas cuantas gotas de aceite esencial para dar fragancia a la crema.

Tanto las fresas como las frambuesas sirven como dentífricos excelentes y como medios casi perfectos para prevenir la acumulación del sarro en los dientes. Corte la baya por la mitad, y frótela contra los dientes cubiertos de sarro. También puede aplastarla y aplicarla delicadamente con un cepillo de cerdas suaves. Para obtener mejores resultados, se debe dejar sobre los dientes el mayor tiempo posible. Luego, enjuáguese la boca con agua tibia.

Para preparar un buen enjuague bucal a base de bayas, simplemente añada 1/4 de taza de miel a 1 taza de jugo de bayas y ponga a hervir durante unos segundos. Espere a que se enfríe y agregue 1 1/2 taza de agua destilada, 1/2 taza de té de tomillo *(thyme)* y 4 gotas de aceite de menta piperita *(peppermint oil)*. Haga gárgaras y enjuáguese la boca con este líquido. Elimina toda clase de infecciones y deja un agradable olor y un sabor dulce en la boca.

Las grosellas hacen milagros

Las grosellas *(currants)* negras, rojas y blancas poseen poderosas propiedades antisépticas; tanto es así que, de hecho, pueden ser usadas para el tratamiento de infecciones causadas por los hongos de *candida,* algunas formas de cáncer, la tos incontrolable, la esclerosis múltiple y varias enfermedades de la piel. También son un antídoto excelente contra cualquier clase de intoxicación por tomaína, especialmente de la carne.

El fruto de la grosella negra y las semillas de las bayas contienen el escaso y sumamente necesario ácido gammalinoleico (*ALG* por las siglas en inglés). La grosella negra constituye una de las fuentes naturales más rica en *ALG* descubierta hasta el momento.

¿Qué clase de beneficios para la salud podemos esperar de ellas? Sistemas inmunitario y nervioso central más fuertes, por ejemplo. Y, para las mujeres, alivio contra posibles síndromes premenstruales, entre los que se encuentran las migrañas y los calambres menstruales. También, fortalece el corazón y mejora la circulación sanguínea, en ambos sexos, reduciendo los niveles del colesterol "malo" en la sangre que podrían obstruir arterias importantes. Probablemente, a esto se debe que los esquimales coman tantas bayas como las grosellas con sus variedades de carnes grasosas. Asimismo, consumir con frecuencia grosellas frescas o congeladas ricas en *ALG* ayuda a controlar la hipertensión y las inflamaciones causadas por la artritis.

Zarzamora para regular los intestinos

La zarzamora (mora negra, *blackberry*) es uno de esos remedios que parecen funcionar de dos maneras para corregir los trastornos intestinales. Una señora de Costa Mesa, California, contó su experiencia personal con la zarzamora:

> Cuando mi hija menor tenía unos 6 meses de edad le dio diarrea. La llevé al doctor y le recetó un medicamento que no dio resultado. La abuela vino a visitarnos y me dijo que pusiera aproximadamente 1 cucharadita de malagueta (pimienta de Jamaica, *allspice*) en una bolsa de estopilla (gasa, *cheesecloth*) y los pusiera a hervir en jugo de zarzamora sin endulzar por unos minutos. Cuando se enfrió le di de tomar a mi hija 1 cucharadita cada 4 horas. En 24 horas dejó de quejarse y en 48 horas se le había pasado del todo. He utilizado este remedio con toda mi familia cada vez que alguien tiene diarrea, sólo que en dosis mayores, y he visto que produce milagros.

BERENJENA
(Solanum melongena)
(Eggplant en inglés)

Breve descripción

Esta fruta oscura y satinada fue importada originalmente de India por las caravanas de mercaderes árabes hace varios siglos. La berenjena fue introducida luego en Estados Unidos por Thomas Jefferson, quien experimentó con semillas y mugrones de muchas plantas extranjeras. Las berenjenas pueden ser rojas, amarillas o incluso blancas, pero la clase más común es de color púrpura y parecida a una pera. Entre las otras variedades, las hay largas y ovaladas (conocida por los japoneses como *nasubi*) y pequeñas, con forma de huevo, lo que explica la procedencia de su nombre en inglés, *eggplant,* o "planta de huevo".

Alivia los dolores de estómago

En el número correspondiente al mes de abril de 1982, la revista *Tropical Doctor* publicó un artículo sobre un remedio eficaz tradicional utilizado por los curanderos nigerianos para aliviar los dolores de estómago. Los curanderos ponen a hervir por media hora partes iguales de berenjena seca, cortada en trozos, y frutas de tamarindo maduras en 1 cuarto de galón (litro) de agua. Luego, cuelan el líquido y dan de beber 2 tazas a la vez, para aliviar cualquier tipo de dolor abdominal que padezcan las mujeres.

Té de cáliz para el alcoholismo

Con el cáliz de la berenjena, que se encuentra unido al tallo, se puede preparar una buena infusión que sirve para reducir los efectos del alcohol en la sangre, para neutralizar los efectos secundarios de ciertas bayas y hongos venenosos, y para contener la tos persistente en los fumadores. Ponga a hervir 2 1/2 cucharadas de cáliz de berenjena picada en 2 tazas de agua por 20 minutos. Tómelo tibio.

Reduce el colesterol en la sangre

La berenjena, al igual que las cebollas, las manzanas y el yogur, para mencionar sólo algunos, son alimentos que pueden ayudar a reducir el exceso de colesterol en la sangre. La berenjena, de hecho, contiene sustancias que pueden realmente retener el colesterol en los intestinos y expulsarlo del cuerpo para que no sea absorbido. Aumentar la cantidad de berenjena en su dieta parece ser una buena medida para prevenir la acumulación de grasa en su corazón.

Berenjena en polvo para la salud dental

Con el cáliz o la parte superior que une la berenjena al tallo, se puede hacer una preparación dental especial. Los cálices se esparcen sobre una bandeja para hornear *(cookie sheet)* y se asan lentamente a 175° F durante 24 a 30 horas, o hasta que se puedan convertir en polvo con facilidad, ya sea moliéndolos o magullándolos con un pilón o un martillo.

Luego, se mezcla bien 1/4 de taza de sal marina y 2 cucharadas de alga marina *kelp* en polvo, se esparce sobre otra bandeja para hornear y se asan también lentamente a la misma temperatura, durante aproximadamente la mitad de tiempo. Cuando se haya enfriado lo suficiente, la sal y el alga marina *kelp* se deben mezclar con los cálices de berenjena en polvo.

Los dolores de muela se pueden aliviar frotando la encía alrededor de la pieza afectada con un poco de esta mezcla por un par de minutos. La purulenta enfermedad de la encía llamada "piorrea", que afecta a millones de estadounidenses, puede ser curada cepillándose suavemente los dientes y las encías con un poco de esta mezcla de berenjena, sal y alga marina *kelp* antes de acostarse. Después de cepillarse, enjuáguese la boca con agua fría y, luego, unte un dedo con esta mezcla y frote un poco más la parte externa de las encías. Déjesela puesta por un rato antes de volver a enjaguarse.

Detiene la hemorragia nasal y las úlceras sangrantes

Esta misma mezcla en polvo de berenjena, sal y alga marina *kelp* es muy útil para detener las hemorragias. En caso de sangrado de la nariz, humedezca con agua la punta de un paño, pañuelo o toalla de papel limpia, exprima el exceso y, luego, úntela con la mezcla e introdúzcala en la nariz. Para hemorragias internas, sólo disuelva 2/3 de cucharaditas de la mezcla en 1/2 taza de agua y tómela enseguida. Repita esto tantas veces como sea necesario para contener el sangrado de las úlceras. ¡Queremos enfatizar que las personas que padecen de hipertensión deberán abstenerse de usar este producto para consumo interno!

Una receta inigualable

Este es el único capítulo de este libro en el que usted encontrará una receta para preparar una pizza. Pero ésta le gana a todas por ser tan deliciosa, a la vez que un plato saludable y altamente nutritivo.

PIZZA DE BERENJENA

La preparación de esta pizza lleva 20 minutos y el tiempo de hornear es de 10 a 15 minutos.

Ingredientes: 1/4 taza de aceite de oliva; 2/3 taza de agua tibia; 2 tazas de polvo de cereales múltiples para preparar bizcochos (*multi-grain biscuit mix* disponible en una tienda de alimentos naturales); 2 cucharadas de harina de maíz molido (*stone-ground cornmeal* disponible en una tienda de alimentos naturales); 1 taza de salsa para espaguetis natural; 1 cucharadita de orégano; 1 1/2 cucharadita de albahaca (*basil*) seca; 1 diente de ajo picado; 1/4 taza de queso *mozzarella* rallado; 1/4 taza de queso de leche de cabra rallado (*goat cheese* de una tienda de comestibles preparados); 1/4 taza de queso parmesano rallado; 1 taza de berenjena cortada en rodajas bien finas.

Preparación: Ponga a calentar el horno a 500° F. Coloque aceite y agua en un tazón mezclador y agregue el polvo para preparar bizcochos. Prepare la masa en una tabla de repostería u otra superficie plana previamente espolvoreada con más polvo para preparar bizcochos. Amase por otros 2 minutos, añadiendo gradualmente la harina de maíz, hasta que la masa quede suave y elástica. Si la masa luce seca, añádale unas cuantas gotas de aceite de oliva.

Si usa bandeja para hornear (*cookie sheet*), engrásela con aceite de oliva antes de colocar la masa en forma de círculo o cualquier otra forma que desee. Esparza las rodajas de berenjena en otra bandeja para hornear (*cookie sheet*), engráselas ligeramente con aceite de oliva y áselas por solamente dos minutos. Quítelas del horno y colóquelas de inmediato encima de la masa. Luego, vierta sobre ella la salsa para espaguetis y espolvoree el orégano, la albahaca y el ajo. Distribuya los quesos de forma pareja sobre toda la superficie. Ponga a hornear durante 10 ó 15 minutos hasta que los bordes y la parte de abajo de la corteza adquieran un color marrón dorado y el queso se haya derretido por completo.

BRÓCOLI O BRÓCULI
(véase: Col y sus variedades)

Botón de oro o Hidraste
(Hydrastis canadensis)
(Goldenseal en inglés*)*

Breve descripción

El botón de oro, o hidraste, es una pequeña planta perenne que se cultiva en gran escala como producto herbario, pero que también se da en forma silvestre en bosques sombreados y de mucha vegetación, y en praderas húmedas desde Connecticut hasta Minnesota y hacia el sur. Un rizoma grueso, nudoso y amarillo produce un tallo velloso de casi un pie (30 cm) de alto, que en su extremo tiene un par de hojas dentadas de cinco lóbulos y una única flor blanco-verdosa.

Magnífica para las inflamaciones oculares

En 1974 un médico de Mill Valley, California, Jeff L. Anderson, M.D., usaba con frecuencia una solución de raíz de botón de oro en su práctica para tratar varios trastornos de los ojos, especialmente la conjuntivitis. Mezclaba 1/8 de cucharadita de cada una de estas hierbas: botón de oro en polvo, consuelda y manzanilla; luego añadía la mezcla a una taza de agua hervida y la dejaba reposar durante 15 minutos antes de colarla cuidadosamente a través de una estopilla (gasa, *cheesecloth*) esterilizada. Le indicaba a sus pacientes que usaran la solución a temperatura ambiente, 2 a 3 gotas 3 veces al día, con un gotero esterilizado.

El color amarillo de la raíz se debe a la berberina, un alcaloide. La revista *Indian Journal of Ophthalmology,* de marzo de 1983, informó que la berberina que se encuentra en la raíz del botón de oro es excelente para tratar las inflamaciones de la córnea y el iris causadas por el virus del herpes simplex. Una solución parecida a la mencionada anteriormente puede prepararse para estas afecciones, excepto que se usa 1/4 cucharadita de raíz de botón de oro con las otras dos hierbas. Se deben seguir las mismas indicaciones.

Elimina la Candida albicans y cura las llagas de la boca

Una ducha vaginal con botón de oro es excelente para reducir la infección causada por hongos. En una licuadora eléctrica, combine 3 tazas de agua y 1 1/2 cucharadita de raíz pulverizada; luego, hágase una ducha vaginal varias veces al día hasta que se resuelva el problema.

Un sencillo antiséptico bucal hecho de pizcas de polvo de botón de oro y bicarbonato de soda en un poquito de agua es perfecto para curar cualquier tipo de llagas en la boca o en las encías y la lengua.

Un buen programa para dejar las drogas

Durante una serie de viajes que hice en 1987 a Los Ángeles, San Francisco, Chicago, Boston, Nueva York y Dallas como parte de una serie de conferencias y entrevistas para medios de comunicación, tuve la oportunidad de entrevistar a varios profesionales dedicados a la medicina alternativa y a curadores holísticos que han ayudado a los drogadictos a vencer sus costosos y debilitantes hábitos mediante un tratamiento natural. A continuación incluyo un extracto de toda la sabiduría combinada de ellos en forma de un sencillo programa para aquellas personas que tal vez tengan amigos o familiares que son víctimas de las drogas y que podrían beneficiarse con los procedimientos ofrecidos.

Mi amigo, Lendon Smith, M.D., en su best-séller *Feed Yourself Right,* señala que la adicción también puede involucrar otras sustancias que usamos de manera habitual. Nos cuenta lo que le sucedió al administrador de una pequeña tienda de un pueblo en Ohio, durante el terrible invierno de 1977-78. Ninguno de sus clientes se quejó a medida que se le terminaban los alimentos básicos como la leche, el pan, las frutas y los vegetales. Pero, ¡cómo les molestó y lo maldijeron cuando se le acabó la Pepsi-Cola! "¡La gente se hace adicta a *cualquier cosa!",* advierte el Dr. Smith. Y esto incluye también medicamentos recetados en los casos de muchos miembros respetables de las clases medias y altas, quienes jamás considerarían inyectarse heroína, inhalar cocaína o fumar marihuana.

Todos los profesionales de la salud que consulté fueron unánimes en que *el primero y más importante* paso a dar es limpiar el sistema de los residuos de drogas y medicamentos.

Primer Paso: Limpieza

Cápsulas: Raíz de botón de oro o *goldenseal* (4 por día el primer mes; reducir a 2 por día al mes siguiente). Ramitas de chaparro o *chaparral* (2 por día el primer mes; reducir a 1 después).

Té: 1/2 cucharadita de cáscara de naranja cruda rallada

3 cucharaditas de bayas de enebro *(juniper berries)* secas

1 cucharadita de tomillo *(thyme)* seco

3 cucharaditas de hojas de gordolobo *(mullein)* secas

2 cucharaditas de hierba de limón *(lemon grass)* seca

4 cucharaditas de raíz de diente de león *(dandelion)* seca

Preparación: Ponga a hervir 1 cuarto de galón (litro) de agua destilada o mineral. Cuando hierva, añada la cáscara de naranja, las bayas de enebro y la raíz de diente de león. Tape y deje cocinar a fuego lento durante 5 minutos. Retire del fuego, destape y agregue el resto de las hierbas. Tape y deje reposar durante 40 minutos más. Cuele, endulce con miel y beba 1 taza con 2 cápsulas de botón de oro y 1 cápsula de chaparro (*chaparral*), en ayunas (con el estómago vacío). Repita este procedimiento más tarde, el mismo día. También se recomienda un enema de café fuerte 2 ó 3 veces por semana durante el primer mes (vea CAFÉ para mayor información sobre la preparación y administración de los enemas de café).

El próximo paso consiste en suministrar apoyo al sistema nervioso central por medio de hierbas y nutrientes, en un esfuerzo para controlar los síntomas comunes del abandono de las drogas (histeria, *delirium tremens* e insomnio) que experimentan la mayoría de los adictos.

Segundo Paso: Relajación

Cápsulas: Raíz de valeriana (4 al día)

Esculetaria *(skullcap herb)* (4 al día)

Té: 3 cucharaditas de nébeda *(catnip)* seca

3 cucharaditas de manzanilla *(chamomile)* seca

2 cucharaditas de hojas de menta piperita
(peppermint) seca

4 cucharaditas de hojas de toronjil *(lemon balm)*

Preparación: Ponga a hervir 1 cuarto de galón (litro) de agua mineral o destilada. Cuando hierva, quite del fuego y agregue todos los ingredientes. Cubra y deje reposar durante una hora. Beba 1 taza endulzada con almíbar de arce puro *(pure maple syrup)* 4 veces al día con el estómago vacío.

Suplementos: Aqua-Vite, de *Great American Natural Products* (vea el Apéndice). (3 tabletas 2 veces al día con las comidas).

Complejo B completo (de cualquier marca) de una tienda de alimentos naturales. (3 tabletas 2 veces al día con las comidas).

Vitamina C en forma de ascorbato de sodio (25.000 mg al día).

Calcio-Magnesio en forma de gluconato de calcio (1000 mg) y sulfato de magnesio (500 mg).

Potasio (750-1200 mg), preferentemente con un vaso de 8 onzas (250 ml) de jugo de zanahoria (2/3 parte) y verduras variadas (1/3 parte), todos los días con las comidas. Se podrá usar cualquier verdura de hoja oscura —espinaca, berro *(watercress)*, hierba de trigo *(wheat grass)*, etc. Puede hacerse en casa con un extractor de jugos o adquirirse en el bar de jugos de una tienda de alimentos naturales.

La parte final de este programa de tres pasos es la reconstitución del cuerpo a través de una sana nutrición. Existen pruebas que demuestran que algunos ex-adictos a drogas fuertes no experimentaron prácticamente *ningún* efecto secundario cuando abandonaron súbita y completamente esas sustancias. La estrella de béisbol, Ron LeFlore, es uno de esos casos. LeFlore comenzó a tomar heroína cuando tenía 15 años y la usó diariamente —tanto aspirada como inyectada— durante casi un año antes de ser detenido y encarcelado. Para su sorpresa, *no* experimentó los síntomas típicos de abandono de drogas tras las rejas, aún cuando estuvo confinado a una celda solitaria. Atribuyó esta falta de respuestas negativas a las buenas comidas caseras que le hacía su madre, que consistían en muchos guisos (cocidos) de carne y verduras, cazuelas, sopas, ensaladas de verduras y cereales y panes de grano entero. En este libro hay una serie de deliciosas recetas creadas para promover fortaleza y buena salud; y se recomienda cordialmente al lector que las incorpore en un buen programa de nutrición para adictos en recuperación. Asegúrese también de examinar las entradas que figuran bajo ALIMENTACIÓN en la TABLA DE SÍNTOMAS al principio de esta enciclopedia.

Tercer Paso: Alimentación

Cápsulas: Corteza de olmo norteamericano *(slippery elm)* y alfalfa (3 de cada una por día con las comidas).
Cuando las tome, beba sólo jugo de piña (ananá, *pineapple*) o de papaya en lugar de agua.

Té: 1/2 ramito de perejil *(parsley)* fresco picado
1 puñado de berro *(watercress)* fresco cortado
1 puñado de espinaca fresca cortada
1/2 taza de ortiga *(nettle)* fresca o seca
1 pastinaca *(parsnip)* pequeña, sin pelar
1 cucharada de trigo *(wheat)* y 1 de centeno *(barley)*
1 cucharada de cola de caballo *(horsetail)* seca cortada
1 cucharadita de alga marina *kelp* en polvo y 1 de musgo irlandés *(Irish moss)*
1 cucharada de acedera bendita *(yellow dock)* y 1 de raíz de bardana *(burdock)*
2 cucharadas de panal de abeja (si está disponible)

Preparación: Hierva todos los ingredientes a fuego lento en 1 cuarto de galón (litro) de agua mineral o destilada, en una olla pesada de acero inoxidable, tapada, durante varias horas hasta que el volumen del líquido se haya reducido a poco menos de la mitad. Cuele y vierta nuevamente el líquido en la misma olla, desechando el resto. Mientras está aún muy caliente, agregue revolviendo 4 cucharadas de melaza *(blackstrap molasses).* Deje que se enfríe. Tome 1 cucharada de este tónico refinado cinco veces al día con las comidas.

Los tres pasos de este programa deben ser realizados simultáneamente, pero el énfasis puede ponerse primero en la limpieza durante un par de días, y luego se puede enfocar la atención en la relajación y alimentación. Como cada caso es diferente, habrá obvias variaciones en la importancia que se conceda a cada paso. Pero lo principal es recordar que los *tres* pasos deben complementarse al realizar el programa.

Alivia el escozor de la hiedra venenosa

El botón de oro resulta una bendición para aquellos desafortunados que tropiezan con la hiedra venenosa *(poison ivy)*. Un buen agente de limpieza para la piel puede hacerse combinando 1 cucharadita de raíz de botón de oro en polvo con una pinta (1/2 litro) de agua caliente y frotando esta solución, cuando esté fría, sobre las partes afectadas. También el tomar 2 ó 3 cápsulas puede acelerar la curación.

Reduce la dependencia de la insulina

Algunos diabéticos que he conocido han logrado reducir sus necesidades de insulina tomando 2 cápsulas de raíz de botón de oro al día. Un señor de Toronto, Canadá, que necesitaba casi 30 cc de insulina llegó a necesitar sólo la mitad de esa cantidad en inyecciones diarias, después de tomar la hierba durante un mes. ADVERTENCIA: Las personas con hipoglucemia deben evitar ingerir la raíz, pero pueden usarla sin problemas como antiséptico bucal y ducha vaginal.

Increíble alivio para los senos nasales

Los cambios de temperatura, la llegada de la primavera, la aparición del polen, y las consecuencias de un resfrío tienen algo en común: pueden causar que los senos nasales se hinchen como un globo (balón) de agua y hagan vibrar todo su cráneo como si fuera sacudido por el sonido de una banda de *heavy metal rock*. ¿Qué puede hacerse, además de tomar *Dristan* y echarse *Neo-Synephrine* en la nariz?

Pues bien, Dennis J. Partride, un antiguo residente de la costa de Florida, inventó uno de los mejores remedios para aliviar los malestares de los senos nasales. Dijo esto en 1980: "Tomé el salero (con sal de mar) y froté unos 20 granos sobre mi mano derecha, añadiendo una pizca o dos de polvo de botón de oro y suficiente agua sin cloro como para hacer una pasta líquida. Luego, lo aspiré por la nariz. El alivio fue casi inmediato, porque la hierba pudo llegar a todas las membranas mucosas. Una onza de esta pasta por lo general me dura un año y es mucho mejor que cualquiera de los productos de la farmacia que he probado", concluyó.

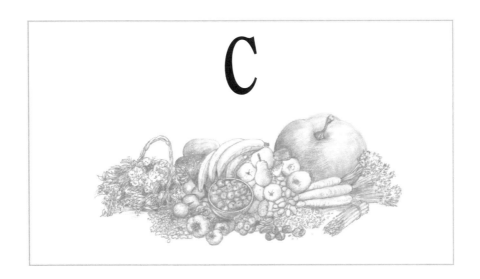

C

CAFÉ
(Coffea arabica, C. canephora)

Breve descripción

Diferentes tipos de café se prefieren en diversos países del mundo. El café *arabica* es cultivado sobre todo en Centro y Sudamérica, particularmente en Brasil, Colombia, México y Guatemala, mientras que el café *robusta* es producido principalmente en países africanos tales como Costa de Marfil, Uganda, Angola y otros. Los estadounidenses generalmente prefieren el café de Colombia y Centroamérica al de Brasil y África. Según el número de la revista *National Geographic* correspondiente al mes de marzo de 1981, la producción anual de este grano en todo el mundo equivaldría a 3.644.000.000 pies cúbicos de café líquido, volumen equiparable al flujo al mar del río Mississippi en una hora y media. Y aunque su consumo puede causar una variedad de problemas de salud que van desde el cáncer del páncreas y defectos genéticos de nacimiento hasta altos niveles de colesterol e hipoglucemia, el café también posee diversas propiedades terapéuticas.

El café molido sirve para revitalizar la piel

Algunos expertos en cuestiones de salud recomiendan frotarse con un cepillo de esponja de *luffa (luffa brush)* para revitalizar la piel. Pero en Japón, la gente se frota todo el cuerpo con el polvo del café molido para eliminar la piel vieja y estimular la circulación. Usted puede hacer lo mismo en una escala más limitada, frotándose el rostro y el cuello con polvo tibio de café, realizando movimientos rotatorios. ¡Verá que su piel se sentirá como nueva en poco tiempo!

Enema de café para una superlimpieza

Robert Downs, D.C., un quiropráctico de Albuquerque, sostiene que un enema ocasional, varias veces al año, es bueno para deshacerse de toxinas ocultas que podrían alojarse en algún lugar del colon. Y el *Journal of the American Medical Association* del 3 de octubre de 1980 menciona que los enemas de café, en particular, se han vuelto muy populares en Estados Unidos para el tratamiento de enfermedades degenerativas crónicas.

Llene 2/3 de una bolsa de agua caliente con café tibio *recién preparado*. El café debe quedar lo más fuerte posible. Luego, llene la bolsa con agua tibia en la cual se han mezclado 2 cucharadas de aceite de oliva. Disperse algunas hojas de papel de periódico sobre el piso del cuarto de baño. Fije la bolsa de agua caliente en algún lugar a la mitad de la altura de la puerta, asegurándose de haberle puesto antes la manguera y cerrado la válvula de la jeringa para que el agua no se derrame.

Después, acuéstese sobre la espalda, doblando ambas rodillas y separando las piernas a cierta distancia. Lubrique la jeringa con un poco de vaselina *(petroleum jelly)* o con saliva para que la inserción resulte lo más fácil y menos dolorosa posible. Introduzca suavemente la jeringa en el recto con una mano, mientras tira con la otra de uno de sus glúteos, para separarlos tanto como pueda.

Una vez introducida toda la jeringa, una las rodillas un poco y abra la válvula de control que se encuentra en la manguera, justo encima de la jeringa. El agua comenzará a entrar en sus intestinos, pero mantenga los dedos sobre la válvula de control, en caso de que tenga que contener el agua por alguna razón. Convendría permitir que el agua entre en chorros breves, presionando y luego soltando la válvula de control cada 10 segundos, aproximadamente.

De esta forma el agua puede penetrar fácilmente en el colon, sin causar molestias innecesarias. *¡Sólo deje entrar la cantidad de agua que sus intestinos puedan contener con la menor cantidad de dolor posible!* Tratar de introducir más de lo que se puede contener sería buscar problemas, no sólo por el desorden que crearía sobre el piso, sino por el daño potencial que podría ocasionarse internamente.

Ni el café, ni el aceite de oliva le harán daño. De hecho, ésta es la mejor combinación de ingredientes que conozco para expulsar de manera rápida y directa la materia fecal retenida. Desafortunadamente, algunos practicantes de la medicina y curanderos de cáncer demasiado entusiastas y fervorosos, que trabajan en clínicas rurales de la frontera mexicana que no cumplen con las normas establecidas, tienden a excederse en la práctica de un buen método y administran varios enemas de café en un período de 24 horas, día tras día, y en ocasiones semana tras semana. El sentido común nos dice que esto es excesivo y peligroso, en el mejor de los casos. El volumen 83 de *Postgraduate Medicine* recomienda evitar los enemas de jabonaduras porque pueden resultar nocivos para la delicada membrana que reviste el interior del colon y el recto.

CALABAZA, CALABACERA Y CALABACITA

CALABACERA
(Lagenaria vulgaris, Gourd en inglés*)*

CALABACITA
(Cucurbita pepo, Zucchini en inglés*)*

CALABAZA *PUMPKIN*
(Cucurbita pepo, Pumpkin en inglés*)*

CALABAZA DE INVIERNO
(Cucurbita maxima, Winter squash en inglés*)*

CALABAZA DE VERANO
(Cucurbita pepo, Summer squash en inglés*)*

Breve descripción

La calabaza *pumpkin* es la tradicional linterna *jack-o-lantern* del Día de Brujas *(Halloween)* y el legendario objeto que el jinete sin cabeza le lanzó con gran furia y puntería mortal a un aterrado y despavorido Ichabod Crane, en el cuento inmortal de Washington Irving *(The Headless Horseman)*. La calabaza *pumpkin* es una variedad de calabaza de invierno *(winter squash)*, reconocida por su suavidad, su forma redondeada y el color anaranjado de su dura corteza acanalada. Para fines culinarios, las mejores son las diminutas calabazas *sugar* (azucaradas), que pesan aproximadamente 7 libras (3 kilos). Pero para asustar a los niños, las mejores calabazas mejores son las *Big Max*, que llegan a pesar hasta 100 libras (45 kilos) o más.

Las calabazas se originaron en el Nuevo Mundo. Los conquistadores aprendieron sobre estas plantas de los indígenas americanos y luego las llevaron a Europa. Las calabazas se dividen en dos grupos fundamentales: las "calabazas de verano", de rápido crecimiento y cáscara suave, las cuales son cosechadas antes de que maduren; y las "calabazas de invierno", de gran tamaño, crecimiento lento y cáscara dura, las cuales son cosechadas cuando están completamente maduras. Las calabazas de verano, tales como la calabaza de cuello torcido *(crookneck squash)*, la *pattypans* y la calabacita italiana *(zucchini)*, se comen enteras. Pero la cáscara de las calabazas de invierno, tales como la *Hubbard*, la *butternut*, la bellota *(acorn)* y la calabazas *sugar*, no es comestible, por lo que deben ser peladas después de cocidas. Sin embargo, las calabazas de invierno son, por lo general, de mejor sabor y más nutritivas que las de verano.

El nombre inglés de la calabaza *pumpkin* se remonta a la palabra griega *pepõn*, que significa maduro o suave. Con el tiempo, los franceses alteraron esta palabra, convirtiéndola en *poupon* y, tras haberse transformado en una palabra nasal *(poumpon)*, llegó al inglés clásico como *pompion*, a la cual se le agregó más tarde la terminación diminutiva *"kin"*. Por su parte, la palabra inglesa *squash* (calabaza), se derivó de la expresión *askoot asquash*, que en el lenguaje de los indígenas algonquianos significa "que se come verde".

Existe una gran variedad de calabaceras *(gourds)* que se usan para diversos fines, desde los domésticos hasta los ornamentales. Algunas variedades no son comestibles y parecen manzanas, limones o mandarinas verrugosas y enceradas. Todas son el producto fascinante de la misma planta. En la antigüedad y en la Edad Media se conocía una clase de calabacera comestible, probablemente una de las calabazas "de botella". Estas tienen cortezas leñosas que son usadas como utensilios de cocina, como platos y botellas.

Alivio refrescante para la inflamación

En este libro he mencionado numerosos remedios contra las quemaduras de sol y otras quemaduras en general. Uno de los que surte un efecto más rápido entre los que he encontrado, para el alivio inmediato del dolor intenso, es cubrir la quemadura con un puré congelado de calabaza *pumpkin*, ya sea cocida o de lata, siempre y cuando haya sido refrigerada de un día para otro. Conocí este remedio útil gracias a una indígena llamada Sally *"Big Thighs"* Henderson, quien vivía en la Reserva Navajo, en el norte de Arizona. Dicho sea de paso, juro que ése ¡es su verdadero nombre!

Té para cualquier trastorno de los riñones

Entre los indígenas de la tribu cherokee, las semillas de calabaza y *pumpkin* eran usadas para curar los edemas, la gota, los cálculos renales, el ardor y otras dificultades urinarias. Los indígenas machacaban un puñado de semillas, ponían el polvo en un cuarto de galón (litro) de agua, tapaban la vasija y lo dejaban cocer a fuego lento durante unos 20 minutos. Luego, lo retiraban del fuego y dejaban reposar otra media hora. El enfermo tomaba varias tazas del líquido colado al día, durante el tiempo que fuera necesario, hasta que obtenía el alivio deseado.

Hojas de calabaza para los esguinces y las torceduras

Las hojas de calabaza, *pumpkin* o calabacera pueden ser muy útiles para el tratamiento de torceduras, esguinces, magulladuras, desgarros de tendones y otras condiciones similares. Ciertos curanderos jamaiquinos, que practican también la magia negra y el vudú, utilizan con frecuencia las hojas frescas para estos fines. Primero, golpean las hojas frescas con un martillo o una pequeña piedra redonda para macerarlas un poco, antes de aplicarlas sobre alguna clase de torcedura o dislocación. Las hojas ayudan a bajar la hinchazón y parecen acelerar el proceso curativo cuando se usan junto con otros remedios internos para la inflamación.

Varias personas se beneficiaron recientemente con una variación de este remedio que he recomendado para fracturas menores, dolores de espalda y tendinitis. Antes que todo, se frotó suavemente la parte afectada con la crema especial de manzanilla llamada *CamoCare*, tras lo cual se aplicó una cataplasma de hojas de calabaza o de *pumpkin*. La cataplasma se dejó por varias horas, con muy buenos resultados. La crema *CamoCare* se puede obtener en la mayoría de las tiendas de alimentos naturales, o puede pedirse a *Abkit, Inc.*, en Nueva York (vea el Apéndice).

Elimina la fiebre y la diarrea

Las hojas de estas plantas son también usadas comúnmente para bajar la fiebre y detener la diarrea. Algunos curanderos jamaiquinos, practicantes del vudú, preparan un té con hojas de calabaza o *pumpkin*, o partes iguales de ambas. Ponen a hervir 2 cuartos de galón (2 litros) de agua, a la que agregan algunos puñados de hojas cortadas con tijeras. Entonces tapan la cacerola, la retiran del fuego y la dejan reposar durante unos 35 minutos. Se toma 1 taza de té cada 2 horas, hasta que la fiebre o la diarrea desaparece.

Para mantener la próstata en forma

A medida que los hombres envejecen, los órganos del cuerpo comienzan a deteriorarse. Uno de los órganos que se deterioran con más frecuencia es la próstata y comúnmente se requiere de una intervención quirúrgica para corregir el problema. Sin embargo, existe una forma más fácil y segura de mantener este órgano funcionando como debe. Un hombre que ha dejado atrás su juventud puede tomar diariamente un jarabe casero para asegurarse de que su próstata no le falle en el futuro.

Primero, descascare y magulle con un martillo 6 cucharadas de semillas de calabazas y 6 cucharadas de semillas de calabaza *pumpkin* maduras. Luego, póngalas en un moledor de carne, hasta lograr un polvo fino. Mezcle partes iguales de melaza *(blackstrap molasses)* y miel oscura o sólo la cantidad suficiente de ambas para formar un buen jarabe espeso. Finalmente, añádale sabor con un poco de cardamomo y canela *(cinnamon)* en polvo y el jugo de medio limón. Tome 1 cucharada colmada todas las mañanas antes del desayuno o por lo menos 3 veces por semana. Debo añadir que este mis-mo jarabe es otra forma excelente de tomar las semillas para expulsar solitarias (tenias, *tapeworms*) y ascárides (lombrices intestinales, *roundworms*).

La migraña y el dolor de oído desaparecen

En ciertas partes de India y Europa, la pulpa raspada de la calabaza *pumpkin* o la calabaza amarilla o anaranjada se aplica sobre la frente y las sienes como un refrescante ungüento para aliviar intensos dolores de cabeza. La misma pulpa rallada es aplicada también a ambos lados de la cara, el cuello y la garganta para aliviar la neuralgia o extraer la materia purulenta de los abscesos y es, asimismo, excelente para las quemaduras.

En Filipinas, los curanderos nativos exprimen con frecuencia la savia de los tallos verdes de calabaza *pumpkin* en los oídos de sus pacientes para aliviar los dolores de oído. Un amigo mío probó esto en una ocasión en que le entró agua en un oído mientras nadaba. Una hora más tarde, la molestia había desaparecido.

Puede prevenir el cáncer

En noviembre de 1978, la Universidad de Adelaide, en Australia, organizó un simposio sobre nutrición y cáncer. El doctor Takeshi Hirayama, del Instituto Japonés de Investigaciones del Cáncer, en Tokio, fue uno de los participantes. En su conferencia, el doctor Hirayama reveló los resultados de sus estudios relacionados con los vegetales verdes y amarillos. Hirayama encontró menos riesgos de contraer diferentes tipos de cáncer en las personas que consumen calabaza *pumpkin*, calabaza, zanahoria, bróculi y ají dulce verde (pimiento morrón, *green bell pepper*) que en aquéllas que consumen cantidades por debajo del promedio de consumo general. El número de *The Medical Journal of Australia* del 10 de marzo de 1979 publicó un resumen de su interesante estudio.

Remedio eficaz contra las solitarias

Hablando a partir de mi experiencia personal, puedo dar testimonio de los maravillosos beneficios que se pueden obtener de consumir semillas de calabaza o calabaza *pumpkin* para eliminar las solitarias (tenias, *tapeworms*). Todavía recuerdo que cuando tenía 13 años tuve que masticar bien todos los días, durante 5 1/2 días, 1 taza de semillas secas de calabaza *pumpkin* adquiridas en una tienda de alimentos naturales.

Durante varios años, antes de hacer esto, había estado comiendo vorazmente, pero nunca aumenté ni 1 kilo de peso. Al principio, todo el mundo pensó que se trataba del síndrome del "crecimiento", por el que atraviesa todo muchacho alto y delgaducho durante sus años de adolescencia. Con el tiempo, sin embargo, varios doctores naturópatas que me examinaron (mis padres nunca confiaron en los médicos tradicionales) confirmaron que se trataba de un caso severo de solitaria que me estaba robando la nutrición apropiada que debía estar recibiendo de las toneladas de comida que ingería.

Pues bien, me recomendaron las semillas de calabaza *pumpkin*, las cuales aparentemente funcionaban bastante bien en un corto período. Al defecar, expulsé segmentos de lo que había sido una largo gusano parasitario que se encontraba alojado en las paredes de mi intestino. Se hicieron varios cálculos para determinar su tamaño y se llegó a la conclusión de que medía de 20 a 45 pies de largo. Por mi parte, nunca me ocupé de seguir con atención esas estadísticas. Estaba simplemente feliz de terminar con la penosa experiencia y volver a llevar una dieta más normal. Con el paso del tiempo, engordé lo suficiente. Yo recomendaría hacer un polvo con las semillas y servir 1/2 taza de este polvo en 1 1/2 taza de puré de manzana *(apple sauce)* o mezclarlo con un poco de jugo de zanahoria en una licuadora, como un batido de vegetales, para hacerlo más agradable al paladar. Algunos incluso sugieren hacer un té con las semillas, pero he comprobado que esto no resulta tan eficaz como ingerir las semillas directamente.

Un curandero amigo mío, oriundo de Mérida, en la península de Yucatán, me habló hace algunos años de un remedio maya para expulsar los parásitos intestinales de todo tipo que nunca falló en los pacientes a quienes se lo había recetado en el pasado. Primero, con el estómago vacío, se ingieren 2 cucharadas de aceite de castor. Al día siguiente, se toma 1/2 taza de semillas de calabaza o de calabaza *pumpkin* descascaradas y molidas, mezcladas con un poco de agua y luego 1 taza de leche de cabra. Dos horas más tarde, se ingieren otras 2 cucharadas de aceite de castor.

Ayuda a curar los rasguños y las heridas menores

Durante mucho tiempo, los indígenas de la tribu zuni, de Arizona, han usado estas semillas y flores de calabazas y *pumpkins* para curar los rasguños y heridas menores causados por los cactos. Primero, hacen un polvo con las semillas secas y luego le agregan capullos de calabaza recién cortados, ligeramente machacados. Después se mezclan con un poco de agua para hacer una pasta uniforme y suave que puede ser aplicada directamente sobre cualquier clase de heridas con buenos resultados.

Una mina de recetas

Con las calabazas y *pumpkins* se pueden preparar excelentes sopas, panes y pasteles —para no mencionar los sabrosos platos al horno y de vegetales— como lo comprueban las siguientes recetas:

Sopa cremosa de calabaza

Tomamos esta deliciosa sopa del folleto *Fresh Fruit and Vegetable Recipes,* de la revista *Better Homes & Gardens,* cortesía de la casa editora, *Meredith Corporation.* (vea el Apéndice).

Ingredientes: 2 tazas de papa pelada y picada; 2 tazas de calabaza bellota *(acorn squash)* pelada y picada; 1/2 taza de cebolla picada; 1 1/2 cucharadita de mejorana *(marjoram)* verde cortada con tijeras o 1/2 taza de mejorana seca, molida; 3/4 cucharadita de gránulos de caldo de pollo *(chicken bouillon granules);* 1 diente de ajo desmenuzado; 2 tazas de leche; 1/8 cucharadita de pimienta.

Preparación: En una olla grande, combine la papa, la calabaza, la cebolla, la mejorana, el caldo de pollo, el ajo, 1 taza de agua y la pimienta. Ponga a hervir. Baje el fuego y deje cocer a fuego lento unos 20 minutos o hasta que los vegetales estén tiernos. Pase aproximadamente la mitad de la mezcla de vegetales a una licuadora o procesador de alimentos. Cubra y licue o procese hasta que la mezcla quede suave. Repita con el resto de los vegetales. Vuelva a colocar todo en la sartén. Añada la leche y ponga a calentar, pero no deje que hierva. Sazone ligeramente con una pizca de cardamomo justo antes de servir. Suficiente para 10 personas.

La receta de calabaza de Willard Scott

La calabaza es uno de los vegetales preferidos por el meteorólogo favorito de Estados Unidos, Willard Scott, del programa "Today", de la cadena de televisión *NBC-TV*. Este adorable y excéntrico meteorólogo es también un experto cocinero. De acuerdo con Scott, uno de los platos de calabacita más deliciosos que ha probado es una especie de plato al horno, hecho a base de pimientos, apio y crema. "Usted pone eso sobre unas galletas y, mmm-mmm", dice extasiado el meteorólogo.

He aquí una versión ligeramente modificada de sus deliciosos *muffins* de salvado, manzana y calabaza.

Ingredientes: 1 1/2 taza de cereal *All-Bran;* 1 1/2 a 1 2/3 tazas de leche de cabra en lata; 1/3 taza de aceite de maíz *(corn oil);* 1 huevo grande; 1 1/4 taza de harina de trigo *(all-purpose flour);* 1/2 taza de azúcar morena *(brown sugar);* 3 cucharaditas de levadura *(baking powder);* 1/2 cucharadita de sal; 1 manzana pelada, descorazonada y cortada en cubitos; 1/2 calabaza bellota *(acorn squash)* de tamaño mediano, pelada, horneada por 20 minutos y cortada en cubitos; 1 1/2 puñado de pasas; 1/2 puñado de dátiles deshuesados y picados; 1/2 puñado de masa de nueces de nogal *(walnuts)* finamente picada; 1 cucharadita de canela *(cinnamon)* molida (a su gusto).

Preparación: Mezcle el cereal, la leche, el aceite y el huevo con una batidora. En otro tazón mezcle la harina, el azúcar, la levadura y la sal. Agregue los ingredientes secos a la mezcla de cereal y revuelva hasta que queden bien mezclados. Luego, agregue la manzana, la calabaza, las pasas, los dátiles, las nueces y la canela. Vierta en moldes de *muffins*, previamente engrasados, y ponga a hornear a 400° F durante casi media hora o hasta que los *muffins* se pongan dorados. Suficiente para una docena de *muffins* deliciosos.

PAN MOHICANO DE CALABAZA Y *PUMPKIN*

Los mohicanos fueron en el pasado una poderosa tribu indígena norteamericana, residentes en el estado de Connecticut, inmortalizados en la clásica novela de James Fenimore Cooper "El último de los mohicanos". Aunque desafortunadamente fueron exterminados como nación por la crueldad del hombre blanco, varias de sus recetas únicas sobrevivieron en crónicas que los pioneros llevaban durante ese período. Ésta es una de ellas, que ha sido ligeramente modificada para adaptarla a los métodos de cocina del siglo XX.

Ingredientes: 3/4 taza de calabaza *banana* y 3/4 taza de calabaza *pumpkin*, peladas y picadas; 1/4 de taza de aceite de oliva; 1 1/2 taza de harina de trigo; 1 cucharadita de canela *(cinnamon)* molida; 1/2 cucharadita de bicarbonato de soda *(baking soda);* 1/2 cucharadita de cardamomo; 1/4 cucharadita de clavos de olor *(cloves)* molidos; 2 claras de huevo ligeramente batidas; 1/2 taza de melaza *(blackstrap molasses);* 1/4 taza de almíbar de arce puro *(pure maple syrup);* 1/4 taza de azúcar morena *(brown sugar);* 1/4 taza de dátiles *(dates)* deshuesados; un poco de lecitina *(lecithin)* líquida, disponible en cualquier tienda de alimentos naturales.

Preparación: Ponga la calabaza y el *pumpkin* en una cacerola grande, con aproximadamente 2/3 de pulgadas de agua. Deje cocer, tapada, por unos 25 minutos o hasta que estén lo suficientemente tiernos. Luego, cuele. Coloque la calabaza y el *pumpkin* con aceite de oliva en una licuadora o mezcle hasta que quede suave y adquiera una consistencia uniforme. Entonces, agregue, revolviendo, la harina, la canela, el bicarbonato de soda, el cardamomo y los clavos. En un tazón de tamaño mediano, mezcle las claras de huevos, la melaza, el almíbar de arce, el azúcar y la combinación de calabaza y el *pumpkin*. Luego agregue la mezcla de harina. Después, añada los dátiles. Frote cuidadosamente el interior de un molde de 8 × 4 × 2 pulgadas con lecitina líquida. Transfiera la mezcla a este molde preparado. Ponga a hornear durante 50 minutos a 350° F o hasta que esté lo suficientemente cocida. Retire de la cacerola y ponga a enfriar en una parrilla de metal. Un pan es suficiente para 12 porciones.

CALÉNDULA
(Calendula officinalis)
(Calendula en inglés*)*

Breve descripción

La caléndula, más popular en Europa que en América, produce flores que van desde el amarillo claro hasta el anaranjado y crece abundantemente en numerosos terrenos baldíos y jardines en forma de hierba mala (maleza). Según una antigua creencia popular, si sus flores se cierran después de las 7:00 de la mañana, es seguro que lloverá al día siguiente.

Su aplicación en forma de ungüento o tintura diluida es muy eficaz en casos de problemas en la piel, músculos o vasos sanguíneos, tales como heridas, inflamaciones, venas varicosas, músculos desgarrados, abscesos, contusiones, esguinces, hongos en los pies *(athlete's foot)*, quemaduras, congelaciones, etcétera.

Cura las úlceras duodenales y la colitis

Dos importantes estudios médicos publicados en el número 20 de la revista soviética *Vatreshni Bolesti,* de junio de 1981, confirman el valor de la caléndula en el tratamiento de úlceras duodenales, inflamación del duodeno y el estómago, y colitis intestinal. En el primer caso, una mezcla de raíces de consuelda *(comfrey)* y caléndula en iguales proporciones alivió a 19 pacientes que padecían de úlceras duodenales y a otros 19 que presentaban síntomas de gastroduodenitis. Cada paciente recibió 2 tazas diarias de un cocimiento preparado con ambas hierbas (1 cucharadita de cada una de ellas añadidas a un cuarto de galón o litro de agua hirviendo, cocidas a fuego lento durante 5 minutos y luego puestas a reposar por 40 minutos).

En el segundo estudio citado, a 24 pacientes que padecían de un tipo de colitis crónica no especificado, se les administró 1 taza de un fuerte té compuesto de una combinación de raíces de diente de león *(dandelion)*, hierba de San Juan (corazoncillo, *St. Johns-wort*), toronjil *(lemon balm)*, caléndula y raíz de hinojo (1 cucharada de cada una de las hierbas diluida en 1 1/2 cuarto de galón o 1 1/2 litro de agua hirviendo y que se ha dejado reposar durante 1 hora). De acuerdo con el resumen del estudio médico publicado en inglés, "como resultado del tratamiento, los dolores palpables espontáneos a lo largo del intestino grueso desaparecieron en un 95,83 por ciento de los pacientes al decimoquinto día de su ingreso en la clínica". Este testimonio es suficiente para demostrar la validez clínica de esta maravillosa hierba en el tratamiento eficaz de cualquier tipo de inflamaciones.

Las venas varicosas desaparecieron

Maria Treben relata la siguiente anécdota:

> Durante una visita, la dueña de casa me mostró sus piernas cubiertas de venas varicosas. Fui al jardín y recogí caléndula, con la que preparé un ungüento [la receta aparece más abajo]. Apliqué de inmediato el residuo sobre sus piernas (el residuo puede ser empleado entre 4 y 5 veces). La señora esparció el ungüento, sobre un pedazo de lienzo hasta formar una capa del grosor de la hoja de un cuchillo y cubrió con él sus piernas. Le sorprenderá saber que 4 semanas después, cuando la señora vino a verme, las venas varicosas habían desaparecido y sus piernas tenían la piel suave y tersa.

Cómo preparar un bálsamo y una tintura curativa

Pique finamente dos puñados de hojas, flores y tallos de caléndula fresca. Luego, en una sartén grande a fuego lento, derrita suficiente manteca de cerdo *(lard)* para obtener aproximadamente 2 1/2 tazas de grasa, a la que añadirá la caléndula picada. Revuelva la mezcla con una cuchara de madera durante algunos minutos y retírela luego del fuego. Tape la sartén y deje reposar durante todo un día. Al día siguiente, caliente nuevamente la sartén, filtre el contenido a través de un paño de franela y almacénelo en frascos limpios herméticamente cerrados. Unte la crema en abundancia sobre la piel cada vez que sea necesario. El ungüento de *Calendula Dairy Salve* de la empresa *Old Amish Herbs* (vea el Apéndice) se diferencia de otros en que su base consiste en manteca pura de cerdo, una de las sustancias que la piel absorbe más fácilmente. Esta crema es de uso eficaz tanto en humanos como en animales.

Para preparar la tintura, introduzca un puñado de flores en 2 tazas de whisky. Deje el recipiente sobre el alféizar (marco) de una ventana expuesto al sol durante 14 días y agítelo varias veces al día. Para el tratamiento de la hepatitis, los calambres y las inflamaciones, se puede usar internamente —administre entre 12 y 15 gotas en cada dosis.

CANELA
(Cinnamomum zeylanicum)
(Cinnamon en inglés*)*

Breve descripción

La casia o canela de la China es originaria de Myanmar (antigua Birmania), mientras que la verdadera canela procede de Sri Lanka. La casia tiene un sabor más fuerte que el de la canela, la cual es más ligera y delicada, aunque también más costosa. La casia es sumamente picante y es más adecuada para condimentar carnes, platos orientales *pilaus* a base de arroz o trigo en grano con carne hervida, y *curry,* mientras que la verdadera canela es preferida en platos dulces, pasteles, panes y tartas. La canela fue incluida entre los principales ingredientes de un "aceite santo de consagración" que usaba Moisés.

Un estupendo enjuague bucal

En lugar de *Listerine,* pruebe un enjuague bucal antiséptico que realmente "mata los gérmenes al contacto". Media cucharadita de tintura de canela añadida a 1/2 vaso de agua tibia resulta un excelente enjuague bucal en casos de mal aliento y dientes cariados.

Para preparar la tintura, mezcle 10 1/2 cucharadas de canela en polvo con 1 1/4 taza de vodka y agregue suficiente agua a fin de completar una solución con 50 por ciento de alcohol. Vierta en una botella y deje reposar durante dos semanas, agitando una vez por la mañana y otra por la tarde. Transcurrido ese tiempo, cuele y almacene el líquido obtenido en una botella. Esta tintura puede conservarse durante mucho tiempo.

Calma el malestar estomacal

Uno de los remedios más deliciosos —y beneficiosos— en casos de indigestión, acidez estomacal y calambres abdominales consiste en espolvorear un poco de canela y cardamomo sobre una tostada de pan con pasas *(raisin toast)* con mantequilla y comérsela despacio, masticando cuidadosamente antes de tragar.

Combate la gripe y el resfrío

Para preparar un popular y eficaz remedio francés contra la gripe y el resfrío, coloque una ramita de canela y algunos clavos de olor *(cloves)* en un recipiente con 2 tazas de agua y póngalos a hervir a fuego lento durante aproximadamente 3 minutos. Quite del fuego y agregue 2 cucharaditas de jugo de limón, 1 1/2 cucharada de miel oscura o melaza *(blackstrap molasses)* y 2 cucharadas de un buen whisky. Revuelva bien, tape el recipiente y deje reposar durante aproximadamente 20 minutos. Tome 1/2 taza cada 3 ó 4 horas. La bebida tiene un sabor agradable y realmente elimina la fiebre y la congestión que acompañan al resfrío común o la gripe.

Reduce la infección causada por hongos

Un experimento increíble, publicado por el número de *Journal of Food Science* correspondiente al año 1974, demostró el poder de la canela en el tratamiento de la mayoría de hongos. Rebanadas de pan blanco, pan con pasas, pan de centeno y pan de grano entero, hechos sin los inhibidores de moho con que normalmente son preparados, fueron sometidos a la acción de varias aflatoxinas (mohos tóxicos tan peligrosos que pueden ocasionar cáncer del hígado y causar la muerte de seres humanos y animales por igual, y que suelen aparecer en los alimentos).

Los mohos tóxicos se desarrollaron abundantemente en todos los panes, excepto en el de pasas, donde el crecimiento fue descrito como "escaso o no visible en absoluto". Al tratar de determinar si el fenómeno se debió a las pasas o a la canela, los especialistas en alimentos descubrieron que apenas un 2 por ciento —o 20 miligramos de la especia por milímetro cuadrado— en un caldo de extracto de levadura y sacarosa *(sucrose)* inhibió entre el 97 y 99 por ciento de estos mohos.

Lo que esto nos indica es que la canela es un remedio excepcional para reducir la incidencia de la *Candida albicans*, una infección muy común causada por hongos, y para eliminar los hongos entre los dedos de los pies (también llamado "pie de atleta"). Use una fuerte ducha vaginal o lavados de pies para tratar estos problemas. Para preparar una solución, ponga a hervir 4 tazas de agua y agregue entre 8 y 10 palitos de canela *(cinnamon sticks)* partidos. Baje el fuego al mínimo y mantenga el recipiente así durante 5 minutos o menos. Revuelva y deje reposar durante 45 minutos más. Utilice el remedio para ambos problemas mientras esté aún tibio.

Puede ayudar a prevenir el cáncer

Dos expertos del *British Columbia Cancer Research Center,* en Vancouver, informaron que el ácido cinámico *(cinnamic)* contenido en la canela ayuda a prevenir el cáncer inducido por numerosos agentes químicos presentes en muchos de los alimentos que ingerimos, y recomendaron utilizar canela con más frecuencia en preparaciones alimenticias como medida preventiva.

Una receta antigua

GALLETAS DE MELAZA Y CANELA

Ingredientes: 1/2 cucharadita de bicarbonato de soda *(baking soda);* 1/2 cucharadita de sal; 2 1/4 cucharaditas de canela molida; 1 taza (2 barras) de mantequilla; 1 taza de melaza *(blackstrap molasses);* 1/4 de taza de miel oscura; 1/4 de taza de azúcar morena *(brown sugar);* 2 huevos grandes; 1/2 taza de yogur sin sabor; 4 tazas de harina de trigo.

Preparación: Mezcle los primeros 4 ingredientes y agregue gradualmente la melaza, la miel y el azúcar. Bata los huevos y añádale primero el yogur y luego la harina. Mezcle todos los ingredientes cuidadosamente. Vierta con una cuchara porciones redondas de la masa, a 2 pulgadas (5 cm) de distancia unas de otras, en bandeja para hornear *(cookie sheet)* cubierta con lecitina *(lecithin),* que puede adquirir en su tienda de alimentos naturales. Ponga en un horno precalentado a 400° F durante 12 minutos o hasta que estén ligeramente doradas en los bordes. Almacene las galletas en un recipiente adecuado. Por lo general, es suficiente para 48 galletas grandes.

CANTALUPO
(véase: Melones)

CAPUCHINA
(véase: Plantas ornamentales)

CAQUI
(Diospyros virginiana)
(Persimmon en inglés*)*

Breve descripción

La mayoría de los caquis cultivados para el mercado de Estados Unidos son del tipo oriental: la fruta de forma de tomate y color anaranjado brillante que se conoce como "kaki". Muchos se imaginan que es extremadamente amarga, pero en realidad esta fruta puede tener un buen sabor, un poco astringente, pero deliciosa y dulce. La clave es la maduración: los caquis cultivados comercialmente son recogidos y puestos en el mercado cuando aún no están maduros debido a que son extremadamente perecederos; deben ser conservados a temperatura ambiente hasta que estén bastante suaves, para que se desarrolle un buen sabor.

Té para contrarrestar la resaca y los mariscos en mal estado

Cuando el caqui se combina con un poco de hierba de marrubio *(horehound)*, es un excelente alivio para los dolores de cabeza que acompañan a las resacas alcohólicas. Tanto la fruta como la hierba son también buenos antídotos, en forma de té, para reducir los síntomas del envenenamiento que se producen cuando se come cualquier tipo de marisco en mal estado, como en el caso del *sushi* crudo y las ostras, por ejemplo.

Ponga a hervir 1 pinta (1/2 litro) de agua. Añada 1/2 taza de caqui sin pelar, maduro y picado, y 1 1/2 cucharada de hierba de marrubio *(horehound)*, fresca o seca, picada. Tape y quite del fuego; deje en remojo durante 40 minutos. Cuele y beba todo el té mientras todavía está caliente si está experimentando alguno de los problemas anteriores.

Maravilloso astringente

Willie Lena, un jefe de pueblo seminol residente en Wewoka, Oklahoma, mencionó en 1983 que su tribu hace a menudo un té de esa fruta para detener la diarrea. Se cortan en trozos 6 caquis casi maduros y se calientan durante 20 minutos en 3 tazas de agua hirviendo, tapados, antes de colarlos. Beba 2 tazas en un período de 4 horas para la diarrea crónica. El jugo fresco de la fruta se puede consumir también, pero parece que el té es más efectivo.

Otros indígenas norteamericanos del siglo XIX emplearon el jugo de caqui para sanar las úlceras gangrenosas y las heridas de las piernas, para detener los sangrados intestinales y para lavar la boca de los bebés que padecen de afta, una infección de hongos causada por la *Candida albicans.* El té mencionado previamente puede usarse también como ducha vaginal para erradicar las infecciones en esa zona del cuerpo femenino.

El jugo de un caqui maduro mezclado con 3 1/2 tazas de agua tibia constituye un gargarismo excelente para la irritación de garganta causada por el resfrío común o la gripe. En Tailandia, las frutas maduras son usadas para librarse de los parásitos intestinales, sobre todo las lombrices.

CARDAMOMO O GRANA DEL PARAÍSO
(Elettaria cardamomum)
(Cardamom en inglés*)*

Breve descripción

El cardamomo, o grana del paraíso, es una planta perenne que se encuentra en el sur de India, pero se cultiva también con frecuencia en los lugares tropicales. Sus tallos simples y erectos, de apenas 2 centímetros de diámetro, alcanzan una altura promedio de 8 pies (casi 3 metros). Las hojas son lanceoladas, de un color verde oscuro y glabras en su parte superior, y más claras y sedosas en la parte inferior. Produce flores amarillentas que crecen en racimos sueltos sobre tallos postrados. Sus frutos están encerrados en cápsulas de 3 celdas que contienen hasta 18 semillas. El cardamomo se utiliza para cocinar y dar sabor al ajenjo *(wormwood)* y la valeriana.

Remedio para la enfermedad celíaca

La enfermedad celíaca es una intolerancia a los glútenes contenidos en los cereales, la cual se presenta comúnmente en los niños, y es caracterizada por diarrea frecuente y continuos problemas digestivos. Por lo general, se prescribe una dieta libre de glútenes. Sin embargo, cuando estuve en China, en 1980, descubrí que en algunos hospitales que visitamos espolvoreaban un poco de cardamomo sobre el cereal cocido para corregir este problema en los menores. Lo he recomendado a varios de mis amigos cuyos hijos tienen problemas similares, con resultados relativamente buenos. Los niños pueden ingerir cereales cocidos, como harina de avena *(cooked oatmeal)* o pan de grano integral *(whole wheat bread)*, a los que se les haya añadido suficiente cardamomo.

Ventajas culinarias

Debido a su suave y agradable sabor, semejante al del jengibre, el cardamomo se usa en varios platos hechos a base de frijoles, bebidas tradicionales para las fiestas navideñas tal como el *eggnog* (ponche de leche y huevo), o dulces horneados, como el pastel de fruta o bollo danés *(Danish sweet roll)*. Es especialmente valioso para quienes no toleran el gluten —en cereales cocidos y panes hechos con granos integrales.

CARDO SANTO O BENDITO
(Cnicus benedictus)
(Blessed thistle en inglés*)*

Breve descripción

El cardo santo o bendito se usaba comúnmente durante la Edad Media y los grandes herbolarios de esa época lo mencionan con frecuencia (el *Herbal* de Gerard, en 1597, y el *Herbal* de Turner, en 1568). Esta hierba está rodeada de connotaciones religiosas, de ahí que también sea conocida bajo otros nombres, como el de hierba del Espíritu Santo. Al parecer, el cardo santo ayudó a aliviar los dolores e inflamaciones del corazón durante los siglos XVI y XVII. William Shakespeare recomienda en su obra *Much Ado About Nothing (Mucho ruido y pocas nueces)* "colocarlo sobre vuestro corazón" porque "ayuda a que no lastiméis a nadie el corazón". El cardo santo crece en zonas húmedas, terrenos baldíos, praderas y pastizales.

Ideal para mujeres que amamantan

El cardo santo es una de las mejores medicinas para estimular la producción de leche materna. Para preparar un té con este propósito, y también para mejorar el funcionamiento del corazón, ponga a hervir 1 pinta (1/2 litro) de agua. Retire del fuego y añada 1 1/2 cucharada rasa de la hierba seca picada. Deje reposar durante 45 minutos. Escurra y tome 1 taza del té tibio media hora antes de dar el pecho al bebé. Quizás la madre prefiera, por conveniencia, ingerir la hierba en polvo —2 cápsulas 3 veces al día durante el período de lactancia. La hierba en polvo para la preparación del té puede ser adquirida a través de la empresa *Indiana Botanic Gardens,* en Hammond (véase Apéndice), o en forma de cápsulas, bajo la etiqueta de *Nature's Way,* en cualquier tienda de alimentos naturales. También es posible obtener una buena combinación de ésta y otras hierbas para aumentar la producción de leche materna a través de la empresa *Old Amish Herbs,* denominada *Thistle Milk* (véase Apéndice).

CÁSCARA SAGRADA
(Rhamnus purshiana)
(Cascara sagrada en inglés*)*

Breve descripción

El árbol del que se obtiene la valiosa corteza de color marrón-rojizo conocida como cáscara sagrada es un árbol efímero de tamaño pequeño o mediano, de ramas peludas, que puede alcanzar en algunos casos hasta 50 pies (16 metros) de altura. El árbol es originario de la costa del Pacífico de Estados Unidos y Canadá. La corteza se retira de los troncos de árboles de aproximadamente unos 4 pies o más (1 1/3 metro) de diámetro. Luego se pone a secar y a añejarse por 1 año antes de ser usada, aunque la corteza verde posee propiedades eméticas que se destruyen por efectos del calor o largos períodos de almacenamiento.

Un laxante eficaz

Si su colon no está funcionando como debería, ésta es la hierba ideal para usted. El número de la revista médica italiana *G. Clin. Medica,* correspondiente al bimestre de noviembre-diciembre de 1982, señaló que una preparación a base de cáscara sagrada constituye sin lugar a dudas una terapia efectiva para eliminar el estreñimiento simple en numerosos casos de pacientes de edad avanzada. La ingestión de hasta 3 cápsulas al día producirá fácilmente resultados muy satisfactorios. Para lograr una limpieza profunda de los intestinos, pruebe la *Naturalax 3 Formula,* de *Nature's Way,* disponible en cualquier tienda de alimentos naturales.

CEBADA
(véase: Cereales)

CEBOLLA
(véase: Ajo y Cebollas)

CENTENO
(véase: Cereales)

CEREALES
(vea también: Salvados, Pan y Pastas)

Breve descripción

ALFORFÓN o TRIGO SARRACENO (*Fagopyrum vulgare, Buckwheat* en inglés) Es originario de Asia central y considerado cereal en grano, aunque en realidad pertenece a una familia propia. Se emplea principalmente en la preparación de harinas para panqueques. Las semillas sin sus vainas son conocidas como sémola *(groats)* o gacha *(kasha)*, y se comen en el desayuno o son empleadas para espesar sopas, salsas y aderezo de ensaladas.

ARROZ *(Oryza sativa)*. Es un grano muy antiguo cultivado desde hace más de 4000 años, originario del sudeste de Asia. Cada grano entero posee una cubierta consistente en una vaina exterior de color castaño llamada salvado o afrecho (*bran* en inglés), y una capa más fina de tono más claro, llamada pulimento *(polish)*, que rodea la semilla. Para fines comerciales se consideran algunas variedades fundamentales, cuya clasificación toma en cuenta el tamaño y forma del grano (corto, mediano o largo). Todos tienen igual valor nutritivo, pero los granos largos cuestan más porque suelen partirse con más facilidad al ser pasados por el molino. El arroz moreno *(brown rice)* es simplemente aquel al que no se le ha retirado el afrecho o salvado y la capa envolvente.

ARROZ SILVESTRE *(Zizania aquatica, Wild rice* en inglés). Es originario de la región de los Grandes Lagos de Estados Unidos y Canadá. Aunque se usa de la misma forma que el arroz común, no es un "arroz" propiamente dicho. Esta variedad es más elástica y tiene un sabor algo más fuerte, en cierta forma más ahumado, que el del arroz corriente.

AVENA *(Avena sativa, Oats* en inglés). Este cereal fue desarrollado a partir de plantas silvestres del este de Europa y Asia. Actualmente se consideran 3 clases en general y casi 100 variedades; todas, como el maíz, tienen la propiedad de formar tejidos. La avena picada *(steel cut oats* en inglés) consiste simplemente en granos de avena cuarteados, mientras que la avena desmenuzada (*rolled oats* en inglés) es aquella que ha sido laminada o pasada por rodillos para formar hojuelas.

CEBADA (*Hordeum vulgare, Barley* en inglés). Es originaria del oeste de Asia, donde fue uno de los primeros cereales cultivados. Como alimento para humanos, la variedad de cebada de granos blancos y más grandes se presenta en forma perlada (mondada a máquina para separar la vaina y la semilla), por lo que los granos quedan reducidos a pequeñas bolas almidonadas que se emplean para espesar sopas. La cebada desvainada (*hulled* o *pot barley,* en inglés) se muele sólo lo suficiente como para quitarle la cascarilla.

CENTENO (*Secale cereale, Rye* en inglés). Fue desarrollado a partir de una variedad silvestre que aún crece en las montañas de los países del Mediterráneo oriental. Posee pocas cantidades de las proteínas albuminoideas que dan a la pasta de trigo la elasticidad necesaria para una buena fermentación, por lo que el pan de centeno puro es pesado y compacto en comparación con el elaborado a base de trigo.

MAÍZ, CHOCLO O ELOTE *(Zea mays, Corn* en inglés). Este cereal procede de una planta originaria de América. Las variedades comerciales pueden ser de color amarillo o blanco. El maíz que se utiliza para hacer palomitas *(popcorn)* se distingue por sus granos pequeños y duros, recubiertos de una fuerte capa externa, mientras que el maíz utilizado en la elaboración de harina posee semillas suaves y almidonosas. Otros de los tipos reconocidos de este cereal son el maíz dentado, el dulce, el de vaina y el ceroso *(dent, sweet, pod,* y *waxy* en inglés). Los productos básicos cuya base es maíz refinado o procesado son el almidón, el aceite, el almíbar, los granulados (*hominy grits* en inglés) y la harina de maíz *(cornmeal).*

El maíz de los indígenas *(Indian corn)* se destaca por su inusual variedad de colores. Por ejemplo, el Hopi, del norte de Arizona, puede presentarse en por lo menos 20 variedades, con múltiples leyendas y creencias religiosas asociadas a cada color en particular. Con frecuencia, la siembra de maíz va acompañada de considerables ceremonias en algunas tribus aborígenes del suroeste de Estados Unidos.

MIJO (*Panicum milliaceum, Millet* en inglés). Es originario de las Indias Orientales y su nombre se da comúnmente a una variedad de hierbas cultivadas que poseen pequeñas semillas blancas o color oro. Entre las más populares se encuentran la carricera (cola de zorra, *foxtail*) y el panizo negro *(pearl millet)*. Dada su carencia de gluten, resulta bueno para las personas que deben evitar este tipo de proteínas.

TRIGO (*Triticum aestivum, Wheat* en inglés). Es uno de los primeros cereales cultivados en el oeste de Asia, según cuenta la historia. El trigo cubre actualmente una parte mayor de la superficie terrestre que cualquier otro de los cereales que se cultivan en el mundo. Para fines comerciales, se distinguen 5 clases sobre la base de su uso y hábitos de cultivo: rojo duro de primavera, rojo blando de invierno, rojo duro de invierno, fanfarrón *(durum)* y blanco. Por lo general, las variedades más duras, translúcidas, son las utilizadas para la producción de harina, mientras que el trigo fanfarrón es apreciado para la elaboración de macarrones, espaguetis y fideos.

TRITICALE (*Triticum secale, Triticale* en inglés). Este es un cereal híbrido, producido a partir de un cultivo cruzado de trigo y centeno. Cultivado por primera vez en la década de 1930 por agrónomos suecos, se ha hecho muy popular desde entonces en Estados Unidos y Canadá.

Los cereales descongestionan las arterias obstruidas

Algunos cereales como la cebada y la avena ayudan verdaderamente a descongestionar las arterias y válvulas alrededor del corazón que han quedado obstruidas con capas de antiguas formaciones Sebáceas. Las fibras de todos estos cereales limpian los depósitos de grasa acumulados durante un largo período.

Jugo de cereales contra la artritis, el cáncer y las úlceras

El jugo de brotes verdes de cebada *(young barley shoots)* posee una poderosa propiedad antiinflamatoria. En el trabajo presentado en la 101ª Reunión Anual de la Sociedad Farmacéutica Japonesa, en abril de 1981, se informó que el polvo del jugo extraído a las plantas de cebada reduce significativamente la artritis y las úlceras gástricas en roedores de laboratorio. Asimismo, una investigación efectuada por el Dr. Chiu-Nan Lai del *M.D. Anderson Hospital & Tumor Institute* de Houston, Texas, demuestra que el extracto de brotes de trigo puede modificar e incluso reducir la formación de cáncer del esófago, del estómago, del hígado, de las mamas y del colon, si se consume regularmente.

Tanto el extracto de trigo como el de cebada —cultivados orgánicamente—, en polvo o tabletas, pueden obtenerse a través de la empresa *Pines International*, en Lawrence, Kansas (vea el Apéndice).

Cultive usted mismo sus brotes de cereales

Usted puede cultivar sus propios brotes de cereales *(grain sprouts)* siguiendo estas instrucciones: lave cuidadosamente 1/3 de taza de espigas de trigo *(wheat berries)* o centeno *(rye berries)* o arroz moreno *(brown rice)*. Coloque los granos en un recipiente y cúbralos con suficiente agua (aproximadamente 1 pulgada o 2 cm) para que se hinchen. Luego, tape el recipiente y déjelos reposar durante la noche en un lugar fresco. Escurra y enjuague los granos.

Lave 3 frascos de un cuarto de galón (litro) y coloque aproximadamente 1/4 de taza de los cereales húmedos en cada uno de ellos. Cubra los frascos con 2 capas de estopilla (gasa, *cheesecloth*) o nylon. Ajuste la estopilla con la ayuda de dos ligas *(rubber bands)* con una tapa de frasco de Mason.

Coloque los recipientes en un lugar oscuro y cálido (entre 68 y 75° F). Enjuague las semillas una vez al día vertiendo agua tibia en los frascos. Revuelva para que todas las semillas se humedezcan, procediendo luego a sacar el agua. En 3 ó 4 días los cereales deben germinar, con excepción de los de arroz, que tardarán 5 ó 6 días en hacerlo. Cuando los cereales hayan germinado, manténgalos en el refrigerador hasta el momento de utilizarlos. Deberán conservarse hasta una semana de esta forma. Empléelos en ensaladas, *sandwiches*, sopas y panes.

A diferencia de la mayoría de los brotes que requieren de un lugar oscuro, los brotes de cereales deben recibir algunas horas de luz artificial o los rayos indirectos del sol para poder producir clorofila. En esta etapa, se pueden obtener brotes de entre 1 y 2 pulgadas (2 y 5 cm) de largo. Los brotes del cereal permiten la preparación de bebidas deliciosas y saludables cuando se mezclan con otros jugos de vegetales como zanahorias o tomates.

Cebada y trigo para la fisicultura

Las personas en edades de 20 a 40 años que desean desarrollar una mejor figura a través de ejercicios físicos, deben considerar la posibilidad de incluir cebada y trigo en sus dietas, pues los brotes o espigas de ambos cereales contienen factores que promueven el crecimiento. Los antiguos gladiadores romanos eran llamados *hordearii,* que significa "hombres de cebada", porque solían consumir grandes cantidades de este cereal justo antes de entrar a los anfiteatros para luchar contra sus adversarios. La cebada y el trigo pueden usarse en la preparación de cereales cocidos para el desayuno, panes, panqueques, sopas, ensaladas y deliciosas bebidas que aumentan la fortaleza y promueven la expansión muscular de quienes levantan pesas regularmente.

Alforfón para controlar el apetito

Si usted trata desesperadamente de perder peso pero le cuesta mucho lograrlo porque no puede resistirse a las tentadoras golosinas, permítame entonces incentivarlo para que comience a consumir más panqueques de alforfón *(buckwheat pancakes)* en el desayuno. Dos panqueques de tamaño mediano con un poco de almíbar de arce no sólo lo mantendrán satisfecho durante las próximas 4 a 6 horas, sino que lo harán comer menos en su próxima comida.

En un estudio informal realizado hace algunos años por nuestro Centro de Investigaciones Antropológicas, ubicado en Salt Lake City, 11 personas con sobrepeso siguieron un programa de 2 semanas a base de panqueques de alforfón y otros cereales. Los panqueques (de tamaño mediano) eran consumidos en mañanas y tardes alternas, con avena cocida en desayunos y cenas. Las personas que participaron en el programa podían comer todo lo que quisieran en el almuerzo, sin importar cuán dulce o grasoso fuera. Como merienda o una comida ligera antes de acostarse, podían consumir todo el trigo desmenuzado *(shredded wheat)* y la leche que quisieran, agregando además 2 cucharadas de una marca comercial de granola.

En este período, 7 de los 11 voluntarios perdieron un promedio de 15 3/4 libras (unos 7 kilos) y de ésos 7, 4 perdieron hasta 22 libras (unos 10 kilos). Los 11, sin embargo, notaron una sustancial reducción en la frecuencia con que comían meriendas y en el volumen de alimentos que consumían.

El trigo búlgaro ayuda en casos de diabetes

Evidencias clínicas demuestran que el trigo búlgaro *(bulghur wheat o parboiled cracked wheat)* es uno de los tipos de alimentos en que los diabéticos pueden confiar sin temor, para ayudarles a reducir los niveles de azúcar en la sangre.

Existen dos formas de obtener este tipo de trigo. Uno de los métodos consiste en hervir 1 taza de cereal de trigo entero *(whole wheat grain)* con 1 taza de agua en una cacerola tapada. Baje el fuego y deje cocer el contenido a fuego lento durante 1 hora. La segunda forma también requiere verter una cantidad igual de trigo y agua en una cacerola pequeña que se colocará a su vez en una parrilla, dentro de otra cacerola con agua. El agua deberá casi alcanzar el nivel de la parrilla. Cubra esta cacerola y colóquela a fuego alto durante 15 minutos, para reducir luego el fuego y dejar cocinar hasta que el trigo absorba el agua (aproximadamente 45 minutos o más). Después, podrá consumirse como cereal para el desayuno o merienda con leche de cabra u otro plato como sustituto del arroz.

Todas las partes del maíz son terapéuticas

Podríamos decir que quizás no existe otro cereal con tantas de sus partes con un valor terapéutico como el maíz (choclo, elote, *corn*). Considérese que las semillas, la mazorca, la pelusa, así como la harina y maicena elaboradas a partir de sus granos presentan propiedades de importancia médica.

Cuando se consume maíz con frecuencia en la dieta, ya sea fresco, enlatado o como palomitas *(popcorn)*, los niveles de colesterol disminuyen y aumenta la actividad intestinal. En caso de problemas renales, se recomienda ingerir diariamente granos de maíz hervidos *(corn grits)*, especialmente para casos en los cuales un malfuncionamiento renal es causa de hinchazones de las piernas por no orinar lo suficiente. La harina de maíz *(cornmeal)* elaborada a partir de granos molidos constituye un producto facial fabuloso, pues abre los poros y los libera de grasas y suciedad. Simplemente, lávese la cara 2 veces al día con harina de maíz en lugar de jabón. Notará que su piel no volverá a quedar seca ni escamosa.

La maicena (fécula de maíz, *cornstarch*) constituye un excelente agente contra la irritación causada por pañales, el escozor provocado por la hiedra venenosa, y para reducir los efectos de las mordeduras y picaduras de insectos. En casos de enfermedades de la piel, tales como varicela, sarampión, paperas y urticarias, añada un puñado de maicena a una bañera con agua tibia para tomar un baño. Además, cuando viaje a un país extranjero donde la limpieza de alimentos y el agua sean dudosas, no olvide llevar consigo una caja de maicena, pues es capaz de cortar rápidamente la diarrea. Agregue 1 ó 2 cucharadas rasas a un vaso de agua fría previamente hervida, para obtener un remedio que por lo general suele eliminar el problema en un par de horas.

El té de mazorca de maíz *(corncob tea)* es excelente para el tratamiento de inflamaciones abdominales, edemas en tobillos y muñecas y la gota en general. Para obtener una solución con este fin, cubra 2 ó 3 mazorcas de maíz a las que se hayan retirado o comido los granos, con 2 pulgadas (5 cm) de agua sobre la superficie. Ponga a cocer a fuego lento durante aproximadamente 1 hora, luego cuele la poción y enfríela, manteniéndola en el refrigerador. Beba 2 ó 3 tazas al día hasta que el problema desaparezca. Posteriormente, reduzca la dosis a 1 taza al día.

El té de barbas de maíz *(cornsilk tea)* es uno de los remedios más delicados para el malfuncionamiento de los riñones y los cálculos renales. Las pelusas podrán usarse frescas o secas. Agregue 2 cucharadas de barbas de maíz a 1 taza de agua hirviendo y déjelas cocer durante 20 minutos. Cuele, endulce con miel y tome 1/2 taza tibia del té cada 3 ó 4 horas. Es ideal para eliminar el hábito de orinarse en la cama, cuando se toma en la noche con partes iguales de hojas de nébeda *(catnip)* y raíces de valeriana *(valerian)*.

El mijo resulta útil en casos de enfermedad celíaca

La enfermedad celíaca es un trastorno intestinal causado por la intolerancia de algunas personas al gluten, proteína que se encuentra en algunos cereales como la cebada, el centeno y el trigo. Sus síntomas son pérdida de peso, diarrea, gases, dolor abdominal y anemia. La mala nutrición acompaña por lo general a este trastorno, debido a una gran reducción en la absorción de nutrientes.

Además del arroz y el maíz, el mijo es el tercer cereal que puede ser consumido por las personas que presenten intolerancia al gluten sin temor a sufrir más problemas de salud. Al agregarle cardamomo *(cardamom)* y macis *(mace)*, el gluten de estos cereales se hace más tolerable para quienes padecen de ese trastorno.

La avena reduce el colesterol malo y aumenta el bueno

Así como en las películas del viejo oeste los buenos llevaban siempre sombreros blancos y los malos vestían siempre de negro, en el caso del colesterol también estamos ante buenos (lipoproteínas de alta densidad, o *HDL,* por las siglas en inglés) y malos (lipoproteínas de baja densidad o *LDL*). El colesterol bueno *HDL* protege al corazón de depósitos de grasa, mientras que el colesterol malo *LDL* bloquea las arterias y contribuye a la obesidad.

El renombrado investigador Jim Anderson, M.D., quien trabaja en el Hospital de la Administración de Veteranos y para la Facultad de Medicina de la Universidad de Kentucky, en Lexington, se ha interesado en el estudio de las fibras vegetales y sus efectos sobre el colesterol. Sus estudios, junto con una investigación llevada a cabo en 1987 por la Universidad de Syracuse, en el estado de Nueva York, revelaron que las dietas ricas en fibras y bajas en grasas, por sí solas, no reducen el colesterol en la misma medida que cuando se complementan con salvado de avena *(oat bran)*. La avena aumenta también el colesterol bueno *HDL,* previniendo así los ataques al corazón y la hipertensión.

Las tiendas de alimentos naturales *(health food stores)* en Estados Unidos cuentan con salvado de avena en forma de cereal listo para comer, procesado por la empresa *Health Valley,* en Montebello, California (vea el Apéndice). Yo recomendaría también hacer lo que he acostumbrado en mis más de cuarenta años: comer una beneficiosa ración de avena cocida *Quaker Oats* cada mañana. Ese es mi desayuno típico: harina de avena y leche con poco o nada más para acompañarla. Raras veces añado algunas tajadas de frutas a mi cereal, bebo jugo de frutas o como una tostada. Y hace mucho que dejé de consumir huevos.

Ahora bien, ¿qué efectos ha tenido esto en mis niveles de colesterol? Pues bien, considere lo siguiente: para una persona que casi nunca hace ejercicios, que tiene unas 18 libras (8 kilos) de sobrepeso y es un gran consumidor de carne (la mayoría de res), mi más reciente examen médico reveló que tenía apenas 172 miligramos de colesterol por decilitro de sangre y una prueba en una rueda de andar *treadmill* indicó que poseo un corazón fuerte y en buen estado y unas arterias bastante limpias. Cualquier valor por debajo de 200 mg/dl es considerado bueno por la *American Heart*

Association, lo que en mi caso se tradujo en una evaluación de "muy bueno a excelente". Por supuesto, la merienda adicional de trigo desmenuzado, granola y leche cada noche antes de retirarme ayuda también a mantener bajos mis niveles de colesterol y triglicéridos.

La avena reduce la dependencia de la insulina

El trabajo realizado por el doctor Anderson, con la ayuda de muchos pacientes diabéticos a los que impuso una dieta de avena y otros cereales, demostró ampliamente una significativa disminución en la cantidad de insulina requerida cada día. Los pacientes con una dieta de harina de avena, *Grape Nuts* y *All Bran* pasaron de recibir un promedio de 26 unidades de insulina al día a sólo 1 dosis de apenas 7,1 unidades diarias. Se puede afirmar con propiedad que la avena y otros cereales son alimentos casi "milagrosos" para la diabetes.

Diga adiós a los problemas de la piel

Con la avena como parte de su rutina regular para el cuidado de la piel, usted puede decir adiós a muchos problemas comunes de la piel. De hecho, destacados dermatólogos recomiendan en la actualidad bañarse con el jabón de harina de avena *Aveeno* para aliviar la soriasis y la dermatitis por contacto. Igual efecto puede conseguirse poniendo a hervir 6 tazas de agua a las que se ha añadido 10 1/2 cucharadas de avena desmenuzada *(rolled oats)* tradicional. Baje el fuego y deje cocer a fuego lento durante media hora. Luego, cuele y utilice el agua obtenida para lavarse la cara por las mañanas y las noches. Conviene también humedecer una toallita en el agua y frotarse la piel con un movimiento rotatorio.

El experto en salones de belleza Paul Neinast, de Dallas, recomienda usar una compresa facial de harina de avena para eliminar quistes, granos o espinillas y otras erupciones menos visibles, así como para el tratamiento de la piel excesivamente grasosa. Se mezclan 5 ó 6 cucharadas de harina de avena fresca o cocida con un poco de miel hasta formar una pasta y se agrega esta mezcla a varias claras de huevo batidas. La crema obtenida se aplica en todo el rostro, la frente y el cuello y se deja sobre la piel durante media hora. Pasado ese tiempo, se lava. Todas las espinillas y células muertas de la piel desaparecen, dejando la superficie mucho más suave y su cutis más sonrosado.

La harina de avena es también usada para aliviar los pies cansados, adoloridos e irritados, especialmente para casos de callos y callosidades. Simplemente ponga a cocer el cereal en una cacerola grande, asegurándose de añadir sólo lo suficiente como para obtener una consistencia similar a la de una sopa. Mientras está todavía tan caliente como sea tolerable, vierta el cereal en un recipiente lo suficientemente amplio como para acomodar los pies y déjelos en la solución durante aproximadamente 1 hora. El mismo cereal puede ser usado varias veces más antes de desecharse finalmente. Sólo tiene que volver a calentarlo.

¿Puede la avena eliminar el hábito de fumar?

Una serie de métodos y productos han sido probados, entre ellos la hipnosis y la goma de mascar con sabor a nicotina, para ayudar a los fumadores a abandonar el hábito. Sin embargo, lo menos que podemos decir es que el éxito de estos métodos ha sido siempre marginal. Recientemente, sin embargo, salió a la luz un antiguo remedio ayurvédico de India que podría muy bien ser una solución viable para quienes buscan nuevas formas de abandonar el hábito de fumar.

El número de la revista *Nature* correspondiente al 15 de octubre de 1971 publicó un artículo sobre un extracto alcohólico de la planta de avena fresca que fue utilizado para reducir las ansias de ingerir nicotina en numerosos fumadores. Se colocaron 1 1/2 porciones machacadas de la planta recogida justo antes de la cosecha en 5 porciones por volumen de alcohol etílico (*ethyl alcohol*) de 90 por ciento y se mantuvieron a temperatura ambiente, agitando frecuentemente el frasco durante 3 días; luego fue filtrada, y se pasó a un recipiente limpio.

Este extracto alcohólico (un mililitro) fue diluido en agua para obtener dosis de 5 mililitros, las cuales fueron administradas oralmente 4 veces al día a un grupo de fumadores empedernidos en el Hospital Ruchill, de Glasgow, Escocia. Otro grupo recibió un placebo imitando las características del extracto elaborado a base de harina de avena.

El primer grupo al que se le administró el extracto de avena fielmente durante casi un mes, fumaba un promedio de 19,5 cigarrillos por día antes del inicio del ensayo. La cantidad disminuyó a ¡5,7 cigarrillos diarios después de finalizado el experimento! Por su parte, el grupo al que se le dio el placebo comenzó la prueba fumando un promedio de 16,5 cigarrillos diarios y al final del período de análisis mostró un ligero aumento en su consumo, con 16,7 cigarrillos por día. Se ve claramente que, usada como extracto, la planta de avena fresca sí ayuda a romper el hábito de fumar. La compañía *Old Amish Herbs,* de St. Petersburg, Florida (véase Apéndice), cuenta con un agradable extracto de planta de avena para combatir el hábito de fumar, que podría ayudar a abandonar el cigarrillo. Se recomienda verter de 7 a 10 gotas de la solución, 3 ó 4 veces al día, debajo de la lengua.

Salvado de arroz para suavizar la piel y mejorar las fracturas

En la 28ª Reunión Anual de la *American Society of Pharmacognosy,* conocí a un experto químico que me informó que el salvado de arroz *(rice bran)* se usa en su país de origen, India, para mantener la piel suave y ayudar a soldar fracturas para que se sanen mejor. El salvado se envuelve en estopilla (gasa, *cheesecloth*) y se emplea en lugar de jabón para lavar diariamente el rostro, el cuello, la garganta, los brazos y las manos, a fin de mantener la piel tersa y suave. Para las fracturas, se añade agua fría al salvado y se mezcla bien manualmente con la ayuda de una cuchara de madera hasta lograr una pasta espesa y suave. Aplique directamente sobre el hueso fracturado con la palma de la mano. Coloque las manos a ambos lados de la fractura con los dedos separados. Luego, ejerza presión suavemente, de modo que los huesos dislocados o fracturados se sitúen en la posición adecuada mientras la pasta está aún húmeda. La cataplasma de salvado de arroz se deja por varias horas cada vez, antes de que sea necesario cambiarlo. Ayuda a inmovilizar el hueso lastimado. Una buena cataplasma también puede lograrse mezclando partes iguales de harina de trigo y salvado de arroz.

El arroz previene enfermedades del corazón

Uno de los programas dietéticos más exitosos en Estados Unidos, la Dieta Pritikin, consiste en grandes cantidades de arroz moreno *(brown rice)* cocido como una de las comidas principales, junto con vegetales cocidos al vapor y papas asadas. Pero, ¿puede en realidad esa gran cantidad de arroz moreno impedir la enfermedad coronaria del corazón y ayudar a mantener bajos los niveles de colesterol?

Bueno, la mejor evidencia para apoyar esta tesis proviene del propio creador de la dieta, Nathan Pritikin. Antes de elaborar su maravillosa dieta rica en carbohidratos compuestos, baja en grasas y baja en colesterol, Pritikin tenía su nivel de colesterol en un alarmante 280 miligramos por decilitro de sangre, en diciembre de 1955. En esos días, también estaba padeciendo algunos problemas cardiacos graves. La revista *The New England Journal of Medicine* del 4 de julio de 1985 publicó un resumen de sus niveles de colesterol sérico cuando inició su ahora mundialmente famosa dieta. En febrero de 1958, tenía 210 mg/dl; en noviembre de 1984, ¡tenía solamente 94 mg/dl!

Pero una prueba aún mayor de la validez de su dieta de arroz moreno procede de la cuidadosa inspección de su corazón en el momento de su fallecimiento, a la edad de 69 años, en febrero de 1985. La autopsia reveló que el corazón del señor Pritikin estaba virtualmente libre de ateroesclerosis y tenía prácticamente todas las arterias suaves y limpias.

Agua de arroz para combatir la diarrea

Donna Lee Ingram, R.N., quien fue instructora de enfermería clínica de la Facultad de Enfermería de la Universidad de Utah, me contó cómo usó en una ocasión un viejo remedio popular para curar casos serios de diarrea, incluso cuando el médico de guardia se paró a su lado riéndose de ella.

A pocas horas de haber bebido de un manantial contaminado, un hombre de 63 años de edad, comenzó a padecer de una diarrea que había empeorado progresivamente para la tarde del día siguiente. Cuando se presentó en el hospital un día después, su nivel de potasio se encontraba peligrosamente bajo, lo que le había producido arritmia cardiaca y dificultades respiratorias. Asimismo, se encontraba gravemente deshidratado a causa de la diarrea continua.

"Primero, le inyectamos una solución de potasio intravenosa que le subió el potasio a su nivel normal, tras lo cual comenzó a sentirse un poco mejor. Sin embargo, el problema de la diarrea persistía, a pesar de los varios antibióticos que le administramos.

Entonces recordé que mi abuela usaba harina de trigo y agua de arroz para curarnos la diarrea cuando éramos pequeños. Se lo mencioné al médico de guardia en ese momento y se rió en mi cara, diciendo que eso no era más que un antiguo cuento de viejas. No obstante, seguí adelante y conseguí un poco de arroz en la cocina. Herví 1 taza de arroz en 3 tazas de agua, en un recipiente sin tapar, a fuego alto durante 15 minutos. Colé el agua y la dejé enfriar antes de dársela al paciente. Primero le di un puñado de harina de trigo para que la comiera poco a poco, con la ayuda del agua de arroz. Cuando se comió toda la harina, le di de beber el resto del agua de arroz.

En menos de 1 hora su incontrolable diarrea se contuvo completamente, para su propio asombro, la sorpresa del médico y mi satisfacción personal."

Bebidas de arroz como sustitutos del café y el té

En lugar de café negro y té de hojas negras o verdes, pruebe las siguientes bebidas preparadas a base de arroz. Para hacer café de arroz, coloque 10 cucharadas de arroz crudo en el horno sobre una bandeja para hornear *(cookie sheet)* y revuelva frecuentemente con una cuchara hasta que los granos estén bien dorados, pero no quemados. Muela los granos con la ayuda de un molinillo para café y conserve el polvo en un frasco. Cuando lo utiliza, coloque la cantidad usual que emplearía si se tratara de café, viértalo en la cafetera y prepárelo como prepararía el café. Pero deje reposar el arroz en un lugar cálido durante por lo menos 30 minutos antes de servir el líquido. El té de arroz se hace igual, excepto que los granos no se muelen sino que se emplean enteros. Ambas bebidas son buenas para aliviar los fuertes dolores de cabeza que se sienten después de haber bebido en exceso.

El centeno protege contra agentes químicos

En la ex Unión Soviética se recomendaba incluir el pan de centeno *(rye bread)* y trigo entero *(whole wheat bread)* en las dietas de los obreros expuestos a algunos agentes químicos tóxicos. Nutricionistas clínicos y médicos en ese país consideraban que ambos productos, especialmente el pan de centeno, poseen profundos efectos neutralizantes y purificadores ante esos elementos nocivos en el organismo.

Quienes trabajan bajo condiciones similares en nuestro país podrían considerar agregar más centeno a sus dietas.

Cómo el trigo previene el cáncer

El trigo entero *(whole wheat)* posee muchas de las características que poseen otros cereales, como por ejemplo, aumenta la actividad de los intestinos, reduce el azúcar en la sangre y ayuda a prevenir enfermedades del corazón. También es muy útil para prevenir el cáncer de hígado, de intestino delgado y de colon.

El trigo puede realizar esas tareas de 3 formas. Una de ellas es uniendo directamente los compuestos que causan cáncer a las fibras del cereal. Otra, consiste en reducir la duración de la actividad intestinal y, por tanto, limitar el daño que podrían ocasionar los agentes que causan el cáncer. La tercera forma es que las fibras de trigo parecen alterar la microflora del colon lo suficiente como para impedir que los aditivos químicos que se encuentran en los alimentos, produzcan posibles tumores una vez consumidos y digeridos del todo.

Alivia la picazón en el recto

El aceite de germen de trigo *(wheat germ oil)* es el milagro curativo para cualquier tipo de picazón rectal o vaginal. Funciona mucho mejor que cualquier otro ungüento medicinal conocido. Al levantarse en la mañana, lave el recto o la vagina durante varios minutos con agua caliente. Luego, aplique el aceite de germen de trigo y déjelo de 3 a 5 minutos, tras lo cual puede lavar esas áreas ligeramente con *Aveeno* u otra marca de jabón de harina de avena *(oatmeal soap)*.

Enjuague nuevamente con agua caliente y vuelva a lavar. Entonces, mezcle una pequeña cantidad de polvo de vitamina C concentrada en un poco de agua, aplique en el área afectada, dejándosela durante sólo 1 minuto, antes de lavar nuevamente. Seque bien, utilizando una lámpara de calor o secador de pelo, concentrándose en el área afectada. El secado es muy importante para el éxito de este tratamiento. Finalmente, aplique un poco más de aceite y déjelo durante todo el día. Por la noche repita de nuevo todo el proceso.

El mejor pan que jamás haya comido

La siguiente receta para preparar pan es una combinación de varias recetas diferentes de las islas de Córcega y Cerdeña, así como de algunas procedentes del Imperio Romano, hace unos 1800 años. Comprobará que se trata probablemente del mejor pan que haya comido en su vida.

HOGAZAS TRENZADAS DE VARIOS CEREALES

Ingredientes: 2 tazas de harina de trigo entero *(whole wheat)*; 1/2 taza de harina de centeno *(rye flour)*; 1/2 taza de harina de alforfón *(buckwheat)*; 1/2 taza de mijo *(millet)*; 1/2 taza de avena desmenuzada *(rolled oats)*; 1/4 de taza de arvejas (guisantes, chícharos, *split peas*) secas y 1/4 de taza de habichuelas blancas *(navy beans)* cocidas; 1/2 taza de harina de maíz *(cornmeal)* y 3 1/2 paquetes de levadura activa seca *(active dry yeast)*.

Preparación: En un tazón para mezclar, combine sólo 1/2 taza de la harina de trigo entero con el resto de los ingredientes secos.

Ingredientes: 5 tazas de leche de cabra enlatada; 2 cucharadas de melaza, almíbar de arce y miel oscura; 6 cucharadas de mantequilla; 2 cucharaditas de sal.

Preparación: Caliente en una sartén el resto de los ingredientes (a 115-129° F), revolviendo constantemente. Agregue los ingredientes secos previamente mezclados. Ponga a batir a baja velocidad en un mezclador eléctrico de vegetales durante 1 1/2 minuto, raspando el recipiente con frecuencia. Cambie la velocidad al máximo y deje batir otros 3 minutos.

Ingredientes: 1 1/2 taza de espigas de trigo *(wheat berries)* picadas y 1 1/2 taza de brotes de arroz moreno (consulte el inicio de esta sección donde aparecen las instrucciones para obtener los brotes); 2 cucharadas de germen de trigo molido, 2 cucharadas de trigo búlgaro *(bulghur)*, y 2 cucharadas de cebada *(pot barley)* previamente cocida y puesta a enfriar.

Preparación: Usando un cucharón *(ladle)*, mezcle todos los ingredientes y la harina de trigo entero remanente. Coloque la mezcla en una superficie cubierta ligeramente de harina. Amase en suficiente harina de trigo hasta lograr una masa moderadamente consistente, pero suave y elástica (entre 6 y 8 minutos en total).

Engrase el interior de una olla eléctrica de cocción a fuego lento. Caliente la olla a temperatura mínima. Desconecte, coloque la masa dentro de la olla y tápela. Dé vuelta una vez. Deje que la masa crezca hasta duplicar su tamaño inicial (entre 45 minutos y 1 hora). Funciona perfectamente de esa manera y es una forma fácil de conseguir que la masa crezca rápidamente.

Saque la masa y divídala en 3 porciones. Cúbralas con un paño y déjelas reposar 10 minutos. Pase la masa por el rodillo para convertir cada porción en una especie de cuerda de 10 pulgadas (25 cm) y proceda a trenzarlas comenzando por el centro y siguiendo hacia los extremos. Una los extremos y pliegue la porción sellada bajo las trenzas. Coloque las hogazas en moldes de 8 × 4 × 2 pulgadas (20 × 10 × 5 cm), previamente engrasados con aceite de oliva o lecitina líquida adquirida en una tienda de alimentos naturales. Cubra las hogazas y déjelas que se dupliquen de tamaño. Asegúrese de ponerlas en un lugar lo suficientemente cálido para que aumenten de tamaño.

Hornee a 375° F durante media hora. Cubra cada hogaza con papel de aluminio los últimos 15 minutos si es necesario, con el fin de impedir que se tuesten demasiado. Saque las hogazas de los moldes y colóquelas sobre una parrilla. Unte la parte superior de los panes con mantequilla, a la que se ha añadido un poco de macis *(mace)* y cardamomo *(cardamom)*. Deje enfriar antes de comer. Obtendrá 3 hogazas de pan increíblemente deliciosas.

Pan de maíz digno de un rey

Este es el perfecto acompañante para su plato de frijoles favorito y la receta es una de las contenidas en *Recipes to Lower Your Fat Thermostat* de La Rene Gaunt, que les ofrezco con el amable permiso de la casa editora (vea el Apéndice).

PAN DE MAÍZ DORADO

Ingredientes: 1 taza de harina de trigo entero *(whole wheat);* 1 taza de harina de maíz *(cornmeal);* 4 cucharaditas de polvo para hornear *(baking powder);* 2 cucharadas de miel oscura; 1 taza de leche; dos claras de huevo; 2 cucharadas de aceite de oliva; 1/4 cucharadita de sal.

Preparación: Combine la harina de trigo, la harina de maíz, el polvo de hornear y la miel. Agregue la leche, las claras, el aceite y la sal. Mezcle bien. Hornee en un molde cuadrado de 9 pulgadas (22 cm) cubierto con lecitina líquida adquirida en cualquier tienda de alimentos naturales a 425° F durante 25 minutos. Suficiente para servir alrededor de 12 porciones.

Delicioso plato de arroz con vegetales

He aquí un plato que le hará recordar su amor por la naturaleza con su aspecto "silvestre" único.

DELICIA DE ARROZ SILVESTRE

Ingredientes: 1 taza de arroz silvestre crudo *(wild rice);* 1 cucharada de aceite de oliva; 1/2 taza de cebolla de Bermuda picada; 1/4 de taza de cebolla verde picada; 1/2 taza de ají verde *(green bell pepper)* picado (incluyendo la parte central de las semillas); 2 tazas de calabacita italiana *(zucchini)* en rodajas; 3 tomates pequeños cortados en octavos; un diente de ajo machacado; jugo de 1/2 limón y 1/2 lima (limón verde, *lime);* 2 1/2 tazas de caldo hirviendo de pollo.

Preparación: Saltee el arroz en aceite a fuego lento durante unos 7 minutos, hasta que se dore. Échelo en una cacerola de 2 1/2 cuartos de galón (2 1/2 litros), engrasada. Añada en capas sobre el arroz, las cebollas, el ají, el calabacín y los tomates. Agregue al caldo, el ajo y los jugos cítricos y viértalos sobre los vegetales. Cubra y hornee a 350° F durante 1 hora o hasta que el líquido haya sido absorbido y todos los vegetales estén tiernos.

Formidable para el desayuno

Para dar más vida a cualquier cereal cocido, añádale un poco de vainilla, almíbar de arce puro *(pure maple syrup)*, una pizca de cardamomo *(cardamom)* y cualquier fruta. Cúbralo luego con la mezcla de leche y crema *half-and-half* y ¡obtendrá un desayuno exquisito!

CEREAL SILVESTRE

Ingredientes: 1/2 taza de trigo partido *(cracked wheat);* 1/2 taza de arroz silvestre *(wild rice);* 2 1/2 tazas de agua mineral o Perrier hirviendo.

Preparación: Combine los ingredientes y póngalos a cocer en una olla tapada durante 35 minutos, revolviendo con frecuencia con una cuchara de madera. En los últimos 10 minutos antes de que los cereales estén cocidos, agregue 1/4 de cucharadita de cardamomo *(cardamom)*, 1/8 de cucharadita de especia para pastel de calabaza *(pumpkin pie spice)*, 1/8 de cucharadita de vainilla pura y 1 cucharada de melaza *(blackstrap molasses)*. Obtendrá un plato de sabor inolvidable. Sírvalo caliente con leche de cabra, enlatada o fresca, bien fría.

Un té muy nutritivo

Un té de alto valor nutritivo para bebés, niños, ancianos y cualquier persona en estado de convalecencia, tras una enfermedad o una intervención quirúrgica, puede ser preparado a partir de 3 cereales muy saludables.

Tueste *por separado* en una sartén de hierro, 1/2 taza de cebada *(barley)*, 1/2 taza de alforfón *(buckwheat)* y 1/2 taza de espigas de trigo *(wheat grains)*, a fuego moderado, durante 12 minutos, revolviendo continuamente con un cucharón de madera *(ladle)*. Puede usarse 1 cucharadita de aceite de ajonjolí *(sesame seed oil)* para engrasar ligeramente el fondo y los lados de la sartén para que los cereales no se peguen. Cuando haya tostado cada cereal, colóquelo en un plato aparte.

Cuando haya tostado todos los cereales, combínelos en una cacerola de acero pesada, agregando 1 galón (16 tazas) de agua mineral o destilada. Caliente a fuego alto; cuando rompa el hervor, baje el fuego, tape el recipiente y deje cocer a fuego lento durante 25 minutos. Destape y agregue 1 cucharadita de vainilla pura y 1 cucharada de almíbar de arce puro *(pure maple syrup)*. Tape de nuevo y deje reposar hasta que esté tibio. Cuele el líquido y tome 1 taza varias veces al día. Puede agregarle una pizca de cardamomo en polvo al mismo tiempo que añade la vainilla y el almíbar para obtener un sabor diferente.

CEREZA
(Prunus avium)
(Cherry en inglés*)*

Breve descripción

Desde la época de las cavernas, las cerezas silvestres han crecido en las regiones templadas de Asia, Europa y Norteamérica. Los cientos de variedades disponibles en el mercado en la actualidad se pueden clasificar teniendo en cuenta su dulzura y su color. Las cerezas *Bing* y *Napoleón (Royal Ann)* son dulces, pero las primeras tienen un jugo de color oscuro, mientras que el jugo de las segundas es incoloro. Las cerezas agrias—las preferidas para la elaboración de pasteles, tartas, y *cherry turnover*—se dividen del mismo modo en "morellas", que poseen jugo de color, y "amarellas", cuyo líquido es incoloro. La muy popular cereza para tortas, *Montmorency,* es de color rojo, claro a oscuro. Su jugo es también rojo. Las cerezas dulces pueden ser cosechadas desde mayo hasta agosto, mientras que las cerezas agrias se dan desde finales de junio hasta mediados de agosto.

Una magnífica cura para la gota

Nada es más eficaz para aliviar la gota que las cerezas dulces crudas (15 por día), el jugo de cerezas concentrado (1 cucharada 3 veces al día) o un té hecho con los tallos. Para preparar el té, ponga a hervir 2 pintas (2 litros) de agua y agregue algunos tallos, reduzca el fuego y deje cocer a fuego lento durante 7 minutos. Luego, retire del fuego y deje reposar cubierto por 20 minutos más. Tome por los menos 2 tazas al día para mantener la gota bajo control. Estos remedios también funcionan bien para la artritis.

Jarabe contra la tos

La corteza de una especie de la familia, la cereza negra silvestre *(Prunus serotina),* es utilizada con frecuencia en la preparación de numerosos medicamentos para la tos y el resfrío, tales como *Cough Drops* de *Smith Brothers.* Usted puede preparar su propio jarabe para la tos y el resfrío con relativa facilidad. Vierta 3 tazas de agua, 1/2 taza de whisky (cualquier marca) y 1/2 taza de melaza, y ponga a hervir la mezcla en una olla de acero inoxidable.

Reduzca el fuego al mínimo posible y agregue 16 cucharadas (1 taza) de corteza picada, seca, de cereza silvestre adquirida en cualquier tienda de alimentos naturales. Revuelva bien con un cucharón de madera *(ladle)*, cubra y deje hervir a fuego lento durante 25 minutos hasta que reduzca un poco su volumen y espese. Revuelva con tanta frecuencia como sea necesario. Luego deje reposar por unos 15 minutos, tras lo cual debe pasarse por un colador grueso y colocarse en una botella o un frasco limpio.

Almacene en un lugar seco y frío y tome 2 ó 3 cucharadas del jarabe varias veces al día para controlar la tos debida a asma, bronquitis, enfisemas, gripe o causada por fumar. Puede prepararse té con la misma cantidad de ingredientes, pero sin la melaza ni el whisky, para aliviar la congestión de los senos nasales u otros síntomas del resfrío común.

Antídoto contra la intoxicación producida por pescados

Un té preparado con la corteza de cereza y otros ingredientes es un antídoto muy bueno para contrarrestar los efectos de la ingestión de pescados y mariscos en mal estado. Ponga 1 pinta (1/2 litro) de agua a hervir. Luego agregue 1 cucharadita de corteza de cereza o cereza silvestre fresca, 1 cucharadita de raíz de jengibre *(ginger root)* rallada y 1 cucharadita de cebolla de Bermuda finamente picada. Cubra, baje el fuego y deje hervir a fuego lento durante 7 minutos. Luego retire del fuego y deje reposar aproximadamente otros 20 minutos. Tome las 2 tazas cuando esté tibio.

Receta para postre

La siguiente receta fue adaptada del excelente libro *Eating Healthy Cook Book,* editado por *Better Homes & Gardens*. Agradecemos profundamente la amabilidad de la casa editora.

Un delicioso pastel de cerezas

Ingredientes: 1 taza de harina de trigo; 1 cucharada de almíbar de arce puro *(pure maple syrup)*; 1 cucharadita de polvo de hornear *(baking powder)*; 1/4 de taza de mantequilla; 1 huevo ligeramente batido; 1/4 de taza de leche de cabra enlatada; 4 tazas de cerezas rojas agrias *(tart red cherries)*, frescas o heladas, sin semillas y sin endulzar; 1/3 de taza de azúcar morena *(brown sugar)*; 1/3 de taza de agua; 1 cucharada de tapioca de cocción rápida *(quick-cooking tapioca)*.

Preparación: Para preparar la cubierta del pastel, mezcle la harina, el almíbar y el polvo de hornear. Agregue la mantequilla hasta que la masa forme grumos. Aparte, en un pequeño recipiente, mezcle el huevo y la leche de cabra. Agregue la mezcla de una vez a la harina y revuelva lo suficiente para que todo se humedezca. Entonces, ponga a un lado.

Para el relleno, mezcle en una cacerola mediana de acero inoxidable, las cerezas, el azúcar morena, el agua y la tapioca. Deje reposar la mezcla durante 5 minutos, revolviendo ocasionalmente. Cocine y revuelva hasta que comience a hacer burbujas.

Luego, coloque el relleno de cerezas caliente en una vasija redonda de 8 x 1 1/2 pulgadas (20 x 4 cm) o en una cacerola de 1 1/2 cuarto de galón (1 1/2 litro). Vierta inmediatamente la masa del pastel sobre el relleno de cereza *aún caliente* (de esa manera la capa final del pastel se cuece más rápida y uniformemente) para formar 8 montoncitos. Hornee a 400° F durante 25 minutos o hasta que al introducir un palillo de madera *(toothpick)* en el centro de la masa éste salga seco. Sírvalo caliente. Suficiente para 8 raciones.

CHAPARRO
(Larrea divericata)
(Chaparral en inglés*)*

Breve descripción

El chaparro es una de las hierbas más maravillosas del reino vegetal. Crece en suelos nutritivamente pobres y se establece en lugares donde ni siquiera el cacto se asoma. El chaparro segrega una poderosa sustancia nociva a otras plantas que las mantiene alejadas. *Nada* crece alrededor del perímetro cercano de este arbusto, ¡ni siquiera otro chaparro!

Esta increíble planta sobrevive en el calor infernal de los desiertos con tan sólo unas cucharadas de agua al año, y aún se las arregla para conservar su característico color que va desde el bronceado hasta el verde mostaza.

Ideal para combatir la caspa

En el tiempo que pasé con los habitantes mexicano-estadounidenses en Tularosa, Nuevo México, y sus alrededores, y con los indígenas pima en Arizona, aprendí que el chaparro es un remedio muy eficaz para librarse de la caspa. De hecho, trabaja incluso mejor que los champúes populares que se anuncian en Estados Unidos.

He aquí cómo usarlo. Ponga a hervir 1 cuarto de galón (1 litro) de *whisky* barato o de alguna marca barata de vino. Añada hasta 6 cucharaditas de chaparro seco, que puede conseguir en cualquier tienda de alimentos naturales u ordenar por correo a *Indiana Botanic Gardens* (véase Apéndice). Reduzca el fuego y hierva a fuego lento por 20 minutos. Retire del fuego y deje reposar por hasta 8 horas. NO USE ningún utensilio de cocina de aluminio, sino uno enlozado *(enamel)*, de *silverstone* o de acero inoxidable *(stainless steel)*.

Cuele el líquido, pasándolo a un frasco, y guárdelo en su cuarto de baño. Cada vez que se duche y lave su pelo con jabón, asegúrese primero de enjuagarlo bien antes de usar esta mezcla de chaparro con alcohol. Vierta una taza de esta solución en su cuero cabelludo y aplíquese un buen masaje con las yemas de los dedos. Después, déjeselo y NO LO ENJUAGUE. En menos de una semana, sus problemas de caspa habrán desaparecido prácticamente por completo. Después, úselo varias veces a la semana para evitar que la caspa reaparezca.

La misma mezcla puede ser usada en gatos y perros que tengan pulgas o piojos. Después de bañarlos, aplíquela simplemente como lo haría a su propio pelo para obtener los mismos resultados maravillosos.

Hace desaparecer la Candida albicans

La misma solución usada como lavado vaginal o tomada internamente todos los días, 1 taza a la vez, pero con el té hecho con agua en lugar de licor, ayudará a combatir las infecciones causadas por hongos y hará prácticamente desaparecer cualquier Candida presente. Los pies también pueden ser empapados con la misma solución alcohólica para combatir el pie de atleta.

Retarda el proceso del envejecimiento

El organismo viviente más viejo del mundo *no es* un pino en las Montañas Blancas al norte de Bishop, California, sino un grupo de arbustos de creosota en el desierto de Mojave, 150 millas (250 km) al nordeste de Los Ángeles. Tras analizarlos cuidadosamente, los científicos llegaron a la conclusión de que estos arbustos de chaparro tenían... ¡11.700 años! Esto se debe a su contenido del ácido nordihidroguaiarético (*NDGA,* por las siglas en inglés).

El *NDGA* es el segundo compuesto importante del chaparro. Es un antioxidante muy fuerte que ha sido utilizado en numerosos productos alimenticios, especialmente en grasas y aceites, para evitar que se pusieran rancios. Los autores de *Life Extension—A Practical, Scientific Approach* dicen que si uno quiere vivir muchos años, tiene que tomar algún tipo de antioxidante para mantener el control de sus "radicales libres".

"El asesino más pequeño en su cuerpo", dicen, "no es un virus", es un tipo de fragmento molecular temerariamente delicuente, con una conducta bastante irregular que puede causar coágulos sanguíneos, artritis y senilidad, y acelerar enormemente el proceso de envejecimiento en todos nosotros. Ellos aconsejan que "cuando cocine comidas que contengan grasas y aceites, es conveniente agregarles antioxidantes, si piensa guardar cualquier sobrante".

Sin embargo, comidas como las hamburguesas, señalan ellos, "son fuentes particularmente ricas en esta clase de radicales libres peligrosos". Teniendo esto en cuenta, parece una buena idea tomar una cápsula de chaparro después de comer un *Big Mac* con papas fritas, para compensar parte del daño que pueden causar todos esos radicales libres que fueron ingeridos. Y aunque el chaparro podría no llenar las mismas expectativas que genera el ginseng, en cuanto a longevidad se refiere, puede ciertamente ayudar a retardar el proceso del envejecimiento causado por las comidas que ingerimos diariamente.

Mantiene el cáncer bajo control

El médico a quien se debe la mayor parte del relativo éxito del chaparro en el tratamiento de ciertos tipos de cáncer es Charles R. Smart, M.D., un especialista en cáncer reconocido internacionalmente, quien se retiró a principios de 1985 como jefe de Cirugía del Hospital *Latter-Day Saints,* en Salt Lake City. En una entrevista publicada en el número de junio de 1978 de la revista *Herbalist,* el doctor Smart es citado diciendo que "el té de chaparro produce la regresión de tumores, pero *no* necesariamente los cura", por lo que "la posibilidad de readquirir el cáncer sigue existiendo". Por lo tanto, es en este contexto, como mecanismo de control más que como una supuesta cura, que el chaparro es ofrecido a la seria consideración del lector.

La experiencia inicial del doctor Smart con este maravilloso arbusto del desierto comenzó el 20 de octubre de 1967, cuando un hombre de 85 años de edad fue sometido a una evaluación en el Centro Médico de la Universidad de Utah, por un melanoma maligno de rápido crecimiento en la mejilla derecha, asociado con una gran masa blanda adyacente. La llaga en su mejilla fue extirpada quirúrgicamente, examinada y declarada maligna. El informe médico del doctor Smart, que fue publicado posteriormente en el número de abril de 1969 de *Cancer Chemotherapy Reports,* mencionó que este señor no identificado regresó al hospital varias veces para someterse a otras excisiones y finalmente a una biopsia abierta del área facial y a una biopsia por punción del tumor maligno que se había extendido a su cuello.

Para entonces, su aspecto físico era horrible. Había perdido mucho peso y estaba pálido, débil y completamente inactivo. Le aconsejaron operarse, "pero el paciente decidió regresar a casa sin recibir tratamiento, convencido de que su edad y condición imposibilitaban un tratamiento quirúrgico".

De acuerdo con el informe publicado por el doctor Smart, el paciente "comenzó a tomar 'té de chaparro', que preparaba haciendo una infusión con las hojas y tallos secos en agua caliente — alrededor de 7 u 8 gramos (aproximadamente 1 cucharada) de hojas por cuarto de galón (litro) de agua— y bebía 2 ó 3 tazas de té, sin ingerir *ningún otro* medicamento". Había comenzado este tratamiento casero para su cáncer en noviembre de 1967 y para febrero de 1968 experimentó una sustancial reducción de su lesión facial y el tumor del cuello había desaparecido por completo. "Lucía mejor y había comenzado a ganar peso y fortaleza", señaló Smart.

En septiembre del 1968 una reexaminación fue realizada en el Centro Médico de la Universidad de Utah. "Los médicos quedaron realmente asombrados: el cáncer había prácticamente desaparecido, había aumentado unas 25 libras (11 kilos) y lucía mucho mejor de color y de salud en general".

El paciente, no identificado en el informe de Smart, era un trabajador del Templo Mormón llamado Ernest Farr, quien residía entonces en Mesa, Arizona. Vivió otros 9 años, falleciendo a la asombrosa edad de 96 años a causa de, créalo o no, ¡el mismo cáncer que su chaparro había mantenido bajo control todo este tiempo! La ironía fue que algunos de sus hijos y nietos no le permitieron tomar más chaparro, creyendo que el éxito que él le atribuía era sólo una invención de su cansada imaginación.

La comunidad médica nunca ha rechazado al chaparro del todo, ni a su componente anticarcinógeno —ese liviano polvo cristalino, de color blanco amarillento— conocido como ácido *NDGA*. Basado en el relativo éxito que el doctor Smart y su equipo médico habían tenido con el chaparro en varios casos de cáncer, además de en el caso del señor Farr, el Dr. Meny Bergel y un grupo de médicos de Rochester, en el estado de Nueva York, comenzaron a realizar una larga serie de experimentos utilizando el ácido *NDGA* de chaparro en un grupo de 32 pacientes de cáncer con tumores inoperables o en los que la cirugía y la radiación no habían dado resultados.

En un estudio inédito titulado "El uso del *NDGA* en terapéutica", el doctor Bergel hace un recuento del éxito de su equipo al haber podido por lo menos reducir sustancialmente los agudísimos dolores que experimentaban muchos integrantes del grupo debido a diversos tumores, aunque no mencionaron si los tumores habían retrocedido.

El chaparro sirve también para controlar la leucemia, de acuerdo con una publicación médica. Y se han revelado otros impresionantes logros con este arbusto del desierto en el estudio *Unproven Methods of Cancer Management*, publicado por la *American Cancer Society* en 1970. Cuatro pacientes respondieron bien al tratamiento con té, dos de ellos con melanomas avanzados, uno con coriocarcinoma metastásico y uno con un linfosarcoma extendido. Tras apenas dos días de tratamiento, el paciente con linfosarcoma experimentó la desaparición del 75 por ciento de su enfermedad; el paciente con coriocarcinoma, que no había respondido bien a otras terapias, reaccionó positivamente al té de chaparro por varios meses. De los dos pacientes con melanoma, uno experimentó una regresión del 95 por ciento y el resto de la enfermedad fue extirpada, mientras que el otro permaneció en remisión por hasta 4 meses antes de que otra lesión se desarrollara.

Una última nota histórica al informe del doctor Smart sobre el chaparro suministraría un clímax adecuado a uno de los refuerzos del sistema inmunitario más extraordinarios de la naturaleza. Más o menos en la época en que fue publicado su estudio, una pareja de Arizona, de apellido Murdock, enfrentaba un ataque de cáncer similar al de Ernest Farr. La esposa de Murdock padecía de un tumor incurable que varias operaciones previas y tratamientos de radiación no habían corregido.

Al escuchar sobre el optimismo discreto, pero positivo, del doctor Smart en relación con el chaparro, decidieron probar la hierba. La señora Murdock comenzó a tomar tanto como 1/2 galón (2 litros) de té al día. La edición del domingo 16 de octubre de 1983 del periódico *Desert News*, de Salt Lake City, informó que "después de tomar el té de chaparro, la señora Murdock comenzó a sentirse mejor".

Esto dio pie a que Tom Murdock se dedicara a vender hierbas. El primer producto que eligió fue, por supuesto, cápsulas de chaparro. "Lo que comenzó como un último esfuerzo por salvar la vida de la señora Murdock funcionó y trajo como resultado la formación de la compañía de alimentos naturales más grande del país", señaló el periódico. La compañía es *Nature's Way*, administrada hoy en día por Ken Murdock, uno de los hijos de la pareja, en Springville, Utah.

CHAYOTE
(véase: Calabaza)

CHOCOLATE (DE SEMILLAS DE CACAO)
(Theobroma cacao)
(Chocolate from cacao beans en inglés*)*

Breve descripción

El chocolate es obtenido de las semillas del árbol de cacao tostadas y molidas. Esta planta siempre verde, con hojas correosas y oblongas, alcanza una altura de casi 30 pies (10 metros) y su tronco puede tener hasta 1/2 pie (15 cm) de diámetro. Las hojas son típicamente siempre verdes, con flores blancuzcas o amarillentas ligeramente teñidas de anaranjado y rosado. Las bayas nacen directamente del tronco y las ramas pueden ser de color rojo, amarillo, púrpura o marrón. Dentro de la corteza gruesa, acanalada y arrugada del fruto, se encuentra una pulpa ácida blanca o rosada, que contiene de 25 a 60 semillas marrones o moradas, amargas y un tanto aceitosas.

Son estas semillas o granos de cacao las que poseen una gran importancia económica y con las que se prepara el polvo de cacao *(cocoa powder)*, la mantequilla de cacao *(cocoa butter)* y el chocolate, una vez curadas. El proceso de curación consiste en fermentar y secar las semillas, antes de tostarlas y molerlas, mientras todavía están calientes. El chocolate fue presentado a Cortés por Moctezuma, en 1519. Los estadounidenses gastan actualmente unos $3.000 millones de dólares para satisfacer su irresistible deseo de consumir 1.800 millones de libras (815 millones de kilos) de chocolate.

Elimina las arrugas de la piel

La mantequilla de cacao, de la cual se obtiene el chocolate, puede ser usada para ayudar a eliminar las arrugas en el cuello en una condición de la piel conocida como "cuello de pavo", así como las que se originan alrededor de los ojos ("patas de gallo") y en las comisuras de los labios. Ponga un poco de mantequilla de cacao en las puntas de los tres dedos del medio de una de sus manos y friccione suavemente la piel arrugada, con movimientos rotatorios, todos los días, por la mañana y por la tarde. Hágalo durante 10 minutos cada vez. En un par de semanas, la mayoría de las arrugas pequeñas lucirán tenues y las más profundas no serán tan notorias o evidentes como antes.

Máscara facial para el cutis seco

El cacao en polvo no sólo sirve como bebida o para preparar bizcochos. Es una máscara facial muy buena para suavizar la piel vieja y reseca, de apariencia ligeramente desgastada. Añada suficiente crema de leche y un poco de aceite de oliva a aproximadamente 2 tazas o menos de cacao en polvo, para hacer una mezcla que se pueda aplicar fácilmente y que no chorree ni sea demasiado rígida. La mezcla deberá tener una consistencia lo suficientemente espesa como para aplicarla sobre su rostro, como lo haría con una mascarilla de caolín o un ungüento de arcilla verde. El aceite de oliva ayuda a darle una mayor elasticidad y evita que la crema se seque demasiado pronto o que se vuelva un tanto gredosa.

Dos tazas de cacao en polvo seco sólo contienen un poco más de 2 cucharaditas de grasa pura, de la cual entre el 10 y el 12 por ciento es ácido linoleico. Añada a esto unas 3 cucharaditas de aceite de oliva, lo que le da un 12 por ciento adicional de ácido linoleico, con lo que obtiene una máscara facial con al menos 25 por ciento de ácido linoleico, para no mencionar lo que la crema de leche puede proporcionar también. Con la crema, el total de contenido de ácido linoleico puede llegar a ser de aproximadamente 30 por ciento.

¿Por qué tanta atención al ácido linoleico? Simplemente porque es uno de los ingredientes necesarios para un cutis más saludable, adorable y de apariencia más juvenil. La dermatitis, enfermedad de la piel caracterizada por escamas, láminas, engrosamiento y cambio de color, puede ser tratada con ácido linoleico. Y el principal nutriente que da a la piel de los bebés esa suavidad, tersura y sutileza, casi sedosa, no es otro que el ácido linoleico.

Ésta es, pues, la razón por la que recomiendo esta máscara en particular para el cutis seco y áspero. En un par de semanas, o menos, comenzará a notar un cambio notable. Su cutis recuperará parte de su aspecto juvenil.

Ayuda a reducir la hipertensión

El cacao en polvo seco es usado por curanderos filipinos en el tratamiento de la hipertensión (presión sanguínea alta). Ellos atribuyen esta cualidad a la teobromina presente en el cacao, que agranda los vasos sanguíneos contraídos, comunes en las víctimas de hipertensión.

El alto contenido de potasio no debe ser pasado por alto tampoco. La *National Academy of Sciences* de Estados Unidos recomienda un consumo diario mínimo de potasio de 1.875 miligramos. Puede agregar 2 1/4 cucharaditas de cacao en polvo a una taza de leche de cabra y tomarla 2 veces al día para obtener cerca del 80 por ciento de esta cantidad mínima recomendada.

Las investigaciones del Dr. Louis Tobian, de la Facultad de Medicina de la Universidad de Minnesota, en Minneapolis, y de la Dra. Elizabeth B. Connor, de la Universidad de California, en San Diego, han comprobado de forma contundente que una dieta rica en potasio es una de las fórmulas secretas para bajar el nivel de presión sanguínea y mantenerlo bajo control. Por lo tanto, el cacao en polvo podría tener cierto valor dietético para ayudar a reducir la hipertensión, pero ni el cacao ni el chocolate son recomendados para los dolores de las migrañas (jaquecas).

La carnada suprema para cazar ratones

¿Quiere usted deshacerse de los ratones pero no tiene gato? ¿O ha probado diferentes clases de cebo y ninguno parece funcionar? Bien, simplemente ponga trampas nuevas con chocolate fresco como carnada y... ¡voilá! Sus problemas de ratones habrán terminado. Prácticamente se matan unos a otros por el chocolate.

Déle un impulso a su vida sexual

No es tan inverosímil como usted probablemente piensa, decir que el chocolate es un afrodisiaco razonable para dar a su vida sexual un buen impulso. Vea usted que el chocolate está cargado con la misma sustancia llamada feniletilamina (*PEA* por las siglas en inglés) que el cerebro libera en grandes cantidades cuando es estimulado por las pasiones del amor. En su fascinante libro *The Chemistry of Love,* el psiquiatra Michael R. Liebowitz, M.D., de la ciudad de Nueva York, afirma que las personas románticamente deprimidas tienden a sentir un deseo incontrolable por comer chocolate. Liebowitz especula que los niveles de *PEA* en estas personas podrían estar muy bajos y que el chocolate les da un buen impulso.

Receta perversamente deliciosa

Si está tratando desesperadamente de perder peso o controlar su pasión por los dulces, entonces le aconsejo *enérgicamente* que dé vuelta a la página lo antes posible y pase a la próxima sección. *¡Ni pierda tiempo en leer esto!* Porque si lo hace, me temo que se sentirá tentado a preparar la receta que daré a continuación y que la reina Isabel de Inglaterra y la ex reina Juliana de Holanda solían darse el lujo de comer, en épocas pasadas. Es un postre apropiado para la realeza con un sabor divino, casi de otro mundo, un postre deliciosamente pecaminoso si usted está contando las calorías actualmente.

BIZCOCHO DE CHOCOLATE CON AVELLANAS

Ingredientes: 6 onzas (170 g, o aproximadamente 31-1/2 cucharadas) de chocolate para hornear semidulce o dulce y amargo *(semi-sweet* o *bitter-sweet baking chocolate)*; 6 onzas (170 g, o aproximadamente 31-1/2 cucharadas) de mantequilla dulce de lechería *(creamery sweet butter);* 4 huevos grandes; 1/4 taza de azúcar morena *(brown sugar);* 1/4 taza de melaza *(blackstrap molasses);* 1/2 taza de avellanas *(hazelnuts)* tostadas molidas; 4 cucharadas de harina cernida; 1/4 cucharadita de extracto de almendras *(almond extract);* 1/4 taza de miel oscura; 1/8 cucharadita de crémor tártaro *(cream of tartar);* una pizca de sal marina *(sea salt).*

Preparación: Precaliente el horno a 375° F. Engrase un molde para tarta redondo de 8 x 3 pulgadas (20 x 7 cm) con lecitina (adquirida en su tienda de alimentos naturales), luego espolvoree el fondo y los lados con harina. Derrita el chocolate y la mantequilla a fuego lento en una cacerola pequeña colocada dentro de una olla más grande parcialmente llena de agua. Revuelva de vez en cuando hasta que se haya derretido y esté uniforme. Quite del fuego. Rompa los huevos, coloque la clara en un recipiente seco y limpio y mézclela con la sal y el crémor tártaro. En otro recipiente bata las yemas con 1/4 taza de azúcar, 1/4 taza de melaza y el extracto de almendras hasta que toda la mezcla forme una cinta uniforme cuando levante el batidor. Entonces vierta en la mezcla, el chocolate tibio, las avellanas y la harina. Póngala a un lado, por el momento.

Bata las claras de huevo, la sal marina y el crémor tártaro hasta que el cono tome forma. Vierta lentamente la miel, hasta que la clara se espese, pero no permita que se seque. (NOTA: podría necesitar 1/8 taza de miel y 1/8 taza de azúcar morena para lograr la consistencia deseada.) Vierta cuidadosamente alrededor de 1/3 de la clara en el batido de chocolate para aligerarlo, entonces añada rápidamente el resto de la clara. Vierta la mezcla en el molde preparado y hornee de 45 a 50 minutos. Al insertar un palillo *(toothpick)* en el centro del bizcocho deberá mostrar migajas húmedas —ni demasiado secas, ni demasiado chorreantes— ¡debe quedar simplemente en el punto exacto! Deje que el bizcocho se enfríe dentro del molde, entonces cúbralo con el almíbar de coñac de chocolate, cuya receta suministramos a continuación.

ALMÍBAR DE COÑAC DE CHOCOLATE

Ingredientes: 4 onzas (110 g, o aproximadamente 21 cucharadas) de mantequilla dulce de lechería *(creamery sweet butter)*, cortada en porciones pequeñas; 6 onzas (170 g, o aproximadamente 31-1/2 cucharadas) de chocolate para hornear semidulce o amargo *(semi-sweet* o *bitter baking chocolate)*, cortado en pedazos; 1 cucharada de melaza *(blackstrap molasses);* 1 cucharadita de almíbar de arce puro *(pure maple syrup);* 2 ó 3 cucharaditas de coñac.

Preparación: Coloque el chocolate, la mantequilla, la melaza y el almíbar de arce en una cacerola pequeña y caliente ligeramente en baño de María a fuego lento. Revuelva frecuentemente hasta que la mezcla quede suave y completamente derretida. Asegúrese, sin embargo, de no calentarla demasiado. Retire inmediatamente del fuego, agregue el coñac, revuelva y aparte hasta que esté casi espesa. Póngala en el refrigerador si tiene prisa.

Después de que la mezcla se haya enfriado y cuando esté casi endurecida, pero que todavía se pueda esparcir, aplíquela sobre el bizcocho. Pase un cuchillo alrededor de la orilla del bizcocho, que ya deberá estar completamente frío, para despegarlo de los lados del molde. El bizcocho frío se habrá asentado en el centro, dejando un contorno alto alrededor de los lados. Presione ese contorno firmemente con los dedos, para que se nivele con el centro. Ahora dé vuelta al bizcocho sobre un círculo de cartón cortado exactamente a su medida. Coloque sobre una plataforma giratoria para decorar o una superficie de trabajo cubierta con papel de cera *(wax paper).*

La parte de abajo del bizcocho se convirtió ahora en la de arriba. Esparza sólo el almíbar suficiente para suavizar cualquier imperfección, irregularidad o aspereza en los lados y la parte de arriba. Ésta es sólo una capa inferior para preparar la suave capa final. Recaliente un poco el resto del almíbar en agua tibia, hasta que quede suave y se pueda verter fácilmente, con la consistencia de una crema de leche espesa.

Cuando esté ligeramente tibio, cuele el almíbar a través de un colador muy fino, para remover cualquier burbuja de aire o migajas que pudiera tener. Vierta todo el almíbar en el centro de la parte superior de su bizcocho. Use una espátula de metal para esparcir el almíbar sobre los bordes, cubriendo toda la superficie. Use la espátula lo menos posible. Cuando el bizcocho haya sido cubierto por completo, levántelo del papel de cera o de la plataforma giratoria y déjelo secar en una parrilla, antes de colocarlo en una bandeja para servir.

El bizcocho puede ser presentado tal y como está o decorado con trozos de avellanas tostadas, si lo desea. Las avellanas deben ser presionadas por los lados del bizcocho antes de que el almíbar se endurezca. O puede aplicar chocolate derretido con un cono de papel para darle una terminación más elaborada.

Para tostar sus avellanas, colóquelas en una bandeja para hornear y póngalas en el horno a 375° F por aproximadamente 20 minutos. Deje que las avellanas se enfríen y quíteles la cáscara frotándolas con las manos. Luego, pulverice un puñado a la vez en su licuadora o procesador de alimentos, encendiéndola y apagándola rápidamente para que no se conviertan en mantequilla.

Estas recetas fueron adaptadas y ligeramente modificadas de las recetas de Jinx Morgan y su esposo, Jeff, quienes tenían una posada en la hermosa isla de Tortola, en las Islas Vírgenes Británicas.

CIMIFUGA
(Cimifuga racemosa)
(Black cohosh en inglés*)*

Breve descripción

La cimifuga es una planta perenne oriunda de Norteamérica. Crece
con frecuencia en las laderas de las montañas y en los bosques ubi-
cados en terrenos elevados. Su zona de crecimiento se extiende
desde Maine y Ontario hasta Wisconsin hacia el oeste, y Georgia y
Missouri hacia el sur. La planta posee un rizoma largo, trepador y
nudoso que con frecuencia lleva muestras de desarrollos antiguos.
Produce un tronco de hasta 9 pies (3 metros) de altura y sus flores des-
piden un olor penetrante y desagradable.

Tratamiento para presión sanguínea alta en las mujeres

Las mujeres que padecen del síndrome premenstrual tipo A (*PMT-A*
por las siglas en inglés) presentan síntomas de ansiedad, irritabilidad,
mal humor y nerviosismo entre una y dos semanas antes de su
período. Dichas mujeres manifiestan también una inclinación a comer
5 veces más productos lácteos y 3 veces más azúcar refinada que
aquellas que no padecen este trastorno.

Dado que la cimifuga negra tiende a reducir la hipertensión en
cierta medida y a provocar un efecto ligeramente sedante, su uso podría ser beneficioso para aquellas mujeres que padecen del síndrome
premenstrual tipo A. Se recomienda tomar 2 veces al día, una dosis de
alrededor de 2 cápsulas. La cimifuga negra puede ser adquirida en
cualquier tienda de alimentos naturales con la marca de *Nature's Way*.
La cimifuga azul puede ser adquirida por correo pidiéndola a la firma
Indiana Botanic Gardens, en Hammond (vea el Apéndice).

CIRUELAS Y CIRUELAS PASAS
(Prunus domestica)
(Plums y Prunes en inglés*)*

Breve descripción

Las ciruelas son las más diversas y más ampliamente distribuidas de todas las frutas con hueso y sus variedades se adaptan a casi todas las condiciones climatológicas. De hecho, son cultivadas en todos los continentes, excepto en la Antártida. La mayoría de las ciruelas cultivadas con fines comerciales descienden de las variedades europeas o japonesas. Las ciruelas europeas, de forma ovalada o redonda, incluyen todas las variedades de colores que van desde el púrpura hasta el negro (tales como las conocidas bajo el nombre de El Dorado), y también las más pequeñas, amarillo-verdosas, que poseen un sabor muy especial, conocidas como ciruela verdal *(Green Gage).* Las pequeñas ciruelas damacenas *(Damson),* de color negro-azulado, son preferidas para la elaboración de conservas y mermeladas, mientras que las *Stanley,* más grandes, de color violeta oscuro, son generalmente consumidas como fruta. Las variedades japonesas son más grandes y la gama de colores de su piel va desde el amarillo hasta el rojo, con una pulpa muy jugosa, como en el caso de la carmesí Santa Rosa. Las variedades nativas de América se cultivan raramente para fines comerciales, pero han sido utilizadas ampliamente para producir cultivos híbridos con las ciruelas japonesas, a fin de incrementar su dureza.

Las ciruelas pasas pertenecen a la variedad de ciruelas que posee una pulpa firme y su alto contenido de azúcar es el que hace posible que se sequen sin que se produzca ninguna fermentación alrededor de su semilla.

Ayuda a aliviar las úlceras en los labios

Irritaciones bucales como las úlceras en los labios y las aftas, pueden ser tratadas eficazmente ingiriendo 2 cucharadas de cualquier jugo de ciruelas frescas, que se debe revolver por un par de minutos dentro de la boca antes de tragarlo. En caso de una úlcera muy seria, empape un pedazo de algodón en jugo fresco de ciruelas y presiónelo contra la parte afectada, sujetándolo con la ayuda de la lengua y la mandíbula o untando a un costado un poco de mantequilla de maní *(peanut butter)*.

Un laxante extraordinario

Desde hace mucho tiempo, las ciruelas han gozado de una gran reputación por ser un laxante magnífico para el estreñimiento. Se puede preparar un producto terapéutico combinando 5 ó 6 ciruelas sin hueso, la misma cantidad de higos frescos, 1 cucharadita de semillas de coriandro y aproximadamente 1 cucharada de semillas de psilio molidas en una licuadora a la velocidad utilizada para hacer un puré, hasta que se obtenga una pasta suave pero consistente. La cantidad de psilio a usarse dependerá de la consistencia deseada. Reparta en pequeñas cantidades iguales —equivalente a 1 cucharada— sobre pedazos de papel encerado para formar porciones individuales. Envuelva y refrigere. Pueden conservarse hasta un mes y consumirse varias a la vez en caso de estreñimiento crónico. Por lo general, los resultados se pueden apreciar en un par de horas o *menos*.

Recetas muy alentadoras

Mi agradecimiento a los editores de la revista *Better Homes & Gardens* por permitirme utilizar la receta de este estupendo postre que encontré en su libro de recetas *Fresh Fruit & Vegetable Recipes* (vea el Apéndice).

Ciruelas en vino

Ingredientes: 1/3 taza de azúcar morena *(brown sugar);* 1/2 taza de vino tinto seco; 1 cucharada de limón y 1 de lima (limón verde, *lime*); 2 clavos enteros; 1 ramita de canela *(cinnamon)* de 2 pulgadas (5 cm); 8 ciruelas medianas sin hueso y picadas en 4 pedazos; un poco de yogur con sabor a vainilla o sin sabor, al que se le haya añadido un poco de esencia de vainilla.

Preparación: En una cacerola mezcle el azúcar con 1/2 taza de agua. Ponga a cocer y revuelva hasta que el azúcar se haya disuelto. Agregue el vino, los jugos cítricos, los clavos y la canela. Revuelva suavemente las ciruelas en la mezcla de vino y cocine hasta que llegue al punto de hervor. Baje el fuego y deje hervir a fuego lento durante 2 minutos con la cacerola tapada. Retire del fuego y saque los clavos y la rama de canela. Sirva las ciruelas calientes y vierta sobre ellas algunas cucharadas de vino. Cubra cada porción con un poco de yogur. Suficiente para 4 porciones.

BATIDO DE CIRUELAS PASAS

Deje en remojo durante la noche 2 tazas de ciruelas pasas secas y ablandadas en un cuarto de galón (litro) de agua destilada caliente. Al día siguiente póngalas a cocer a fuego lento durante 30 minutos. Luego machaque una taza de estas ciruelas pasas cocinadas y deshuesadas y páselas por un tamiz grueso *(coarse sieve)*. Bata dos claras de huevo y agregue 1/4 taza de azúcar morena *(brown sugar)* cernida y una pizca de sal. Cubra las ciruelas pasas machacadas con las claras batidas y hornee la mezcla en una cacerola engrasada a baja temperatura (300°F) durante 25 minutos. Sirva caliente o frío con almíbar de arce puro *(pure maple syrup)*.

CÍTRICOS

LIMA O LIMÓN VERDE
(Citrus aurantifolia)

LIMON
(Citrus limon)

MANDARINA
(Citrus reticulata)

NARANJA
(Citrus aurantium)

NARANJA
(Citrus sinensis)

NARANJITA CHINA O KUNKUAT
(Citrus japonica)

TORONJA O POMELO
(Citrus paradisi)

Breve descripción

Los limones y limas (limones verdes) se desarrollan en plantas pequeñas con espinas duras y afiladas, originadas en Asia hace miles de años. Los romanos antiguos conocían los limones, mientras que los marineros británicos adquirieron su famoso sobrenombre de "*limeys*" en el siglo XIX, luego de que las limas (*limes* en inglés) fueron añadidas a sus raciones diarias de ron a fin de prevenir el escorbuto.

Ambos tipos de naranjas —las agrias y las dulces— son oriundas de China y la India. El árbol de la naranja agria es más duro y resistente a las infecciones de las plantas que el de la naranja dulce. Como los limones, las naranjas fueron llevadas a las regiones mediterráneas por los moros, donde su cultivo floreció. Las semillas o naranjos jóvenes fueron llevados posteriormente al Nuevo Mundo por Colón, quien las sembró en la isla Española.

Las naranjas chinas o *kumquats* son las más pequeñas de todas las frutas cítricas y han sido cultivadas durante miles de años en China y Japón. Se comen generalmente con todo, y su cáscara y corteza son bastante dulces, mientras que su pulpa es ácida y jugosa.

La toronja (pomelo, *grapefruit*) no es un híbrido, sino una especie diferente. Apareció por primera vez en el siglo XVIII en Barbados o Jamaica como una mutación de una fruta cítrica del sudeste asiático, el pomelo, y fue llevada a Barbados en 1696 por un comerciante conocido por el nombre del capitán Shaddock, quien le dió su nombre en inglés: *Shaddock*.

Las mandarinas —cuyo nombre en inglés (*tangerine*) se deriva de la ciudad de Tánger, al Norte de Africa— son cítricos pequeños, de cáscaras fácilmente separables y que en realidad son una variedad de la naranja mandarina, la variedad más importante de todas. Sus gajos jugosos, que pueden ser separados muy fácilmente, son de un color anaranjado oscuro, con un sabor delicado y dulce. Cuando el fruto madura, la cáscara adquiere un tono naranja vivo, y es muy usada en la medicina popular de China.

Las kumquats constituyen un tratamiento para la hipertensión y la obesidad

Estas pequeñas frutas cítricas parecen ayudar a aquellos que sufren de alta presión sanguínea, si un par de ellas se consumen cada noche después de la cena. Dado que las cortezas de las *kumquats* son dulces y su pulpa es ácida, parecen ser un alimento ligero ideal para las personas obesas, ya que satisfacen al mismo tiempo sus ansiedades por ingerir cosas dulces y ácidas.

Cáscara de limón para las encías sangrantes

Si a usted le sangran las encías después de cepillarse los dientes, corte un pedazo pequeño de la cáscara de la fruta. Tómela de modo que la parte blanca quede frente a usted. Envuelva una cantidad suficiente de la cáscara sobre la punta de su dedo índice, de modo que pueda sujetarla con el pulgar y pasar la parte blanca por sus encías durante unos minutos cada día. Al cabo de algunos días el sangrado debería cesar.

Jugo de lima para aliviar los dolores de muelas

Uno de los mejores remedios usados en las Antillas para eliminar los dolores de muelas es empapar un pedazo de algodón en un poco de jugo de lima fresco y luego colocarlo directamente encima o cerca del lugar en donde se siente el dolor. En 5 minutos o menos el dolor debería desaparecer.

Cítrico agrio para mantener los dientes blancos

Para mantener sus dientes blancos como perlas, cepíllelos 2 ó 3 veces por semana con una combinación de partes iguales de jugo fresco de toronja, limón y lima. Esta solución ayuda también a reducir el sarro. NOTA: No es una buena idea chupar un limón o una lima cuando se tiene la garganta irritada, pues con el tiempo, el contacto prolongado con ácido cítrico puede ocasionar un grave deterioro del esmalte.

La mandarina alivia los dolores corporales

Un té preparado con cáscara de mandarina es excelente para aliviar los dolores en los huesos y músculos inflamados debido a la gripe o la fiebre. Ponga a hervir 1 cuarto de galón (litro) de agua y agregue la cáscara de 3 mandarinas picadas o ralladas. Deje en remojo 1 hora y cuele después. Beba 1 taza de este té caliente endulzado con un poco de miel cada 5 horas.

Consejos de belleza de un salón exclusivo

Paul Nienast es único en el mundo en lo que al cuidado de la belleza se refiere. Su salón ubicado en el 2603 de la Avenida Oaklawn, en un barrio muy elegante de Dallas, es probablemente uno de los más exclusivos de su tipo en Estados Unidos. Esto no se debe al hecho de que rivalice con salones en París o Nueva York por el cuidado profesional del cabello y la piel, ni tampoco porque una élite de la sociedad, procedente de todas partes del país, acuda a él en busca de la eterna juventud. Su salón es excepcional debido a que probablemente utiliza más frutas frescas, vegetales, cereales, aceites y productos lácteos en el tratamiento de su rica y poderosa clientela, que cualquier otro salón de belleza del país. Se trata de un salón de belleza para ambos sexos donde se trabaja casi completamente con sustancias naturales, muchas de ellas elaboradas según las necesidades de cada cliente en el mismo momento en que van a ser utilizadas.

La famosa permanente de "jugo de frutas" de Paul, a un precio de $250 dólares, es un ejemplo de ello. Consiste de ciertos aceites esenciales que no son en realidad de fácil acceso para el público en general, e incluye además otras sustancias más comunes como los jugos frescos de frutas cítricas: toronja, limón, lima y naranja. "Encuentro que estas frutas ácidas dejan el cabello mucho más suave, suelto y sin los olores químicos asociados comúnmente con las permanentes convencionales", me expresó en una entrevista. "Gran parte de nuestra clientela que ha probado nuestra permanente especial de 'jugo de frutas' aquí en mi salón, asegura que nunca más se hará una permanente de otro tipo. Una permanente como la nuestra dura hasta 6 meses, mientras que con una común hay que hacérsela de nuevo cada 2 meses. Y pese a que el precio ofrecido al cliente es bastante alto para ese tipo de tratamiento, sólo necesita practicarse 2 veces al año en comparación con las 6 u 8 que se necesitarían si se tratara de una permanente tradicional".

La permanente especial de Paul requiere seguir una serie de pasos diferentes como es común en el caso de una permanente tradicional, pero en las partes en las que se emplean soluciones químicas, éstas son sustituidas por jugos cítricos. Sin embargo, no es práctico ni aconsejable para los lectores tratar de aplicar este tratamiento por sí mismos. La mayor razón para no hacerlo es que ciertos aceites esenciales de las plantas son una parte fundamental para el éxito del novedoso método, y su inventor, que no desea divulgar su secreto, sólo mencionó algunas partes de él.

Aunque los jugos cítricos mencionados anteriormente pueden ser usados con suficiente eficacia en cabellos grasosos o maltratados y en algunos tipos de infecciones del cuero cabelludo, en realidad no hacen todo el trabajo por sí mismos. Sólo un peluquero experimentado como el señor Neinast puede lograr una permanente fabulosa con ellos.

Paul accedió también a compartir por primera vez con el público, a través de un libro como éste, algunas de sus otras notables técnicas "secretas" para lograr una piel increíblemente bella, capaz de hacer creer a la gente que usted es 15 ó 20 años más joven. Su fórmula para eliminar las arrugas es una de las más populares y solicitadas por las miles de personas que acuden a su salón cada mes.

Tome 2 tajadas de limón y colóquelas en un tazón de madera (nunca de metal o plástico). Añada suficiente mezcla de leche y crema de leche *half-and-half,* que haya sido previamente calentada, hasta que las tajadas de limón queden sumergidas en ella. Cubra el tazón y déjelo en remojo durante unas 3 horas, tras lo cual deberá colar la solución y aplicarla sobre la piel dando un masaje ligero en forma rotatoria con las yemas de los dedos índice, mayor y anular. Déjela secar sobre la piel y luego quítesela con la ayuda de una toallita húmeda y un poco de aceite de oliva.

Si se aplica este tratamiento por las mañanas y las noches, las arrugas comenzarán a desaparecer en pocas semanas o menos, dependiendo por supuesto de lo profundas y antiguas que sean las líneas en la piel. Si la piel es muy grasosa, utilice 4 tajadas de limón, y si es algo seca utilice solamente una tajada de limón y duplique la cantidad de crema de leche.

"Mi fórmula para eliminar las arrugas es también muy buena para las manos ásperas y cuarteadas", agregó Paul. "Por mi experiencia personal puedo asegurarle que no existe nada que sea tan perfecto para blanquear y suavizar las manos. Sugiero agregar un par de tajadas de naranja a las dos de limón antes de verter la crema de leche".

Paul opina que una compresa de jugo de limón aplicada a la piel es fabulosa para resolver problemas de descoloración. "Simplemente, moje un paño o una toallita en una solución del jugo de 3 ó 4 limones y una lima, diluidos en un poco de agua muy caliente, y luego aplíquelo directamente sobre la piel durante media hora. Elimina realmente cualquier mancha y de cierta forma uniformiza aun más el color de la piel", dijó él. "Preparo otro quitamanchas aplicando puré de bananas mezclado con jugo de 1 ó 2 limones. También es muy eficaz para emparejar las áreas claras y oscuras".

Paul clasificó brevemente las diferentes frutas cítricas según su utilidad para tratar la piel. "Siempre debe usarse tan sólo jugo fresco", advierte. "Cualquier otra cosa no surte efecto. El limón es un buen astringente para cerrar los poros y ayudar a dar un poco de firmeza. Debido a que es muy ácido, recomiendo diluirlo en un poco de agua. El jugo de naranja es el mejor suavizante para la piel que conozco entre los jugos de frutas. Al igual que el limón, es bueno tanto para la piel grasosa como para la piel normal. La naranja parece revitalizar la piel mustia, sin vida. Aunque la toronja no es un astringente tan excepcional como el limón, su jugo es bueno para neutralizar los ácidos grasos sobre la piel y no requiere dilución", aseguró el cosmetólogo.

En el salón de belleza de Paul en Dallas, se utiliza como máscara facial un puré a base de higo negro con un poco de jugo de mandarina, aplicándola durante media hora para ayudar a dar firmeza a la piel y cerrar los poros dilatados. Después se la retira con la ayuda de agua fría. Para las manchas de la piel, se hace también una pasta sumergiendo una tajada de pan blanco en 1/4 taza de leche caliente con un paquetito o cubo de levadura *(yeast),* se la aplica sobre la piel y se la deja por aproximadamente 40 minutos. Luego, se la quita con agua.

El siguiente es un tratamiento de dos pasos recomendado para dar a la piel una apariencia vigorosa. Primero, limpie cuidadosamente su piel con algunas bolitas de algodón *(cotton balls)* saturadas en una solución con partes iguales de vinagre de sidra de manzana *(apple cider vinegar)* y agua caliente. Luego, aplique un poco de jugo de naranja y déjelo secar sobre su piel. Por último, límpiese el rostro ligeramente con un paño húmedo ¡y verá lo fabuloso que lucirá su cutis!

Tratamiento divino para los pies

Prácticamente todos sufrimos alguna vez en nuestra vida de inflamación, dolor o cualquier otro tipo de problemas en los pies. Pues bien, no hay nada como un agradable masaje de pies con crema de jugo de lima o limón y manzanilla para ayudar a eliminar esos malestares. La sensación que se logra de algo tan especial como esto es un verdadero éxtasis, en lo que concierne a los pies calientes y cansados y a los dedos sudorosos.

Ponga un poco de crema *CamoCare Soothing Creme* (vea el Apéndice) sobre la palma de su mano y exprima sobre ella un limón o una lima, que unirá a la crema esparciendo con sus dedos. Luego frote esta mezcla en la planta de sus pies y aplíquela bien entre sus dedos. La sensación que se siente es similar a la que experimentaría si estuviera parado sobre agua muy fría con menta piperita *(peppermint).*

CamoCare es distribuida por *Abkit, Inc.* desde Nueva York a la mayoría de las tiendas de alimentos naturales. Los limones y las limas pueden adquirirse en cualquier mercado de productos agrícolas o supermercado local.

Bajan el colesterol

He notado que en un restaurante chino de Main Street, en Salt Lake City, cerca de nuestro Centro de Investigaciones, donde almuerzo con frecuencia, siempre incluyen pedazos de naranja sin pelar en su delicioso *buffet*. Por lo general acostumbro servirme entre 10 y 15 de estos segmentos para acompañar abundantes raciones de su carne a la Mongolia con bróculi y carne de cerdo con salsa agridulce. Me da la impresión de que estas comidas abundantes en grasa se digieren con mayor facilidad si son acompañadas con naranjas que sin ellas. Recomiendo mucho comer una naranja después del consumo de alimentos con alto contenido en grasas para reducir el riesgo de endurecimiento de las arterias y ataques al corazón.

Remedios contra la irritación de la garganta

No hay nada mejor para eliminar la irritación de la garganta que hacer gárgaras varias veces al día con un poco de jugo de limón o limonada tibia. Tras las gárgaras, rocíe la boca y garganta con *CamoCare Throat Spray* (vea el Apéndice), el cual se puede adquirir en cualquier tienda de alimentos naturales. La combinación de jugos cítricos y manzanilla parece tener mejor efecto que si se usan por separado para problemas de la garganta o de la piel.

Alivian la indigestión

Hace algunos años, cuando estaba dando clases en la ciudad de Clearwater, Florida, una señora compartió conmigo su método para aliviar un estómago indispuesto. "Simplemente rallo la cáscara de una toronja hasta que llego a la parte blanca. Luego coloco cuidadosamente la ralladura en un paño limpio y la dejo secar. Cuando los pedazos están secos y arrugados los guardo en una bolsa de plástico bien cerrada *(zip-lock)* y, cuando tengo malestar de estómago o acidez, me coloco en la boca 3/4 cucharadita de ellos y los chupo lentamente antes de masticarlos. En poco tiempo mi estómago retorna a la normalidad", aseguró con satisfacción.

Un profesor del *National Naturopathic College* en Portland, Oregon, me confió una vez que tomando diariamente 2 cucharadas de aceite de oliva por las mañanas, antes del desayuno, seguidas de 1/2 taza de jugo de toronja, se ayuda a expulsar cálculos biliares y a eliminar dolores en la vesícula.

En Samoa se toman algunas cucharadas de jugo de lima fresca para aliviar la náusea y detener los vómitos.

Un té preparado con la cáscara de cualquier fruta cítrica es magnífico para superar problemas de gases intestinales, especialmente los causados al ingerir frijoles. Sólo tiene que rallar unas 4 cucharadas de la piel fresca de cualquier cítrico, luego deje reposar en 2 tazas de agua hirviendo durante 30 minutos. Beba 1 taza tibia cada vez que lo considere necesario.

Comer naranjas ayuda a aliviar la diverticulitis y el jugo de lima fresco añadido a un poco de agua caliente detiene de inmediato la diarrea en bebés, niños pequeños y ancianos.

Algunos que se consideran "expertos nutricionistas" y entusiastas de los alimentos naturales aseguran que una dieta de toronjas ayuda a perder peso, pero no existe prueba científica que respalde tal afirmación. En todo caso, 1/2 toronja diaria puede ayudar a calmar un poco el apetito de algunas personas obesas, pero nada más.

El limón y las migrañas

Elena Russo, de la ciudad de Nueva York, me escribió acerca de un remedio que su abuela empleaba para quitarse los dolores de cabeza causados por la migraña. Se pone la cáscara de 1 limón pelado, con su parte blanca hacia abajo, sobre un pañuelo, y se lo coloca sobre la frente dejando la parte amarilla hacia la piel. Cuando se siente una sensación de ardor, se retira. Por lo general, el dolor de cabeza desaparece.

Otro remedio que me recomendó un amigo indonesio, el Dr. Auzay Hamid, es también bueno para aliviar los dolores de cabeza. En Yakarta, cuando las mujeres sufren de migrañas, simplemente van a lavar platos o ropa a mano con agua jabonosa caliente, en la que se ha vertido el jugo de varios limones, para obtener alivio rápido. Al parecer, el agua de limón caliente provoca una transferencia del exceso de sangre de la cabeza hacia las manos, reduciendo la inflamación de los vasos sanguíneos en la cabeza. En caso de migrañas severas que no quieren ceder, se paran sin zapatos en dos baldes de agua caliente con limón mientras friegan los platos (siempre con agua caliente y limón), lo que seguramente no falla. Es necesario mantener una posición vertical, de pie, para garantizar el éxito del procedimiento.

Remedio contra las picaduras de insectos

Si usted exprime jugo de limón sobre una picadura de mosquito o ciempiés, o de abeja o avispa, a los pocos minutos cesan por completo la picazón y el dolor. Este remedio fue recomendado por Thor Heyerdahl en su libro *Fatu Hiva*. Y para mantener a las hormigas alejadas de su cocina, simplemente moje con jugo de limón los bordes de la base de la mesa y los umbrales de las puertas y ventanas, y las hormigas desaparecerán pronto.

CLAVOS DE OLOR
(Caryophyllus aromaticus o Syzygium aromaticum)
(Cloves en inglés*)*

Breve descripción

Los clavos de olor son una de las especias más famosas. Sus árboles de 30 pies de altura se yerguen como nítidos centinelas siempre verdes y con sus ramilletes de flores color carmesí que parecen florecer mejor cerca del mar. Quizás sea por eso que la isla de Zanzíbar es hoy la más renombrada de las naciones cultivadoras de clavo de todo el mundo. "En una noche calurosa y húmeda, cuando la leve brisa se filtra entre los árboles, si uno se acerca a la isla a favor del viento, puede sentir el olor del clavo incluso antes que se aviste tierra", describe Tom Stobart en su libro *Herbs, Spices and Flavorings.*

Alivia el dolor de muelas y elimina el mal aliento

Al frotar con aceite de clavo las encías irritadas o al aplicarlo abundantemente con un algodón sobre la pieza adolorida, se conseguirá un alivio rápido durante varias horas. El clavo es un antiséptico muy fuerte y penetrante, lo que lo hace ideal para un enjuague bucal efectivo. Coloque 3 clavos enteros o 1/4 cucharadita de clavos molidos en 2 tazas de agua caliente y deje la solución en remojo durante 20 minutos, revolviendo ocasionalmente. Luego cuele con un colador fino y utilícela como antiséptico bucal y haga gárgaras 2 veces al día para combatir el mal aliento.

Disminuye la ansiedad por el alcohol

Los alcohólicos reformados que continúan teniendo el deseo de degustar de vez en cuando un poco de licor fuerte, deberían poner dos clavos en su boca por un tiempo y chuparlos lentamente, pero cuidando de no masticarlos ni tragarlos. Haciendo esto, su necesidad de alcohol será controlada por el momento.

COL Y SUS VARIEDADES
(Especie Brassica)

BRÓCULI O BRÓCOLI
(Brassica oleracea italica)

COL O REPOLLO (VERDE, MORADA, DE SABOYA)
(Brassica oleracea)

COL O REPOLLITOS DE BRUSELAS
(Brassica oleracea gemmifera)

COLIFLOR
(Brassica oleracea botrytis)

COLINABO
(Brassica oleracea)

COL RIZADA Y BERZA
(Brassica oleracea acephala)

MOSTAZA
(Especie Brassica)

SEMILLAS DE MOSTAZA (AMARILLA)
(Brassica alba)

Breve descripción

BRÓCULI (*Broccoli* en inglés)—Originalmente un plato étnico italiano, hasta 1920, cuando los hermanos D'Arrigo, de San José, California, lo popularizaron en Boston. Los brotes tienen un sabor más suave que la col. California produce el 96 por ciento de todo el bróculi que se vende en Estados Unidos.

COL o REPOLLO (verde, morada y de Saboya, *Cabbage —Green, Red, Savoy—* en inglés)—La col verde es utilizada frecuentemente para cocinar y para preparar col agria al estilo alemán *(sauerkraut).* La variedad morada es usada para encurtidos y la de Saboya, caracterizada por su cabeza suelta y hojas onduladas, posee un sabor más suave que las otras.

COL o REPOLLITOS DE BRUSELAS *(Brussels sprouts)*— Pequeñas coles desarrolladas en Bélgica en el siglo XVI. Casi el 75 por ciento de los repollitos de Bruselas que se consumen en Estados Unidos procede de California.

COLIFLOR *(Cauliflower)*—La cabeza no está constituida por un cogollo de botones de flores, sino por la parte superior de una masa de tallos muy compactos. El 75 por ciento de las coliflores que se consumen en Estados Unidos provienen de California.

COLINABO *(Kohlrabi)*—Según algunos, es un vegetal que procede del espacio sideral, debido a su bulbo verde claro con tallos largos semejantes a tentáculos que se desparraman hacia todos lados.

COL RIZADA y BERZA *(Collards* y *Kale)*—La berza tiene hojas encrespadas, mientras que las de la col rizada son más anchas y suaves.

MOSTAZA *(Mustard greens)*—Es un alimento popular en el sur de Estados Unidos, especialmente entre las clases más pobres, al igual que la col rizada y la berza, pero más nutritivo.

SEMILLAS DE MOSTAZA *(Mustard seed)*—Las semillas de la mostaza blanca son muy usadas en las mostazas preparadas, donde se combinan con vinagre y especias como la cúrcuma para lograr su color amarillo.

Muy eficaces para prevenir el cáncer

En la última década se ha publicado una cantidad abrumadora de evidencias médicas y científicas que demuestran que la col y sus variedades pueden ayudar a prevenir el cáncer, si son incluidas adecuadamente en la dieta.

Publicaciones prestigiosas como *Federation Proceedings* (mayo de 1976), *Cancer Research* (mayo de 1978), *Journal of the National Cancer Institute* (septiembre de 1978), *Mutation Research* (Vol. 77, 1980) y *Science News* (abril 13 de 1985), informaron sobre investigaciones importantes que revelaron que el sulfuro y la histidina contenidos en el bróculi, los repollitos de Bruselas, la col, la coliflor, la berza, el colinabo y la mostaza inhiben el crecimiento de tumores, previenen el cáncer de colon y de recto, limpian el organismo de las toxinas contenidas en aditivos químicos nocivos al sistema digestivo y aumentan los compuestos de nuestro cuerpo que combaten el cáncer.

Lo más importante de todo esto es, pues, que usted debería consumir grandes cantidades de estos vegetales si espera reducir sustancialmente sus riesgos de contraer cáncer.

Disminuyen el colesterol

La col y sus variedades, especialmente los repollitos de Bruselas, pueden reducir drásticamente lo que con frecuencia suele denominarse el colesterol "malo" (lipoproteínas de baja densidad). Este colesterol malo provoca por lo general el endurecimiento de las arterias con el transcurso del tiempo. Por lo menos dos publicaciones científicas informaron sobre estos hallazgos. Si usted incluye con más frecuencia la col y otros de los miembros de esa familia en su dieta, tendrá muy buenas oportunidades de no desarrollar enfermedades coronarias posteriormente en su vida.

Estimula la evacuación

La col fomenta la evacuación. Según una revista médica del año 1936, por cada gramo de hojas de col en polvo administrado a 3 saludables estudiantes de medicina, de sexo masculino, el peso de la materia fecal que evacuaron aumentó 18 gramos en cada uno. Un estudio más reciente reveló que, cuando 19 voluntarios masculinos de un hospital consumieron durante un período de 3 semanas suplementos de col en polvo incorporados a su dieta normal, el peso de la materia fecal evacuada aumentó en 20 por ciento. Este aumento puede ser atribuido a la capacidad de retención de agua de la fibra contenida en la col. Se recomienda ingerir 2 veces por semana alrededor de 5 tazas de col picada, cruda o cocida, para mejorar el funcionamiento del colon.

Combate la infección causada por los hongos

Algunos curanderos populares de varios grupos étnicos minoritarios de Estados Unidos, como los negros y los latinos, prescriben jugo de col cruda para curar infecciones causadas por los hongos en la piel, la cabeza, las manos y los pies, así como también para el tratamiento del síndrome premenstrual *PMS*. El jugo de col puede ser administrado internamente o en forma de lavado vaginal, o ambos, para aliviar los dolores premenstruales, con resultados relativamente satisfactorios. Luc De Schepper, M.D., médico de Los Angeles con experiencia en investigaciones sobre la especie *Candida,* se refiere a la col, los repollitos de Bruselas, el bróculi, el berro, los cebollinos y las espinacas como alimentos obligatorios para el consumo de sulfuros, a fin de eliminar las infecciones causadas por hongos.

Un remedio extraordinario para las úlceras

Diferentes publicaciones médicas han confirmado por separado que la col cruda y el jugo de la misma son un método seguro para el alivio de cualquier tipo de úlcera gastrointestinal, ya sea duodenal, péptica o de otra clase. Media taza de jugo de col cruda en la mañana y en la noche, es un estupendo antiácido y un remedio magnífico para curar las úlceras.

Los amish de Ohio administran un producto relativamente nuevo, obtenido de las hierbas utilizadas para combatir problemas estomacales, que ha sido prescrito contra las úlceras por algunos especialistas de la Florida a sus pacientes. Es posible adquirirlo por correo pidiéndolo a *Old Amish Herbs* bajo el nombre de *Cabbage Compound* (vea el Apéndice).

Protege contra las radiaciones

Dos estudios médicos importantes publicados con casi 20 años de diferencia, demuestran que conejos y conejillos de Indias *(guinea pigs)* expuestos a dosis letales de uranio y rayos x adquirieron una protección considerable contra esos efectos nocivos, cuando se añadió hojas de col a sus dietas básicas. Teniendo en cuenta la excesiva radiación a la que estamos constantemente expuestos hoy en día, producto de las computadoras, los hornos de microondas, los televisores, y las líneas de alta tensión de los tendidos eléctricos dispuestos en nuestra vecindad, puede ser una buena idea añadir más col a nuestra dieta semanal para una protección adicional.

La cataplasma antigua de mostaza

Las cataplasmas de mostaza son uno de esos confiables remedios "de los viejos tiempos" procedentes de la época de nuestras abuelas, debido a su considerable valor en el tratamiento de una amplia variedad de trastornos tales como asma, bronquitis, neumonía, fiebre y escalofríos, ciática, neuralgia, gota, golpes en el cráneo, contusiones, torceduras, tendonitis, resfrío común y gripe, erupciones y abscesos.

Una simple cataplasma, usada aún en la actualidad por algunos campesinos en las zonas rurales de Indiana y por los montañeses de Kentucky, se prepara machacando las hojas y los tallos de plantas de mostaza frescas formando una pulpa. La superficie de la piel se cubre primero con manteca Crisco o con vaselina *(Vaseline petroleum jelly)* antes de aplicar la pulpa y atarla con la ayuda de alguna gasa y esparadrapo. Frotar la piel con vaselina impide que la mostaza ocasione serias ampollas o verdugones. La cataplasma debe mantenerse en su lugar durante varias horas o durante la noche para mejores resultados.

Alivia el dolor

Si padece de artritis reumatoide, dolores lumbares, calambres abdominales, y trastornos similares, entonces éste es el remedio para usted, aunque parezca algo raro. Tras quitar la nervadura central de varias hojas grandes de coles verdes, plánchelas hasta que estén tan suaves como si fueran de terciopelo. Entonces frote un poco de aceite de oliva sobre una de las caras de las hojas y colóquelas sobre las áreas adoloridas, cubriéndolas con una toalla gruesa. Déjelas sobre el lugar por un rato antes de cambiarlas y proceder nuevamente. ¡El alivio es *garantizado!*

Recetas que hacen agua la boca

Las siguientes recetas incluyen diferentes miembros de la familia *Brassica* y provienen de diferentes fuentes de primera mano o han sido adaptadas a partir de materiales publicados en publicaciones como *Delicious!, Los Angeles Times, Bestways*, y el libro *Vegetables*.

Bróculi arlequín del Agente 007

Albert R. Broccoli, miembro de esa conocida familia italiana que al inicio de este siglo trajo a América las semillas del ahora famoso vegetal que lleva su nombre, ganó fama gracias a 15 películas de James Bond que produjo en los últimos 25 años. El mismo Broccoli, a la edad de 78 años, ofreció esta receta.

Ingredientes: 1 coliflor pequeña; 2 manojos pequeños de bróculi; 4 cucharadas de mantequilla; 2 ó 3 cucharadas de yogur sin sabor; 2 cucharadas de queso parmesano rallado; 1/4 cucharadita de sal; pimienta negra fresca molida al gusto (recomiendo sustituir la sal y la pimienta por alga marina *kelp*); 3/4 taza de miga de pan de centeno (*rye*) o pan negro *pumpernickel.*

Preparación: Parta la coliflor sacando las florecillas y desechando la mayor parte del tallo. Cocine la coliflor al vapor durante 3 ó 4 minutos, o hasta que todavía esté firme. Cocine el bróculi al vapor durante aproximadamente 6 minutos o hasta que esté lo suficientemente tierno como para convertirlo en puré. Precaliente el horno a 350° F. Haga un puré con el bróculi, la mantequilla y el yogur. Engrase ligeramente con aceite de oliva un recipiente de 6 tazas, resistente al calor, coloque en él la coliflor y espolvoree sobre ella el queso, la sal y la pimienta (o alga marina *kelp*). Sazone el puré de bróculi con sal y pimienta (o alga marina *kelp*) y vierta sobre la coliflor. Espolvoree con las migas de pan. Hornee durante 20 minutos. Suficiente para 6 u 8 porciones.

Un desayuno a lo James Bond

El agente secreto más famoso del mundo prefiere el desayuno a cualquier otra comida del día —según la información que se desprende de las novelas de Ian Fleming y John Gardiner—, el cual raras veces varía en su composición: jugo de naranja, café fuerte sin azúcar, huevos revueltos, tostadas y frecuentemente tocino. Sin embargo, en ocasiones, Bond se da el lujo de disfrutar de un delicioso desayuno de bróculi al vapor y huevos hervidos semiblandos.

Preparación: Cocine al vapor 4 tallos de bróculi hasta que estén tiernos y córtelos en tiras. Pase por agua 4 huevos durante 4 minutos. Coloque el bróculi sobre un plato. Quite las cáscaras a los huevos y píquelos en un tazón. Mezcle entre 4 y 6 cucharadas de jugo de lima con alga marina *kelp* al gusto. Vierta sobre el bróculi y adorne con pimentón (*paprika*) y un poco de perejil picado. Suficiente para 4 porciones.

ENSALADA DE COL MUY CREMOSA

Ingredientes: 1 1/2 tazas de yogur sin sabor; 6 1/2 cucharadas de azúcar morena *(brown sugar);* 1 cucharada de almíbar de arce puro *(pure maple syrup);* 3 1/2 cucharadas de vinagre de sidra de manzana *(apple cider vinegar);* 3/4 taza de aceite de oliva; 1/3 cucharadita de cada una de las siguientes especias: ajo en polvo, cebolla, mostaza y apio; una pizca de alga marina *kelp;* 1 1/2 cucharada de jugo de limón; 3/4 taza de crema de leche *half-and-half;* 1/2 cucharadita de sal; 1 cabeza de col verde y otra de col morada *(red cabbage),* picadas muy finamente.

Preparación: Mezcle juntos el yogur, el azúcar, el almíbar y el aceite. Agregue las especias en polvo, el alga marina *kelp*, el jugo de limón, la crema de leche y la sal. Revuelva hasta que obtenga una masa suave y viértala sobre la col, colocada en un recipiente grande, hasta empaparla bien. Si desea, puede agregar la mitad del aderezo a la ensalada y guardar el resto para aderezar ensaladas de frutas o de otro tipo. Manténgalo en un recipiente cerrado en el refrigerador. Puede conservarse durante casi una semana. Suficiente para aproximadamente un cuarto de galón de aderezo.

MOSTAZA AL ESTILO SUREÑO

Ingredientes: 1 libra de mostaza y 1 de berza; 3 tiras de tocino (panceta, *bacon);* 1/4 taza de cebolla picada; 3/4 taza de agua caliente; 1 cucharadita de sal; 2 cucharadas de vinagre de sidra de manzana *(apple cider vinegar);* 1/4 cucharadita de alga marina *kelp.* Lave bien la mostaza y pique las hojas finamente. Fría el tocino en una cacerola grande a fuego moderado hasta que esté crocante. Retire el tocino y séquelo con toallas de papel. En la misma cacerola, fría la cebolla hasta que esté dorada y agregue la mostaza, el agua, la sal y el alga marina *kelp.* Cubra y cocine a fuego lento aproximadamente 25 minutos hasta que esté suave. Seque y reserve el caldo (conocido en el sur de Estados Unidos como *pot likker).* Coloque la mostaza en una fuente. Rocíe con vinagre y más alga marina *kelp.* Espolvoree con migas de tocino y sirva. El caldo puede acompañarse con pan de maíz. ¡Es un plato realmente delicioso!

COLA DE CABALLO
(Equisetum arvense)
(Horsetail o *Shave grass* en inglés*)*

Breve descripción

Esta planta perenne es común en terrenos rocosos o arenosos de toda Norteamérica y Eurasia. Es un tipo de planta de apariencia extraña, con rizoma trepador en forma de soga y raíces en los nudos que producen numerosos troncos ahuecados. Tiene dos tipos de troncos. Primero, crece un tallo fértil, de color rojizo, de 4 a 7 pulgadas (10 a 18 cm) de altura, que termina en forma de punta de cono y contiene esporas. Este tallo muere rápidamente y entonces se desarrolla otro de hasta 18 pulgadas (50 cm) de altura con verticilos de pequeñas ramas. En la era de los dinosaurios, las plantas de cola de caballo alcanzaban alturas increíbles de hasta 40 pies (13 metros) o más y se asemejaban a pinos enjutos, pero sin las grandes ramas. Durante la Edad Media esta planta se empleaba con frecuencia para limpiar utensilios de cocina de hierro y platos de peltre, por su alto contenido de silicio.

Cura las fracturas y los ligamentos desgarrados

Ningún otro miembro del reino vegetal es tan rico en silicio como lo es la cola de caballo, que ayuda en verdad a unir las moléculas de proteína en los vasos sanguíneos y tejidos conjuntivos. El silicio es el material del cual está hecho el colágeno, una especie de "goma del cuerpo" que une la piel y los tejidos musculares. El silicio estimula también el crecimiento y la estabilidad de la estructura ósea.

Algunos estudios clínicos europeos determinaron que los huesos fracturados sanan mucho más rápidamente cuando se ingiere cola de caballo. Asimismo, la incidencia de osteoporosis se reduce enormemente cuando se añade a la dieta cierta cantidad de cola de caballo. Conozco a algunos curanderos que han recomendado esta hierba a atletas que han sufrido torcedura, dislocación de tendón, desgarro de músculo, o rotura de ligamento. Por lo general, se recomienda ingerir 3 cápsulas o tabletas diarias hasta que la lesión se cure por completo.

Un cosmético de uso interno

La cola de caballo pertenece a esa clase rara y única de agentes cosméticos que embellecen desde adentro y no sólo externamente. Mejora la textura y el tono del cabello, las uñas y la piel, y fortalece en gran medida los huesos y dientes. Algunos atribuyen incluso a esta hierba un cierto "factor rejuvenecedor" oculto.

Un tipo especial de cola de caballo, cultivada, cosechada y procesada en Europa se ha convertido en la favorita de numerosos consumidores estadounidenses. Esta fórmula se vende en las tiendas de alimentos naturales con la etiqueta de *Alta Sil-X Silica* y fue desarrollada por el médico homeópata y naturista Dr. Richard Barmakian, de Pasadena, California. Su fórmula contiene un extracto que es asimilado más fácilmente por el cuerpo sin algunas de las severas complicaciones que acompañan al consumo de otros productos de cola de caballo y que son parte de la planta misma. El doctor Barmakian ha recetado un promedio de 2 tabletas por día a muchos de sus pacientes para revitalizar su aspecto físico exterior y rejuvenecer sus células internas.

Reduce la hemorragia y funciona como un buen diurético

Un té hecho con cola de caballo ayuda a reducir hemorragias leves. Media taza administrada internamente cada 45 minutos funciona bien para detener sangrados en la orina y en el excremento. Se puede aplicar sobre una herida un poco de polvo de una cápsula o tableta triturada. Asimismo, la cola de caballo es un diurético confiable para todos los problemas urinarios. Agregue 2 cucharadas de la hierba a 1 pinta (1/2 litro) de agua hirviendo y deje en remojo durante 30 minutos. Beba 3 tazas diariamente cada 1 1/2 horas. La *Alta Sil-X Silica* del doctor Barmakian, que puede ser adquirida en cualquier tienda de alimentos naturales u obtenida directamente a través de *Alta Health Products* (vea el Apéndice) resulta también muy eficaz.

COLIFLOR
(véase: Col y sus variedades)

COLINABO
(véase: Col y sus variedades)

COMINO
(Cumin cyminum)
(Cumin en inglés*)*

Breve descripción

El tallo de esta pequeña planta herbácea anual es delgado y con ramas que raras veces exceden 1 pie de altura y que presentan una cierta forma angular. Las hojas están divididas en segmentos estrechos y largos, como en el hinojo *(fennel),* pero mucho más pequeños. Estos segmentos son de un color verde oscuro y están generalmente envueltos hacia atrás en los extremos. Las hojas de la parte superior apenas tienen tallo, pero las más bajas presentan tallos más largos. Sus flores son pequeñas, de color rosado o blanco, en umbelas de sólo 4 a 6 rayas, cada una de 1/2 pulgada (1 cm) de longitud. Florecen en el verano y producen finalmente unas "semillas" de forma oblonga, anchas en el medio y achatadas lateralmente, de aproximadamente 1/5 pulgada de longitud. Se asemejan, en cierto modo, a las semillas de alcaravea *(caraway seeds),* pero tienen un color más claro y son erizadas y casi rectas, en vez de ser llanas y curvadas. Su olor y sabor se asemejan también al de la alcaravea, pero resulta menos agradable al paladar que aquella.

Cataplasma para los dolores abdominales

Disuelva 2 1/2 cucharadas de semillas de comino en un poco de agua caliente durante aproximadamente 2 horas. Cuele y seque cuidadosamente antes de triturarlas con un objeto pesado (piedra limpia, martillo o rodillo). Luego mézclelas con un poco de harina y agua caliente, lo suficiente para formar una pasta fina. Añada algunas gotas de aceite de menta piperita *(peppermint)* al agua caliente antes de agregarla a los restantes ingredientes.

Esparza esta mezcla sobre un pedazo de muselina y colóquela sobre el abdomen para aliviar los dolores de hígado, estómago y vesícula. También puede prepararse un té agregando 1 cucharadita de semillas de comino a 1 pinta (1/2 litro) de agua y dejando en remojo durante 1 hora, para aliviar los espasmos musculares.

Buena para sazonar las comidas

El comino da un sabor especial a todo tipo de aves de caza tales como la gallina *Cornish* y los faisanes. Pruebe la siguiente receta.

GALLINA *CORNISH* SAZONADA CON COMINO

Ingredientes: De 2 1/2 a 3 libras (poco más de 1 kilo) de gallina *Cornish* sin cocinar; 2 cucharaditas de sal; 1 cucharadita de azúcar morena *(brown sugar);* 1/2 cucharadita de semillas de anís *(anise);* 1/4 cucharadita de jengibre *(ginger)* molido; 2 hojas de laurel *(bay leaves)* medianas; 2 cucharadas de salsa de soja *(soy sauce);* 2 cucharadas de aceite de oliva; 1 cucharada de vinagre de sidra de manzana *(apple cider vinegar);* 3/4 taza de harina; 4 cucharadas más de aceite de oliva; 1 1/2 taza de agua mineral o destilada *caliente;* 1 cucharadita de comino molido; 4 tazas de arroz silvestre recién cocido.

Preparación: Lave la gallina y córtela en trozos. Combine la sal, el azúcar, el anís, el jengibre, el laurel, la salsa de soja, el aceite de oliva, y el vinagre de sidra, y póngalos a hervir para luego verterlos sobre la carne. Enfríe todo, cubra y déjelo en el refrigerador durante la noche. Cuando vaya a cocinar saque las gallinas de la salsa marinada y conserve la salsa. Enharine los trozos de gallina con harina y dórelos a fuego lento en el aceite de oliva. Agregue agua a la salsa y viértala sobre la carne. Cubra y deje cocer a fuego lento durante 25 minutos. Por último, añada el comino 7 minutos antes de retirar del fuego. Sirva caliente sobre arroz silvestre. Suficiente para 6 porciones.

CONSUELDA
(Symphytum officinale)
(Comfrey en inglés*)*

Breve descripción

La consuelda es una planta perenne común en las praderas y otros lugares húmedos de Estados Unidos y Europa. El rizoma es negro por fuera, encarnado y blanco por dentro y contiene un jugo gelatinoso. El tallo, peludo y angular, produce hojas rizadas lanceoladas y oblongas, algunas pecioladas y otras sin pedúnculo. Hay también hojas con forma de lengua que crecen en la base y generalmente yacen sobre la tierra. Las flores, de color púrpura pálido o blanquecino, tienen una corola tubular que se parece al dedo de un guante y crece en racimos bífidos semejantes a un escorpión.

La consuelda sana rápidamente heridas y úlceras

La revista médica soviética *Vutreshi Bolesti,* de junio de 1981, incluyó un informe sobre 170 pacientes hospitalizados por úlceras gastrointestinales severas, 90 por ciento de los cuales fueron curados con un té de raíz de consuelda y caléndula (en partes iguales). Los pacientes ingirieron 2 tazas 2 veces por día de té tibio. Según el artículo, la consuelda es también un eficaz antiácido. Por otra parte, un informe testimonial de Christine Hays, de Culver City, California, publicado en el número de noviembre de 1977 de la revista *Prevention,* explica cómo sus propias úlceras estomacales desaparecieron bebiendo durante cierto tiempo té de consuelda. El éxito de la consuelda en este tipo de tratamientos, así como en los de las heridas y úlceras externas, puede atribuirse en parte al silicio, potasio, fósforo y nitrógeno encontrados en la alantoína.

La consuelda contra el cáncer

Por lo menos tres publicaciones médicas importantes han respaldado la notable capacidad de la consuelda para reducir ciertos tipos de tumores. Ellas son: *The British Medical,* del 6 de enero de 1912, el volumen 114 de *Proceedings of the Society for Experimental Biology &*

Medicine, de 1963, y el volumen 16 de *Chemical & Pharmaceutical Bulletin,* de 1968. La increíble recuperación de un cáncer en el hueso de la mandíbula con el uso de la consuelda, en el caso de un coronel retirado de la Fuerza Aérea de Estados Unidos, fue registrada en el número correspondiente a febrero de 1979 de la revista de la salud, *Let's Live.* Este sorprendente éxito en el tratamiento de varias formas de cáncer puede ser atribuido en parte al germanio y al cobalto presentes en la raíz y hojas de la planta.

Sin embargo, por otro lado, algunas especies de la consuelda, especialmente la consuelda rusa *(S. x uplanicum),* contienen una serie de elementos llamados alcaloides de pirolicidina, los que en grandes cantidades pueden tener a largo plazo un efecto nocivo para el hígado. La hierba puede usarse con relativa seguridad si no se exagera su dosis.

Cura los moretones y las magulladuras

Una colaboradora del libro *Natural Home Remedies* (de la casa editora Rodale Press) relató cómo su hijo, quien se había caído de un carrito de supermercado y recibido magulladuras graves en la cara, se curó a la mañana siguiente tras la aplicación de compresas frías, primero, y un paño empapado en té de raíz de consuelda, después. Este remedio funciona también para hacer desaparecer los moretones y eliminar algo del color azul oscuro o púrpura de las venas varicosas, reduciendo su tamaño sustancialmente si se aplica con frecuencia.

Para preparar un té para éste y los demás usos mencionados anteriormente, ponga a hervir 1 cuarto de galón (litro) de agua, reduzca el fuego y añada 2 cucharadas de hojas de consuelda secas cortadas. Deje en remojo durante 1 hora. Utilice el té interna y externamente según sea necesario. Para una formidable crema en caso de quemaduras, contusiones y fracturas, combine 3 partes de raíz u hojas de consuelda en polvo y una parte de hierba de lobelia con media parte de aceite de germen de trigo *(wheat germ oil)* y media parte de miel. Almacene en un lugar frío hasta que la utilice. Funciona maravillosamente en los casos mencionados.

CORAZONCILLO O HIERBA DE SAN JUAN
(Hypericum perforatum)
(St. Johnswort en inglés*)*

Breve descripción

Este arbusto perenne crece en suelos secos, escabrosos y soleados de todas partes del mundo. Una raíz leñosa, con ramificaciones, produce numerosos tallos capaces de espantar a cualquiera. Por el contrario, sus hojas, de oblongas a lineales, están cubiertas de glándulas transparentes de aceite que parecen huecos. Sus flores amarillas tienen pétalos moteados de negro en los bordes.

Terapia contra el cáncer

Recuerdo que hace algunos años, mientras daba clases en Athens, Georgia, visité a un popular herbolario y curandero llamado Bo "Big Swede" Erikson, quien me confió algunas valiosas instrucciones para elaborar un aceite de hierbas bastante simple, que había formulado para tratar ciertos cánceres de la piel y gangrenas. El cáncer de la piel con el que solía tener más éxito era el carcinoma de la célula basal, el tipo que se forma en la frente, cara o nariz de personas de complexión pálida. Su ingrediente principal era el corazoncillo y su método de preparación era exponer la hierba a tanta luz directa de sol como fuera posible.

"Big Swede" —como prefería ser llamado— salía primeramente a recoger corazoncillo fresco de los campos cercanos a su localidad. Luego lo maceraba cuidadosamente con un mazo de madera y colocaba 2 puñados de la maceración en un frasco de 1 galón llenando hasta un tercio de su capacidad con aceite de oliva, 1 1/2 pinta de buen vino blanco y 1 taza de trementina gomosa *(gum turpentine)*. Luego cerraba el frasco, sin apretar demasiado la tapa, y lo dejaba expuesto al sol durante 10 días.

Pasado este tiempo, "Big Swede" tomaba una cacerola grande que usa para enlatar fruta y, antes de llenarla de agua hasta 1/3 de su capacidad, introducía un tazón sopero *boca abajo* en el fondo, sobre el cual colocaba el galón *con la tapa suelta* para no crear presión dentro del mismo. Luego, ponía todo en el horno a fuego moderado y dejaba que el agua hirviera durante 1 hora.

Hecho esto, el líquido sobrante en el frasco era colado varias veces y vertido en otro frasco limpio, al que agregaba una cantidad igual de hojas y flores de corazoncillo frescas, maceradas, pero sin *más* aceite, vino, ni trementina. Esta preparación era también expuesto al sol, pero sólo por 5 días, tras lo cual todo el contenido era colocado en un lugar frío y seco *sin* volverlo a colar hasta que fuera usado.

Para tratar el carcinoma de la célula basal, transformaba este aceite en ungüento simple. Hacía esto virtiendo 1 taza de aceite en un frasco de 1 pinta, el cual era colocado sobre un tazón sopero invertido, dentro de una olla llena hasta la mitad de agua hirviendo. Cuando el aceite estaba lo suficientemente caliente, le agregaba 1 ó 2 cucharadas de cera de panal de abejas disuelta y revolvía frecuentemente hasta que se diluyera lo suficiente como para adquirir la consistencia de un ungüento. Entonces agregaba un poco de goma o tintura de benzoína para ayudar a preservar el ungüento (aproximadamente 1/2 cucharadita de tintura por cada pinta del ungüento). Sus pacientes aplicaban después esta crema sobre la piel y la dejaban expuesta al sol. El practicante aseguraba que su tratamiento tenía éxito en un 75 por ciento de los casos. El remedio era empleado también para tratar quemaduras, heridas, inflamaciones, contusiones, eczemas y soriasis.

Ayuda a resolver problemas cerebroespinales

El corazoncillo es una de las pocas hierbas sobre las que existe documentación que demuestra su eficacia en el tratamiento de ciertas condiciones del cerebro y la espina dorsal. Una de ellas es la hidrocefalia, caracterizada por una excesiva acumulación de fluido que alarga los ventrículos cerebrales, disminuyendo el grosor del cerebro y causando la separación de los huesos del cráneo.

La publicación médica soviética *Vrachebnoe Delo,* en su número de febrero de 1981, menciona un considerable alivio en esa presión intensa en la cabeza en 150 pacientes a quienes se les administró un coctel de hierbas compuesto por corazoncillo, raíz de ginseng de Siberia, hojas de menta piperita *(peppermint),* botones de abedul *(birch)* y hojas de arándano azul *(blueberry)* o ráspano *(huckleberry).* Puede prepararse una poción cacera similar para esos casos. Ponga a hervir 1 cuarto de galón (litro) de agua y agregue 2 cucharadas de raíz gruesa de ginseng de Siberia seca, rallada, y 1 1/2 cucharada de botones de abedul picados. Tape la cacerola, reduzca el fuego y deje hervir a fuego lento durante 5 minutos. Si solamente puede conseguir el ginseng de Siberia en polvo y los botones de abedul no están disponibles en su vecindad, siga entonces las siguientes instrucciones. Después de que el agua empiece a hervir, retire la cacerola del fuego y agregue 2 1/2 cucharadas de corazoncillo seco, 2 de hojas de menta *(mint)*, 1 de hojas de arándanos azules y el equivalente a 1 cucharadita de raíz de ginseng de Siberia. Para reemplazar los botones de abedul, use 2 1/4 cucharaditas de tallo de apio fresco finamente picado. Revuelva los ingredientes, ponga de nuevo la cacerola al fuego y hierva a fuego lento durante 7 minutos. Retire del fuego y deje en remojo durante 25 minutos. Cuele con un tamiz fino y luego, nuevamente, a través de una tela de muselina antes de beber. Se recomienda tomar 1 taza 3 veces al día con el estómago vacío.

Una tintura hecha de los extremos florecientes y las hojas frescas del corazoncillo ofrece notables beneficios para varias perturbaciones mentales, entre las que se encuentran la depresión. En el pasado, algunos médicos naturópatas y homeópatas recomendaban beber diariamente entre 10 y 20 gotas de esta tintura diluidas en un vaso de 6 onzas (175 ml) de agua mineral o destilada.

Es posible obtener la tintura preparada pidiéndola por correo a *Eclectic Institute* (vea el Apéndice), o puede prepararla usted mismo, siguiendo las siguientes instrucciones. Mezcle 10 cucharadas de polvo de corazoncillo —que puede adquirir bajo la etiqueta de *Bio-Botanica*, de Happauge, Nueva York (vea el Apéndice)— en 1 1/4 taza de vermut. Deje en remojo durante 15 días, agitando el frasco 2 veces al día. Luego cuele la solución con un paño fino y embotéllela. Utilícela como se indicó previamente para problemas mentales.

Esta misma tintura puede aplicarse externamente con igual eficacia en el tratamiento de cualquier tipo de trauma del sistema nervioso, si se frota sobre la columna vertebral, especialmente en caso de un ataque de choque extremo *(shock)* o de histeria. Cuando las gotas se administran de forma oral, deben colocarse lentamente debajo de la punta de la lengua y o administrarse sublingualmente para una máxima penetración y para beneficiar a los nervios.

Reduce inflamaciones intestinales

Un estudio publicado en el número 6 del Volumen 18 de la publicación búlgara *Veterinary Sciences* reveló que, de media docena de hierbas antiinflamatorias empleadas en ratas albinas, el extracto congelado seco *(freeze-dried)* de corazoncillo pudo reducir la inflamación intestinal en casi un 70 por ciento. Otros 3 extractos, de caléndula (60%), manzanilla alemana (55%) y plátanos (38%), disminuyeron también parcialmente la inflamación. De ahí que se recomienda que las personas con inflamaciones intestinales de cualquier tipo ingieran aproximadamente 4 cápsulas al día de un producto llamado *Herbal Digestant,* que contiene un concentrado de corazoncillo con caléndula, manzanilla, plátano, milenrama y consuelda.

Este producto está basado en un viejo remedio popular ruso con los mismos fines y puede adquirirse pidiéndolo a *Quest Vitamins*, de Vancouver, Canadá (vea el Apéndice). Una segunda posibilidad es una tintura de corazoncillo administrada por la casa de productos naturopáticos *Eclectic Institute*, de Portland, Oregón (vea el Apéndice). Se recomienda tomar unas 15 gotas al día en 1/2 taza de agua tibia. Ambos productos pueden ofrecer también algún alivio en casos de cáncer de colon, lo que *no* significa que lo eliminará.

CORIANDRO O CILANTRO
(Coriandrum sativum)
(Coriander en inglés*)*

Breve descripción

El coriandro —también conocido como cilantro o culantro— es una planta anual que ha sido cultivada durante varios milenios y es cultivada aún en Norte y Sudamérica, Europa y los países del Mediterráneo. El tronco redondo, finamente acanalado, crece casi 2 pies (60 cm) a partir de una raíz larga y delgada. Las hojas son pinadas y las flores crecen en umbelas planas que pueden tener una coloración blanca o roja. Las semillas, de color café, son redondas y tienen un olor desagradable hasta que maduran, momento en el que adquieren un distintivo aroma picante.

Elimina los olores genitales y el mal aliento

En la ciudad de Cantón, ubicada en la parte sureste de China, las hojas y semillas de cilantro son empleadas para eliminar los olores desagradables alrededor de las áreas genitales de los hombres y las mujeres, y para acabar con la halitosis o el mal aliento. Ponga a hervir 2 cuartos de galón (2 litros) de agua. Baje el fuego y agregue 3 1/2 cucharadas de la semilla de coriandro. Deje cocer a fuego lento durante 1 1/2 hora, o hasta que el líquido quede reducido a un poco menos de un cuarto de galón (1 litro). Entonces añada 2 cucharaditas de cáscara de naranja rallada y un dátil deshuesado *(pitted date)* bien picado. Cocine otros 15 minutos y retire del fuego. Agregue 1 cucharadita de hojas de coriandro secas (si es posible) y otra de perejil bien picado con 1 ó 2 gotas de aceite de menta piperita *(peppermint)* o *wintergreen* (si puede conseguirse, pero no es necesario).

   Deje reposar la mezcla durante aproximadamente media hora, revolviendo ocasionalmente. Pásela por un tamiz fino o un filtro de papel y almacénela en un frasco bien cerrado en el refrigerador hasta que lo necesite. Cuando vaya a emplearlo para problemas genitales, caliéntelo y frótelo en las áreas pertinentes. Deje secar al aire. Para hacer gargarismos o como enjuague bucal, use 1/2 taza fría de la mezcla. También puede usarse para aliviar el dolor de muelas, enjuagándose la boca con el líquido o empapando en él un algodón que se coloca sobre el diente adolorido.

CRISANTEMO
(véase: Plantas ornamentales)

CÚRCUMA
(Curcuma longa o C. domestica)
(Turmeric en inglés*)*

Breve descripción

La cúrcuma es una hierba perenne de la familia del jengibre, con un rizoma grueso del que crecen largas hojas oblongas y de pecíolos largos. La cúrcuma crece hasta casi un metro de altura y se cultiva abundantemente en la India, China, Indonesia, Jamaica, Haití, Filipinas y otros países tropicales. La parte que se utiliza es el rizoma curado (hervido, limpio y secado al sol) y refinado. La India es el mayor productor de cúrcuma. Esta especia es el ingrediente principal del polvo de *curry* y es usada también en la preparación de la mostaza.

Un bálsamo para trastornos de la piel

En Samoa, los nativos han empleado el polvo de rizoma para tratar úlceras de la piel, curar el ombligo de los recién nacidos, eliminar granos y aliviar dolores y picazones causados por la dermatitis, el eczema y la soriasis. En algunos casos, como en las irritaciones producidas por los pañales, el rizoma en polvo se espolvorea sobre las palmas de las manos y se frota con delicadeza sobre la piel del bebé. En otros casos, el producto se mezcla con un poco de aceite de coco y se aplica suavemente sobre las inflamaciones más severas.

En la India y China, un poco de polvo de cúrcuma se mezcla con el jugo de 1/2 lima y un poco de agua para hacer una pasta suave que se aplica directamente sobre lesiones de herpes, úlceras leprosas, piel afectada por sarampión, paperas, varicela, entre otros trastornos, con excelentes resultados. Varias tabletas de zinc trituradas (de 50 miligramos cada una) pueden ser añadidas también, si se desea. La misma pasta funciona también para mordeduras de serpientes, picaduras de insectos y tiña del cuerpo (*ringworm*).

Cura afecciones de ojos y oídos

Entre algunos practicantes ayurvédicos de la India, es aún una costumbre común utilizar un pedazo de tela limpia humedecida en una solución de cúrcuma para eliminar las secreciones provocadas por la conjuntivitis aguda y la oftalmía. A veces se usa colocando pequeñas cantidades de la hierba en polvo, mezcladas con partes iguales de bicarbonato de soda, en el oído externo para ayudar a secar cualquier secreción.

Detiene las hemorragias durante el embarazo

Según la publicación *Philippine Journal of Nursing* (50:95), un cocimiento de cúrcuma seguido de 3 vasos de agua es muy útil para aliviar cualquier hemorragia sufrida durante el embarazo. Y si se combina con berenjena, parece tener un efecto aún más beneficioso para este fin y para sanar heridas. Las hemorragias en los primeros meses del embarazo son síntomas por lo general de amenaza de aborto espontáneo y deben considerarse con seriedad.

Este remedio puede ser adaptado para uso casero. Ponga a cocer a fuego lento durante 45 minutos 1 taza de berenjena picada en cubitos en 1 pinta de agua hirviendo con el recipiente tapado. Cuele el líquido, pasándolo a otro recipiente y agregue 1/2 cucharadita de polvo de cúrcuma. Tape nuevamente y deje en remojo hasta que esté tibio. Filtre a través de varias capas de gasa y beba 1 taza. Repita el proceso todos los días durante el tiempo que sea necesario para detener las hemorragias.

Alivia torceduras, fracturas y artritis

La cúrcuma ha demostrado poseer notables propiedades antiinflamatorias, inhibiendo edemas inducidos y artritis subaguda en ratas y ratones. Estos resultados positivos son comparables a los mismos efectos logrados por populares medicamentos antiinflamatorios, tales como el acetato de hidrocortisona y la fenilbutazona. Ingerir 1/2 cucharadita de cúrcuma diluida en jugo, por la mañana y la noche, puede ser beneficioso.

Se puede obtener alivio adicional para estas afecciones, torceduras, contusiones y fracturas, mezclando 2 cucharadas de cúrcuma con 1 cucharada de jugo de lima (limón verde, *lime*), a lo que se agregará suficiente agua hirviendo para conseguir una agradable pasta caliente. Esta pasta debe aplicarse directamente sobre el área donde están localizados la inflamación y el dolor. Tras la aplicación, se cubre la parte afectada con plástico de envolver comidas para retener el calor y la humedad por el mayor tiempo posible. La consistencia de la pasta debe ser similar a la de la mantequilla de maní, de modo que pueda ser aplicada fácilmente sobre la piel.

Contrarresta la acumulación de grasa en el hígado

La cúrcuma es beneficiosa para reducir el nivel de colesterol y prevenir las acumulaciones de grasa en y alrededor del hígado. Ratas alimentadas con una dieta con un 10 por ciento de grasa condimentada con cúrcuma registraron una virtual ausencia de formaciones grasosas alrededor del hígado, a diferencia de otros roedores alimentados con una dieta similar, pero sin la adición de esta especie. El efecto se duplica cuando se combina con un poco de berenjena cocida. Mezcle 3/4 cucharadita de cúrcuma con 2 cucharadas de puré de berenjena cocida y 1 1/2 cucharada de agua hirviendo hasta que la masa quede suave. La pasta puede untarse en un pedazo de pan de centeno (*rye*) o trigo integral (*whole wheat*) para proteger el hígado después de comer alimentos grasosos.

Se ha comprobado la utilidad de la cúrcuma para controlar el desarrollo de ciertas formas de cáncer, cuando se consume en las etapas iniciales de la enfermedad. Según el número del *Journal of Ethnopharmacology* (7:95-109) correspondiente al año 1983, varios integrantes de esta especie demostraron poseer propiedades activas contra el cáncer cervical, *pero sólo en las etapas iniciales de la enfermedad.*

Asimismo, según la revista *Cancer Letters* (29:197-202) de 1985, un estudio realizado en la India reveló que estos mismos componentes activos *(curcumol* y *curdione)* dieron muestras de poseer potentes propiedades citotóxicas contra las células de linfoma de Dalton en *las etapas iniciales* de su desarrollo. Y el número de julio-septiembre de 1986 de *Nutrition & Cancer* indicó que la cúrcuma en polvo es capaz de prevenir el desarrollo de mutaciones de células cuando se consumen ciertos tipos de alimentos nocivos. Científicos del Instituto de Investigaciones del Cáncer Tata Memorial, de Bombay, en la India, descubrieron que la cúrcuma ayuda a contener la mutagénesis de los pimientos picantes y mutágenos dietéticos relacionados. Todo ello parece indicar que cuando se consume cualquier cosa picante, debe ingerirse cierta cantidad de cúrcuma como una buena medida preventiva.

Inhibe los gases estomacales

En otro experimento llevado a cabo en la India, algunas ratas fueron alimentadas con una dieta particular a fin de producirles gases intestinales. Se agregó posteriormente cúrcuma y la producción de gases cesó de inmediato, debido al pigmento amarillo anaranjado contenido en la cúrcuma llamado curcumina. Se recomienda tomar de 1/2 a 1 cucharadita de cúrcuma en 1 taza de agua caliente para ayudar a aliviar molestias provocadas por la acidez estomacal (*heartburn*) y la indigestión.

Ayuda a conservar los alimentos

Recientes estudios realizados en Japón confirmaron que las especias pueden incrementar el período de conservación de aceites y grasas. La cúrcuma y el jengibre, entre otras especias, demostraron poseer propiedades antioxidantes significativas cuando se agregaron a aceites de oliva, frijol de soja o sésamo. Se han encontrado interesantes aplicaciones de la cúrcuma para incrementar el tiempo de conservación de productos marítimos refrigerados. Dado que esta especia se usa popularmente con numerosas preparaciones de pescado, un grupo de científicos estudió el efecto de un tratamiento de inmersión en cúrcuma, o cúrcuma con sal en un nivel de 5%, durante 15 a 30 minutos.

Los camarones del grupo de control (que no fue tratado) pudieron conservarse sólo durante 13 días, tras lo cual comenzaron a presentar manchas negras y a despedir un olor a pescado descompuesto. Pero los camarones sumergidos en la solución de cúrcuma con sal se conservaron 1 semana más. Y cuando la combinación de especia y sal para el condimento fue irradiada, el período de conservación se prolongó a 42 días.

Platos coloridos

La cúrcuma añade realmente color a platos poco atractivos. El arroz blanco puede adquirir un agradable aspecto dorado cuando se agrega un poco de esta especia, una vez cocido.

ELABORE SU PROPIO POLVO DE *CURRY*

Ingredientes: 1 cucharada de semillas de coriandro *(coriander)* molidas; 1/2 cucharadita de semillas de mostaza *(mustard seeds)* molidas; 1/2 cucharadita de semillas de comino *(cumin seeds)* molido; 1/2 cucharadita de cúrcuma molida; 1/4 cucharadita de jengibre *(ginger)* molido; 1/4 cucharadita de pimienta de Cayena (*Cayenne pepper).*

Preparación: Combine todos los ingredientes en un recipiente y mézclelos cuidadosamente. Colóquelos en un frasco herméticamente cerrado y almacénelo en un lugar fresco. El polvo de *curry* se usa con frecuencia como condimento en platos de pescado, cordero, aves, algunas ensaladas, guisos y toda una serie de platos del Lejano Oriente.

En Asia, los ingredientes del condimento a base de *curry* varían, pero con frecuencia el polvo de *curry* contiene cebollas, ajos, sal y por lo general un agente acidificante como el tamarindo, la lima, el mango verde u otra fruta ácida, así como sabores derivados de la mostaza, el coco, la hierba de limón, y otros. Si usa cualquiera de estos ingredientes en su polvo de *curry*, agregará sin duda un sabor particular a cualquier comida en cuya preparación los utilice.

DÁTILES
(Phoenix dactylifera)
(Dates en inglés*)*

Breve descripción

El rey David dijo, en el Viejo Testamento, que "el justo florecerá como la palmera datilera". Los árabes modernos sostienen que los dátiles tienen tantas aplicaciones como días tiene el año.

Estas frutas azucaradas son una bendición para los habitantes del desierto. Crecen en las regiones cálidas y secas, donde la mayoría de las plantas no pueden hacerlo, aunque tienen sus propios requisitos bastante temperamentales. Los datileros deben tener una fuente de agua subterránea, pero la más leve humedad en el aire evitará que el fruto se desarrolle y las temperaturas bajo 70° F evitarán que madure. Los propios árboles pueden sobrevivir en áreas más frescas y húmedas, pero sus nutritivos frutos, no.

Los dátiles madurados por el sol son gruesos y brillantes, con cáscaras más claras y suaves que los dátiles secos, los cuales pueden contener dulcificantes y preservativos adicionales. Los dátiles frescos son descritos con frecuencia como "suaves", "semisecos" o "secos", dependiendo de la dureza del fruto maduro. Tapados y refrigerados, se pueden conservar por tiempo indefinido.

Remedio casero para algunos tipos de cáncer

Mi amigo y colega Jim Duke considera que los dátiles tienen algunos méritos limitados para el tratamiento de varias clases de cáncer. Jim trabaja para el Laboratorio *Germplasm Resource* del Departamento de Agricultura de Estados Unidos, en Beltsville, Maryland, y conoce mucho sobre hierbas.

En su trabajo reciente *Medicinal Plants of the Bible*, Jim dedica algunas líneas a las propiedades potenciales de los dátiles en relación con el cáncer. Por ejemplo, dice que un bálsamo hecho con semillas de dátiles machacadas y la pulpa de dátiles puede ayudar a curar los tumores en los testículos. Asimismo, el fruto fresco, "preparado de varias maneras", afirma él, puede "remediar el cáncer del estómago y del útero, los tumores abdominales, el endurecimiento del hígado y el bazo, y los cánceres ulcerados y no ulcerados". Una bebida hecha del fruto fresco deshuesado en cualquier clase de jugo (naranja, zanahoria o piña) sería la forma más lógica de ingerirlo, mientras que un puñado de dátiles deshuesados hecho puré podría ser esparcido sobre erupciones externas aparentemente con resultados satisfactorios. Por supuesto, en cualquiera de estos casos graves, se debe buscar también un tratamiento médico competente, además de los remedios caseros de este tipo.

Laxante dinámico

Ben Harris, un popular autor de libros de salud, propuso en una ocasión hervir 6 dátiles en 1 pinta (1/2 litro) de agua por varios minutos y luego tomar el líquido tibio, por la mañana y por la noche; o comer 6 dátiles crudos, seguidos de un vaso de agua tibia, 2 veces al día, para promover una evacuación activa y frecuente.

Facilita la digestión

Cerca del 20 por ciento del total de aminoácidos contenido en los dátiles es el ácido glutámico, el cual no es esencial. La acritud de sus propiedades ayuda a diluir el exceso de ácido gástrico en los intestinos y alivia la acidez estomacal *(heartburn)*. De manera que, siempre que sienta malestares de estómago, coma unos cuantos dátiles o ponga varios en remojo en una taza de agua caliente por un par de minutos y luego tome el líquido.

Formas ingeniosas de usar los dátiles

Con dátiles, leche y coco en polvo se puede preparar una bebida nutritiva perfecta para recuperarse a media tarde. Mezcle en una licuadora alrededor de 1/2 docena de dátiles deshuesados, 1/2 taza de leche de cabra enlatada, 1/2 taza de jugo de piña (ananá, *pineapple*) sin azúcar, 1 cucharadita de coco en polvo y 1/4 cucharadita rasa de almíbar de arce puro *(pure maple syrup)* y obtendrá una bebida sabrosa y refrescante.

Una aromática mermelada de frutas como para chuparse los dedos se puede preparar mezclando en una licuadora, 1 taza de dátiles deshuesados, 1/2 taza de nueces picadas, 1/4 taza de yogur sin sabor, 1/2 taza de leche en polvo y 1/2 taza de canela *(cinnamon)* en polvo. Coloque en el refrigerador hasta que esté listo para usarlo.

INCREÍBLE PAN DE DÁTILES CON HIGO Y NUECES

Ingredientes: 1/4 taza de agua tibia; 1 cucharada de levadura granular *(granulated yeast)*; 1 taza de leche de cabra tibia enlatada; 1 cucharada de melaza *(blackstrap molasses)*; 1 cucharadita de sal marina *(sea salt)*; 1/2 cucharadita de canela *(cinnamon)* molida; 1/2 cucharadita de cardamomo *(cardamom)* molido; 2 cucharadas de aceite de oliva; 1/2 taza de harina de trigo entero; 2-1/2 tazas de harina blanca; 1/4 taza de dátiles deshuesados y picados; 1/4 taza de higos picados; 1/2 taza de piñones *(pine nuts)* picados.

Preparación: Espolvoree la levadura sobre el agua; deje reposar 2 ó 3 minutos y luego revuelva hasta que se disuelva. Añada la leche de cabra, la melaza, la sal marina, la canela, el cardamomo y el aceite de oliva. Añada la harina de trigo entero y 1 taza de harina blanca. Bata bien. Agregue los dátiles, los higos y los piñones y suficiente harina blanca adicional para preparar una masa que limpie los lados del recipiente y con la que pueda hacerse una bola. Colóquela sobre una tabla ligeramente espolvoreada con harina y amase por 10 minutos. Cubra la masa con un paño y deje reposar 20 minutos; luego, golpéela y divídala en 2 partes. Póngalas en fuentes para pan *(loaf pans)* engrasadas de 7-3/8 x 3-5/8 x 2-1/4 pulgadas (19 x 9 x 6 cm). Cúbralas con un paño y déjelas que se hinchen en un lugar cálido hasta que dupliquen su tamaño original o hasta que alcan cen el tope de las fuentes. Póngalas en el horno precalentado a 375° F por unos 30 minutos, o hasta que el pan suene hueco al darle golpecitos. Frótelo con el aceite remanente y déjelo enfriar sobre una parrilla. Suficiente para 2 panes. (Esta receta fue modificada del libro *Biblical Garden Cookery*, de Eileen Gaten, por cortesía de la casa editora.)

DIENTE DE LEÓN
(Taraxacum officinale)
(Dandelion en inglés*)*

Breve descripción

El nombre diente de león es aplicado a veces a otras hierbas de savia lechosa con flores amarillas cubiertas de pelusa. El verdadero diente de león, sin embargo, es esa hierba ubicua que prolifera en millones de solares, patios y pastizales por toda América. Esta hierba perenne tiene hojas profundamente angulares que forman una roseta basal en la primavera y cabezas florales que nacen de pecíolos alargados. Todas las hojas y tallos huecos de las flores crecen directamente del rizoma. El creador de la tira cómica "Marvin" puso una vez a su adorable héroe en pañales a estudiar un grupo de dientes de león, para luego decirse a sí mismo que "los dientes de león son la forma en que la Naturaleza le da dignidad a las hierbas".

El removedor de verrugas y manchas de la vejez del abuelo Walton

Recuerdo que hace casi una década me encontraba en la audiencia en el estudio de un programa de televisión nocturno en el que presentaron al actor Will Greer, quien personificaba al abuelo Walton en la serie televisiva "Los Walton". Greer habló de los usos prácticos de la savia lechosa contenida en los tallos del diente de león.

"Simplemente tiene que tomar algunos de ellos, romperlos y frotar cualquier verruga que tenga con ese jugo", dijo a su anfitrión, mientras lo ilustraba al mismo tiempo con un movimiento circular de sus dedos en el dorso de la mano. "Sólo haga eso dos o tres veces al día y le garantizo que nunca más estará plagado de verrugas".

Greer también confirmó que esa misma savia lechosa es excelente para reducir las "manchas de la vejez" (*liver spots* en inglés) que aparecen generalmente en la espalda y en las manos de los ancianos. "Yo hago con ellas lo mismo que haría con las verrugas", dijo, "sólo que uso una mayor cantidad de jugo y lo froto más detenidamente". Entonces levantó ambas manos frente a las cámaras del estudio para que la cámara las tomara de cerca. Desde los monitores de televisión localizados en el estudio, quienes estábamos en el público pudimos ver claramente cuán eficaz había resultado ese remedio para él. La mayoría de las manchas de la vejez se habían opacado tanto que uno casi tenía que esforzar los ojos para detectar cualquier signo vago de ellas que fuera todavía visible.

Bueno para la hipertensión

En la primavera, las hojas y las raíces del diente de león producen manitol, una sustancia usada en Europa para el tratamiento de la hipertensión (alta presión sanguínea) y de los corazones débiles. Conviene tomar un té hecho de raíces y hojas durante esta estación, desde alrededor de mediados de marzo hasta mediados de mayo. Ponga a hervir 1 cuarto de galón (litro) de agua, baje el fuego y añada 2 cucharadas de raíces frescas, lavadas y picadas. Deje cocer a fuego lento por 1 minuto, con el recipiente tapado, luego retire del fuego y añada 2 cucharadas de hojas recién picadas. Deje reposar por 40 minutos. Cuele y tome 2 tazas al día.

Maravillosa medicina para el hígado

El fallecido médico naturópata John Lust señaló en su *Herb Book* que la raíz de diente de león es buena para toda clase de problemas del hígado, incluyendo hepatitis, cirrosis, ictericia e intoxicación en general, así como para deshacerse de los cálculos biliares. Ponga a hervir 1 cuarto de galón (litro) de agua, baje el fuego y añada unas 20 cucharadas de hojas, tallos y raíces frescas de diente de león picadas. Deje cocer a fuego lento por tanto tiempo como sea necesario hasta que el líquido se reduzca a sólo 1 pinta (1/2 litro), luego cuélelo. El doctor recomendó tomar 3 cucharadas 6 veces al día.

Para quienes deseen algo más conveniente en forma de cápsulas, existe la excelente *Formula AKN*, de *Nature's Way*, que contiene una considerable cantidad de raíces de diente de león y otras hierbas limpiadoras. Puede ser obtenida en cualquier tienda de alimentos naturales.

Remedio para la diabetes

El doctor David Potterton, quien tiene licencia para practicar la medicina natural en Gran Bretaña, escribió una vez que el alto contenido de insulina en la raíz de esta hierba debe ser considerado como "un sustituto del azúcar que puede prescribirse a personas con diabetes mellitus". Se recomienda ingerir 3 cápsulas diarias de raíces secas para estos casos. La marca *Nature's Way*, que se puede adquirir en una tienda de alimentos naturales, es usada con frecuencia para ese propósito.

Las flores mejoran la ceguera nocturna

Para aquellas personas que tienen el problema de no poder ver claramente durante la noche, la sustancia llamada helenina, que se encuentra en las flores del diente de león, puede ser la solución. Según el *Journal of the American Medical Association* del 23 de junio de 1951, que publicó este informe, los capullos también contienen vitaminas A y B-2 (riboflavina). Tome un puñado de flores frescas y colóquelas en una pinta (1/2 litro) de agua caliente por 20 minutos. Beba 1 taza 2 veces al día.

Reduce la fiebre de las infecciones infantiles

Si su hijo o nieto contrae sarampión, paperas o varicela, tres enfermedades infecciosas comunes en la infancia, entonces el té de diente de león es lo que él debe tomar. Ponga a hervir 1 cuarto de galón (litro) de agua. Reduzca el fuego y añada 2 1/2 cucharadas de raíz seca y déjela cocer, cubierta, durante 12 minutos. Quite del fuego y añada 3 cucharaditas de hojas cortadas y secas. Deje reposar durante 1/2 hora. Cuele, endulce con 1 cucharadita de almíbar de arce puro *(pure maple syrup)* o con 1 cucharadita de melaza *(blackstrap molasses)* por cada taza de té y déselo tibio al niño, cada 5 horas más o menos, hasta que la fiebre baje y se despeje la congestión pulmonar. Este té también es excelente para todos los tipos de infecciones del aparato respiratorio superior, desde la pulmonía hasta la bronquitis crónica.

Vino casero

El vino de diente de león es delicioso, fácil y divertido de hacer en casa.

Vino de diente de león

Ingredientes: 2 cuartos de galón (2 litros) de flores de diente de león (asegúrese de que no han sido rociadas); 1/2 galón de agua (2 litros); 1 naranja; 1/2 limón; 1 1/4 libras (570 g) de azúcar morena *(brown sugar)*; 1/2 tarta de levadura *(yeast cake)*.

Preparación: Con cuidado, quite todos los pedacitos de tallo. Coloque las flores en alguna vasija de barro *(crockware)*. Añada el azúcar, la naranja tajada y el limón, luego vierta agua hirviendo sobre todo eso. Deje reposar la mezcla durante 2 días, revolviendo de vez en cuando. Al tercer día, cuele y añada la levadura. Déjelo fermentar 2 semanas en un sitio cálido.

DONDIEGO DE DÍA
(Ipomoea purpurea)
(Morning glory en inglés*)*

Breve descripción

Aunque existen muchas clases de esta planta, esta especie en particular es bastante común en Estados Unidos y Canadá, y crece con frecuencia como una hierba mala en terrenos húmedos, o cultivada en jardines o campos de granjeros. Su tallo trepador, que se expande como enredadera, puede cubrir un área de hasta 7 pies (2 metros) de circunferencia. Las hojas usualmente se alternan y aunque sus flores en forma de trompetas pueden tener diferentes tonalidades, son por lo general blancas.

Tintura de flores para dolores en los ojos

Una tintura de flores de dondiego de día es útil para librarse de un dolor de cabeza y aliviar los ojos inflamados. Combine 1 1/2 taza de flores finamente cortadas con una tijera en 2 tazas de ginebra. Póngalas en un frasco con una tapa ajustada y colóquelo en el alféizar de una ventana por aproximadamente 2 semanas. Asegúrese de agitar el contenido 2 veces al día. Cuele a través de varias capas de estopilla (gasa, *cheesecloth*).

Empape un paño limpio con un poco de esta tintura, exprima el exceso y aplíquelo sobre la frente o sobre los ojos cerrados para obtener alivio. Puede colocar una toalla de mano pequeña sobre el paño para evitar que el alcohol se evapore rápidamente.

Antídoto contra las picaduras de insectos

Si por casualidad usted debiera estar a la intemperie en algún lugar y le picara un insecto, como un tábano (mosca borriquera, moscardón, *horsefly*), un mosquito o una avispa, busque en los alrededores un poco de dondiego de día, si es posible. Recoja una pequeña cantidad de hojas, macháquelas con una piedra lisa o un martillo y luego frótelas sobre la parte afectada, manteniéndolas en el lugar con la mano o cubriéndolas con un pedazo cuadrado de gasa y esparadrapo.

Para lavar llagas y heridas

Los curanderos expertos de las Bahamas preparan un té con las hojas y flores de dondiego de día, que usan para lavar las lesiones del herpes, úlceras en las piernas causadas por la diabetes, gangrena, llagas sifilíticas y heridas. Ponga a hervir 3 tazas de agua y añada 1 taza de flores y hojas cortadas. Cubra, retire del fuego y deje reposar por 45 minutos. Cuele el agua y úsela.

Una cataplasma eficaz para los furúnculos

En Jamaica y Brasil, las hojas de dondiego de día se usan como cataplasmas eficaces para extraer la materia purulenta de los furúnculos y abscesos graves. La manera más rápida de hacer esta cataplasma es poner un puñado de hojas lavadas en una licuadora con 2 cucharadas de agua helada y hacerlas puré. Aplique esta pulpa espesa directamente sobre el furúnculo o carbunclo previamente abierto con una aguja de coser esterilizada sobre una llama en forma directa. Cubra con gasa y esparadrapo. Cámbielo cada 45 minutos más o menos.

DRAGÓN
(Véase: Plantas ornamentales)

E

ENDIBIA Y ESCAROLA
(véase: Achicoria)

ENEBRO
(véase: Bayas)

ENELDO
(Anetheum graveolens)
(Dill en inglés)

Breve descripción

El eneldo es aromático, algo parecido a la alcaravea, pero mucho más suave y dulce. El sabor del eneldo se parece en cierta forma al del hinojo, pero es ligeramente más ácido y agresivo.

La planta crece usualmente desde 2 hasta 2 1/2 pies (unos 75 cm) de altura y se parece mucho al hinojo, aunque es más pequeña, pero tiene las misma hojas plumosas, las cuales salen de tallos largos con vainas, con hojitas lineales y puntiagudas. Pero a diferencia del hinojo, raras veces tiene más de un tallo y su raíz larga y espigada es sólo anual. Crece muy recto, elevándose suavemente, brillante y hueco, y a mitad del verano tiene en las puntas umbelas planas con numerosas flores amarillas, cuyos pequeños pétalos están envueltos hacia adentro.

Los frutos planos o semillas son producidos en grandes cantidades: una onza (30 g) contiene más de 25.000 semillas. Los pepinos y las remolachas encurtidas no estarían completos sin las semillas de eneldo. Ni tampoco los pasteles de manzana verdes, ciertos canapés de pescado, las sopas, los frijoles, la col, la coliflor, los guisantes, el queso requesón y algunas mantequillas de nueces.

Duerma para embellecer

Si tiene problemas para dormir por la noche, considere este remedio en lugar de los medicamentos que se venden con o sin receta. Ponga 1 pinta (1/2 litro) de vino blanco al fuego y llévelo *casi* hasta el punto de hervor (pero sin que llegue a hervir). Quítelo del fuego y añada 4 cucharaditas de semillas de eneldo. Cubra y deje descansar durante media hora. Beba 1 1/2 taza tibia unos 30 a 45 minutos antes de irse a la cama.

Aumenta la leche en las mamás que dan el pecho

Un té hecho siguiendo las indicaciones anteriores, pero usando una cucharadita de semillas de anís (*anise*), una de cilantro (*coriander*), una de alcaravea (*caraway*) y una de eneldo, es excelente para estimular el flujo de leche materna en las mamás que están dando el pecho, cuando se toma diariamente una taza tibia alrededor de una hora antes de alimentar al bebé.

Elimina el mal aliento

Trate de masticar algunas semillas de eneldo la próxima vez que tenga mal aliento. Se sorprenderá de ver lo rápido que se endulza y se refresca su aliento.

Una ensalada interesante

ENSALADA DE JUDÍAS VERDES CON ENELDO

Ingredientes: 1 1/2 libra de judías verdes (chaucha, ejote, vainita, *green beans*); 1/2 taza de aceite de oliva; 1/4 taza de vinagre de estragón *(tarragon vinegar);* 1 cucharada de perejil fresco, 1 cucharada de cebollinos *(chives)* frescos y eneldo; alga marina *kelp* al gusto; un ramito de berro.

Preparación: Lave y pele las judías verdes. Enjuáguelas en agua fría. Séquelas bien, dando golpecitos con una toalla de papel. Mezcle el aceite, el vinagre de estragón y las hierbas aromáticas, y sazone al gusto con alga marina *kelp*. Vierta la mezcla sobre las judías y revuelva bien. Si es necesario, añada más sazón. Enfríe. Antes de servir, parta el berro en pedazos y mézclelo con las judías verdes. Coloque la ensalada en una fuente de servir. Suficiente para seis porciones.

Adaptada de *Country Journal,* abril de 1987.

EQUINÁCEA O RUDBEKIA
(Echinacea augustifolia)
(Echinacea en inglés*)*

Breve descripción

Es casi la única hierba que yo conozco que tiene otros nombres muy populares, que algunos encontrarán decididamente racistas: "Kansas niggerhead", o cabeza de negro, (en el medio oeste) y "Black Sampson root" (en el sur).

La equinácea es un planta perenne nativa que crece en las praderas al norte de Pensilvania, pero se da también en las regiones más frías de algunos estados del sur. El tallo fuerte, cerdoso, tiene hojas pelosas y lanceoladas. Cada una de las flores, de un color púrpura notable, tiene de 12 a 20 rayitos largos, expandidos, de un púrpura mate y un disco cónico compuesto de numerosas florecitas tubulares que florecen entre los meses de junio y octubre. Una especie más débil *(E. purpurea)* a menudo se usa en lugar de la *E. augustifolia* cuando ésta escasea o se hace demasiado cara para ser usada en la industria herbaria.

La planta tiene un aroma delicado y un sabor dulzón y agradable, que deja una sensación picantilla en la lengua, parecida a la del acónito *(aconite)* o napelo *(monkshood),* pero sin el entumecimiento que produce éste ni su peligroso veneno. Probar el polvo de equinácea es una de las maneras de determinar lo fresca o vieja que pueda estar. Una vez encontré un poco de equinácea en una tienda de alimentos naturales de Gainesville, Florida, que era lo más muerto y desabrido que se podía esperar de una hierba. Debe haber estado durante mucho tiempo en el estante y estaba casi desprovista de sus propiedades como hierba medicinal.

Gran ayuda para el sistema inmunitario

Los doctores han elogiado el tremendo poder que la equinácea parece ejercer sobre todo el sistema inmunitario. Finley Ellingwood, M.D., un médico de Chicago, en 1915 publicó un número especial de su revista de salud *Ellingwood's Therapeutist* dedicado por entero a esta hierba. "Durante 25 años", escribió, "la equinácea ha sido sometida a experimentación crítica bajo la observación de varios miles de médicos, y sus cualidades asombrosas están recibiendo una confirmación positiva".

Él notó que esta hierba aumenta notablemente la producción de los glóbulos blancos del cuerpo, los cuales eliminan las enfermedades infecciosas de todo tipo. Él aseguraba que la equinácea "les da una cierta cantidad de poder recuperativo o fuerza formativa", ¡llegando a comparar sus efectos en el cuerpo hasta con los de las vacunas normales de hoy en día! ¡Casos tan variados como de tuberculosis y amigdalitis, hasta meningitis espinal y sífilis han sido tratados con éxito con esta hierba asombrosa!

Durante años, científicos alemanes han demostrado la increíble habilidad de la equinácea para reducir los tumores malignos. Ellos encontraron que la equinácea puede hasta imitar las acciones del interferón natural del cuerpo (poderosas y pequeñas proteínas que lanzan una pared de increíble resistencia contra las superinfecciones como el virus del SIDA, por ejemplo).

El escritor de temas de la salud Ed Mayer explicó cómo él mismo se curó de una infección de estafilococo que adquirió en el hospital. El tratamiento externo consistió en hacerse un potente té, hirviendo durante 20 minutos, en 2 tazas de agua, 1 cucharadita de mirra *(myrrh)* en polvo, 1 cucharadita de botón de oro (hidraste, *goldenseal)* en polvo y 1/2 cucharadita de pimienta de Cayena *(Cayenne pepper)*. Él remojaba, durante unos 15 minutos al día, su pie que estaba bastante infectado, dejando el té tan caliente como pudiera resistirlo. Luego aplicaba una pasta de botón de oro (hidraste, *goldenseal)*, equinácea y agua antes de colocarse una venda.

El tratamiento interno consistió en altas dosis de vitamina C, comidas ligeras y bastante frutas frescas y jugos de vegetales. Bebía también 3 tazas al día del siguiente té hasta que la infección se curó totalmente: 2 cucharaditas de equinácea, 2 cucharaditas de raíz de bardana *(burdock)* y 1 cucharadita de sasafrás hervidas a fuego lento durante 20 minutos en 4 tazas de agua hirviendo.

Dos fórmulas herbarias particularmente eficaces que algunos doctores han recomendado a sus pacientes en San Francisco como una buena protección para no contagiarse con el virus del SIDA son *Resist-All* y *Herpes*, elaboradas por *Great American Natural Products*, de St. Petersburg, Florida (vea el Apéndice). Ambos productos, me informaron estos doctores, tenían altas concentraciones de equinácea, además de otras hierbas antibióticas poderosas, como el chaparro (*chaparral*), el tomillo *(thyme),* la mirra *(myrrh),* el *pau d'arco* y zarzaparrilla *(sarsaparilla).* La clientela de ellos toma un promedio de tres cápsulas de cada una de las hierbas al día para obtener la máxima protección.

Protege contra el fuego

En la obra maestra clásica de Virgil J. Vogel, *American Indian Medicine,* se menciona el uso de la equinácea para una increíble hazaña de resistencia a principios y mediados del siglo XIX. Los curanderos winnebago a veces masticaban la hierba cruda para entumecer sus bocas lo suficiente como para poder insertar en ellas pedazos de carbón ardientes como si fueran magos, para así asombrar a la gente de la tribu. Hacer esto sin que se produjeran lesiones graves, hacía que los miembros de la tribu temieran los supuestos grandes poderes de los curanderos. El jugo de equinácea actuaba como un agente de prevención de una inflamación extensa.

ESCARAMUJO
(véase: Plantas ornamentales)

ESCULETARIA
(Scutellaria lateriflora)
(Skullcap en inglés*)*

Breve descripción

Esta planta perenne de Norteamérica crece en lugares húmedos a través de Canadá y en el norte y el este de Estados Unidos, así como en otras partes del mundo, tales como el sur de Asia, por ejemplo. El rizoma fibroso y amarillo produce un tallo con ramas que tiene de 1 a 3 pies (30 a 90 cm) de altura, con hojas ovaladas y dentadas que terminan en forma de punta. Las flores axilares, bilabiales, son azules o de un púrpura pálido.

Alivia los espasmos nerviosos y las convulsiones

La esculetaria sola o junta con la raíz de valeriana *(valerian)* produce un sedante para los espasmos nerviosos musculares, las contracciones, y las convulsiones en general. Se deben tomar tres cápsulas de cada hierba cada 4 horas para los casos graves, menos, naturalmente, para los síntomas de menor gravedad. O 1 1/2 taza de té caliente cada dos horas; o 1/2 taza, según sea la necesidad. En 1 pinta (1/2 litro) de agua hirviendo, deje hervir, cubierto, a fuego lento durante 3 minutos, 1 cucharadita de raíz de valeriana picada y seca. Añada luego 2 cucharaditas de hierba esculetaria picada y seca, cubra de nuevo, y deje calentar a fuego lento durante otro 1 1/2 minuto, antes de quitar del fuego por completo y dejar reposar durante 40 minutos más.

Reduce el colesterol y alivia la artritis

No todos los usos que por lo general son adscritos a las hierbas medicinales provienen de los curanderos populares y los herbolarios aficionados. Ni todo el potencial de algunas hierbas se encuentra en el montón de libros herbarios que actualmente inundan el mercado de los alimentos naturales. La esculetaria es precisamente un caso que debe ser estudiado más cuidadosamente por aquellos que *piensan* que saben algo acerca de esta hierba, pero que, en realidad, puede que sepan poco, muy poco.

Varios científicos japoneses han estado investigando la asombrosa capacidad de esta hierba en lo que se refiere al corazón y la inflamación de las articulaciones. Como se ha informado en varios números de *Chemical & Pharmaceutical Bulletin* (29:2308; 32:2724), la esculetaria inhibe la producción del colesterol sérico sanguíneo, aumenta la producción del colesterol "bueno" (las lipoproteínas de alta densidad), impide que las células de grasa se peguen entre sí, lo que evita el endurecimiento de las arterias, y reduce la inflamación de los músculos y las articulaciones, tan común en la artritis reumatoidea.

Se recomienda tomar de 2 a 3 cápsulas de esculetaria de la marca *Nature's Way*, disponible en su tienda local de alimentos naturales, después de una comida rica en grasas, así como también 4 cápsulas 1 ó 2 veces al día para aliviar la artritis. En su lugar se pueden tomar de 1 a 2 tazas de té, según se necesite para aliviar los mismos problemas.

ESPÁRRAGO
(Asparagus officinalis)
(Asparagus en inglés*)*

Breve descripción

El espárrago fue cultivado en la antigua Roma. El vegetal es un miembro de la familia de los lirios, y crece como una mala hierba en las costas de Inglaterra y en las zonas del sur de la antigua Unión Soviética y Polonia, donde las estepas de la tundra están prácticamente cubiertas, como si fuera una alfombra, por esta delicia vegetal. Las reses y los caballos pastan de ella con deleite.

Elimina las manchas de la piel

Para las personas que tienen espinillas, barros e imperfecciones generales en la piel del rostro y de los labios, esta preparación sencilla podría hacerles salir de esos problemas. Ate 24 tallos largos en dos mazos separados de 12 tallos cada uno. Córtelos de igual tamaño. Póngalos, por el extremo inferior, en agua que ya esté hirviendo, hasta aproximadamente 1 1/2 pulgada (4 cm) por debajo de las puntas. Déjelos allí durante media hora, sin tapar, hasta que estén tiernos. Guarde los tallos cocinados en el refrigerador y úselos en la receta que se encuentra más adelante. Guarde el agua de los espárragos y lávese con ella el rostro por la mañana y por la noche.

Remedio para los problemas renales

Los espárragos cocinados y su jugo acuoso son muy buenos para ayudar a disolver los depósitos de ácido úrico en las extremidades, así como para inducir la orina en los casos en que esta función esté fallando o se produzca infrecuentemente. El espárrago es especialmente útil en casos de hipertensión en los que la cantidad de sodio en la sangre excede en gran medida al potasio que se encuentra en ella. Los espárragos cocinados aumentan también las evacuaciones de los intestinos.

Una cazuela fácil de preparar

Esta receta ha sido adaptada de *Recipes to Lower Your Fat Thermostat* (vea el Apéndice), con el permiso de la casa editora.

DELICIOSA CAZUELA DE ESPÁRRAGOS

Ingredientes: 1 taza de cebollas picadas; 1 taza de pimiento (ají) verde picado; 1 taza de hongos picados; 1/2 libra (225 g) de papas picadas; 1 taza de zanahorias finamente picadas; 1/3 de taza de arroz moreno *(brown rice)* crudo; 1 3/4 taza de tallos de espárragos cortos hervidos (use los del remedio anterior); 3 1/2 tazas de tomates cocidos y aplastados (puede reemplazar los tomates con sopa de cebolla y transformar esto en una cazuela diferente).

Preparación: Saltee la cebolla, los pimientos y los hongos en una sartén ligeramente engrasada, a fuego medio. Use aceite de oliva o lecitina de la tienda local de alimentos naturales para engrasar la sartén y la fuente para hornear. Luego, coloque los espárragos picados en una fuente para hornear de 2 1/2 cuartos de galón (2 1/2 litros). Después alterne capas de mezcla de zanahorias, arroz y cebollas, y espárragos. Al final, mezcle alga marina *kelp* con puré de papas y vierta sobre los vegetales. Cubra y hornee durante 2 horas en un horno precalentado a 350° F. Suficiente para 8 personas.

ESPINACA
(Spinacia oleracea)
(Spinach en inglés*)*

Breve descripción

Como una planta cultivada, la espinaca se originó en o cerca de Persia y más tarde llegó a España a través de los árabes invasores, alrededor de 1100–1200 d.C. La espinaca puede ser de hoja suave o, más comúnmente, del tipo *Savoy*, de hoja crujiente. Puede ser también de semilla redonda o espinosa. Las variedades de semilla espinosa, que antes se consideraban las más duras, a menudo se cultivan en Estados Unidos; mientras que los tipos más nuevos, de semilla suave —que muchos consideran que tienen mejor sabor— son más populares en Europa. Las hojas frescas, jóvenes y tiernas son deliciosas en ensaladas o pueden ser puestas al vapor con un poquito de agua hasta que se ablanden. A este vegetal se le atribuye el dar fuerza, lo que ha sido inmortalizado por ese pintoresco personaje de las caricaturas, Popeye el Marino.

Potente inhibidor del cáncer

Recientemente, la espinaca ha sido mencionada como un buen alimento para ayudar a reducir los riesgos de contraer el cáncer. Primero fue el estudio de la Dra. Chiu-Nan Lai publicado en un número de 1980 de *Mutation Research* (11:248). En su informe, la Dra. Lai, del centro de cáncer *M.D. Anderson Hospital and Tumor Institute*, de la Universidad de Texas, en Houston, encontró que el alto contenido de histidina en la espinaca, junto al de la col, el perejil, la mostaza y el bróculi, demostraban actividades anti-mutagénicas definitivas. Eso significa que estos vegetales evitan que las células del cuerpo se transformen o muten, haciéndose así cancerosas en poco tiempo.

En agosto de ese mismo año (1980), otro informe apareció en la *Revista Brasilica de Biologia,* en el cual se observaba que extractos de la espinaca que habían sido calentados durante 10 minutos a 100° F o secados en congelación *(freeze-dried),* tenían éxito en impedir el desarrollo del tumor Ehrlich en ratones suizos albinos, machos y hembras, de 2 1/2 meses de nacidos, en un 86 % a un 95% de las veces. Luego, en el número del 13 de noviembre de 1986 de *The New England Journal of Medicine,* se relacionaba el beta-caroteno de los vegetales de hojas verde-oscuras como la espinaca, la col rizada y la berza, con la reducción de los riesgos de contraer cáncer del pulmón. Basados en tales evidencias científicas, parece aconsejable incluir más a menudo este sencillo vegetal en nuestra dieta.

Bebida antidiabética

Para aquellos con diabetes mellitus (adultos) o diabetes juvenil (personas jóvenes), hay beneficios nutritivos que se pueden esperar de la espinaca, ya que contiene manganeso, un microelemento importante para los diabéticos. Tome varios puñados de espinaca y lávelos bien, separando hoja por hoja. Coloque éstas en una olla con un poquito de alga marina *kelp*, 1 cucharadita de limón y otra de jugo de lima (limón verde, *lime*), y 1 1/2 taza de agua. Deje hervir a fuego muy lento durante al menos una hora. Luego exprima todo el jugo a través de varias capas de estopilla. Tome 1/2 taza por lo menos una media hora antes de cada comida, dos veces al día.

Recetas sencillas

He aquí un par de maneras de preparar espinacas sin tener que pasar mucho trabajo. Pueden ser servidas como parte de una comida o, por sí solas, como simples meriendas.

CREMA DE ESPINACA

Ingredientes: Aproximadamente 1 1/2 taza de espinaca cruda; 1 diente de ajo picado; 1/2 cucharadita de *tamari* (se consigue en las tiendas de alimentos orientales y en las de alimentos naturales); 2 cucharadas de yogur; 1/2 cucharadita de alga marina *kelp*; 1 cucharadita de jugo de lima (limón verde, *lime*); 1 cucharada de queso parmesano rallado.

Preparación: Lave la espinaca, quite los tallos largos y sacuda el exceso de agua de las hojas. Guarde los tallos para hacer caldo para sopa. Coloque la espinaca, junto al ajo, el alga marina *kelp*, el *tamari* y el jugo de lima en una olla grande y caliente hasta que se vaporice la pequeña cantidad de agua que hay en las hojas.

Cuando la espinaca esté blanda y se haya puesto verde-oscura, quítela del fuego. Coloque la espinaca, seca si es necesario, en una licuadora con yogur y queso. Procese a baja velocidad hasta que la espinaca se haga puré. Suficiente para dos.

SOPA FRÍA DE ESPINACA

Ingredientes: 1 1/2 taza de yogur; 1 taza de espinaca picada; 2 cebollas escalonias *(scallions)* picadas; 1/4 taza de perejil picado; 3/4 cucharadita de jugo de limón y otra de jugo de lima (limón verde, *lime*); 1 cucharadita de *tamari;* 1/2 cucharadita de alga marina *kelp;* 1 diente de ajo machacado; pizca de pimentón *(paprika)* para decorar.

Preparación: Coloque el yogur en la licuadora y vaya añadiendo lentamente los otros ingredientes, con la licuadora a velocidad media. Mezcle hasta que tenga la consistencia de una sopa. Parte de la espinaca estará totalmente pulverizada, pero la mayor parte todavía estará en pedazos. La combinación de espinaca, perejil y cebollas escalonias le dan un sabor intenso a esta sopa. Si es demasiado fuerte para su paladar, diluya el sabor con un poco más de yogur. Finalmente, decore cada bol (tazón) con una pizca de pimentón. Otras variaciones son: añadir 1/2 cucharadita de raíz de jengibre fresco rallada cuando se esté mezclando todo, o reemplazar el pimentón con una tajada de pimiento rojo dulce *(sweet red pepper)*.

ESTRAGÓN
(Artemisa dracunculus)
(Tarragon en inglés*)*

Breve descripción

El estragón o artemisa es un arbusto perenne, verde y lampiño que abunda en las áreas secas del oeste de Estados Unidos, el sur de Asia y Siberia. En Europa es cultivado por sus hojas aromáticas que dan un sabor a orozuz y anís a las ensaladas y a las comidas avinagradas. Puede alcanzar una altura de aproximadamente 2 pies (60 cm) y tiene hojas largas y estrechas que, a diferencia de los demás miembros de su género, no están divididas. El estragón está estrechamente vinculado al ajenjo *(wormwood)* y posee raíces largas y fibrosas que se extienden por todas partes en forma de enredaderas y flores pequeñas en cabezales redondos, negros y amarillos que raras veces se abren por completo.

Un té para el insomnio y la hiperactividad

Un viejo remedio tradicional francés para el insomnio y la hiperactividad que ha dado buenos resultados es el té de estragón. Y a pesar de que raras veces he sufrido de insomnio, puedo dar testimonio que en esas contadas ocasiones, el té casi nunca dejó de ponerme a soñar en sólo cuestión de minutos. Ponga en remojo 1 1/2 cucharadita de estragón seco en 1 3/4 taza de agua hirviendo en un envase cubierto. Cuele el líquido y tómelo antes de que se enfríe.

Ayuda a la digestión y despierta el apetito

El reconocido herbolario francés Maurice Mességué, quien una vez trató a personalidades tales como Charles DeGaulle, el rey Farouk de Egipto y el Papa Juan XXIII, dijo lo siguiente acerca del estragón: "Yo receto la hierba básicamente como un estimulante suave para el estómago y los intestinos. Puede devolverles el apetito a personas de condición débil, a convalecientes y a personas nerviosas o que sufren de ansiedad; facilita la recuperación, tras un incidente de esquizofrenia o en los casos de agotamiento nervioso, después de una depresión mental; combate la indigestión, los eructos y la distensión gaseosa, además de ser útil en casos de gota, reumatismo, retención de la orina, vejiga y riñones lentos en actividad. Puede regular también el período en las mujeres".

Ahora bien, la mejor manera de utilizar el estragón para resolver los problemas relacionados con la digestión es en la forma de vinagre casero, tomando 1 cucharada antes de cada comida. Para preparar el vinagre, llene un frasco de boca ancha con hojas de estragón fresco, recogidas justo antes de que la hierba florezca, durante un día seco. Separe las hojas de los tallos y séquelas un poco colocándolas en una bandeja de hornear a temperatura baja (unos 225° F). Luego colóquelas en el frasco, cubra con vinagre de sidra de manzana *(apple cider vinegar)*, 1/2 cucharadita de jugo fresco de limón y 1/2 cucharadita de jugo de lima (limón verde, *lime*). Después de aproximadamente 7 horas, cuélelas a través de unas 5 capas de estopilla o paño de franela limpio y vierta el líquido en otro frasco que tenga una tapa bien ajustada. Almacénela en una despensa o alacena fresca y seca.

Usos culinarios

Las hojas y los tallos florecientes del estragón con sabor a anís son utilizados para sazonar ensaladas, salsas, sopas, caldos, huevos, pescados y escabeches. Las hojas, o el aceite de esencia de estragón, son usados también en la elaboración de vinagre, mostaza, salsa tártara y licores. El estragón ruso, que constituye un cultivo distinto, es con frecuencia confundido con y vendido como estragón francés. La variedad rusa luce similar a la francesa (salvo que es más alta), pero es considerada de calidad y sabor muy inferiores.

FÁRFARA
(Tussilago farfara)
(Coltsfoot en inglés*)*

Breve descripción

La fárfara es una de esas extrañas creaciones de la naturaleza en la que se ha puesto la carreta delante del caballo. O, en este caso, "el hijo delante del padre", como lo sugiere su antiguo nombre latino de *Filius ante patrem.* Muy temprano en la primavera, la fárfara desarrolla unas cabezas planas de azahares, pero sólo hasta después de que ellas se marchitan, se desarrollan las hojas anchas, en forma de casco y de color verde-mar. La fárfara es bastante común y no es muy selectiva acerca del suelo en que crece.

Alivia la congestión respiratoria

En la ciudad rusa de Donetsk, a 151 hombres y 60 mujeres, todos trabajadores de la construcción expuestos a los gases de las fundiciones, al barniz de los metales y a las pinturas, se les dio una terapia de inhalación de hierbas para mejorar su capacidad respiratoria. Los trabajadores de las factorías inhalaron y tomaron un té consistente de partes iguales de fárfara, milenrama y hojas y flores de plátano.

Hierva 4 1/4 tazas de agua. Quítelas del fuego y añada las tres hierbas mencionadas anteriormente. Déjelas allí durante 1 hora. Luego inclínese sobre la olla, cubriendo su cabeza con una toalla gruesa, sosteniendo la cara a unas 5 pulgadas (12 cm) de distancia de la olla. Quite la tapa y comience a inhalar lentamente. Haga esto durante 5 minutos, luego cuele el té y beba 1 1/2 taza. Repita la rutina varias veces cada día, haciendo siempre una cocción nueva al día siguiente. Siga este tratamiento durante dos semanas en casos serios de congestión, como asma, bronquitis y fiebre del heno.

Un buen producto masticable para la inflamación

Un nuevo tipo de producto que no usa tabaco en absoluto, sino solamente hierbas naturales, ha sido desarrollado por *Coltsfoot Inc.* de Grants Pass, Oregon (vea el Apéndice). Dos de los principales constituyentes son la hierba de fárfara y la canela *(cinnamon)*, junto con la cáscara de naranja, la angélica, el espino *(hawthorn)*, el *tang kuei* y el polen de abeja. Una pizca de esto puede colocarse en la boca, mezclarla con un poco de saliva y luego quitarla y aplicarla directamente sobre cualquier quemadura, picadura de abeja, de mosquito o cualquier llaga para un alivio inmediato.

FENOGRECO
(Trigonella foenum-graecum)
(Fenugreek en inglés*)*

Breve descripción

El nombre proviene de *foenum-graecum,* que significa "heno griego", la planta que en tiempos pasados se usaba para aromatizar el heno de calidad inferior. El nombre del género, *Trigonella,* se deriva del viejo nombre griego que significa "de tres ángulos", por la forma de la corola de la planta. El fenogreco es una planta anual, que crece unos 2 pies (60 cm) de altura, de hábitos similares al heno de alfalfa. Las semillas son pardas, de 1/2 pulgada (1 cm) de largo, oblongas, con un profundo surco que las divide en dos lóbulos desiguales. Están contenidas, de 10 a 20 juntas, en vainas largas, estrechas y espigadas.

Reduce el colesterol

Perros cruzados de una perrera cercana a la ciudad francesa de Villemois-son-sur-Orge fueron alimentados durante 8 semanas con una dieta regular suplementada con semillas de fenogreco. Análisis de sangre mostraron que las semillas de esta hierba realmente reducían bastante sus niveles de colesterol en el suero sanguíneo. Basado en esta información, se sugiere que usted podría beneficiarse al tomar un promedio de 2 cápsulas de fórmula de fenogreco-tomillo al día, sobre todo cuando se comen alimentos con mucha grasa. El producto, en la marca de *Nature's Way*, está disponible en la mayoría de las tiendas de alimentos naturales.

Magnífico para la fiebre del heno

Una mujer de California mencionó que había tratado de todo para su alergia, pero parecía que nada funcionaba. Entonces decidió hacerse un té de semillas de fenogreco —8 cucharaditas de semillas inmersas previamente en 4 tazas de agua fría durante 5 horas, luego hervidas durante 2 minutos antes de colarlas y beber el líquido— y consumió 1 taza al día dos meses antes de que comenzara la temporada de la fiebre del heno. Para su asombro, ¡no tuvo ataques serios como en los años anteriores!

Elimina el timbre en el oído

Leota Lane, de Eugene, Oregon, tiene el remedio perfecto para eliminar los sonidos "de grillos" y los timbres en los oídos. En realidad, es el único remedio que parece haberla ayudado.

Ella coloca unas 2 1/2 cucharadas de sopa llenas de semillas de fenogreco en 3 tazas de agua fría y las deja allí toda la noche. A la mañana siguiente, remueve un poco la mezcla y se sirve tanto como sea necesario. Cuando se toma su taza de té frío por la mañana, la reemplaza con otra taza de agua encima de las semillas.

Por la noche se toma otra taza del mismo té. Sigue esa rutina durante varios días hasta que las semillas han perdido casi toda su fuerza, y entonces las desecha y comienza de nuevo el proceso otra vez con semillas nuevas.

Ella asegura que si las semillas se hierven, el té se hace tan amargo que no lo puede beber. Si esto le causa problemas, se puede añadir miel para endulzarlo.

Virtudes culinarias

Las semillas enteras pueden añadirse a las ensaladas para darles un sabor mucho mejor. O las semillas en polvo se pueden añadir a cualquier tipo de alimento del Lejano Oriente, sobre todo a platos de la India y Pakistán, para obtener un amargor especial. Cuando cocine arroz con *curry*, añada un poco de fenogreco en polvo a esta deliciosa salsa vegetal que va sobre el arroz.

SALSA DORADA DE FENOGRECO

Ingredientes: 3/4 de taza de papas cocidas; 1 zanahoria mediana cocida; 1 1/3 taza de agua; 2 cucharadas de anacardo o marañón *(cashew)* picado; 1/2 cucharadita de sal; 1 cucharada de jugo de limón; 1 cucharada de jugo de lima (limón verde, *lime)*; 1/2 cucharadita de eneldo *(dill)* picado; el contenido en polvo de 4 cápsulas gelatinosas de semillas de fenogreco de cualquier tienda de alimentos naturales.

Preparación: Combine todo junto en un procesador de alimentos o licuadora hasta que esté suave y cremoso. Caliente y sírvalo encima de arroz caliente o vegetales cocidos de cualquier tipo.

FRAMBUESA
(véase: Bayas)

FRAMBUESA AMERICANA
(véase: Bayas)

FRESA
(véase: Bayas)

FRESNO ESPINOSO
(Zanthoxylum americanum)
(Prickly ash en inglés*)*

Breve descripción

Este arbusto alto, que es raramente un árbol pequeño, puede alcanzar alturas de más de 20 pies (6 metros). Se caracteriza por tallos y ramas espinosas y hojas que de jóvenes son peludas, y ya viejas se ponen lisas, con pintas resinosas sobre ellas, y emiten un olor parecido al de un limón aplastado. Las flores verdosas, en racimos en la madera del año anterior, aparecen antes que las hojas. Después de ellas vienen unas cápsulas rojizo-pardas y duras que contienen una o varias semillas negras, de un sabor picante. El fresno espinoso se encuentra desde el Canadá hasta Virginia y Nebraska.

Gran alivio para la parálisis y el dolor

La autoridad en plantas del siglo XIX, Charles F. Millspaugh, tuvo mucho que decir acerca de las maravillosas virtudes de la corteza del fresno espinoso y de sus bayas en su libro *American Medicinal Plants.* Por ejemplo, un día mientras caminaba en los bosques en que hacía investigaciones botánicas, comenzó a dolerle un diente. "Pero después de masticar la corteza del fresno espinoso para aliviarme", relató él, "¡el dolor se mitigó rápidamente!" Un poco de corteza seca pulverizada y luego espolvoreada sobre una pulgada cuadrada de pan blanco, al que se le ha untado un poco de mantequilla de maní *(peanut butter)* para que se sostenga en su sitio en la boca, o un copo de algodón humedecido en tintura y aguantado firmemente contra el diente, aliviarán en unos pocos minutos cualquier tipo de dolor.

Millspaugh elogió también su extraordinaria acción sobre las glándulas salivares inactivas, en las cuales la corteza puede promover el flujo total de saliva en muy poco tiempo. La Dra. Mary R. Leason, una anciana herbolaria que practica en Federal Way, en el estado de Washington, una vez me escribió acerca de lo bien que había curado a una amiga suya de nombre Fern Roemer, quien había perdido todas sus funciones salivares y del paladar debido a los fuertes antibióticos que le dieron en el hospital. "La remedié con un poco de corteza de fresno espinoso en polvo", dijo la Dra. Leason, "la cual hice que ella se pusiera en la lengua cada cierto número de horas. Muy pronto estaba llena de saliva y había recobrado su sentido del paladar".

En su libro, Millspaugh habló de los éxitos de varios médicos de Cincinnati, Ohio, que a mediados del siglo XIX habían usado tintura de fresno espinoso con sus pacientes que sufrían de peritonitis, distensión de los intestinos, severa inflamación e hinchazón abdominal, fiebres altas parecidas a las que dan el cólera, el tifus, la fiebre tifoidea, y la pulmonía.

Por lo general, se administró cada hora 1 cucharadita de tintura en 3/4 taza de agua endulzada con un poco de miel, y aproximadamente 12 veces estas cantidades (menos la miel) en forma de enema. "La acción fue pronta y permanente", escribió Millspaugh. "El fresno espinoso actuó como la electricidad, así de rápida y generalizada fue su influencia sobre todo el organismo. Yo considero que la tintura de bayas y corteza de fresno espinoso es superior a cualquier otra forma de medicamento que conozco".

Algunas tribus nativas de Norteamérica confiaban mucho en el fresno espinoso para curar el reumatismo, la rigidez de las articulaciones, la parálisis muscular, el dolor en la parte baja de la espalda y otros síntomas parecidos a la artritis. Los algonquines, por ejemplo, hacían un té combinando 2 tazas de corteza fresca o seca con 2 cuartos de galón (2 litros) de agua caliente y hirviéndolo a fuego lento en una olla de hierro negro durante una hora, sin tapar, hasta que el líquido había sido reducido a la mitad. Entonces bebían libremente de este brebaje para poder sudar bastante, después de lo cual se iban a bañar en un río o arroyo cercano. Este método nunca fallaba en producir algunas horas de alivio para el dolor.

Los chippewa hacían el mismo tipo de té, el cual se usaba para lavar las piernas y los pies de los niños o los ancianos enfermizos y débiles para poder darles fuerza adicional para caminar y moverse con mayor libertad. La corteza cortada fresca o seca se sumergía también durante varias horas en grasa de oso caliente (usted puede usar manteca de cerdo) antes de frotarla sobre los músculos y las articulaciones adoloridas para obtener un alivio increíble del dolor. La corteza del fresno espinoso cortada o en polvo se puede obtener de *Indiana Botanical Gardens* en Hammond, y una tintura de las bayas se consigue de *Eclectic Institute* de Portland, Oregon (vea el Apéndice).

Remedio para la anemia de células falciformes

La anemia de células falciformes *(sickle cell anemia)* es una enfermedad que ocurre con más frecuencia entre las personas de raza negra de todo el mundo. Los síntomas incluyen anemia, úlceras en las piernas, manifestaciones de artritis y ataques agudos de dolor, con la hemoglobina a un nivel bastante anormal. En su trabajo de referencia científica *Medicinal Plants and Traditional Medicine in Africa,* Abayomi Sofowora, profesor de farmacognosia de la Universidad de Ifé, en Ile-Ifé, Nigeria, indica que un extracto de agua del principio activo sacado de la raíz pulverizada del fresno espinoso "revertirá la anemia de células falciformes. Los estudios indican que el extracto de la raíz no es tóxico si es tomado de forma oral. Ha reducido significativamente las crisis dolorosas de los pacientes de célula falciforme en una prueba clínica llevada a cabo en Ibadán", añade él. Además de la raíz, sin embargo, las hojas jóvenes del fresno espinoso son también una fuente muy rica de ácidos antifalciformes, los cuales detienen el avance de esta terrible enfermedad.

Los herbolarios populares nigerianos han usado fuertes tés de extractos hechos de estas hojas jóvenes de una especie africana del fresno espinoso para curar a los pacientes afligidos con la anemia de célula falciforme. Usualmente un generoso puñado de hojas se añade a 1 cuarto de galón (litro) de agua hirviendo y se dejan allí, fuera del fuego y tapadas, durante 1 1/2 hora. La dosis administrada por lo general a los pacientes es de cerca de 3 tazas al día entre las comidas.

El cepillo de dientes de la naturaleza

Durante mis varios viajes a África, he tenido la oportunidad de observar y usar la versión africana del cepillo de dientes. La raíz o el tallo fino de una especie de fresno espinoso se mastica completamente hasta que los extremos se ponen como cepillos. El extremo fibroso se usa para cepillar bien los dientes. Estos palitos de masticar, como ellos les llaman, se usan frecuentemente durante el día.

Cuando los he probado, dan un gusto picante a la lengua y dejan en ella y en las encías una especie de entumecimiento durante un rato. Pero seguro que ayudan a eliminar las partículas de comida de entre los dientes y en las áreas difíciles de alcanzar. Trabajan mejor, pensé yo, que la pasta dentífrica, el cepillo y el hilo dental. ¡Mis dientes y encías nunca se sintieron más fuertes, más limpios o mejor que cuando usé estos palitos de masticar de fresno espinoso! Si usted tiene acceso a un fresno espinoso en su vecindad, entonces le recomiendo sinceramente que utilice sus gajitos para este propósito. Puede que nunca más quiera usted volver a cepillarse con *Crest* o a enjuagarse con *Listerine* después de que haya probado este método durante un tiempo.

FRIJOLES, ALUBIAS, HABAS, HABICHUELAS, JUDÍAS, POROTOS
(Especie Phaseolus)
(Beans en inglés*)*

Breve descripción

FABAS (*Favas* en inglés). Son grandes, planos y ovalados, con una textura firme y un gusto delicado. Son muy populares en Europa, sobre todo en Inglaterra.

FRIJOLES DE SOJA (*Glycine* o *Soja max* en latín, *Soybeans* en inglés). Estos frijoles firmes, redondos y blandos al sabor, no son de la clase *Phaseolus,* como los anteriores.

FRIJOLES NEGROS (*Black beans* en inglés). Estos son frijoles pequeños y ovalados, de textura suave y sabor a hongos, un poco terrosos.

GARBANZOS (*Chickpeas* en inglés). Estos frijoles redondos tienen un sabor parecido al de las nueces, y son firmes al masticarlos.

GUISANTES, ARVEJAS, CHAUCHAS, CHÍCHAROS (amarillos y verdes, *Split peas* y *Whole peas* en inglés). Las dos variedades son pequeñas y tienen una textura suave y granosa marcada con un sabor muy especial.

HABAS BLANCAS (*Lima beans* en inglés). Estos frijoles grandes y ovalados datan de entre los años 7000 a.C. al 5000 a.C., en Perú; dan un sabor suave y tienen una textura también suave cuando se cocinan. Muy a menudo, se secan, enlatan y ponen en el mercado bajo nombres de *"wax beans"* o *"butter beans".*

HABICHUELAS PINTAS, JUDÍAS PINTAS (*Pinto beans* en inglés). Son frijoles pequeños, ovalados, con un sabor y textura suaves.

HABICHUELAS *NAVY*, BLANCAS Y DEL GRAN NORTE (*Navy, white,* y *Great Northern beans* en inglés). Las tres son firmes, suaves y de variados tamaños que van de pequeño a mediano y grande.

JUDÍAS, HABICHUELAS o ALUBIAS (rojo oscuro, rojo claro y blancas, *Kidney beans* en inglés). Los frijoles de estos tres colores tienen una forma ovalada y un sabor algo blando y dulce. Los rojos oscuros (frijoles colorados) se venden sobre todo en latas y se usan en ensaladas, mientras que los rojos claros se venden secos y se usan para hacer chili, frijoles refritos y platos de estilo *creole* de Luisiana.

JUDÍA DE MUNG, FRIJOLES CHINOS (*Mung beans* en inglés). También se conocen en la India como *"green"* o *"golden gram"*, son muy estimados por sus semillas, que se ponen un poco pegajosas al cocinarlas, pero son consideradas saludables y nutritivas. Estas se secan y se hierven juntas o picadas, o se pulverizan para hacer harina con ellas. En China, se añaden a los fideos verdes y se usan para lograr brotes de frijoles, para lo que también se usan en Estados Unidos.

JUDÍAS DE CARETA, GUISANTES DE CARITA (*Black-eyed peas* en inglés). Estos frijoles ovalados, de tamaño mediano, son algo crujientes, como las nueces, y poseen un delicado sabor que recuerda a los guisos de vegetales sin carne.

LENTEJAS (*Lentils* en inglés). Estos frijoles pequeños, en forma de disco, tienen una sutil suavidad de sabor muy especial y una textura más bien firme.

Alimentos para hacerlo lucir más saludable

Hoy en día muy pocos de nosotros poseemos lo que podría llamarse adecuadamente "un resplandor radiante de salud". En gran parte, su ausencia en muchos de nuestros aspectos se debe a nuestros malos hábitos dietéticos y sociales, y estilos de vida poco saludables. Pero consumiendo variedades de frijoles más a menudo, podemos recobrar un aspecto más saludable y más lleno con el paso del tiempo.

La mejor evidencia directa de esto proviene del capítulo inicial del Libro de Daniel. Se nos dice que "Daniel hizo el propósito en su corazón de que no se degradaría con la porción de la carne del rey, ni con el vino que él bebía". En lugar de eso, le pidió a Melgar, el príncipe de los eunucos: "Danos pulse para comer y agua para beber". Al final de casi una semana y media, Daniel y sus tres amigos "lucían más hermosos y más gordos que todos los que comieron la porción de la carne del rey". Se supone que "pulse" haya sido lentejas o frijoles.

Si usted quiere mantener un aspecto vibrante de radiante salud, entonces los frijoles y las lentejas deben ser una parte frecuente de su dieta.

Las legumbres promueven el vigor y la vitalidad

En tiempos antiguos los frijoles y las lentejas se asociaban con hombres y mujeres de fuerza, o eran considerados como el alimento principal en actividades que requerían de mucha fuerza y vigor. La Biblia nos ofrece varios asombrosos relatos al respecto. El "plato de potaje" de Esaú que le preparó Jacobo es un ejemplo y se supone que haya sido una sopa de lentejas. II Samuel 23:11-12 es otro ejemplo en el que las lentejas se asocian con valor y coraje.

Existen algunas evidencias clínicas que respaldan los reclamos de vigor y fuerza que han sido atribuidos a varias legumbres. El garbanzo es un alimento popular muy importante en la India, donde se conoce con el nombre común de *"Bengal gram"*. Según el Volumen 7 del *Journal of Ethnopharmacology* de 1983, los semillas retoñadas de garbanzos son "extremadamente alimenticias y constituyen un alimento diario de los atletas y los luchadores profesionales de la India" y "se usan como un alimento equino que ofrece a los caballos un vigor infatigable". Esto se debe al alto contenido de ácido pangámico o vitamina B-15, la cual ha sido vendida en las tiendas de alimentos naturales de toda el país para aumentar la resistencia y el vigor. Estudios adicionales relacionados con las propiedades de fuerza de la B-15 en otras legumbres y vegetales han aparecido en revistas médicas de la antigua Unión Soviética, Hungría y la India.

Jugo de frijoles para el estreñimiento y la hiperactividad

Cuando me encontraba en un simposio científico celebrado en la Universidad de Rhode Island en Kingston, en julio de 1987, un químico de Japón a quien me presentaron, me explicó cómo el jugo de frijoles negros se usa en su país para corregir el estreñimiento causado por la ingestión excesiva de pan blanco y alimentos procesados y para calmar a los niños hiperactivos. Según él, se hierven durante 10 minutos 2 cucharadas de frijoles de soja negros, ya limpios, en 2 cuartos de galón (2 litros) de agua. Luego se dejan hervir a fuego lento hasta que sólo quede 1 cuarto de galón (litro) de agua. Se añade un poco de alga marina *kelp* para sazonar antes de que el caldo se cuele. Se recomienda una taza de jugo tres veces al día.

Posible alimento preventivo del cáncer

Ciertas enzimas llamadas proteasas descomponen las proteínas y tienen también múltiples funciones en la producción y el desarrollo de varios tumores cancerosos. Los frijoles y los cereales contienen inhibidores de la proteasa (*protease inhibitors* o *PI* en inglés), una variedad de sustancias que bloquean la actividad de las enzimas proteolítcas. Cuando se ingieren como parte de la dieta, los inhibidores *PI* interfieren con estas enzimas productoras de cáncer. Estos mismos inhibidores *PI* previenen también el desarrollo de células malignas. Además, evitan la liberación de radicales de oxígeno mortales, protegiendo así contra el posible daño al ADN y el cáncer subsecuente. Finalmente, los inhibidores *PI* previenen el cáncer inducido por la radiación y aumentan la resistencia de los tejidos a la invasión de células malignas. Si las personas consumen cantidades adecuadas de inhibidores de la proteasa *PI* en forma de frijoles y granos, pueden estar protegidos contra el cáncer en diversas partes de su cuerpo.

Reduce el colesterol y los triglicéridos

La revista *The American Journal of Clinical Nutrition*, de octubre de 1983, citó una serie de estudios recientes según los cuales todas las variedades de frijoles pueden definitivamente reducir el nivel de colesterol y el nivel de triglicéridos del cuerpo de manera significativa. Se sugería que debían volver a introducirse en nuestras dietas con mayor frecuencia para poder evitar que se acumulara demasiada grasa en el torrente sanguíneo.

Un patrón alimenticio posible para lograr esto sería comer 1 tazón de avena *(oatmeal)* en el desayuno 3 veces por semana y una sopa de frijoles (sin jamón ni chorizo) varias veces en el almuerzo. Esta combinación de ambos es una mezcla ideal de granos y legumbres para combatir la acumulación del colesterol. Variaciones de este tema podrían ser galletas *(oatmeal cookies)* o *muffins* de avena en el desayuno o las meriendas y frijoles horneados *(baked beans)* o una cazuela de frijoles en la cena.

Una delicia para el diabético

Estudios dietéticos publicados demuestran que los frijoles pueden ser la delicia del diabético. El *Indian Journal of Medicinal Research* informó en 1987 que tres tipos de legumbres tenían un efecto muy significativo en la reducción de los niveles de azúcar en la sangre en los pacientes diabéticos. Estas reducciones estaban directamente relacionadas con el contenido de fibra en cada legumbre. Debido a esto, las legumbres deben incluirse en la dieta por lo menos 2 veces por semana.

Ayuda para las personas hipertensas

El Dr. Louis Tobian, jefe de la sección de hipertensión de los hospitales de la Universidad de Minnesota, ha estado muy ocupado durante los últimos años. Ha estado dirigiendo algunos estudios muy importantes relativos al papel que desempeña el potasio en el tratamiento de la presión sanguínea alta.

Usando ratas propensas a apoplejías, que habían sido alimentadas para que tuvieran una presión sanguínea peligrosamente alta, alimentó a la mitad de ellas con una dieta normal y a la otra con una dieta que incluía suplementos de potasio. Sólo el 2% de las ratas con la dieta alta en potasio murieron debido a apoplejías, comparadas con el 83% de las ratas en la dieta normal. Sus descubrimientos le llevaron a especular que el potasio realmente protege contra las apoplejías y las enfermedades renales, y que sus estudios con ratas sugieren la manera en que una dieta alta en potasio puede actuar en los seres humanos.

En el número de octubre de 1986 de la revista *Sports Fitness*, que informaba sobre el trabajo del Dr. Tobian, se recomendaba habichuelas *navy* blancas (1 taza=750 mg) o habas blancas *(lima beans)* (1 taza=1163 mg), entre otros alimentos, como comidas que le dan al cuerpo el poder de potasio que necesita para prevenir y reducir la hipertensión.

El contenido de potasio en otras variedades de frijoles cocinados en porciones de 1 taza es: frijoles colorados *(red kidney beans)*, 629 mg; habichuelas pintas *(pinto beans)*, 670 mg; judías de careta (guisantes de carita, *black-eyed peas*), 573 mg; garbanzos *(chickpeas)*, 570–590 mg; lentejas *(lentils)*, 500 mg; y frijoles de soja *(soybeans)*, 972 mg.

Proteína "de carne" sin la carne

Aquellos que se preocupan por la salud y desean reducir su ingestión de carne roja sin experimentar ninguna pérdida de energía o fuerza, podrían considerar comer frijoles en su lugar. Un dietista profesional del Programa de Prevención de Enfermedades del Corazón de la Universidad de Stanford describió a los frijoles como "un alimento nutritivo y repleto de poder". En otros sitios, los garbanzos, las lentejas y otras legumbres han sido descritos como "sustitutos ideales de la carne".

RECETA CLÁSICA DE FRIJOLES HORNEADOS AL ESTILO DE BOSTON

Ingredientes: 2 tazas de habichuelas *navy* blancas o *Great Northern*, remojadas durante 10 horas en 7 tazas de agua; algunos codillos de jamón *(ham hocks);* 1 cebolla blanca *Bermuda* picada; 1 cucharada de jugo de limón; 3/4 cucharadita de alga marina *kelp* en polvo; 1 cucharada de miel oscura; 2/3 taza de melaza *(blackstrap molasses);* 1 cucharadita de vainilla pura; 1/2 cucharadita de almíbar de arce puro; 1 1/2 cucharada de salsa de tomate *catsup;* 1/8 cucharadita de mostaza seca; 1 diente de ajo picado.

Preparación: Hierva previamente los codillos de jamón hasta que estén tiernos. Quite la carne de los huesos, poniéndola en una olla grande con un poquito del jugo. Mientras se están cocinando los codillos, cocine a fuego lento las habichuelas remojadas durante 1 1/2 hora hasta que estén tiernas, pero sin partirse. Quite cualquier espuma de las habichuelas antes de cocinarlas. Coloque las habichuelas y la mitad del jugo en la olla grande con el jamón deshuesado y su jugo. Añada el ajo y la cebolla picados.

Mezcle en un tazón separado el alga marina *kelp,* la miel, la melaza, la vainilla, el almíbar de arce, la salsa de tomate *catsup* y la mostaza seca, añadiendo 1 1/2 taza de agua hirviendo. Bata bien y vierta sobre las habichuelas. Cubra y hornee a 275° F durante unas 7 horas, añadiendo más agua si es necesario. Revuelva con una cuchara de madera cada dos horas. Quite la tapa durante los últimos 45 minutos para que se doren un poco las habichuelas y la carne. Tenga cuidado de no quemarlas. Sirva caliente con pan negro *pumpernickel.*

Para librarse del efecto gaseoso que producen las habichuelas y los frijoles, remójelos durante al menos 24 horas antes de cocinarlos, añadiendo 1/2 cucharadita raíz de jengibre *(ginger)* por cada 2 tazas de agua. Otra alternativa es tomar un producto herbario anti-gas llamado *Ginger-up* (2 cápsulas) con cualquier comida que incluya frijoles o que pueda causar malestar estomacal. Puede obtenerse de *Great American,* en St. Petersburg, Florida (vea el Apéndice). También ayuda a dispersar el gas, el tomar acidófilos o suero de leche *(buttermilk).*

Dieta para un corazón fuerte

El tofu se parece a un queso suave y es un alimento parecido a la natilla, hecho de frijoles de soja muy similarmente a la forma en que el queso se hace de la leche. Tiene un sabor bastante dulce y ha sido llamado "el alimento de los 10,000 sabores" ya que tiende a pedir prestados los sabores de los alimentos, las salsas y las marinadas con las que se prepara. El tofu se vende ahora ampliamente en la mayoría de los supermercados, después de haber sido popularizado por los japoneses.

Le estoy agradecido a Mishio Kushi y la casa editora *St. Martin's Press* por su generoso permiso para usar sus instrucciones para hacer tofu casero, según se indica en su excelente tratado.

TOFU CASERO

Ingredientes: 3 tazas de frijoles de soja amarillos orgánicos *(organic yellow soybeans);* 6 cuartos de galón (6 litros) de agua mineral; 4 1/2 cucharaditas de *nigari* natural.

Preparación: Remoje los frijoles toda la noche, cuélelos y desmenúzelos en una licuadora. Colóquelos en una olla con 6 cuartos de galón (6 litros) de agua y llévelos hasta el punto de hervor. Baje el fuego y déjelos calentar a fuego lento durante 5 minutos, revolviendo constantemente para evitar que se quemen. Rocíe agua fría sobre los frijoles para que dejen de burbujear. Póngalos a hervir levemente y rocíelos con agua fría una vez más. Repita lo mismo una tercera vez. Coloque una tela de algodón o varias capas de estopilla en un colador y vierta este líquido en un tazón. Esto es leche de soja. Doble las puntas de la tela para formar una bolsa o coloque la tela en un colador y apriete para hacer salir el líquido restante. La pulpa en la bolsa se llama *okara* y se puede guardar para otras recetas. En una licuadora, bata el *nigari*, que es una sal especial hecha de agua de mar y que se puede conseguir en muchas tiendas de alimentos naturales.

Rocíe el nigari en polvo sobre la leche de soja en un tazón. Con una cuchara de madera haga, cuidadosamente y en sólo dos trazos profundos, un corte grande en forma de X en esta mezcla y déjela asentar durante 10 a 15 minutos. Durante este tiempo comenzará a cuajarse. Para el próximo paso necesita una caja de tofu de madera o de acero inoxidable (*tofu box*, disponible en muchas tiendas de alimentos naturales) o una marmita de bambú para cocinar al vapor *(bamboo steamer)*. Forre el interior de la caja o la marmita con la estopilla y coloque la tapa encima de manera que repose sobre la gasa y el tofu cuajado. Coloque un ladrillo o algún otro peso sobre la tapa y déjelo descansar durante una hora o hasta que se forme la torta de tofu. Luego, coloque cuidadosamente el tofu en un plato de agua fría durante media hora para que se solidifique. Mantenga el tofu cubierto con agua y refrigérelo hasta que lo vaya a usar. El tofu permanecerá fresco durante varios días en el refrigerador. Sin embargo, es mejor cambiarle el agua diariamente.

El tofu es extremadamente versátil y tiene una variedad de texturas dependiendo de cómo se ha cocinado. Puede ser cortado en tajadas, en cubos, aplastado o machacado y hervido en sopas, salteado con vegetales o granos u horneado en cacerolas. También puede ser usado en salsas, pastas, aliños y postres. El *okara* o pulpa mencionado anteriormente puede ser añadido a sopas o cocinado con vegetales. Un sencillo aliño para ensalada puede hacerse mezclando en una licuadora un poco de tofu, aceite de ajonjolí *(sesame seed oil)*, jugo de limón, alga marina *kelp* y estragón *(tarragon)*. Así obtiene un aliño cremoso que es menos caro que los aliños comerciales hechos de derivados de la leche, y tiene *sólo un tercio* de sus calorías. El tofu constituye también una maravillosa cataplasma medicinal para moretones, como se ha mencionado antes en este capítulo.

FRUTAS TROPICALES

GUAYABA
(Psidium guajava)

MANGO
(Mangifera indica)

PAPAYA
(Carica papaya)

PIÑA O ANANÁ
(Ananas comosus)

Breve descripción

GUAYABA (*Guava* en inglés). Las guayabas son frutas tropicales pequeñas y de piel delicada. A menudo se procesan en forma de jaleas, mermeladas y conservas, pero también se pueden consumir en su forma natural. Las frutas tienen de forma redonda hasta forma de pera, a menudo de menos de 3 pulgadas (7 cm) de diámetro, con piel verde o amarilla brillante; algunas son un poco rojizas. Las guayabas maduras tienen un olor penetrante. Contienen semillas pequeñas y duras que pueden irritar la garganta, pero algunas de las nuevas variedades están relativamente libres de semillas. Las guayabas son sensibles a las heladas, lo que explica por qué la mayoría de las que se cultivan en Estados Unidos se encuentran solamente en California y Florida.

MANGO. Estas son las más suculentas de todas las frutas tropicales. Sin embargo, cuando no son de buena calidad, la pulpa puede ser desagradablemente fibrosa, con sabor a trementina. Estas frutas, que son altamente perecederas, también varían mucho en tamaño —desde 6 onzas (180 g) a 4 ó 5 libras (2 kilos)— y forma; pueden ser redondas, ovaladas, con forma de pera o arriñonadas, o hasta largas y delgadas.

La cáscara dura es a menudo de un color verde mate, con áreas rojas y amarillas que se extienden a medida que la fruta va madurando. Algunas personas tienen una reacción alérgica en la piel al jugo que está debajo de la cáscara y deben usar guantes protectores cuando están pelando la fruta. La India produce aún el 80% de la cosecha mundial de mangos.

PAPAYA. Nativa del Caribe, la papaya crece ahora abundantemente a través de toda la zona tropical del continente americano. La fruta por lo general tiene forma de pera y tiene una cavidad central llena de semillas comestibles, negras y del tamaño de un guisante; la pulpa dulce y jugosa es más bien insípida y de una contextura similar a la del melón. Las papayas verdes pueden ser horneadas o hervidas como vegetales, y las hojas a menudo se cocinan como verduras. Como los mangos, las papayas también segregan un líquido que generalmente causa una reacción alérgica en la piel de algunas personas, quienes necesitan usar guantes de plástico para pelar la fruta.

PIÑA (ananá, *pineapple*). Estas frutas regordetas y pesadas, con hojas verdes en forma de corona, emiten un fragante aroma y tienen una muy ligera separación de los ojos o pepitas. Aunque la cáscara se pone amarilla a medida que la fruta madura, las piñas no se maduran después que han sido cosechadas, como algunas personas creen. Colón se encontró con las primeras piñas en su segundo viaje al Nuevo Mundo en la isla de Guadalupe. Estas frutas no fueron llevadas a Hawaii hasta 1790 y no fue hasta los primeros años del siglo XX en que las plantaciones hawaianas llegaron a dominar el mercado mundial de esta fruta deliciosa.

Jugo de guayaba para la congestión

Los negritos de las Filipinas han usado la guayaba madura como un tónico para fortalecer los corazones débiles. Entre los indios chocos de Panamá, las guayabas maduras se consumen para superar la congestión de los pulmones y la garganta. El jugo fresco puede hacerse combinando un mango maduro en pedazos con una taza de hielo machacado y 2/3 taza de agua muy fría. Bébalo poco a poco. O se puede tomar una taza de jugo de mango enlatado al menos tres veces a la semana para ayudar a mejorar el corazón. Los que padecen de asma, bronquitis y fiebre del heno se beneficiarían tomando 1/2 taza de jugo de mango enlatado *tibio*, con 1/4 cucharadita de jugo de lima (limón verde, *lime*) y 4 gotas de vainilla pura, todo mezclado, dos veces al día, durante serios ataques de congestión respiratoria. Beber esto antes de irse a la cama permitirá al asmático descansar mejor sin tener que sentir tanto ahogo durante la noche.

Extracto de hoja de guayaba para tratar las convulsiones

En algunas áreas de las Indias Occidentales se hace un extracto alcohólico de las hojas de guayaba machacadas que se usa para tratar los ataques epilépticos y las convulsiones. La tintura se frota en la columna vertebral de los niños pequeños y de los jovencitos, además de que se da a tomar oralmente.

Si usted tiene matas de guayaba a su alcance, tome unas 10 hojas, macháquelas ligeramente y córtelas en pedazos de una pulgada cuadrada (2,5 cm). Colóquelas en el fondo de un frasco de vidrio de 1 cuarto de galón (litro) y añada 1 taza de vodka y 1 de ginebra. Tape y deje que las hierbas se remojen durante 15 días en esta solución, agitando el frasco dos veces al día. Luego, cuele en un colador de metal fino y coloque el líquido en un frasco de una pinta (1/2 litro) de tapa sellada. Colóquelo en un sitio fresco y seco hasta que se vaya a usar.

A los jóvenes y adultos de mediana edad que sufran de ataques y convulsiones se les puede dar 2 cucharaditas de este extracto alcohólico (la mitad de esta cantidad para los niños menores de 15 años). Parte de la tintura se debe frotar todos los días sobre la columna desde la base del cuello hasta la vértebra caudal.

El mango para bajar la presión sanguínea

En la isla de Curaçao, muchos residentes beben un cocimiento hecho con hojas semisecas para controlar la presión arterial alta. Escoja 1 1/2 hoja grande o 2 hojas medianas y séquelas casi totalmente sobre un pedazo de tela limpia durante sólo un día. Cuando estén aún un poco húmedas, córtelas en pedazos de 1 pulgada (2,5 cm) y colóquelas en 1 cuarto de galón (litro) de agua hirviendo. Tape, retire del fuego y deje reposar durante una hora. Cuele y beba 2 tazas al día, tres días seguidos, como lo hacen en Curaçao. Luego, deje de tomar el té durante varios días y después repita de nuevo todo el proceso.

Esta acción sedativa de las hojas puede ser debida, en parte, a la eremofilina, que se encuentra también en una hierba tranquilizante, la valeriana.

Un remedio antidiabético comprobado

En las hojas del mango hay un grupo de taninos llamados antocianidinas. Durante más de 20 años, de acuerdo a un volumen antiguo de la revista francesa *Plantas medicinales y fitoterapia* (11:143-51 Suplemento), algunos médicos europeos han estado usando un extracto acuoso (té) de las hojas de mango para tratar no sólo la diabetes, sino también problemas de los vasos sanguíneos y de los ojos relacionados con esa enfermedad. Ellas ayudan a retardar el progreso de la angiopatía diabética (mal de los vasos sanguíneos debido a la diabetes). En realidad, la mejoría notable observada se debe sobre todo a la influencia curativa de estos compuestos de hojas sobre los vasos sanguíneos en y alrededor del páncreas.

También han sido obtenidos excelentes resultados en el tratamiento de la retinopatía diabética con un té hecho de las hojas de mango. Esta es una enfermedad degenerativa no inflamatoria de la retina que tiene lugar en aquellas personas que han padecido durante muchos años de diabetes. La condición se caracteriza por pequeños puntos hemorrágicos y diminutos agrandamientos de los vasos sanguíneos dentro de la retina misma, así como por la secreción de una sustancia cerosa.

Haga un té de acuerdo a las instrucciones dadas anteriormente para la hipertensión. Beba 1 taza todos los días, añadiéndole 2 cucharadas de jugo de guayaba, mango o papaya. Este remedio, en la misma cantidad, es también ideal para fortalecer los vasos sanguíneos frágiles, para tratar la púrpura (manchas hemorrágicas en la piel) y las venas varicosas, y en la prevención de sangrados accidentales debido al uso de medicamentos anticoagulantes.

Alivio de problemas gastrointestinales

El mango, la papaya y la piña maduros son extremadamente útiles para cualquier trastorno del conducto gastrointestinal. En las Filipinas, los mangos maduros se emplean para calmar el estómago nervioso y alterado y para estimular los intestinos durante períodos de estreñimiento. La papaya contiene la notable enzima digestiva papaína, así como la piña contiene su propia enzima especial, la bromelaína.

Las personas que tienen dificultad para digerir ciertas comidas con almidón (panes, cereales y papas) o carnes (carne de res, cerdo o pollo) deben a veces acompañar sus comidas con 8 onzas (235 ml) de jugo de mango, papaya o piña. Cualquiera de éstos puede traer un alivio inmediato al malestar estomacal producto del comer rápidamente, de los malos hábitos de masticación, y de las comidas pesadas.

Puede ser interesante el notar aquí que la enzima proteolítica de la papaya (papaína) se emplea mucho para ablandar las carnes de fibras duras en restaurantes tales como *Sizzler*, el cual es conocido por servir bistecs de carne a precios relativamente baratos. Ellos pueden hacer esto en la mayoría de los casos sencillamente porque compran carnes de calidad inferior —estándar (novillos jóvenes), comercial (en su mayoría vacas viejas) y utilitaria (bueyes viejos y duros)—, las cuales son entonces saturadas de papaína durante cierto tiempo para hacer que luzcan más suaves. También, las personas que gustan de beber cerveza pueden encontrar interesante saber que la papaína se usa extensamente para estabilizar y proteger contra el frío a la cerveza. Todo lo cual muestra que una fruta como la papaya con una enzima buena para la curación de las úlceras estomacales, tiene también diversas aplicaciones en las industrias gigantescas de los alimentos y las bebidas.

Papaína para tratar las picaduras de insectos y las mordidas mortales de serpientes

Una maestra de escuela retirada llamada LaFonse Webber, quien residió en Houston, Texas, hasta su muerte, compartió la siguiente información conmigo durante uno de los muchos viajes de conferencias que he hecho a esa ciudad.

Cuando trabajaba como enfermera escolar en las escuelas secundarias de aquí hace años, solía tener un frasco del ablandador de carnes *Adolph's meat tenderizer* en mi escritorio para tratar las picaduras de abejas y de avispas, y también de mosquitos y de avispones, de las que los niños eran víctimas durante la primavera y el comienzo del otoño. En todos los casos que lo usé, siempre dio buen resultado.

La forma en que usaba el ablandador de carnes era mezclando un poco de él con 1/4-1/2 cucharadita de agua, y después mojaba en la mezcla una bolita de algodón, la cual colocaba sobre la picadura o la mordida y hacía que el niño se aguantara el algodón allí hasta que el dolor se le hubiera aliviado. Me imagino que demoraría como unos 20 minutos para que el ablandador se introdujera en la piel, en la cual haría el efecto deseado.

En una ocasión, un chico grande y corpulento de una de las escuelas secundarias de aquí de Houston pisó por casualidad un par de abejas que estaban alimentándose de unas flores mientras él estaba entrenándose sobre la hierba. ¡Dios mío! ¡Cómo gritó! Todavía estaba quejándose y gruñendo cuando su entrenador lo trajo cojeando a mi oficina. Para ser un chico tan grande y musculoso, realmente no era muy valiente. De todos modos, mezclé 2 cucharadas del ablandador con una pinta (1/2 litro) de agua caliente, y después coloqué la mezcla en una palangana pequeña e hice que el chico se remojara la planta del pie en esta solución durante un rato. En menos de 15 minutos, el dolor desapareció y en otra media hora, más o menos, la hinchazón se había reducido también.

Jim Nelson, M.D., un alergista de Fort Wayne, Indiana, le dijo en una ocasión al *Intermountain Reporter* (una publicación de la oficina regional en Ogden, Utah, del Servicio Forestal de Estados Unidos) que la mejor manera de tratar una picadura de abeja era, primero, "sacar el aguijón, luego aplicar una pasta de ablandador de carnes y agua (1/4 cucharadita con 1 ó 2 cucharadas de agua) para destruir el veneno". Esto también funciona bien con las picaduras de insectos. Y en Australia se usa un método parecido con el ablandador de carnes para tratar las picaduras de las aguas malas *(man-o'-war)*.

Es interesante notar que la enzima proteolítica de la papaya, llamada papaína, es más efectiva en la hidrólisis de sustratos de proteína como la tripsina y la pepsina, que de proteasas relacionadas a las proteínas. Lo que ayuda a mostrar su extrema importancia en el tratamiento exitoso de las mordidas venenosas de serpientes como las cobras, las mambas negras y otras especies mortales. El *Journal of the American Medical Association,* en su número del 12 de diciembre de 1975, señaló que la tripsina y otras enzimas similares como la papaína ayudan a degradar las moléculas de las proteínas del veneno que ha sido inyectado en la sangre.

En experimentos con animales, si una dosis de tripsina se suministraba menos de 15 minutos después de la inyección de veneno, todos los animales sobrevivían. Si la enzima se inyectaba 50 minutos después de la mordida, al menos 50% de los animales sobrevivían. Como la papaína de la papaya es superior a la tripsina en este respecto, es lógico pensar que debe ser tomada oralmente cuando una persona es mordida accidentalmente por una serpiente venenosa en Estados Unidos, como una serpiente de cascabel o cabeza de cobre. Las tabletas de papaya se venden en algunas tiendas de alimentos naturales. Alrededor de 5 de ellas y cerca de 1 cucharadita del ablandador de carnes *Adolph's*, disueltas en una taza de agua tibia, proporcionan papaína suficiente como para comenzar a neutralizar el veneno de una serpiente como las antes mencionadas. Primero, trague las tabletas una por una, luego beba sorbos de la solución de agua tibia y ablandador de carnes.

La piña y las lesiones deportivas

Dwight McKee, M.D., un médico de Nueva Inglaterra, ha recomendado la enzima digestiva bromelaína y la piña cruda en la que aquella se encuentra, para los casos agudos de tendinitis. "A veces, tan sólo comer nada más que piña cruda durante un día puede resolver el problema", señaló él.

Otro profesional de la salud, el Dr. Robert W. Downs, un prestigioso quiropráctico que escribe a menudo para la revista *Bestways*, también cree profundamente en el potencial terapéutico de la bromelaína. "Cada vez más y más doctores la van a recomendar a los jóvenes que se dedican a actividades atléticas intensas —como trotar, correr y levantar pesas— porque acelera el proceso de curación", aseguró. "Ha habido estudios que sugieren que las personas que están dañando sus tejidos con actividades atléticas (sobre todo el atleta de fin de semana) pueden reducir la inflamación y acelerar la curación de manera asombrosa con el uso de la bromelaína. Veo que en el futuro", predijo él, "los productos de bromelaína de calidad serán uno de los principales suplementos recomendados para las lesiones deportivas".

Uno de los competidores del Triatlón *Ironman*, que se celebra anualmente en Hawaii, con quien conversé, me reveló que él no comía otra cosa que piñas crudas y maduras y que bebía sólo jugo de piña durante varios días antes de que comenzara la competencia, para minimizar lo más posible el dolor y la inflamación que se esperan de una prueba tan recia de fuerza física y de resistencia humana.

La bromelaína "adelgaza" la sangre

A las personas que tienen la sangre espesa y la circulación mala, sus médicos por lo general les han recetado como un medicamento estándar el veneno de ratas llamado guarfarina. Pero la guarfarina, la comadina y otros medicamentos relacionados, son tóxicos y pueden producir desagradables reacciones secundarias con el paso del tiempo. Ahora los científicos han descubierto que la bromelaína en la piña madura y en el jugo de piña también puede adelgazar la sangre y evitar que se formen coágulos sanguíneos, por no mencionar que también ayuda a aumentar la circulación.

Una taza de jugo de piña al día o la pulpa interna madura de la mitad de una piña cruda y madura, se recomiendan en lugar de medicamentos peligrosos para solucionar los problemas anteriores. Sin embargo, debe observarse que los hemofílicos y otras personas con problemas de hemorragias deben evitar esta fruta, ya que tiene la tendencia a agravar más estos problemas de la salud.

El jugo de piña y la cirugía dental

La extracción de una muela cordal (muela del juicio) impactada en los adolescentes es un procedimiento bastante común en muchas partes de Estados Unidos. Pero este tipo de intervención quirúrgica tiene sus desventajas; sobre todo, hinchazón extrema, moretones y bastante dolor. Pero la piña puede cambiar todo eso en poco tiempo, antes y después de la cirugía.

Durante los 15 días antes de la operación, el paciente debe comer al menos una lata de trozos de piña empaquetados en su propio jugo y beber un vaso de 6 onzas (175 ml) de jugo de piña sin endulzar todos los días. Después de la operación, el paciente debe comenzar a beber 2 vasos de 8 onzas (225 ml) de jugo de piña todos los días, un vaso de jugo de piña fresco, y el otro de jugo enlatado. Junto con esto, debe tomar 1 tableta de 50 mg de zinc, hasta 3,500 mg de tabletas de vitamina C, un par de tabletas de complejo B y cerca de 750 mg de bioflavonoides (a no ser que éstos se incluyan en las tabletas de vitamina C). También se pueden poner aplicaciones de hielo sobre el exterior de la mandíbula.

Los resultados serán asombrosos. La hinchazón será mínima, el dolor será prácticamente inexistente y no habrá moretones. Si puede conseguir piña fresca fácilmente, ésta será, sin duda, la primera alternativa. Por cierto, las hojas machacadas y los peciolos del mango se usan en algunas zonas de México para cepillar los dientes. Esto los limpia, endurece las encías y alivia la piorrea.

Elimina las verrugas y los callos

La papaya y la piña son muy útiles para eliminar las verrugas *(warts)* y los callos *(corns)*. En Jamaica la sustancia lechosa de la papaya verde se pone cuidadosamente varias veces al día sobre las verrugas durante una semana o menos. Este residuo pegajoso las encoge y al poco tiempo se caen solas. Una tajada de piña frotada suavemente sobre una verruga la eliminará, pero hacen falta varias aplicaciones antes de obtener éxito.

Como cura para los callos, la piña casi siempre tiene éxito. Corte un pedazo de 1 pulgada (2,5 cm) cuadrada de cáscara y adhiéralo al callo con una cinta adhesiva *ancha*, asegurándose de que la parte interior de la cáscara da de cara al callo. Déjela toda la noche y por la mañana remoje el pie en agua. El callo se podrá quitar fácilmente. En los casos de callos persistentes, sin embargo, es posible que se necesiten de 4 a 5 aplicaciones, ¡pero casi siempre funciona!

Elimina los parásitos intestinales

Tanto la papaya como la piña son excelentes para eliminar los parásitos intestinales como ascárides *(roundworm)*, tenias *(hookworm)* y otros parecidos. La sustancia pegajosa que está en la papaya verde, y también las semillitas negras, destruyen esos parásitos al digerirlos. Si usted no es capaz de comer un poco de la fruta verde y amarga, ¿por qué entonces no mastica y traga un pedazo de la hoja o una cucharada de las semillas después de cada comida? Las semillas tienen un sabor amargo, algo parecido al del berro o el rábano.

En Venezuela y Colombia, la piña madura en pedazos y sin pelar es remojada durante 3 horas en 1 cuarto de galón (litro) de agua hirviendo. Esto puede lograrse colocando primero los trozos de la piña sin pelar en un frasco de 2 cuartos de galón (2 litros) y vertiéndole luego el agua caliente encima. Selle con una tapa fuerte mientras se remojan los trozos de piña. Cuele la infusión y beba hasta 4 tazas al día entre las comidas y con el estómago vacío para poder expulsar un gran número de parásitos intestinales.

Alivia el dolor de espalda

En un momento u otro de sus vidas, 8 de cada 10 personas en este planeta sufrirán de este problema universal. Solamente en Estados Unidos, 75 millones de personas padecen de problemas de la espalda. De estos, 5 millones están parcialmente incapacitados, y 2 millones no pueden realizar ningún tipo de trabajo. Además del sufrimiento personal, el dolor de espalda tiene un altísimo costo social. En Estados Unidos, 93 millones de días laborales se pierden cada año debido a problemas de la espalda. Los estadounidenses gastan unos $5 millones de dólares al año en pruebas y tratamientos a cargo de una asombrosa cantidad de especialistas de la espalda, entre los que se incluyen ortopédicos, osteópatas, terapeutas físicos y quiroprácticos, para no mencionar los autocalificados gurúes que promueven todo tipo de cura imaginable.

Además de la complicada cirugía de la espalda, que puede ser riesgosa y sólo moderadamente exitosa, hay otra alternativa: la inyección de una enzima llamada quimopapaína, extraída de las papayas maduras. Desarrollada en los años 60 por el ortopédico Lyman Smith, de Elgin, Illinois, el tratamiento está diseñado para disolver la pulpa gelatinosa de un disco quebrado y eliminar la necesidad de una operación.

La quimopapaína es inyectada mientras el paciente está bajo una anestesia general leve. La fluoroscopia se usa para ayudar a guiar las agujas hacia el área apropiada. Se insertan 2 milímetros del fluido dentro del disco y se deja allí durante 4 minutos, después de lo cual se retiran la aguja y el fluido. El fluido se oscurece porque durante esos 4 minutos la enzima ya ha comenzado a disolver el disco. Por lo general, el dolor se alivia en unas 48 horas y todos los síntomas desaparecen a las seis semanas.

Un estudio de la Universidad de Wisconsin, en Madison, halló que 83 de los 114 pacientes que habían recibido la quimopapaína para sus discos herniados tenían poco o ningún dolor al cabo de 3 a 6 años después del tratamiento. Hoy en día, sin embargo, debido al escepticismo de la agencia federal *Food and Drug Administration (FDA)* y a causa de malos informes en la prensa, la quimopapaína es usada mayormente por los médicos canadienses. Mark Brown, M.D., quien estaba asociado a la Facultad de Medicina de la Universidad de Miami en 1980, comentó que un 90% de sus pacientes que fueron referidos a médicos de Toronto, regresaban sintiéndose bien y "no necesitaban de nada más" para ayudarlos.

En 1983, unos 70,000 tratamientos de quimopapaína fueron administrados en Estados Unidos. Pero a partir de 1986 esta cifra ha sido drásticamente reducida a la suma de tan sólo 15,000. Hace un par de años, *Smith Laboratories*, uno de los fabricantes del medicamento, envió una carta a más de 22,000 cirujanos advirtiéndoles de varios efectos secundarios posibles. Entre ellos, la mielitis trasversa (inflamación de la médula espinal), la cual puede conducir a una parálisis muscular y a un choque analéptico.

Sin embargo, la quimopapaína sigue siendo una terapia efectiva para aliviar el dolor de espalda en los casos en que la cirugía puede y debe ser evitada. Varias hierbas ayudarán a reducir los riesgos asociados con su uso. Justamente antes y durante cierto tiempo después, una persona que reciba quimopapaína de su médico debe beber varias tazas de té de milenrama y manzanilla todos los días *y* frotarse la columna vertebral con un poco de *CamoCare Cream*, disponible de *Abkit*, en Nueva York (vea el Apéndice). Un buen aceite de menta piperita *(peppermint)* de cualquier tienda local de alimentos naturales también es recomendable para la columna, frotándose un poquito de él todos los días. Para hacer el té, hierva 1 cuarto de galón (litro) de agua. Retire del fuego y añada 1 1/2 cucharada de milenrama *(yarrow)* seca cortada en pedazos, y 1 1/2 cucharada de manzanilla *(chamomile)* seca cortada en pedazos. Remueva un poco antes de cubrir con una tapa. Deje en remojo durante 50 minutos antes de colar.

Aplicaciones cosméticas

Paul Neinast emplea la papaya y la piña en su caro y renombrado salón de belleza de Dallas. Él prepara una máscara facial de papaya haciendo un puré con un poquito de la fruta madura y pelada (menos las semillas) en una licuadora. Asegura que esto "ayuda realmente a sacar las espinillas negras de la piel". Y halla que frotar un trozo de la piña madura y pelada sobre la piel no sólo neutraliza los ácidos grasos, sino que también limpia cualquier capa de grasa que pueda haber en la superficie. Para tener una complexión realmente juvenil y más suave, trate de usar una fórmula que incluya concentrado de papaya verde, aceite de semilla de girasol *(sunflower seed oil)* y melaza *(blackstrap molasses)*. Tome una papaya verde, si la puede encontrar en algún lugar en su vecindario, y córtela en trozos de 2 pulgadas (5 cm). Póngalos, junto con su sustancia lechosa, en una licuadora y haga un puré espeso. Luego añada dos cucharadas de aceite de girasol y de 2 a 3 cucharadas de melaza, y bátalo de nuevo hasta que se suavice. La consistencia debe ser lo suficientemente espesa como para poder esparcirlo adecuadamente sobre el rostro, la frente, la garganta y el cuello todas las noches sin que se corra ni se embarre. Un par de cucharadas de crema de batir y 4 yemas de huevo también deben añadirse en el último momento, pero se deben mezclar por sólo 15 segundos y no más.

Quienes han tenido la oportunidad de usar este remedio maravilloso dicen que parece trabajar bien sobre el acné vulgar (juvenil) y sobre la piel seca, vieja y escamosa. Parece haber una rápida producción de células epidérmicas (superficiales) de la piel, lo que conduce a que muchas personas tengan una piel mucho más juvenil, con la suavidad de un bebé. Algunos hasta han asegurado que la papaína presente en esta fórmula ha aclarado manchas oscuras de la piel o que casi ha hecho desaparecer las pecas. Pero no hay pruebas documentadas para estas aseveraciones, así que deben ser tomadas por lo que son —afirmaciones sin pruebas— hasta que se obtengan más sólidas evidencias en un futuro cercano.

Cómo curar heridas y llagas

La papaína en la papaya, debido a su increíble capacidad para digerir el tejido muerto sin afectar al tejido vivo que lo rodea, se ha ganado la reputación de ser un "bisturí biológico".

Esto me hace recordar un caso que ocurrió hace cerca de una década en un hospital de Londres. Un joven doctor de Sudáfrica recientemente asignado al personal médico, estaba tratando a un paciente que tenía una infección persistente producto de una cirugía abdominal. Los antibióticos habían resultado virtualmente inútiles.

Al acordarse de un antiguo remedio popular, este médico compró todas las papayas maduras de un mercado local. Instruyó a las enfermeras que cortaran en bandas algunas de las frutas y que las colocaran sobre la herida del paciente, dejándolas allí durante unas 5 horas antes de reemplazarlas con otras bandas frescas. No hay ni que decir que la infección se curó en un día más o menos y que el paciente fue dado de alta poco después.

Las llagas (úlceras) alrededor de los labios y dentro de la boca, las rajaduras y las manchas blancas en la lengua, y la inflamación de las amígdalas *(tonsils)* pueden ser rápidamente eliminadas chupando o masticando varias tabletas de papaya un par de veces todos los días hasta que se curen. En Brasil, se mastica un trozo de hoja fresca para curar las llagas bucales, o se ata sobre una herida o llaga externa, logrando resultados exitosos.

Tratamiento para la infección del oído interno

Un aceite realmente bueno para curar la infección del oído interno puede ser hecho remojando durante 10 días, de 4 a 6 tabletas de papaya machacadas y pulverizadas y 2 dientes de ajo finamente picados, en 1 pinta (1/2 litro) de aceite de oliva virgen. La mezcla puede ser colada a través de varias capas de estopilla y reembotellada en un recipiente oscuro y bien sellado que se guardará en un lugar fresco y seco hasta que se lo necesite.

Para un niño menor de los 12 años de edad, use de 2 a 3 gotas; a los adolescentes y adultos se les debe aplicar hasta 6 gotas en el canal del oído infectado. Haga esto una vez al día y repita tantas veces como sea necesario hasta que la infección desaparezca. Parece trabajar bien en la mayoría de los casos.

Limpia salpullidos

Algunos indios de la cuenca del Amazonas, en Brasil, hierven la cáscara de la piña madura con romero, y luego se lavan con frecuencia las erupciones de la piel y las hemorroides con el cocimiento concentrado. En 1 cuarto de galón (litro) de agua hirviendo, caliente a fuego lento durante 35 minutos, la cáscara de 1 piña con 1 cucharada de romero *(rosemary)* seco, sin tapar. Además de limpiar el eczema, la dermatitis, la soriasis, los hongos de la entrepierna, los escozores del pañal y los salpullidos producidos por la hiedra venenosa, varias bolitas de algodón se pueden saturar en esta solución y, luego de exprimir el exceso de líquido, se las puede introducir en el recto para curar las hemorroides. La piña fresca o las hojas de guayaba pulverizadas se pueden poner sobre la tiña *(ringworm)* obteniendo buenos resultados.

Para evitar las náuseas

Para quienes sufren de náusea mientras viajan en avión, en barco o en tren, o para las mujeres embarazadas que tienen trastornos matinales, un vaso de 8 onzas (225 ml) de jugo enlatado de piña o de papaya, hecho de concentrado, puede ser lo que se necesite para acabar con estos malestares desagradables.

Para tratar los hongos de los pies

Una de las maneras más precisas de combatir los hongos de los pies o los que salen alrededor de las uñas es remojar durante una hora, las manos y los pies todos los días, en piña enlatada. Séquelos bien y écheles un poco de fécula de maíz *(Kingsford cornstarch)*. Frótelo sobre todo el pie y entre los dedos, así como en las manos y los dedos.

Estimula la leche en los pechos secos

Una manera eficaz de estimular la secreción mamaria en pechos más o menos secos, apareció en el *Ceylon Medical Journal* (26:105). Corte en trozos una papaya verde y añádalos a 2 tazas de vinagre de sidra de manzana *(apple cider vinegar)* hirviendo y a 1 taza de agua. Cubra y deje hervir a fuego lento durante media hora. Quite del fuego y deje descansar durante 15 minutos. Cuele y tómese 5 dosis de 1 cucharada al día, o tantas veces como se necesite.

Un sólido extracto de la fruta de consistencia algo gelatinosa también puede ser tomado en lugar del extracto líquido. Mezcle en la licuadora una papaya semimadura cortada en pedazos, con las semillas incluidas, y sólo el agua suficiente como para que se convierta en un espeso puré. Use una licuadora eléctrica para hacer esto. Una madre que esté dando de mamar a su hijo, debe comer cerca de 1 taza al día.

Si se prefiere, una tintura alcohólica también puede ser aplicada externamente a los senos. En un frasco de 1 cuarto de galón (litro), remoje durante 10 días, la mitad de una papaya verde finamente cortada y 4 hojas bien cortadas, en 2 tazas de ron de Jamaica, asegurándose de agitar el recipiente un par de veces al día. Cuele y tome 1 cucharadita tres veces al día, o cuando sea necesario.

Habrá una abundante estimulación de la producción de leche en la mayoría de los senos normales. Incluso en el seno virgen pronto se verá un fluido pasajero y claro.

Recetas del paraíso

Las frutas tropicales añaden ciertos sabores distintivos a los platos que, de no ser por ellas, resultarían desabridos, y ayudan también a avivar platos mediocres. Además, ellas acortan tanto el tiempo de cocción como el de la digestión de algunos alimentos, como lo recordó el destacado investigador químico Albert Y. Leung:

> Es un conocimiento común entre los pueblos de los trópicos que el cocinar carne con un pedazo de papaya verde o envuelta en hoja de papaya, la hará más suave.

ENSALADA DE FRUTAS DE GUAYABA

Ingredientes: 3 tazas de col *(cabbage)* picada; 1 naranja pelada y en pedazos; 1 taza de uvas rojas sin semillas y picadas por la mitad; 1/2 taza de apio en tajadas; 8 onzas de yogur de naranja; 1 guayaba pequeña, picada y sin las semillas.

Preparación: En una gran fuente de ensalada, combine la col, los pedazos de naranja, las uvas y el apio. Para aliño, mezcle juntos el yogur y la guayaba. Extienda ese aliño sobre la mezcla de col. Tape y ponga a enfriar. Antes de servirla, revuelva la ensalada cuidadosamente. Sirva en platos decorados con col, si lo desea. Suficiente para 10 porciones.

HELADO DE MANGO

Ingredientes: 1 mango mediano, muy maduro; 2 cucharadas de azúcar; 1 clara de huevo; 1 cucharada de azúcar.

Preparación: Pele el mango y separe la pulpa de la semilla. Corte el mango en trozos. En una licuadora, combine los pedazos de mango y las 2 cucharadas de azúcar; cubra y mezcle hasta que esté casi suave. Ponga a un lado.

En un pequeño bol para mezclar, bata la clara de huevo y la cucharada de azúcar con una batidora eléctrica a velocidad media hasta que se hagan piquitos o puntitas duras. Aligere la mezcla de mango echándole un poco de la mezcla de la yema de huevo. Junte toda la mezcla de mango con el resto de la mezcla de la yema de huevo. Vierta esto en una bandeja para hornear pan de 8 x 4 x 2 pulgadas (20 x 10 x 5 cm). Cubra la superficie con una lámina de plástico de envolver. Congele durante tres horas o hasta que se ponga firme. Usando una paleta de servir helados *(scoop)* o una cucharilla para cortar melón en forma esférica *(melon baller),* sirva la mezcla en platos de postre. Suficiente para 4 porciones.

Tanto la receta de la ensalada de frutas de guayaba como la del helado de mango pueden encontrarse en los libros de *Better Homes & Gardens, Fresh Fruit and Vegetables Recipes* y *Eating Healthy Cook Book,* que pueden adquirirse en su librería local o directamente de la casa editora (vea el Apéndice). Agradezco a la casa editora el poder usarlas aquí.

Natilla de papaya horneada

Esta receta es una de las favoritas del dueño de restaurantes y chef LaMont Burns, de Encinitas, California, y puede ser hallada en su libro *Down Home Southern Cooking* (vea el Apéndice). Agradezco a la casa editora, *Doubleday & Co., Inc.,* el poder usarla aquí.

Ingredientes: 4 tazas de pulpa de papaya; 1 taza de pulpa de coco rallada; 1 naranja (pulpa, jugo y cáscara rallada); 4 huevos; 4 tazas de leche; 1 taza de azúcar.

Preparación: Precaliente el horno a 350° F. Coloque la papaya, el coco y la naranja en una fuente para hornear. Haga una natilla batiendo juntos los huevos, la leche y el azúcar. Viértala sobre la papaya. Inserte el cuchillo en el centro de la natilla. Si sale limpio al sacarlo, está lista. Si sale con un poco de leche adherida, hornee por más tiempo. Suficiente para 4 a 6 porciones.

Ensalada de pavo con piñas y almendras

Ingredientes: 1 piña; 2 tazas de pavo (o pollo) cocido, cortados en cubitos; 1/2 taza de aliño italiano *(Italian dressing);* 1 cucharada de salsa de soja *(soy sauce);* 1/2 taza de almendras *(almonds)* tostadas y picadas; 1 cebolla verde picada (con el tallo); 2 tallos de apio finamente picados; 1/2 taza de uvas sin semillas.

Preparación: Corte la piña a lo largo, en mitades o en cuartos. Quite la pulpa, dejando media pulgada (1 cm) de cáscara. Seque la cáscara con toallas de papel. Corte las frutas en pequeños trozos. Separe una taza llena de piña para la ensalada. Refrigere lo que quede de la piña para ser usada en otra receta. Combine el pavo, el aliño, la salsa de soja, las almendras, la cebolla, el apio, lo que queda de la piña y las uvas. Mezcle cuidadosamente para hacer una ensalada, asegurándose de que todos los ingredientes están cubiertos por el aliño. Divida en partes iguales en los cáscaras de piña. Enfríe durante 1 hora. Suficiente para 4 porciones.

Coctel de fruta tropical para recuperarse

Un amigo que se preocupa por la salud y que vive en el área judía de Brooklyn, en la ciudad de Nueva York, ha inventado una combinación sencilla de jugos de frutas para curarse. Joel Bree insiste en que "esto es fantástico para que tú o tus hijos se recuperen después de que tu familia haya pasado por una gripe fuerte".

Primero, tome dos naranjas de tamaño mediano y extráigales el jugo a mano o con un exprimidor de vidrio. Luego pele, pegado a la cáscara, una piña madura de tamaño medio, y raspe, pero *no* pele, una papaya madura. Pase todo por un extractor de jugo. Luego, mezcle estos dos jugos con el jugo extraído a mano y póngalo en el refrigerador. Esto dura para dos días antes de que haya que hacer más. Beba esto por la mañana y temprano en la tarde, tanto como desee.

"Luego lave, pero *no* pele, dos manzanas rojas y grandes. Córtelas y páselas por el extractor, con el corazón, las semillas, la cáscara y todo. Haga lo mismo con un volumen igual de uvas negras, semillas y todo. Mezcle bien los dos extractos. Beba de esto a mitad de la tarde o por la noche, todo lo que desee. Pienso que después de probar este régimen, todos estarán de acuerdo, que estos diferentes jugos ayudan realmente a sacar los venenos del organismo, al mismo tiempo que le dan a usted esa energía y ese estímulo que tanto necesita".

GARBANZOS
(véase: Frijoles)

GAYUBA, UVADUZ O AGUAVILLA
(Arctostaphylos uva-ursi)
(Uva ursi en inglés)*

Breve descripción

La gayuba o uva ursi es un arbusto pequeño, perenne, que se encuentra en el norte de Estados Unidos y en Europa, sobre todo en terrenos secos, arenosos y pedregosos. Una sola raíz principal larga y fibrosa produce varios tallos rastreros y subterráneos de los cuales nacen tallos erectos de 4 a 6 pulgadas (10 a 15 cm) de alto. La corteza es de color castaño oscuro o ligeramente rojiza. Las pequeñas hojas coriáceas, de forma obvaladas y espatuladas, son redondeadas en la punta, tienen de 1/2 a 1 pulgada (1 a 2,5 cm) de largo, y están ligeramente enrolladas hacia abajo en los bordes. La mejor época para recoger las hojas es el otoño.

Cura la inflamación de la vejiga

La uva ursi se destaca por reducir las acumulaciones de ácido úrico en el cuerpo. La hierba también alivia el dolor extremo que aparece cuando hay cálculos en los riñones o la vejiga, o inflamación de la vejiga misma. Los mejores resultados se obtienen macerando (poniendo en remojo), durante una semana, un puñado de hojas frescas en cantidad suficiente de brandy. Luego se cuece a fuego lento 1 cucharada de estas hojas, cortadas o picadas, en 1 taza de agua hirviendo durante 20 minutos. Se bebe cuando está tibia, agregando 1 cucharadita de la solución de brandy en la que se habían macerado las hojas, a cada taza de té.

GERANIO
(véase: Plantas ornamentales)

GINGKO
(véase: Yohimbina)

GINSENG

GINSENG CHINO O COREANO
(Panax ginseng)

GINSENG SIBERIANO O RUSO
(Eleutherococcus senticosus, Acanthopanax senticosus)

GINSENG SILVESTRE AMERICANO
(Panax quinquifolius)

GINSENG TIENCHI
(Panax notoginseng)

Breve descripción

El término ginseng se puede referir a cualquiera de 22 diferentes plantas. Algunas de ellas son miembros de la misma familia *(Araliaceae)* o del mismo género *(Panax)*. Pero otras no están relacionadas en absoluto con el ginseng, ni botánica ni químicamente, y a menudo se venden engañosamente basándose en la buena reputación y el alto precio de la raíz original.

Para la persona que no lo conoce, el ginseng tiene el aspecto de cualquier otra raíz: de color castaño, nudosa y del largo de un dedo meñique, aproximadamente. Pero la raíz a veces se parece a una parte del cuerpo humano, por lo que otro de sus nombres comunes en inglés es *manroot* o "raíz de hombre".

Una excepción es el ginseng siberiano, el cual ni siquiera es una especie del *Panax*, aunque es un arbusto alto y espinoso de la misma familia, *Araliaceae*. Los ginseng siberiano y chino son relativamente baratos, si se compara al tipo de ginseng silvestre americano que, según el periódico *Wall Street Journal* en 1983, se podía comprar a los "cazadores de ginseng" por $156.63 dólares estadounidenses la libra, y luego revender a los mercaderes de ginseng de Hong Kong por hasta $25.000 dólares ¡por raíz!

Fuente de resistencia

El ginseng es más conocido por sus propiedades para combatir la fatiga y por proporcionar energía. Pero muy pocas personas saben que debe ser tomado por un tiempo para poder crear gradualmente esa resistencia física, y no esperar que haya un cambio súbito después de haberlo usado durante un corto tiempo.

Los atletas rusos aseguran que la planta les aumenta la energía y resistencia durante las competencias atléticas. El profesor A. V. Korobokov, del Instituto Lesgraft de Cultura Física y Deportes de Moscú, ha realizado experimentos con ginseng siberiano que han indicado un aumento de la resistencia, los reflejos y la coordinación en los atletas.

Los científicos rusos atribuyen los poderes restauradores del ginseng siberiano al contenido de glucósido *(glycoside)* de la planta, una sustancia química natural que inicia la respuesta del cuerpo ante el estrés. Se sugiere un mínimo de 2 cápsulas al día con las comidas durante varios meses, para aumentar la resistencia física.

Protege contra los problemas provocados por el estrés

El ginseng siberiano ha alcanzado renombre en toda Europa oriental como un antídoto eficaz contra las enfermedades producidas por el estrés. En una notable entrevista que tuve con un médico ruso durante una visita a la antigua Unión Soviética, aprendí cosas fantásticas sobre esta hierba.

El Dr. Nikolai Gurovsky era en aquel entonces jefe de la Junta de Medicina Espacial del Ministerio Soviético de Salud Pública. Personalmente había recetado ginseng siberiano a los dos cosmonautas del Salyut 6 que, en el año anterior, habían permanecido 96 días en el espacio. A través de nuestro intérprete, me contó esto:

> Antes de este vuelo, habíamos examinado cuidadosamente a los cosmonautas que habían regresado de misiones especiales previas. Encontramos que en todos los casos, sus sistemas inmunitarios se habían desgastado. Algunos de sus órganos internos habían sido seriamente debilitados por la constante exposición a las radiaciones mientras estaban en el espacio. Y cuando regresaron a tierra, tardaron un tiempo en recuperar el completo sentido del equilibrio.

Pero decidimos que nuestro equipo del Salyut 6 bebiera un tónico especial de eleuterococo que elaboramos en el laboratorio. Cada día mientras estaban en órbita, tomaban una cantidad equivalente a 1 taza.

Después que regresaron, los sometimos a pruebas médicas intensivas. Encontramos que sus niveles de inmunidad eran aún razonablemente buenos. Además, sus glándulas y órganos principales no fueron afectados por las radiaciones, como en los casos de los otros cosmonautas. Ni la fuerza de gravedad pareció afectar seriamente su equilibrio.

Atribuimos estos resultados al tónico de hierbas. Pensamos usarlo más frecuentemente con otras misiones especiales en el futuro.

Se recomienda un promedio de 3 cápsulas al día del ginseng siberiano de *Nature's Way* entre las comidas o con el estómago vacío, para poder aliviar el estrés y para prevenir las enfermedades que éste provoca.

Mejora los hábitos sexuales

El ginseng es considerado por millones de personas como el afrodisíaco número uno, el más potente del mundo. Algunas investigaciones clínicas parecen confirmar esta actividad hasta cierto punto. Por ejemplo, científicos japoneses han descubierto la actividad de hormonas sexuales en las preparaciones de ginseng administradas a roedores de ambos sexos. Y cuando estuve en China, en 1980, descubrí que muchas mujeres estaban tomando diferentes tipos de ginseng para mejorar las relaciones sexuales con sus esposos.

Las ratas machos albinas bajo la influencia del ginseng. comenzaron a eyacular antes, montaban a sus compañeras más a menudo durante períodos de observación de 45 minutos y llevaban a cabo más actos sexuales en un período de 10 días, que un grupo de control de ratas machos que no tenían el beneficio del ginseng.

La mejor preparación de ginseng para estos fines es cualquier tónico líquido que tenga la raíz dentro de la botella. Algunas marcas se encuentran disponibles en grandes tiendas de alimentos naturales *(health food stores)* o en tiendas de hierbas en cualquier barrio chino metropolitano. Beba 4 onzas de dicho ginseng dos veces al día durante al menos una semana antes del próximo encuentro sexual con su pareja.

GIRASOL
(véase: Semillas)

GOMA DE GUAR
(Cyamopsis tetragonoloba o C. psoralioides)
(Guar gum en inglés*)*

Breve descripción

El guar es una planta anual fijadora de nitrógeno con frutos en vainas que contienen de 5 a 9 semillas cada una y puede llegar a tener hasta 6 pies de alto (2 metros). La parte que se usa es el endoespermo de la semilla. El endoespermo constituye del 35 al 42% de la semilla; se separa de los otros componentes de la semilla (cáscara y embrión o germen) durante el procesamiento. Se muele el endoespermo hasta convertirlo en un polvo fino, el cual se comercializa como goma de guar *(guar gum)*. Los principales productores de guar son la India, Pakistán y los Estados Unidos.

Maravillosa para perder peso

Un grupo de personas obesas del Hospital de Salgren, en Göteborg, Suecia, fue sometido a un tratamiento a largo plazo con dosis diarias de preparaciones de goma de guar, mientras mantenían sus hábitos alimenticios normales. En sólo 10 semanas el deseo de comer de estas personas se había reducido significativamente, habían disminuido sus niveles de azúcar y colesterol, y la mayoría de ellas había perdido entre 10 a 15 libras (4 a 7 kilos). Se recomienda un promedio de 4 a 6 cápsulas al día de la goma de guar de *Nature's Way,* disponible en cualquier tienda de alimentos naturales.

GORDOLOBO O VERBASCO
(Verbascum thapsus)
(Mullein en inglés*)*

Breve descripción

El gordolobo y el dragón *(snap dragon)* pertenecen a la misma familia de los *Scrophulariaceae.* Las flores de gordolobo no tienen pedúnculo y sus corolas, de color amarillo sulfúrico, forman copitas irregulares de una pulgada de ancho, con cinco pétalos redondeados insertos en cálices lanudos. Esta planta atrae todo tipo de insectos debido a lo fácil que es llegar a su néctar. Por ello la planta es capaz de propagarse en todas direcciones.

Las singulares hojas largas y numerosas, tienen de 6 a 8 pulgadas (15 a 20 cm) de largo y 2 1/2 pulgadas (7 a 8 cm) de ancho, disminuyendo su tamaño hacia el extremo del tallo. El gordolobo puede alcanzar alturas mayores que la del hombre promedio y se da mejor en espacios abiertos, campos, pastizales y terrenos baldíos desde el Atlántico hasta el Pacífico. Esta hierba se ve con frecuencia a lo largo de muchas de las carreteras y vías férreas de Estados Unidos, pero no debe recogerse en estos lugares debido al frecuente riego con nocivas sustancias químicas.

Cura para el asma

Una mujer de los "Beachy Amish" (gente amish que tienen electricidad y automóviles) de Goshen, Indiana, había gastado enormes sumas de dinero en varios medicamentos que sus doctores le habían recetado para el asma, pero encontró poco alivio con la mayoría de ellos. Cuando su ministro le enseñó las virtudes del gordolobo, ella recogió un poco de la orilla de un río y se hizo un té, poniendo un puñado de hojas y flores gruesas picadas en 1 cuarto de galón (litro) de agua hirviendo durante media hora, y bebió luego 2 tazas de la cocción tibia endulzada con un poco de miel, todos los días. En muy poco tiempo, pudo controlar su asma.

Medicina para el corazón

El herbalista francés Maurice Mességué recomienda gordolobo para las palpitaciones, los latidos irregulares, la angina y otras enfermedades coronarias. Hierva a fuego lento 2 puñados de hojas y flores picadas en 1 1/2 cuarto de galón (1 1/2 litro) de agua hirviendo durante una hora, con el recipiente tapado, hasta que quede sólo una pinta de agua. Cuele y añada 3 cucharadas de melaza *(blackstrap molasses)* y 1/2 cucharadita de glicerina para permitir que dure más tiempo. Tome 1 cucharada de este jarabe dos veces al día entre comidas, una vez por la mañana y otra vez por la noche; o más, si aumenta la presión en el corazón.

Enema para la infección intestinal

En 1943-44 la Facultad de Agricultura y Ciencias Aplicadas de la Universidad de *Michigan State* recogió y probó hojas de gordolobo para verificar sus posibles propiedades antibacterianas. Los experimentos demostraron que el extracto de gordolobo inhibía el crecimiento del *Staphylococcus aureaus* y del *E. coli*. La primera bacteria produce llagas, abscesos y heridas que se llenan de pus, mientras que el segundo grupo de microbios malignos produce inflamación intestinal, peritonitis e inflamación de la vejiga.

Para hacer una solución para enema, deje en remojo 1 puñado de hojas y uno de flores frescas en 1 1/2 cuarto de galón (1 1/2 litro) de agua hirviendo durante 40 minutos en un recipiente tapado. Luego cuele y use la mitad de esta cantidad, con el líquido aún tibio, para un enema. Siga las instrucciones que se dieron bajo el título de CAFÉ para administrar adecuadamente un enema.

Tratamiento para las enfermedades infantiles

El gordolobo es una de las mejores hierbas que conozco para tratar exitosamente una amplia variedad de trastornos infantiles, entre ellos la amigdalitis, la varicela, el sarampión y las paperas, sobre todo cuando se usa junto a la nébeda *(catnip)*. Ambas hierbas también dan buenos resultados para la pancreatitis.

La preparación de un té relativamente delicioso para los niños enfermos requiere 1/2 puñado de hojas y flores frescas o secas de gordolobo, y 1/2 puñado de hierba fresca o seca, todo lo cual se debe dejar en remojo en 1 cuarto de galón (litro) de agua hirviendo, cubrir y, luego, apartar del fuego durante unos 35 minutos más o menos. Después, se cuela la solución dos veces, una a través de un colador fino y la otra a través de un pedazo de tela limpia. Luego, mientras está todavía caliente, se deben añadir 2 cucharadas de miel oscura, 1 cucharadita de almíbar de arce puro *(pure maple syrup)* y un par de gotas de vainilla pura, con lo que mejorará el sabor considerablemente. Dele al niño enfermo 1/2 taza de esta cocción *tibia* durante el día o cada 3 ó 4 horas. *NO* se debe dar a un niño durante su período de recuperación, productos lácteos, huevos, pan, carne, comidas grasosas, caramelos, refrescos gaseosos y cosas por el estilo.

También se le puede administrar un pequeño enema al menos una vez al día hasta que la fiebre baje y la inflamación glandular comience a disminuir. En una pinta (1/2 litro) de agua hirviendo, deje en remojo un 1/4 puñado de hojas de gordolobo seco o fresco, 1/4 puñado de nébeda *(catnip)* fresca o seca, y 1 diente de ajo pelado y finamente picado, en un recipiente cubierto durante 40 minutos o hasta que esté tibio. Administre el enema al niño de acuerdo a las instrucciones anteriormente mencionadas. Dígale al niño que trate de retener lo más que pueda de la solución dentro de los intestinos *antes* de soltar el líquido en el inodoro. Y asegúrese de dar el enema en pequeños chorros, de modo que el niño pueda retener mejor la solución durante un par de minutos; de lo contrario podría producirse un desagradable accidente que luego tendrá que limpiar.

Buen remedio para los problemas de la piel y el dolor de oídos

Remoje 2 puñados de flores y hojas frescas o secas de gordolobo en 2 tazas de aceite de oliva o aceite de almendra dulce durante 8 días. Cuélelo, embotéllelo y guárdelo en un lugar fresco. Esto es muy bueno para cubrir úlceras de la piel, heridas, quemaduras de sol, quemaduras en general y hemorroides. Unas pocas gotas de este aceite, ligeramente calentado y colocado en el canal del oído (cubra el oído después con una franela tibia), ayuda a aliviar el dolor de oídos.

GOTU KOLA
(Centella asiatica, Hydrocotyle asiatica)
(Gotu kola en inglés*)*

Breve descripción

Esta delgada planta perenne crece en regiones tropicales. Su suave superficie y sus hojas en forma de riñón o corazón, acompañadas de flores con pétalos de un color púrpura oscuro, hacen de ella en cierta forma una planta exquisita. Sin embargo, los esfuerzos por domesticarla fallan con frecuencia, porque su aparente obstinación requiere prácticamente de la persecución humana para desarrollarse. Cuando se aplican herbicidas a la *gotu kola*, sólo sus hojas mueren, mientras que la raíz parece no ser afectada por los poderosos agentes químicos. Tras una buena rociada, la planta prolifera enormemente.

Produce mejorías en casos de retraso mental

Son muy pocos los miembros del reino vegetal que tienen la propiedad de estimular la memoria y muchos menos los casos que han sido documentados clínicamente. La *gotu kola* es probablemente la única hierba que ha sido hasta ahora científicamente analizada y que se ha comprobado que aumenta indudablemente la actividad mental.

El doctor M. V. R. Appa Rao y sus asociados administraron diariamente una tableta de 500 miligramos de *gotu kola* en polvo a un grupo de 15 niños retrasados mentales en una institución ubicada en Madrás, India. Según informó la publicación *Journal of Research in Internal Medicine* (1973), luego de un período de prueba de 3 meses con la hierba, los niños experimentaron un "incremento en los poderes de concentración y atención" superior al de otros 15 niños, a quienes se administró un placebo. El Dr. Appa Rao concluyó que la *gotu kola* "puede ser usada para un tratamiento rutinario de retraso mental".

Usted puede adquirir un producto elaborado a base de esta planta bajo la marca *Nature's Way* en su tienda de alimentos naturales (*health food store*). Se recomienda administrar una dosis promedio de 4 cápsulas diarias para este tratamiento.

Reduce la flebitis y las venas varicosas

Edith Rosenbaum, de Levittown, en el estado de Nueva York, me escribió hace algún tiempo acerca de sus experiencias con la *gotu kola:*

Yo había padecido de flebitis en mis piernas durante años y también me habían aparecido algunas venas varicosas moradas bastante feas. Alguien me dijo que esta hierba, la *gotu kola*, ayudaba en esos casos, de modo que me dije que no tenía nada que perder si la probaba por un tiempo.

Mi hermana, quien sale con más frecuencia que yo, me consiguió la hierba en una tienda de alimentos naturales de Manhattan, y comencé a tomar 2 cápsulas por la mañana, los primeros 2 días, aumentando luego a 4 a la semana siguiente. Las tomaba alrededor de 3 horas antes de comer.

Cuando observé que mi flebitis cedió un poco, decidí aumentar la dosis a 6 cápsulas diarias, tomando 2 a la mañana, 2 al mediodía y 2 a la noche antes de acostarme.

Unas 6 1/2 semanas más tarde, la mayoría de mis venas varicosas se habían reducido de tamaño hasta volver casi a su tamaño normal. Y tampoco sentía tanto dolor al caminar. Podía moverme con más facilidad. Eso es lo que la gotu kola ha hecho por mí.

GRANADA
(Punica granatum)
(Pomegranate en inglés*)*

Breve descripción

El granado crece silvestre como un arbusto en su zona nativa del sur de Asia y en las áreas cálidas del mundo. Si se cultiva como un árbol crece hasta 20 pies (6 metros) de alto, tal como se hace en Asia, la región del Mediterráneo, Sudamérica y los estados del sur de Estados Unidos. Las ramas delgadas, y a menudo con espinas en las puntas, tienen hojas opuestas oblongas u ovalo-lanceoladas y brillantes, y tienen de 1 a 2 pulgadas (2 a 5 cm) de largo. De las puntas de las ramas salen entre 1 y 5 flores grandes, rojas o anaranjadas. La fruta, la granada, una baya de muchas semillas y de cáscara gruesa, es de color amarillo amarronado a rojo y del tamaño aproximado de una naranja; cada semilla está rodeada por una pulpa ácida y roja.

Las semillas expulsan los parásitos

Las semillas secas de la granada se han usado desde tiempos inmemoriales para expulsar la tenia, un parásito increiblemente largo que se adhiere a las paredes intestinales de su huésped por medio de estructuras espinosas o succionantes. Los síntomas más comunes son un apetito constante, una exagerada ingestión de comida y, sin embargo, una persistente delgadez relativa.

Seque las semillas de 7 a 9 granadas al sol o colocadas en una bandeja para hornear en el horno a temperatura baja durante 7 horas. Luego, macháquelas hasta hacerlas polvo con un martillo u otro objeto pesado. Tome 1 cucharada de semilla en polvo en un vaso de 6 onzas (175 ml) de jugo de piña (ananá) sin endulzar *(unsweetened pineapple juice)* de 3 a 4 veces al día, con el estómago *vacío*. Si esto se hace conjuntamente con un ayuno moderado, podría eliminar más rápidamente el parásito del organismo.

GRIÑÓN
(véase: Melocotón y Pera)

GROSELLAS
(véase: Bayas)

GUAYABA
(véase: Frutas tropicales)

GUISANTES O ARVEJAS
(Pisum sativum)
(Peas en inglés*)*

Breve descripción

Los guisantes frescos de huerta están desapareciendo de los mercados de Estados Unidos debido a que pocas personas quieren pelarlos. En cambio, prefieren comprarlos enlatados o congelados. Por desgracia, los que están disponibles a menudo son grandes, almidonosos y casi sin sabor. Además de los guisantes de huerta o jardín, o de vaina *(shelled)*, hay otras dos variedades comestibles: el pequeño guisante chino *(snow pea)* plano que suele usarse en la cocina china y el guisante más grueso (llamado *sugar snap pea* en inglés) que puede comerse crudo o cocido y pelado cuando está maduro. Los guisantes eran los vegetales favoritos de Thomas Jefferson, quien los cultivaba en Monticello.

Disuelven los coágulos sanguíneos

Estudios clínicos llevados a cabo por médicos de Calcuta, India, demostraron que los guisantes tienen la capacidad de disolver aglutinaciones de glóbulos rojos que se convertirían, con el tiempo, en coágulos. Esta propiedad de prevenir los coágulos se debe a la presencia de proteínas vegetales especiales llamadas lectinas *(lectins)*. Por eso se sugiere que los guisantes se incorporen a la dieta con más frecuencia, sobre todo en la de aquellas personas que son más susceptibles a coágulos debido a la mala circulación, a tener la sangre muy espesa y padecer de enfermedades coronarias.

Cómo lavar las erupciones de la piel

En algunas partes de Europa, a los niños enfermos de sarampión, paperas o varicela se les pasa una esponja embebida en el agua en la que se han hervido guisantes. Esto, aparentemente, parece evitar el escozor y que se formen cicatrices en la piel. Una cataplasma que se hace con guisantes secos y puestos a hervir hasta que se ablanden, es un remedio maravilloso para llagas y abscesos.

Sopa laxante segura y suave

Para obtener un laxante eficaz y fácil de usar, utilice guisantes. Ya sean frescos o secos, los guisantes hervidos como vegetales o en sopa, estimulan los intestinos.

SOPA VEGETAL DE GUISANTES

Ingredientes: 1 cucharada de mantequilla; 1 taza de papas cortadas en cubitos; 2 tazas de agua mineral Perrier; 1 taza de agua destilada; 1 taza de guisantes verdes recién pelados o descongelados; 1 cucharada de cebollinos *(chives)* picados; alga marina *kelp* a gusto.

Preparación: Derrita la mantequilla en una olla sopera de 2 cuartos de galón (2 litros) y revuelva en ella las papas. Añada los dos tipos de agua y deje hervir a fuego lento hasta que las papas estén tiernas, unos 20 minutos. Hágalas puré en una licuadora y luego colóquelas de nuevo en la olla. Hierva y agregue los guisantes verdes frescos. Cocínelos hasta que estén apenas tiernos —coma uno para probarlos— y agregue y revuelva los cebollinos antes de servir. Sazone con alga marina *kelp*. Esta receta fue adaptada de *Eat Better, Live Better*, cortesía de Reader's Digest (vea el Apéndice).

H

HIGO
(Ficus carica)
(Fig en inglés*)*

Breve descripción

Los higos frescos han sido una exquisitez apreciada por alrededor de 5.000 años. Fueron cultivados en los famosos jardines colgantes del rey Nabucodonosor en Babilonia, mencionados frecuentemente en la Biblia, y exportados por los antiguos comerciantes marinos griegos y fenicios, quienes tal vez los introdujeron en Italia. En el siglo XVIII, los sacerdotes jesuítas plantaron higos en la primera misión católica de San Diego, California. Este llamado "higo negro de misión" *(black Mission fig)* es todavía una importante variedad en ese estado, que cultiva el 99% de toda la producción estadounidense de higos. Los higos frescos tienen generalmente forma de pera, con cáscaras amarillo verdosa, púrpura o negra. Cuando está maduro, el higo es casi siempre suave, pero no blanduzco. Los antiguos gladiadores romanos comían mucho higo antes del combate en los anfiteatros para que les diera fuerza física adicional y ventaja sobre sus oponentes.

Alivia el dolor de garganta y los pulmones irritados

Ponga a hervir 2 tazas de agua, añadiendo 5 1/4 cucharadas de higos picados. Deje hervir a fuego lento durante 5 minutos. Tape y deje reposar hasta que se enfríe. Beba una media taza cada 4 horas más o menos para aliviar el dolor de garganta y los pulmones irritados.

Agradable laxante frutal

En 4 tazas de agua hirviendo, coloque 10 1/2 cucharadas de cada uno de estos ingredientes: higos, pasas y cebada cruda. Deje hervir a fuego lento durante 15 minutos, luego añada 2 1/4 cucharadas de raíz de orozuz *(licorice)* seca y retire del fuego, dejando remojar durante una media hora. Cuando se enfríe, revuelva y cuele. Tome 1 taza por la noche y otra por la mañana, como laxante. En Egipto se comen unos cuantos higos crudos para aliviar problemas digestivos causados por el exceso de carne roja, pescado, huevos, queso o leche.

Cataplasma para llagas y furúnculos

Coloque 3 a 4 higos en un molde para pastel *(pie tin)*, con suficiente leche como para cubrirlos. Tape con otro molde para pastel invertido y colóquelo en el horno, a temperatura muy baja, durante 1 hora. En ese tiempo, los higos habrán absorbido toda la leche. Abra los higos por la mitad y póngalos directamente sobre la llaga o el furúnculo. Ellos extraerán pronto todo el pus de la infección.

Algunos campesinos usan higos en polvo para hacer una pasta que se aplica sobre las viejas heridas y llagas para que sanen más rápidamente. La tienda *Old Amish Herbs* hace esta Pasta de Higos *(Fig Paste)* para usarla externa e internamente tanto en el ganado como en los seres humanos (vea el Apéndice).

Ayuda a limpiar los dientes

En zonas de Africa y América Central, los higos maduros cortados por la mitad se usan para limpiar los dientes, frotándolos con la parte abierta durante varios minutos.

Higos para el cáncer

El científico Jonathan L. Hartwell consideró los higos como un tratamiento útil para diferentes tipos de cáncer en su estudio de cinco años "Plantas usadas contra el cáncer", que fue publicado en la revista científica *Lloydia* de 1967-1971. En el número de julio de 1978 de *Agricultural & Biological Chemistry*, un equipo de científicos japoneses identificó, en una destilación al vapor de higos, al componente anti-cáncer benzaldehído que reducía tumores en un 39%. Un estudio posterior con 57 pacientes de cáncer mostró una regresión de tumores de un 50% con la administración del benzaldehído sacado de higos, según el *Cancer Treatments Reports* de enero de 1980. El benzaldehído también se halla en grandes cantidades en los hongos comestibles como el *Agaricus bisporus*, y en los hongos japoneses *shiitake*, así como en el aceite de la almendra dulce *(sweet almond oil)*.

Elimina el dolor de la artritis

Los higos, al igual que la piña (bromelaína o bromelina) y la papaya (papaína), tienen un importante compuesto sulfúrico llamado ficina, que es muy valioso para tratar la inflamación crónica de las articulaciones y la hinchazón de los tejidos blandos que es usual en la artritis reumática y las lesiones traumáticas, como tobillos torcidos o ligamentos estirados.

Remoje unos 6 higos en 2 1/2 tazas de agua hirviendo durante unos minutos para suavizarlos un poco; macháquelos para hacer una cataplasma y aplíquelo directamente sobre cualquier área del cuerpo que esté endurecida o que le duela. Cubra con una toalla gruesa o una franela tibia y manténgala allí durante una media hora. O aplique una tela delgada sobre la cataplasma y luego una almohadilla eléctrica, puesta a baja temperatura. Esto realmente le proporcionará un gran alivio, inclusive para los dolores de la parte baja de la espalda, un tipo de dolor del cual a veces es difícil liberarse.

Aperitivo caliente de frutas

He aquí algo para complacer realmente a su paladar antes de una comida:

Higos y dátiles frescos a la parrilla

Ingredientes: 9 tiras de tocino (panceta, *bacon*); 12 higos frescos; 12 dátiles *(dates)* descarozados; un poco de queso Roquefort, queso crema y tajadas de jamón.

Preparación: Corte el tocino en pedazos lo suficientemente largos como para que se puedan envolver una vez alrededor de los higos y dátiles. Quite el rabo de los higos y hágales un tajo o corte profundo a los lados con un afilado cuchillo de mondar. Mezcle cantidades iguales de Roquefort y de queso crema; llene los higos y los dátiles descarozados, y envuelva el tocino alrededor, asegurándolo con un palillo de madera *(toothpick)*. Enganche los higos y los dátiles en un pincho largo y póngalos a asar, dándolos vueltas hasta que el tocino esté crocante. Sírvalos caliente en el pincho o manténgalos calientes en un plato tapado. Esta receta proviene del libro de Eileen Gaden, *Biblical Garden Cookery*, con el consentimiento de la casa editora.

HINOJO
(Foeniculum vulgare)
(Fennel seed en inglés*)*

Breve descripción

El hinojo es una planta bianual o perenne, silvestre o cultivada, que crece en Estados Unidos, Europa, el Mediterráneo y Asia Menor. Tiene un tallo más bien rígido, erecto, con ramas bifurcadas, con flores verde grisáceas, de extraños y dentados receptáculos de semillas; están llenos de semillas algo comprimidas, casi siempre de tres puntas, con dos lados planos y uno convexo. Estas semillas negras o marrones tienen un olor fuerte, aromático y agradable que recuerda algo a la nuez moscada y un sabor picante y amargo.

Endulza el aliento

Si usted sufre de halitosis, mastique algunas semillas de hinojo durante un rato y tendrá un aliento lo suficientemente fresco como para ¡ser besado por alguien que le quiere mucho!

Té medicinal

Primero, cocine un poco de cebada *(barley)* en bastante agua. Cuele el agua y sepárela. A 1 pinta (1/2 litro) del agua de cebada, añada 1 1/2 cucharadita de semillas de hinojo. Reduzca el fuego y deje hervir a fuego lento durante 5 minutos; deje reposar otros 20 minutos. Si las madres que están dando el pecho a sus bebés toman una taza de esta cocción, estimularán rápidamente el flujo de la leche; 1/2 taza antes de las comidas estimula el apetito; si se lavan los ojos con el mismo líquido colado, se eliminará la irritación y la tensión en ellos. Este mismo té hecho con una cantidad igual de menta piperita *(peppermint)* y administrado frío en cantidades de 1 taza, ayudará a calmar a los niños hiperactivos.

Aspectos culinarios

En la época de la conquista normanda en Inglaterra, la semilla de hinojo se usaba con todo tipo de platos de pescado y aún se usa hoy día. Una verdadera delicia es asar a la parrilla la trucha o el salmón, luego flamearlo con brandy sobre un lecho de semillas de hinojo, el cual al quemarse le imparte un sabor realmente especial que es imposible describir. La especia también se combina bien con cerdo, ternera, y en sopas, aliños de vinagre y aceite, y ensaladas.

HONGOS DE CAMPO
(Agaricus campestris)
(Field mushrooms en inglés*)*

Breve descripción

Los hongos o setas comestibles viven en la oscuridad, alimentándose de otras materias orgánicas. Al carecer de clorofila, ellos no pueden realizar la fotosíntesis que sintetiza nutrientes con la luz del sol. No tienen raíces, hojas, flores ni semillas. Estas misteriosas características han fascinado y tentado al hombre desde los tiempos prehistóricos.

Nerón, el antiguo emperador de Roma, envenenó al capitán de su guardia con hongos venenosos. Y casi 2.000 años antes de que esto ocurriera, los arios, que llegaron a Afganistán y la India procedentes del noroeste, hacían una bebida ceremonial con el hongo agárico, para poder experimentar alucinaciones religiosas.

En su mayoría, sin embargo, los hongos o setas se pueden comer, sobre todo añadidos a sopas y ensaladas. Como se echan a perder muy fácilmente, deben ser guardados en el refrigerador en una bolsa de papel o en un recipiente destapado, pero nunca en bolsas de plástico, ya que esto los pone blandos. Cúbralos con una toalla de papel humedecida para mantenerlos húmedos, ya que se secan fácilmente. Recuerde que nunca debe lavarlos, ya que perderían su textura especial. Sencillamente, páseles con cuidado una toalla de papel humedecida para limpiarlos.

El té de hongos es un gran remedio

En el verano de 1987 conocí al Dr. Yan Wu, del Instituto de Botánica de la Academia Sinica, en Nankang (cerca de Taipei), Taiwán, mientras los dos asistíamos a la reunión anual de la *American Society of Pharmacognosy* en la Universidad de Rhode Island, en Kingston.

El Dr. Wu habló de los distintos usos del té de hongos en su país. Los hongos que se usan son los que crecen en el roble *(Cortinellis shiitake)*. Si se usan secos, se remojan durante una hora hasta que se ablanden. Pero si se usan frescos, pueden cocinarse inmediatamente. Los hongos se pican en pedazos de 1/4 de pulgada

(1/2 cm), se colocan en 2 1/2 tazas de agua hirviendo con una pizca de alga marina *kelp* y se dejan hervir a fuego lento, en un recipiente tapado, durante 30 minutos hasta que quede 1 1/4 taza del té.

El té de hongos, aseguraba él, podía disolver y eliminar la congestión de grasas en el cuerpo, estimular la función renal, reducir la fiebre y relajar la tensión.

Un médico de California, Lawrence Badgley, M.D., recomienda los hongos *shiitake* para las dietas de los pacientes de SIDA que visitan con frecuencia sus clínicas. Como los higos, los hongos contienen el compuesto anticarcinogénico benzaldehído.

Rico en zinc

Los hongos comestibles son increíblemente ricos en el microelemento zinc. El zinc es valioso para tratar quemaduras, heridas y otras lesiones semejantes de la piel, así como para ayudar al cuerpo a digerir los alimentos que contienen almidón. El zinc también regula la función de la próstata, estimula el crecimiento y desarrollo de los órganos reproductivos, y contribuye en el metabolismo de las proteínas animales y vegetales.

Uso culinario

Nada es tan sabroso como una sopa de hongos casera. Tiene un sabor que las sopas enlatadas comercialmente no pueden imitar.

SABROSA SOPA DE CREMA DE HONGOS

La sopa se prepara lavando y pelando 1/4 de libra de hongos y cociendo la piel a fuego lento en 1/2 taza de agua. Las umbelas y los tallos de los hongos deben picarse en pedazos y se debe añadir 2 tazas de agua a los pellejos. Hay que seguir cocinando hasta que los pellejos estén tiernos.

Derrita 2 cucharadas de mantequilla, añadiendo 2 cucharadas de harina de trigo entero *(whole wheat flour)* y 1 cucharadita de sal o alga marina *kelp.* Añada gradualmente 2 tazas de leche cocinando a fuego lento y revolviendo constantemente con un batidor manual de alambre hasta que la sopa se espese. Entonces agregue los hongos y un poco de perejil picados antes de servir.

Jasmín
(Jasminum officinale)
(Jasmine en inglés*)*

Breve descripción

Esta planta aparrada es oriunda de las regiones más calientes del hemisferio oriental y actualmente se cultiva en algunos jardines a través del sur de Estados Unidos. Algunas especies de jazmín también aparecen como arbustos de hoja perenne. Las hojas tipo parra están por lo general opuestas y son de un verde oscuro y pinadas. Tanto las parras como los arbustos producen flores extremadamente fragantes que son consideradas valiosas en la industria del perfume.

Este aroma especial ha sido descrito como "un olor delicado y dulce tan peculiar que es, incomparablemente, uno de los más distintivos de todos los olores naturales".

Vence la frigidez sexual

En partes de China y la India, el aceite extraído de las flores del jazmín ha sido usado frecuentemente para despertar emociones eróticas en aquellas personas que pueden experimentar frigidez durante los encuentros sexuales.

Quienes tienen el dinero para comprar aceite de jazmín en una tienda especializada, pueden descubrir que masajear ciertas áreas del cuerpo con una gotas mezcladas con un poco de aceite de almendra podría ayudar a provocar la estimulación sexual. En la India, se friccionan el abdomen y la entrepierna con este propósito.

También se dice que unas cuantas gotas frotadas sobre el labio superior, debajo de la nariz, contribuyen a este tipo de estimulación.

JENGIBRE
(Zingiber officinale)
(Ginger en inglés*)*

Breve descripción

El jengibre es una hierba perenne erecta que tiene un rizoma aromático, nudoso, fibroso y de un color blanquecino. La planta llega a una altura de 3 a 4 pies (más de un metro), y las hojas puede crecer de 6 a 12 pulgadas (15 a 30 cm) de largo. Se cultiva extensamente en los trópicos (por ejemplo, la India, China, Haití y Nigeria), sobre todo en Jamaica.

Remedio contra la náusea

Un colega al que conozco desde hace años, el Dr. Daniel B. Mowry, del departamento de psicología de la Universidad de Brigham Young, en Provo, Utah, dirigió un asombroso experimento para demostrar que la raíz de jengibre en polvo es lo mejor que hay para la náusea y el vómito, superando inclusive al *Dramamine*, el medicamento que se recomienda generalmente para los mareos causados por movimiento.

A 36 estudiantes de nivel medio se les pidió que tomaran una de estas tres cosas: 100 mg de *Dramamine*, 2 cápsulas de raíz de jengibre en polvo, o 2 cápsulas de un placebo (oreja de ratón o *chickweed* en polvo). Luego, a cada uno se le puso una venda sobre los ojos y se le llevó a una silla especial de oficina que giraba cuando se encendía un motor.

Algo menos de media hora después de que los voluntarios tomaron una de las sustancias arriba mencionadas, se puso a funcionar la silla giratoria para inducir mareos y náuseas. Ninguno de los que había tomado el *Dramamine* o el placebo pudieron resistir seis minutos completos en la silla; sin embargo, un 50% de los que habían tomado las cápsulas de jengibre permanecieron en la silla todo el tiempo.

El grupo de la raíz de jengibre no experimentó vómitos, lo que sugiere que la hierba es apropiada para tomar cuando se viaja por avión, tren o barco. Un producto elaborado por *Great American*

Natural Products llamado *Ginger-Up* (vea el Apéndice) se ha hecho muy popular últimamente entre los viajeros y las mujeres embarazadas que padecen de malestar matinal; las dosis son de dos tabletas por vez.

Diluyente natural de la sangre

A las personas que padecen con frecuencia de coágulos sanguíneos por lo general se les recetan anticoagulantes para ayudarles a mantener la sangre relativamente fluida. Uno de los medicamentos más comúnmente usados para este propósito es el sodio de warfarina (*warfarin sodium* o *coumadin* en inglés). Por desgracia, también se usa como un potente veneno contra las ratas y puede producir graves hemorragias internas después de un tiempo. La raíz de jengibre es un sustituto ideal de esos diluyentes sintéticos de la sangre. Un promedio de 2 cápsulas 2 veces al día entre las comidas parece haber ayudado a un pequeño número de personas con esos problemas.

Alivio increíble para dolores y malestares

No hay nada que parezca funcionar mejor que una compresa de jengibre caliente colocada sobre dolores y malestares musculares, articulaciones rígidas, retortijones abdominales, cálculos renales, rigidez en el cuello, neuralgia, dolor de muelas, inflamación de la vejiga, prostatitis y extrema tensión corporal. Pero tenga en cuenta que aunque el jengibre es un maravilloso remedio, se necesita tiempo, considerable esfuerzo, paciencia y un cierto cambio en el estilo de vida para poder lograr buenos resultados.

Koji Yamoda, M.D., de Tokio, compartió esta cura conmigo.

Ponga a hervir 1 galón (4 litros) de agua destilada o mineral en una olla de esmalte *(enamel)* grande, con tapa. Mientras tanto, lave 1 1/2 raíces de jengibre fresco, pero *no* las pele. Luego, ralle estas raíces manualmente, rotando la mano en el sentido de las manecillas del reloj, en lugar de hacer el movimiento usual de hacia atrás y hacia adelante. Esto evita que esas duras fibras se acumulen en el rallador, dijo el Dr. Yamoda.

Entonces, coloque esta raíz de jengibre rallada en una tela limpia de muselina, ligeramente humedecida, que haya sido cortada para formar un pedazo de 8 pulgadas cuadradas (18 cm^2). Una las puntas para formar una bolsita y átelas con una cuerda o un hilo. Asegúrese de dejar bastante espacio dentro de la bolsa para que el aire y el agua circulen.

Antes de colocar esta bolsa de jengibre en el agua caliente, asegúrese de que ha bajado el fuego y que el agua ya no esté hirviendo. Ahora, destape la olla y, con cuidado, exprima el jugo de la bolsa en el agua, antes de dejarla caer en la olla. Tape y deje que todo hierva a fuego lento unos 7 minutos más. El Dr. Yamoda me informó que el líquido resultante adquiriría un matiz dorado y tendría el olor característico del jengibre. Se puede apretar la bolsa contra los lados de la olla con una cuchara de madera para que el agua se ponga amarilla, si le parece que demora un poco en ocurrir. Quite la olla del fuego cuando todo esté listo y colóquela a un lado.

Para que sean eficaces, las compresas de jengibre deben aplicarse relativamente calientes, insistió él, pero no tanto como para escaldar la piel del paciente. Además de usarse para compresas, este caldo de jengibre también puede ser añadido al agua del baño para remojar en ella una espalda dolorida o los músculos irritados, o para remojar unos pies cansados y doloridos. El paciente debe estar acostado en el piso para recibir todo el beneficio de estas compresas (ya sean por delante o por detrás).

Una toalla de mano se debe introducir en la olla, mientras se sostiene por los extremos. Se saca la toalla y se exprime el exceso de agua en la olla. La toalla caliente se dobla varias veces hasta darle el grosor deseado y se aplica directamente sobre el lugar dolorido. Una segunda compresa se puede colocar inmediatamente sobre o al lado de la primera, después de lo cual se coloca sobre ambas compresas una toalla de baño grande y seca, para poder retener tanto calor como sea posible durante la mayor cantidad de tiempo. La toalla de baño debe doblarse por la mitad al menos una vez antes de cubrir las compresas. En estas condiciones, las compresas deberían permanecer bastante calientes durante unos 15 a 20 minutos. El Dr. Yamoda recomienda que otro grupo de compresas se aplique durante un tiempo total de tratamiento de 45 minutos más o menos, y repetirlo otra vez unas 4 a 6 horas después, o según se necesite.

Él explicó que en todos sus años de práctica clínica, nada parecía haber aliviado tanto la mayoría de los dolores y malestares físicos como este remedio. Hasta había usado compresas de jengibre sobre el pecho de pacientes que sufrían de asma o bronquitis severas, aliviando en muy poco tiempo sus congestiones de flema. Compresas más pequeñas del tamaño de una toallita de mano pueden aplicarse sobre un lado del cuello, la garganta o la mandíbula para aliviar la neuralgia, la rigidez, la inflamación glandular y el dolor de muelas.

Alivio para dolores de cabeza causados por la hipertensión

Mezcle suficiente jengibre en polvo y agua fría en un tazón pequeño para hacer una pasta suave y fluida. Luego, aplíquela sobre la frente y las sienes con el dorso de una cuchara grande y acuéstese durante un rato. Ayudará a aliviar la tremenda presión que se está acumulando adentro de la cabeza y hará desaparecer esa sensación de que está a punto de "explotar".

Baja la fiebre, elimina la flema

Uno de los mejores medios para ayudar a bajar una fiebre alta y eliminar la mucosidad de los senos nasales, la garganta y los pulmones, es beber un poco de té de jengibre tibio. Ralle suficiente raíz de jengibre fresca como para tener 2 cucharadas rasas, luego añádalas a 2 tazas de agua hirviendo y tape, dejando reposar durante 30 minutos. Beba 1 taza mientras aún esté tibio, cada 2 1/2 horas.

JUDÍAS VERDES, CHAUCHAS, EJOTES, VAINITAS
(Phaseolus vulgaris)
(Green bean, Snap bean, String bean en inglés*)*
(Veáse también: FRIJOLES)

Breve descripción

Las judías verdes pertenecen a la misma especie de *Phaseolus* a la que pertenecen los frijoles colorados, las habichuelas blancas y las habas, con la diferencia de que las judías se recogen cuando aún están verdes en sus vainas. Estas judías verdes fueron introducidas por los indígenas norteamericanos a los primeros colonizadores y se convirtieron en uno de sus alimentos más populares. Las judías verdes son uno de los vegetales más "seguros" para servir a invitados que tengan gustos delicados y hábitos de comida muy selectivos.

Desaparecen los problemas del acné

La angustia de todos los adolescentes es el temido problema del acné. Pero hay un remedio eficaz para aliviarlo. Todo lo que un adolescente necesita hacer es lavarse la cara por la mañana, al mediodía y por la noche con un té de vainas de judías verdes.

Para el acné crónico, añada 3 cucharadas de flores secas de manzanilla *(chamomile flowers)* al té de vainas después de haberlo quitado del fuego. Tápelo y déjelo descansar hasta que el té se enfríe, luego cuélelo y embotéllelo. Lávese la cara con el té, cada 3 horas si es posible. También debería beber una taza todos los días.

Este mismo remedio da buenos resultados para el eczema, la dermatitis, la soriasis, la urticaria provocada por la hiedra venenosa, los puntos negros (espinillas), el herpes, las úlceras en los labios y otras afecciones similares de la piel.

Agente cosmético

Un sencillo extracto hecho de las flores de las judías verdes es magnífico para suavizar la piel, evitando que se pele mucho durante la recuperación de una dolorosa quemadura de sol, y puede también a veces disimular las pecas al aclararlas. Ponga a hervir 1/2 cuarto de galón (1/2 litro) de agua, quítelo del fuego y añada 2 puñados de flores de judías verdes recién cortadas. Tape y deje descansar 50 minutos; luego, póngalo en el refrigerador, *dejando las flores adentro.*

Lave suavemente la cara con esta decocción o coloque sobre la piel durante media hora una tela que haya sido remojada en la solución. Según el destacado especialista en salud Paavo Airola, el consumo diario de un té hecho de vainas de judías verdes es excelente para tratar la diabetes.

K

KAVA KAVA
(Piper methysticum)

Breve descripción

Este arbusto alto y frondoso del Sur del Pacífico ha sido usado durante muchos siglos en las islas de Oceanía como una bebida social para diferentes ocasiones. La infusión preparada con el rizoma de la planta se usa todavía en muchas ceremonias sociales, para dar la bienvenida a visitantes, para conmemorar matrimonios, nacimientos y muertes, y para quitar maldiciones.

Relajante polinesio

Un estudio recientemente publicado en la revista *Journal of Ethnopharmacology* señaló que las pironas en la kava kava contribuían a reducir la ansiedad y la fatiga, como también a relajar los músculos del corazón que se contraen espasmódicamente y a calmar la histeria.

Otros investigadores que han trabajado con la kava kava han descrito su efecto sobre el sistema nervioso central como "plácidamente tranquilo". En un estudio con ratas, encontraron que si bien esta hierba relajaba realmente a los roedores, de ninguna manera afectaba sus capacidades mentales o físicas en general.

Por ello la kava kava puede tomarse con regularidad sin que ello interrumpa la capacidad de trabajo. En realidad, probablemente ayudará a aliviar parte del estrés que acompaña a la mayoría de los trabajos hoy en día. La mejor marca de kava kava puede comprarse en cualquier tienda de alimentos naturales bajo el logotipo de *Nature's Way*. Se recomienda un promedio de 2 cápsulas 2 veces al día (al final de la mañana y de la tarde), con el estómago vacío.

KIWI

Breve descripción

El raro pero atractivo kiwi, una fruta en forma de huevo con una piel castaña aterciopelada y una pulpa dulce y verde, es nativo de Nueva Zelandia, donde está su mayor producción mundial (cerca de 1000 millones de kiwis se enviaron a 30 países sólo en 1986). El exótico interior es como una especie de explosión solar, con líneas blancas que irradian desde un centro color crema, pasan junto a las semillitas negras y siguen hasta la pulpa verde brillante.

De gusto agridulce, parece ser una suculenta combinación de sabores de fresa, banana, melón y piña, todos en una sola fruta. ¡Increíblemente delicioso e incomparable!

Alimento para la hipertensión

Un kiwi promedio contiene más de 250 mg de potasio. Este nivel tan alto de un importante mineral en una fruta tan pequeña lo hace un alimento ideal para los pacientes que padecen presión sanguínea elevada. Y como es un buen diurético, ayudará a eliminar la acumulación del exceso de sodio en el cuerpo. Un promedio de 2 a 3 kiwis cada 2 días es recomendable para quienes sufren de presión alta.

Un delicioso agente digestivo

Ciertas frutas como la papaya y la piña contienen importantes enzimas tales como la papaína y la bromelaína, que han demostrado ser valiosas para corregir problemas digestivos y ayudar a curar viejas llagas y heridas. El kiwi también contiene enzimas similares que tienen la misma aplicación médica. Comer 1 ó 2 kiwis después de una comida pesada ayudará a aliviar la acidez estomacal que a menudo acompaña a la indigestión.

KUNKUAT O NARANJITA CHINA
(véase: Cítricos)

L

LAUREL
(Laurus nobilis)
(Bay laurel o *Sweet bay* en inglés)

Breve descripción

El laurel es un arbusto o árbol pequeño y siempre verde nativo de la región mediterránea y de Asia Menor. Ha sido admirado desde el tiempo de los griegos y romanos por su belleza y sus aromáticas hojas. Sus hojas son correosas, lanceoladas, puntiagudas con un contenido máximo de aceite durante el comienzo y la mitad del verano. Varias plantas parecidas al laurel se conocen también como *"bay"* en inglés, tales como el *West Indian bay* o malagueta *(Pimenta racemosa)* y el *California bay (Umbellularia californica).*

Enjuague anticaspa para el cabello

El laurel es un magnífico enjuague anticaspa fácil de preparar. Ponga a hervir 1 cuarto de galón (litro) de agua. Quítela del fuego y añada aproximadamente 3 cucharaditas rasas de hojas de laurel desmenuzadas. Tape y déjelas reposar durante 25 minutos. Cuele y refrigere el té. Después de lavar y enjuagar el cabello, vierta un poco del té de laurel en la cabeza y frótelo bien en el cuero cabelludo. Luego, aplíquese unas cuantas onzas más del mismo té tibio, frotándoselo bien con sus dedos sobre el cabello y la cabeza. Deje su pelo así durante una hora más o menos, y luego enjuáguelo. Esto debe evitar que se produzca la caspa, si repite fielmente el procedimiento todos los días.

Remedio para la bronquitis y la tos

Aplique una cataplasma de hojas de laurel hervidas sobre el pecho; cúbrala con una tela apropiada para aliviar la bronquitis y la tos seca.

Alivio para la artritis

Se puede frotar aceite de hojas de laurel sobre los dolores y las molestias de la artritis, las torceduras musculares y las inflamaciones de los tendones para encontrar alivio. Para hacer el aceite, caliente algunas de las hojas en un poco de aceite de oliva a fuego muy bajo durante unos 20 minutos, sin llegar a cocinar el aceite demasiado ni a hacer que se queme o humee. Quítelo del fuego y permita que las hojas se queden inmersas en el agua caliente durante un rato. Cuele y use el aceite como sea necesario para esos y otros problemas, como los dolores en la parte inferior de la espalda, las venas varicosas y otros trastornos.

LECHUGA
(Lactuca sativa)
(Lettuce en inglés*)*

Breve descripción

La lechuga conocida como *iceberg* en inglés es tan común que realmente no necesita ser descripta aquí. Para los antiguos egipcios, el tipo de lechuga romana que crecía en la isla de Kos, cerca de la costa de Turquía, tenía un simbolismo sexual. Se pensaba que las hojas largas y duras se parecían al órgano sexual masculino y el jugo lechoso que sale de ella recordaba el semen emitido durante la eyaculación.

Alivia la acidez estomacal

Aunque la lechuga es, en general, muy difícil de digerir y no está en mi lista de alimentos recomendados, sí posee al menos una virtud médica. Cualquier tipo de lechuga es maravillosa para tratar la indigestión y la acidez estomacal, en lugar de tomar antiácidos como *Tums*.

En una licuadora, mezcle la mitad de un corte de hojas de lechuga con 8 a 10 onzas (230 a 300 ml) de agua muy fría hasta que obtenga un puré verde semiespeso, del tamaño de un batido. Bébalo lentamente para aliviar el malestar estomacal. Un poquito de miel y una pizca de vainilla se pueden añadir, si se desea, para darle sabor.

Funciones culinarias

La lechuga se usa generalmente en *sandwiches* y forma la base de la mayoría de las ensaladas mixtas. También se pueden servir sobre ella requesón y pedazos de frutas como parte de un aperitivo o adorno. Yo prefiero la lechuga romana o la de hoja más oscura a la *iceberg* común, ya que son mucho más saludables. Asegúrese de lavar muy cuidadosamente cualquier lechuga que use ya que a menudo contiene más rociadores químicos que otros tipos de vegetales.

LEGUMBRES
(véase: Frijoles)

LENTEJAS
(véase: Frijoles)

LIMÓN
(véase: Cítricos)

LIMA
(véase: Cítricos)

LINAZA
(Linus usitatissimum)
(Flaxseed en inglés*)*

Breve descripción

El cultivo de la linaza se remonta a los períodos más remotos de la historia. Tanto las semillas como la tela que se teje con la fibra de esta planta han sido encontradas en las tumbas de los antiguos egipcios. En realidad, los historiadores y arqueólogos han comprobado que el primer lino que se menciona en la Biblia fue hilado usando la linaza.

El lino es una graciosa planta anual con capullos azul-turquesa, que llega a crecer de 1 a 2 pies (30 a 60 cm) de altura. Los tallos por lo general son sencillos, bastante lisos, con hojas alternadas, lineales y sin pedúnculo, de casi 1 pulgada (2,5 cm) de largo. En la Biblia —en Éxodo 9:31— se les llama "cañas" a las cápsulas de cinco compartimentos en donde están las semillas: "el lino estaba en caña", lo que significaba que ya había llegado a un estado de madurez. Cuando las cápsulas o vainas están maduras, la linaza se saca y se ata en mazos. Para ayudar a la separación de las fibras de los tallos, los mazos se colocan en agua durante varias semanas y luego se ponen a secar esparcidos.

De las semillas aplastadas o molidas sale el aceite y la harina de linaza. El aceite se aplica a superficies de madera en finas capas para formar un barniz duro y transparente. Internamente, el aceite es usado por algunos veterinarios como purgante para las ovejas y los caballos, o hacen con las semillas hervidas una gelatina que se les da a los terneros.

Un laxante notablemente eficaz

Según el Dr. Hans Fluck, un profesor suizo de farmacología, si se colocan 2 cucharaditas de linaza dentro de media taza de agua caliente y se deja que se hinchen durante un máximo de 4 horas y se beben juntos el mucilago y las semillas, esto producirá un bolo fibroso en los intestinos que provocará una notable evacuación estomacal pocas horas después.

La mejor loción para las manos

Una mujer de Oregon, que había padecido de manos secas y cuarteadas durante años, había tratado todo tipo de loción para las manos que había en el mercado, pero sin éxito. Luego, encontró la linaza y ahora se hace su propia loción para las manos, que le resulta increíblemente eficaz.

Su receta requiere ante todo unas 3 cucharadas de linaza, entera o partida, que se deben poner en remojo durante toda la noche en 2 tazas de agua tibia. A la mañana siguiente, la mezcla se hierve y se cuela para quitarle lo más que se pueda del mucilago o baba gelatinosa; luego, las semillas se desechan. Se añade entonces a la gelatina 1 pinta (1/2 litro) de vinagre de sidra *(apple cider vinegar)*, junto a 5 cucharadas de glicerina (*glycerine,* disponible en las farmacias). La mezcla se calienta otra vez hasta el punto de hervor y entonces se quita enseguida del fuego. Tome un batidor de huevos *(eggbeater)* y bata la mezcla durante un minuto más o menos para evitar que la glicerina se separe. Embotéllelo. Mójese las manos con esta solución por la mañana y por la noche, frotándola bien en la piel y dejando que se sequen con el aire. Sentirá sus manos sedosas y sin grasa. Pronto se pondrán tan suaves como el satín.

LIRIO
(véase: Plantas ornamentales)

LÚPULO
(Humulus lupulus)
(Hops en inglés*)*

Breve descripción

El lúpulo es una planta trepadora perenne y adosada que se encuentra en forma silvestre en muchos lugares alrededor del mundo. Sin embargo, se cultiva sobre todo en Estados Unidos, Alemania y Yugoslavia, para hacer cerveza. El gusto amargo de la cerveza se deriva sobre todo de la sustancia *humulone* que se encuentra en el lúpulo.

El lúpulo tiene muchos tallos angulares y duros que crecen hasta 20 pies (7 metros) de largo, a partir de un rizoma con ramas. Las hojas son ásperas, opuestas, dentadas y de 3 a 5 lóbulos. Atractivas flores amarillo-verdosas adornan la enredadera; las flores masculinas están dispuestas en panículos y las femeninas en amentos o candelillas. El nombre de lúpulo por lo general se refiere al fruto escamoso y cónico que producen las flores femeninas.

Mata las bacterias

Extractos alcohólicos de lúpulo en varias formas de dosificación han sido usados clínicamente por médicos en la República Popular China, para tratar numerosas formas de lepra, tuberculosis pulmonar y disentería bacteriana aguda, con diversos grados de éxito. Esto podría deberse a la presencia de dos ácidos antibióticos que se encuentran en la hierba: *lupulon* y *humulon*. Ambos matan a las bacterias grampositivas y acidorresistentes tales como ciertas variedades de estafilococos, por ejemplo. Las infecciones de estafilococos se hacen evidentes en las heridas que supuran, en las llagas con materia fluida, en los abscesos, los furúnculos y en la osteomielitis (inflamación de la médula ósea y del hueso y el cartílago adyacentes).

Para hacer un extracto fuerte, mezcle 1 1/2 tazas de la fruta del lúpulo fresco cortada con 2 1/4 tazas de vodka rusa importada de buena calidad o de un brandy caro. Colóquelo en una botella pequeña con una tapa o corcho ajustado. Agítela diariamente, permitiendo que las hierbas suelten su extracto durante unas 2 semanas. Deje que las hierbas se asienten y vierta la tintura, a través de una tela de muselina limpia o un filtro de papel fino. Yo recomiendo un consejo dado por una vieja granjera europea, si usted quiere obtener una tintura potente: comience a hacer el extracto durante una noche de luna llena y cuélelo en otra luna llena, para que así el poder de atracción de la luna ayude a extraer del lúpulo la mayor cantidad posible de propiedades medicinales.

Dos cucharadas tomadas oralmente todos los días con el estómago vacío ayudarán a combatir la infección internamente. La misma cantidad también puede ser aplicada directamente con algodón sobre las llagas causadas debido a la permanencia prolongada sobre la cama *(bedsores)*. También se pueden saturar tiras limpias de gasa en esta tintura y vendar con ellas las heridas, las cuales sanarán más rápidamente.

Elimina la caspa

Después de que el cabello se restriega con un fuerte jabón y se enjuaga bien con agua, se puede frotar un poco de la tintura anterior en el cuero cabelludo para ayudar a controlar la caspa. Una forma más rápida y fácil, sin embargo, es enjuagar bien su cabello con el contenido de una lata de cerveza todos los días. Cualquier marca dará resultados.

Calma el nerviosismo y el insomnio

Se ha demostrado clínicamente que el lúpulo ejerce una fuerte acción sedante sobre los pacientes nerviosos y ayuda a dormir bien a los que padecen de insomnio. Ponga a hervir 1 cuarto de galón (litro) de agua. Añada 1 cucharada colmada de lúpulo y 1 de raíz de valeriana. Tape y deje hervir a fuego lento durante 5 minutos. Quite del fuego y deje reposar durante 5 minutos más. Endulce con un poco de almíbar de arce puro y beba 1 1/2 taza para ayudar a relajar el cuerpo.

Tenga en cuenta que como el lúpulo pierde rápidamente sus propiedades sedativas cuando se almacena, siempre debe ser usado tan fresco como sea posible o poco después que se ha secado y cortado. A las abuelas que vivían en el campo les gustaba llenar una funda de almohada de tela con flores de lúpulo que habían sido rociadas con un poco de alcohol para que liberaran sus preciados aceites. Varias mujeres ancianas de la secta amish, a las que he entrevistado anteriormente, juran por lo más sagrado que cuando reposan la cabeza sobre tales almohadas nunca pierden una noche de dormir y siempre tienen sueños agradables.

¿Contiene estrógenos el lúpulo?

Los estrógenos son hormonas que ejercen varias actividades biológicas en el cuerpo. Estas incluyen el crecimiento de los huesos, la prevención o detención de la producción de leche materna, la supresión de la ovulación, el alivio del cáncer de mama y de la glándula prostática, y la estimulación del deseo sexual en las mujeres para permitir el coito con los hombres.

Varios estudios citados en el volumen 11 de *Food & Cosmetics* indican una actividad estrogénica en el lúpulo que va de las 20.000 a las 300.000 unidades internacionales (*I.U.* por las siglas en inglés) por cada 100 gramos de esta hierba. Esto es comparable, o inclusive mayor, a la cantidad de estrógenos que ingiere diariamente una mujer que toma ciertos preparados de anticonceptivos orales. Esto puede ayudar a explicar por qué algunos herbolarios antiguos han recomendado el té de lúpulo para estimular la sexualidad.

M

MAÍZ
(véase: Cereales)

MALVA REAL
(véase: Plantas ornamentales)

MALVAVISCO
(Althaea officinalis)
(Marshmallow en inglés)

Breve descripción

El malvavisco es una planta perenne que crece hasta una altura de casi 4 pies (más de un metro) en algunos casos. Se cultiva y se encuentra también en forma silvestre en lugares húmedos y mojados, en todo el mundo. El rizoma es blanco y dulzón como la pastinaca, pero tiene bastante mucilago. La planta produce varios tallos lanosos sin ramas, con hojas dentadas y pubescentes. Las flores son de unas

2 pulgadas (5 cm) de ancho y pueden ser de un color rojo claro o púrpura intenso.

Una fórmula para curar las hernias

El fallecido herbolario Dr. John R. Christopher, desarrolló una fórmula especial para ayudar a sanar los ligamentos desgarrados y los músculos herniados. Su fórmula consiste en raíces de malvavisco y de consuelda *(comfrey)*, cortezas de olmo norteamericano *(slippery elm)* y de roble blanco *(white oak)*, algunas hojas de verbasco (gordolobo, *mullein)* y algunas flores de caléndula, junto con cantidades menores de hierba de esculetaria *(skullcap)*, cáscaras de nogal negro *(black walnut)* y un poquito de raíz de grava *(gravel)*.

Una señora de Orem, Utah, tenía un hijo adolescente a quien, por accidente (debido a que se puso a alzar pesas de manera inadecuada en el gimnasio escolar), le salió una hernia en la parte derecha de su ingle. Ella me dijo que hacía unos 11 años había conocido al Dr. Christopher en una conferencia sobre hierbas y le había explicado el problema, diciéndole que los médicos le estaban recomendando que sometiera al chico a una operación, lo cual ella no quería hacer.

Él le habló de su fórmula especial *BF & C*, la cual ella compró de la compañía de la familia del doctor, quien le dio instrucciones de cómo usarla. Ella le administró a su hijo 4 cápsulas 3 veces al día, con el estómago vacío, con suplementos adicionales de calcio, cola de caballo *(horsetail)* y zinc en cantidades no especificadas. Cada vez que el muchacho las tomaba, bebía un vaso de 8 onzas (250 ml) de jugo de papaya hecho de líquido concentrado. También evitaba los ejercicios intensos. Según lo que me dijo la madre, la hernia de su hijo se curó en 2 1/2 meses, lo que fue confirmado por un examen físico posterior y pruebas adicionales de rayos X.

Más tarde, *Nature's Way* obtuvo esta *Formula BF & C* del Dr. Christopher, la cual se vende en la mayoría de las tiendas de alimentos naturales *(health food stores)* en todo el país. La fórmula también es buena para los esguinces.

Un buen ungüento para curar las heridas

Para hacer un maravilloso ungüento que ayuda a curar mucho más rápidamente las llagas en el rostro, las erupciones de la piel, las úlceras en las piernas y las heridas, machaque ligeramente 1 galón (4 litros) de hojas frescas de malvavisco y 1 galón (4 litros) de flores de saúco (*elder,* especie *Sambucus*). Luego, espárzalas de forma uniforme sobre una asadera y añada unas 2 1/4 tazas de manteca de cerdo *(lard)* derretida o aceite de marca *Crisco* y 1 1/2 libra (700 g) de cera de abeja *(beeswax)*. Revuelva con una cuchara de madera y tápelo. Cocine en un horno a 150° F, hasta que las hierbas se pongan crujientes y se desmenucen fácilmente cuando se tocan. Cuele la mezcla a través de un colador de metal y siga revolviendo con una cuchara de madera hasta que esté totalmente frío. Se puede añadir 1 taza de glicerina *(glycerine)* o 2/3 taza de olmo norteamericano *(slippery elm)* en polvo para evitar que el ungüento se torne ácido después. Ponga en frascos limpios mientras esté relativamente tibio y deje que se afirme un poco. Selle con tapas apretadas y guárdelo en un sitio fresco y seco hasta que lo necesite.

MANDARINA
(véase: Cítricos)

MANGO
(véase: Frutas tropicales)

MANZANA
(Pyrus malus)
(Apple en inglés*)*

Breve descripción

La manzana silvestre (*crab apple,* en inglés) crece por toda Europa y hasta Asia Central, donde parece haberse originado. Los pueblos de Asia Menor no le prestaron atención durante mucho tiempo, pero los griegos ya la habían cultivado. En Roma, en la época del emperador Augusto había no menos de 30 variedades diferentes. Hoy en día existen más de 1400 variedades de manzanas en todo el mundo. Aunque la tradición asegura que la fruta prohibida del Jardín del Edén fue la manzana, la literatura apócrifa sugiere que fue la uva.

Una manzana al día, mantiene alejado al médico

Este viejo refrán popular en inglés *(an apple a day keeps the doctor away)* se había convertido en una manera simpática de explicar universalmente que las manzanas son un agente ideal de prevención del estreñimiento *y* la diarrea. El número de julio de 1978 del *The American Journal of Clinical Nutrition* informó que las manzanas ayudan a reducir el tiempo que lleva mover los intestinos, al incrementar el peso del bolo fecal, lo cual aumentó el número de visitas al baño durante un período de 24 horas.

En su libro sobre hierbas, Mary Quelch recomienda "una manzana horneada por la noche y luego otra en el desayuno como uno de los remedios más eficaces" que se conocen contra el estreñimiento. Así que la próxima vez que usted vaya a recurrir al *Ex-Lax,* considere comer una manzana de cualquier variedad.

Por otro lado, las manzanas también son buenas para tratar la diarrea aguda conocida en Estados Unidos como "la venganza de Moctezuma", la aflicción de tantos turistas que van a países extranjeros. Ralle una manzana madura, permitiendo que la pulpa se quede a temperatura ambiente durante varias horas hasta que se oscurezca bastante antes de comerla. La pectina oxidada que se encuentra en la fruta es el mismo ingrediente básico del medicamento antidiarreico *Kaopectate* de la empresa *Upjohn Pharmaceutical.*

Combate la infección

Usted probablemente nunca se imaginó que una manzana podía tener propiedades semejantes a las de la penicilina. Pues bien, científicos canadienses demostraron en el número de diciembre de 1978 de *Applied & Environmental Biology* que el jugo fresco de manzana o el puré (compota) fresco de manzana *(apple sauce)* pueden combatir los virus de la gripe estomacal *(stomach flu)* y de la polio.

¿Y qué pasa con esos desagradables gérmenes que pueden causar caries? Dos médicos británicos administraron a un grupo de niños una tajada o dos de manzana después de cada comida o merienda y descubrieron que al poco tiempo sus caries se habían reducido significativamente como resultado de ello.

El vinagre de sidra elimina los cálculos biliares

Una mujer de Napanee, Indiana, que había sufrido durante varios años de cálculos biliares, fue a la clínica para hacerse un chequeo general. Los rayos X mostraron numerosas piedras de varios tamaños. Un médico naturopático le aconsejó que bebiera durante cuatro días nada más que vinagre de sidra *(apple cider vinegar)*, en cantidades de 1/2 taza 5 veces al día. Y en los días segundo, tercero y cuarto ella bebió cantidades iguales (1/4 taza de cada uno) de vinagre de sidra y aceite de oliva virgen puro, mezclados juntos. Los cálculos fueron expulsados el quinto día, y nunca volvió a padecer de ellos.

Esto no debería sorprendernos. Según el volumen 31 (1987) de *Annals of Nutritional Metabolism,* "los extractos de fibra de manzana que contienen un alto nivel de pectinas redujeron el nivel del colesterol en los hámsteres". Por lo tanto, comiendo más manzanas se puede prevenir la formación de cálculos biliares inducidos por el colesterol.

Otros usos para el vinagre de sidra

El vinagre de sidra tiene aún una más amplia gama de aplicaciones, como lo indica esta lista:

➤ Ayuda a sanar las quemaduras cuando se aplica sobre las áreas afectadas una gasa humedecida en él.

➤ Alivia el dolor y el escozor cuando se frota sobre las mordeduras y picaduras de insectos.

➤ Elimina la caspa cuando se usa como enjuague del cabello después del lavado.

➤ Elimina el olor corporal cuando se usa en lugar del desodorante axilar.

➤ Cura los hongos de los pies cuando éstos se ponen en remojo en una solución fuerte.

Receta especial de manzanas horneadas

La primera receta a continuación ha sido adaptada con permiso de La Rene Gaunt y los editores de su libro *Recipes to Lower Your Fat Thermostat* (vea el Apéndice), mientras que la segunda es de mi propia invención cuando yo estaba involucrado en el negocio de los restaurantes hace años.

MANZANAS HORNEADAS CON RELLENO DE DÁTILES

Ingredientes: 6 manzanas del tipo *Rome Beauty,* lavadas, sin el centro y cortadas a la mitad; 6 cucharadas de dátiles *(dates)* sin semilla y picados; 1/3 taza de jugo de arándano agrio *(cranberry juice);* 1 pizca de canela *(cinnamon)* y 1 de nuez moscada *(nutmeg).* Coloque las manzanas en un plato de hornear de vidrio. Rellene cada una con 1 cucharada de dátiles y rocíelas primero con el jugo de arándanos, y luego con canela y nuez moscada. Póngalas a cocinar, cubiertas, en un horno a 400° F, hasta que estén tiernas —unos 45 a 60 minutos. Sírvalas tibias, echándoles por encima un poco de yogur sin sabor y un chorrito de almíbar de arce puro *(pure maple syrup).*

FRIJOLES HORNEADOS CON MANZANAS

Las manzanas del tipo *Golden Delicious* le dan un toque jugoso a este plato de frijoles horneados de gran sabor. Quite las semillas y corte en tajadas una manzana *Golden Delicious.* Forme con las tajadas una capa en el fondo de una cacerola de 1 1/2 cuarto de galón (1 1/2 litro), engrasada con lecitina *(lecithin)*, reservando varias tajadas para colocarlas por encima. Con

1 cuarto de galón (litro) de frijoles horneados *(baked beans)*
mezcle 1/4 taza de azúcar morena *(brown sugar)*, 1 cucharada
de jugo de naranja y 1 de vinagre de sidra *(apple cider vinegar)*
y 2 cucharadas de mostaza preparada. Mezcle todos estos ingredientes cuidadosamente y viértalos en la cacerola. Arregle las
manzanas por arriba. Cubra y hornee a 350° F durante casi 1
hora. Destape y hornee 30 minutos más. Suficiente para 4 a 6
porciones.

MANZANILLA

MANZANILLA ALEMANA
(Matricaria chamomilla o recutita)

MANZANILLA ROMANA
(Anthemis nobilis o Chamaemulum nobile)

Breve descripción

La manzanilla alemana es una hierba anual y fragante, con lindas flores que puede alcanzar una altura de 16 pulgadas (40 cm). Las hojas son de un verde pálido y pronunciadamente aserradas. La manzanilla romana es una planta perenne, de una fuerte fragancia, pelosa y con muchas ramas con florecillas blancas semejantes a rayitos; puede alcanzar un pie de altura. Ambas manzanillas se cultivan extensamente en los países de Europa y del Mediterráneo, y también se encuentran silvestre en Estados Unidos, Canadá y Argentina.

Calma el dolor de cabeza y la hiperactividad

Si usted ha sufrido alguna vez de migraña ocasional o tiene hijos o nietos hiperactivos, entonces debe considerar el éxito que el famoso herbolario francés Maurice Mességué tuvo con la manzanilla. Después de sólo 14 días de tratamiento intenso con la manzanilla pudo curar a un hombre que padecía de migrañas paralizadoras. Para hacer un té sabroso y relajante, ponga en remojo durante 40 minutos 2 cucharadas de flores frescas o secas en 1 pinta (1/2 litro) de agua hirviendo. Cuele, endulce con almíbar de arce puro y beba 1 ó 2 tazas cada vez.

Fantástico agente de belleza

Los herbolarios europeos elogian los grandes beneficios cosméticos que se derivan del uso de la manzanilla. Cuando se lava el rostro con té de esa hierba varias veces a la semana, la cara tendrá un resplandor más saludable y juvenil. El mismo té también constituye un maravilloso suavizador del cabello, especialmente para el cabello rubio, haciéndolo más dócil y brillante.

Para hacer el té, ponga a hervir 1 pinta (1/2 litro) de agua, luego quítela del fuego y añada 2 cucharaditas de flores secas. Tape y deje reposar durante 45 minutos. Cuele y úselo cuando esté entre tibio y frío. La hierba cortada cruda y seca se vende en cualquier tienda de alimentos naturales o en el catálogo de *Indiana Botanic Gardens* (vea el Apéndice).

Maravillosa para los problemas de la piel

La manzanilla es especialmente beneficiosa para la piel, ayudando a tratar una serie de problemas que van desde la piel escamosa e irritada hasta las arrugas y marcas de estiramiento. Una notable crema de manzanilla importada de Europa ha sido objeto de elogios por parte de especialistas de la piel y consumidores en Estados Unidos. Llamada *CamoCare*, está disponible en la mayoría de las tiendas de alimentos naturales *(health food stores)* o en el catálogo de *Abkit, Inc.* (vea el Apéndice).

Yo he recibido numerosos testimonios referentes al éxito que han tenido muchas personas que han usado esta maravillosa crema de manzanilla hecha en Fráncfort. John Sinnette, de 78 años de edad, de Tustin, California, es uno de ellos.

> Francamente, yo estaba un poco escéptico de que me haría bien para la urticaria que tenía en el vientre y las piernas, ya que la había tenido durante mucho tiempo y la crema antifúngica que el doctor me había dado me había hecho poco bien. Para mi sorpresa, ¡el sarpullido rojo desapareció casi por completo después de unos 4 días de aplicarme la crema 2 veces al día!

Reduce la inflamación y la hinchazón

La manzanilla puede ser usada en forma de compresa y lavado para los problemas externos de inflamación y como un ungüento muscular para frotar la rigidez muscular y la parálisis temporal de las extremidades. Para hacer un té eficaz que puede beberse o usarse como enjuague, ponga a hervir en 1 a 2 pintas (1/2 a 1 litro) de agua, 2 cucharaditas colmadas de flores secas o frescas. Inmediatamente, quite del fuego y deje reposar durante unos 20 minutos. Beba 1 taza de 2 a 3 veces al día y lave con este té las áreas inflamadas de la piel, también varias veces al día.

Para hacer un buen aceite para masajear las extremidades rígidas o paralizadas, incluyendo el dolor de espalda, llene una botellita con algunas flores frescas de manzanilla y luego añada un poco de aceite de oliva hasta que éste cubra las flores. Tápela bien y déjela al sol durante 2 semanas, y luego guárdela en el refrigerador para usarla cada vez que la necesite. Entibie el aceite que va a usar antes de frotárselo bien sobre la piel.

Gran alivio para las alergias

Uno de los componentes principales de ambas manzanillas, pero especialmente de la variedad alemana, es el azuleno. Este compuesto ha ayudado en la prevención de ataques epilépticos en los conejillos de Indias hasta una hora después de haber sido administrado. Es posible también que el azuleno cure la fiebre del heno. La manzanilla es buena para aliviar los ataques asmáticos de los niños y adultos. Un eficaz rociador o *spray* de manzanilla para la garganta se vende en la mayoría de las tiendas de alimentos naturales *(health food stores)* bajo la etiqueta de *CamoCare*, y ha sido usado con éste propósito. Un asmático puede rociarse un poco de esta manzanilla concentrada en la boca, hacia el fondo de la garganta, para aliviar las sensaciones de ahogo y para facilitar una mejor respiración.

Además de beber de 3 a 4 tazas de té de manzanilla tibio todos los días durante la temporada de alergia para los adultos (de 1 a 2 tazas todos los días para los niños pequeños), también es aconsejable inhalar los vapores calientes, cubriéndose la cabeza con una toalla de baño gruesa y sosteniendo el rostro a una distancia de 8 a 10 pulgadas (20 a 25 cm) encima del recipiente que contiene el té acabado de hacer, durante unos 12 a 15 minutos.

Regenera el hígado

Sólo unas pocas preparaciones herbarias a base de productos del reino de las plantas son capaces de regenerar o producir un nuevo tejido de hígado. El jugo de tomate es una de ellas y el té de manzanilla alemana es otra. Dos compuestos, el azuleno y el guaiazuleno, iniciaron un nuevo crecimiento de tejido en ratas a quienes se les había extraído quirúrgicamente una porción de sus hígados anteriormente, según el Volumen 15 de *Food & Cosmetics Toxicology,* de 1977. Para estimular la formación de nuevo tejido hepático, se recomienda beber hasta 6 tazas de té de manzanilla un día sí y un día no, en un promedio de 3 a 4 tazas diarias. En este caso en particular, el té parece que funciona mucho mejor de lo que lo harían las cápsulas en polvo. Este tratamiento tal vez sea especialmente bueno para quienes sufren de enfermedades degenerativas del hígado, tales como la hepatitis infecciosa o el virus del SIDA.

MARAVILLA
(véase: Plantas ornamentales)

MARRUBIO
(Marrubium vulgare)
(Horehound en inglés*)*

Breve descripción

El marrubio es una planta perenne que se halla en las praderas y los pastizales y a lo largo de las vías del ferrocarril y de las carreteras en las áreas costeras de Estados Unidos, Canadá, Gran Bretaña, Francia y Alemania. Su rizoma duro y fibroso produce muchos tallos tupidos, cuadrados y pelosos. Sus hojas distintivas son rugosas, ásperas por encima y suaves como lana por debajo.

Un verdadero descongestionante

Nada desintegra mejor una congestión seria de flema que el marrubio. En realidad, he encontrado que funciona mejor que la fárfara *(coltsfoot)*, otro descongestionante. Una taza de marrubio tibio hará que se suelte enseguida la flema de la garganta, de los pulmones y de las fosas nasales de una manera increíble, y aliviará considerablemente los malestares asociados con el dolor de cabeza causado por la sinusitis.

Para hacer el té, ponga a hervir 1 pinta (1/2 litro) de agua y luego añada 2 1/2 cucharaditas de hierba fresca o seca. Quite del fuego, tape y deje descansar durante 45 minutos. Bébalo mientras aún está tibio con un chorrito de jugo de limón y endulzado con unas gotas de melaza *(blackstrap molasses)*. Constituye un brebaje realmente fuerte capaz de acabar con cualquier catarro.

El caramelo hecho de marrubio constituye un superremedio para la garganta irritada y los pulmones inflamados causados por el catarro, la influenza, las alergias o el cigarrillo. Ingredientes: 1 onza (30 ml) de marrubio fresco o 1/4 taza del seco; 1 1/2 taza de agua; 2 tazas de miel; 1 taza de melaza.

Hierva el agua en una cacerola pequeña. Añada marrubio y deje hervir a fuego lento durante 10 minutos. Saque del fuego y deje reposar por 5 minutos, luego cuélelo en una olla de 1 1/4 galón (5 litros). Añada la miel y la melaza a la olla, mezcle y cocine a fuego medio hasta que la temperatura llegue lentamente al punto en que se hace el caramelo: 300° a 310° F en un termómetro de caramelo. Los residuos que se forman pueden ser sacados con una cuchara y desechados antes de que el caramelo alcance una temperatura alta. No mezcle mientras se está cocinando aunque se formen burbujas espumosas. Vierta en una asadera engrasada de 9 × 13 pulgadas (20 × 30 cm) y corte en pedazos antes de que se asiente, a medida que se vaya enfriando. La mezcla se asentará y endurecerá a medida que se enfríe. Chupe un pedazo de este caramelo de marrubio para aliviar la tos molestosa.

MEJORANA Y ORÉGANO
(Origanum majorana, O. vulgare)
(Marjoram y oregano en inglés)

Breve descripción

La mejorana dulce es una hierba perenne tierna y tupida, con hojas velludas, que llega a 1 1/2 pies (1/2 metro) de altura. Es nativa de los países mediterráneos, pero se cultiva como planta anual en climas más fríos. La hierba floreciente seca da un olor parecido al de la salvia y deja un ligero sabor a menta en la boca.

El orégano no sólo consiste de una o dos especies bien definidas, sino más bien de más de dos docenas de especies conocidas que producen hojas o florecillas que tienen el sabor reconocido como el del orégano. El orégano europeo es una hierba perenne y fuerte con tallos erectos, más o menos vellosos, con ramas y hojas velludas. La hierba puede crecer hasta más de 2 pies (65 cm) de altura, y tiene un sabor agrio y amargo, con un aroma fuerte parecido al de la salvia y que recuerda al del tomillo.

Fiebres, calambres, epilepsia

En mi libro titulado *The Complete Spice Book,* discutí extensamente una gran cantidad de usos para ambas hierbas culinarias. Cuando se hacen en forma de té y se consumen entre tibias a ligeramente frías, ellas ayudan a reducir la fiebre y a aliviar los calambres, además de ser buenas para la bronquitis, las enfermedades infantiles como el sarampión y las paperas, y la menstruación irregular. Cuando se aplica el aceite de orégano (*Oil of Oregano* que se puede obtener en algunas compañías farmacéuticas) en el cuello, la columna, la garganta, el pecho y las sienes de una persona que esté teniendo un ataque epiléptico y se frota bien en su piel, a menudo puede ayudar a sacar a la persona de ese estado mucho más rápido y con menos complicaciones.

Para hacer el té, ponga a hervir una pinta (1/2 litro) de agua. Quítela del fuego y añada 1 cucharadita al ras de mejorana y 1 cucharadita al ras de orégano. Revuelva bien, tape y deje descansar durante unos 30 minutos. Cuele y refrigere, calentando ligeramente

solamente la cantidad que se va a consumir en un momento determinado. Generalmente se sugiere 1 taza de 2 a 3 veces al día.

Usos culinarios

La mejorana se usa como un ingrediente para dar sabor en la mayoría
de las categorías de alimentos, incluyendo bebidas alcohólicas (licores amargos, vermuts, cervezas, etc.) y no alcohólicas, postres congelados de productos lácteos, caramelos, panes y pasteles, gelatinas
y budines, carnes y sus derivados, condimentos y salsas, entre otros.
La mejorana dulce se utiliza también en carnes y sus derivados,
condimentos y salsas, sopas, golosinas, vegetales procesados, y en
los panes y pasteles, donde se encuentra su más alto promedio de
uso de alrededor de un 1%.

El orégano europeo se usa extensamente como un ingrediente
básico para dar sabor a las pizzas. El orégano mexicano, más picante,
se usa mucho en los platos mexicanos (*chile, chile* con carne, etc.); no
se usa en las pizzas tanto como el orégano de tipo europeo, el cual es
más suave. El orégano se usa también mucho en otros alimentos,
incluyendo bebidas alcohólicas, panes y pasteles, carnes y sus derivados, condimentos y salsas, productos lácteos, vegetales procesados,
golosinas, grasas y aceites, y otros. Su más alto nivel de promedio de
uso —un 0,3%— se halla en los condimentos, las salsas y los productos lácteos.

MELOCOTÓN, PERA Y MEMBRILLO
(Peach, Pear y Quince, en inglés)

Breve descripción

MELOCOTÓN o DURAZNO *(Prunus persica).* Los cientos de variedades de duraznos que existen se pueden dividir en dos grupos: los abrideros (*freestones* en inglés), la variedad que tiene la pulpa suave y jugosa, que se separa fácilmente del carozo; y los *clingstones* (pérsicos, peladillos), la variedad con pulpa más dura, que se adhiere firmemente al carozo. Variedades de los *clingstones,* como la *Red Haven,* se usan generalmente para conservas *(canning);* las de los abrideros, como la *Rio Oso Gem,* se comen frescas o congeladas. Los melocotones se originaron en China hace varios miles de años y eran venerados como frutas de inmoralidad.

MEMBRILLO *(Cydonia oblonga).* Esta fruta amarilla de forma semejante a la pera se originó en Asia Menor y ha sido cultivada durante cuatro milenios. En la época medieval, la mayoría de los europeos la comía fresca y también la cocinaba y preservaba. En una época se pensó que los membrillos eran un tipo de pera y, ciertamente, las peras a veces se cultivan en un rizoma de membrillo, pero las dos frutas no pueden hibridarse. Hasta finales del siglo XVIII, la mermelada se hacía casi siempre de membrillo: la palabra "mermelada" proviene de *marmelo,* lo que significa membrillo en portugués.

PERA *(Pyrus communis).* Esta es una fruta delicada, aristocrática, de áreas templadas, que existe en miles de variedades antiguas y en otras nuevas que se están produciendo constantemente. Pocas frutas varían tanto en color, textura, sabor, tamaño y forma. Las peras son también una excepción a la regla general de que las frutas que se maduran en el árbol son las mejores: éstas se recogen cuando han alcanzado todo su tamaño pero aún estando verdes, y llegan a alcanzar su más fina textura y sabor (suave en el interior pero todavía firme en el exterior) cuando han sido separadas del árbol. La pera más comúnmente cultivada en Estados Unidos, la *Bartlett,* tiene forma de campana, con la piel amarilla y es de un color rojo-rosado cuando está madura. Es excelente escalfada, enlatada o cruda en temporada, que es entre julio y mediados de octubre.

Para tener un cutis hermoso

Debido al extremadamente elevado contenido de humedad y el delicado equilibrio mineral, el melocotón, la pera y el membrillo constituyen embellecedores ideales para obtener un cutis resplandeciente. Paul Neinast, quien dirige un famoso salón de belleza en Dallas, Texas, mezcla melocotones con papaya, plátano (banana) y aguacate *(avocado)* en una licuadora hasta que se hagan puré. Esta máscara facial se aplica y se deja sobre el rostro durante 30 minutos, después de lo cual se enjuaga con agua tibia. Entonces él satura varias bolitas de algodón con cualquier aceite poliinsaturado (el aceite de girasol o *sunflower oil* es bueno) y frota suavemente la piel con un movimiento circular. Esto mantiene la sequedad afuera, la humedad adentro y le da a la piel más elasticidad. El rostro también puede ser frotado con un poquito de jugo de algunas uvas verdes exprimidas antes de que se aplique el aceite. Este tratamiento parece dar a la piel una textura mucho más suave que la que pudo haber tenido antes.

Un cóctel matutino compuesto de estas tres frutas es una manera excelente de expulsar de su sistema todos los residuos que pudieran haberse acumulado durante la noche. En una licuadora, mezcle la mitad de 1 melocotón fresco, sin carozo, la mitad de 1 pera fresca y 1 membrillo entero. No pele ninguno de ellos, pero lávelos bien antes de licuarlos. Añada suficientes cubitos de hielo partidos y agua fría mineral o agua *Perrier* para hacer una bebida refrescante y sabrosa que sea suave, pero no demasiado espesa.

Si alguien tiene problemas con furúnculos, carbunclos o ese tipo de llagas que se niegan a cicatrizar, mezcle en una licuadora unas 4 hojas frescas del melocotonero, un par de tajadas de papa cruda, *sin* pelar, que tengan 1/16 de pulgada (15 milímetros) de grosor y unas 3 pulgadas (8 cm) de ancho, y 1 1/2 taza de agua hirviendo. Cuando se haya formado un puré tibio, viértalo en una tela gruesa y limpia y colóquela un rato sobre el furúnculo. En caso de que no salga nada, tal vez tenga que pincharlo primero con una aguja previamente desinfectada sobre una llama durante 30 segundos, antes de que se pueda aplicar la próxima cataplasma tibia con éxito.

Un viejo pero confiable remedio para eliminar la inflamación y decoloración que acompañan a los chichones, los moretones y las raspaduras requiere de 3 a 5 hojas del melocotonero, las cuales se deben desmenuzar a mano antes de ponerlas a hervir a fuego lento durante aproximadamente 25 minutos, en unas 2 tazas de leche condensada.

Después, se deja reposar la solución y se tapa; luego se cuela cuando esté fría. Esta loción útil se aplica directamente al área afectada frotándola sobre la piel, o en una bolita de algodón o tela de gasa remojada en la solución, sostenida con una venda adhesiva. Esta misma solución es también maravillosa para aliviar las quemaduras del sol.

Usted debería recoger unas cuantas hojas del melocotonero durante el verano, cuando la fruta está madura, y conservarlas en el congelador para usarlas más tarde en el invierno, cuando ya no estén disponibles. Las hojas del melocotonero tienen una considerable actividad enzimática que necesita ser reducida antes de ser congeladas, pero no se deben destruir hirviéndolas en agua caliente. El mejor método de escaldar *(blanching)* es suspenderlas *por encima* del agua hirviendo y darles vapor durante unos 10 minutos, antes de enfriarlas *por encima* (pero no *dentro*) de agua helada.

Vierta agua hasta la mitad de una olla grande y profunda con una buena tapa, y hágala hervir. Por encima de la olla coloque un colador de alambre grande (del tipo que se usa para colar los espaguetis), apoyándolo en el borde de la olla y que no llegue a tocar el agua hirviendo. Ponga unas hojas frescas y lavadas en el colador. Tape la olla y deje hervir a fuego alto para cocinar las hojas al vapor por unos 10 minutos. Para enfriarlas, use el mismo procedimiento en otra olla, la cual debe estar cubierta y puesta en el congelador durante un par de minutos para acelerar el enfriamiento.

Después de esto, las hojas se deben esparcir cuidadosamente sobre varias toallas de papel (colocadas unas encima de otras) y se deben cubrir con más toallas de papel para lograr secarlas por completo. Luego, se pueden guardar en el congelador, en recipientes herméticamente cerrados, de plástico o vidrio, hasta que se necesiten.

Las hojas frescas del melocotonero que son aplastadas y mezcladas con un poco de leche condensada dulce constituyen una loción eficaz para ayudar a limpiar el escozor causado por la hiedra venenosa, el herpes zoster y el malestar de la soriasis. Una alternativa sería añadir un puñado de hojas a 2 tazas de agua hirviendo, y luego tapar para dejar que se remojen durante un rato antes de usarlas.

Otra loción de la piel muy eficaz para quemaduras e inflamaciones se prepara mezclando las tres frutas (melocotón, membrillo y pera) en una licuadora con suficiente hielo raspado como para hacer un puré frío y espeso, el cual se esparce sobre una muselina limpia y se coloca sobre la piel. Pero, no importa cómo las use, ¡son excelentes para tener un cutis maravilloso!

Alivia la indigestión y el estreñimiento

Las hojas del melocotonero son sensacionales para los problemas digestivos y el estreñimiento. Una mujer de Paris, Tennessee, en una ocasión me escribió que hacía un té con las hojas para su bebé de 15 meses, quien padecía de gases intestinales. "A él le gustó el té", dijo ella, "y logró lo que yo quería". Además, ella misma bebía varias tazas del té todos los días y encontró que era un laxante maravilloso. El mismo té puede ayudar también a aliviar la inflamación de la vejiga en los hombres.

Jarabe de melocotón para la fiebre y la congestión

Un antiguo y confiable remedio empleado a menudo por los indios norteamericanos y los africoamericanos es un jarabe preparado con la almendra *(kernel)* y la piel del melocotón para tratar la fiebre intermitente, la bronquitis crónica y el asma, así como el resfrío común y la gripe. Añada unos 2/3 taza de piel de melocotón y 2/3 taza de semillas de melocotón secas y partidas, a 2 tazas de vinagre de sidra y 2 tazas de agua pura *destilada*. Tape y deje reposar en un sitio cálido durante cinco días, revolviendo varias veces al día. Luego hágalo hervir a fuego lento hasta que se reduzca a poco más de una pinta (1/2 litro) de líquido. Entonces añada 1/2 taza de brandy o whisky para conservarlo y guarde la solución en un frasco de frutas herméticamente cerrado. Cada 3 a 4 horas se puede tomar 1 cucharada del jarabe para reducir la fiebre y eliminar la flema acumulada.

Este jarabe trabaja bastante bien contra los parásitos intestinales en cantidades de 2 cucharadas, de 2 a 3 veces al día. Se cree que el ácido cianhídrico *(hydrocyanic acid)* que se encuentra en él es un buen sustituto de la quinina, que se obtiene de la corteza del quino peruano. Este jarabe puede usarse también en forma de gotas para aliviar el dolor de oídos. ADVERTENCIA: *No se debe* tomar más de un par de cucharadas de este jarabe a la vez, aunque, si es necesario, la misma cantidad se puede dividir a lo largo de un día entero sin problemas.

Tónico de frutas para constituciones débiles

Con peras y membrillos se puede hacer un sabroso mucilago que es un tónico suavizador y fortalecedor para sistemas digestivos delicados, una ayuda para los problemas de anemia y un agente que acelera la recuperación de enfermedades graves o de una cirugía complicada. Quíteles los centros a varias peras y membrillos maduros antes de cortarlos y ponerlos en una licuadora junto con 3 tazas de jugo de zanahoria. Mezcle durante varios minutos a velocidad media. Esto constituye un tónico delicioso cuando se toma por la mañana y por la noche en porciones de un vaso de 8 onzas (250 ml). Enfríelo antes de usarlo.

Levadura casera

En Estados Unidos del siglo XIX, cuando no siempre había levadura de hornear disponible para hacer pan, las mujeres a menudo hacían sus propias levaduras. Usted puede hacer lo mismo con las hojas de melocotón. Tome 3 puñados de hojas de melocotón y 3 papas de tamaño mediano y hiérvalas en 2 cuartos de galón (2 litros) de agua hasta que las papas estén cocidas. Saque las hojas y deséchelas. Luego, pele las papas y frótelas bien con 1 pinta (450 g) de harina, añadiendo bastante agua fría como para que se forme una pasta. Luego, vierta esto sobre el té caliente de hojas de melocotón y escalde las papas durante 5 minutos. Si añade a esto un poco de levadura vieja, se podrá usar en 3 horas. De lo contrario, es necesario que lo deje reposar un día y una noche en un rincón cálido, cubierto con una tela, antes de que la nueva levadura esté lista para ser usada.

Cómo hacer sabrosas mermeladas y jaleas de frutas

La mermelada (*jam* en inglés) no es más que la fruta entera, aplastada o en pedazos, y combinada con azúcar, pero no mantendrá su forma como lo hace la jalea (*jelly* en inglés). Esta última es una mezcla de jugo de fruta y azúcar, clara y lo suficientemente firme como para mantener muy bien su propia forma.

El secreto de hacer buenas conservas consiste en mezclar adecuadamente 4 ingredientes claves: fruta, pectina, ácido y azúcar. La fruta da el sabor y el color característico. La pectina y el ácido se encuentran en todas las frutas, pero en diferentes grados; combinados con el azúcar, hacen que el producto se convierta en jalea. El azúcar sirve también como un agente conservador y, naturalmente, añade su propio sabor dulce.

Quienes se preocupan por la salud y tienen reparos con el azúcar refinada, pueden usar azúcar morena *(brown sugar),* pero ésta no logrará un producto tan claro como lo haría el azúcar refinada, sobre todo cuando se trata de jaleas. También, de 1/8 a 1/4 de la cantidad de azúcar que pide la receta puede sustituirse por miel sin que se afecte seriamente la conserva.

La mayoría de las frutas necesitan que se les añadan frutas ricas en pectina, como manzanas, manzanas silvestres *(crab apple)* o uvas, o sus jugos; o que se añada pectina comercial, tales como *Certo* (un líquido) o *Sure-Jell* (un polvo). La manera más fácil de hacer conservas caseras es usando pectina comercial: el tiempo de cocción es más breve y más predecible, y los resultados son casi siempre buenos.

Este es el procedimiento básico para hacer jalea. Aplaste la fruta y póngala a hervir a fuego lento hasta que comiencen a salir el jugo. Coloque la fruta aplastada en una bolsa de jalea *(jelly bag).* La mejor bolsa de jalea que jamás he visto fue un viejo saco de sal, cuyo grueso tejido atrapa la pulpa y las semillas al tiempo que deja que los jugos se vayan colando lentamente. Unas 5 capas de estopilla (gasa, *cheesecloth*) pueden servir también.

Después de poner la fruta en la bolsa, asegúrese de recoger todo el jugo que se cuele. Luego mida la cantidad de pectina que pide la receta que se encuentra dentro de la caja en la que viene. No trate de hacer grandes porciones; conténtese con hacer cantidades pequeñas que son más fáciles de manejar.

Coloque el jugo en una olla, añada la pectina, caliente y agregue, mezclando, la miel o el azúcar. *Nunca* use ollas o cacerolas de hierro, cobre, aluminio o acero galvanizado cuando haga jalea. Hierva, *revolviendo constantemente.* Luego haga la prueba de la jalea para ver si está hecha. Ponga la cuchara en la mezcla que está hirviendo, sosténgala sobre el fuego para que se enfríe ligeramente y tórnela hacia un lado. Si se forman dos gotas que luego se unen y resbalan o deslizan de la cuchara formando una lámina, la jalea ya está hecha. Si el líquido corre como si fuera agua, necesita hervir más. Como el ya fallecido experto de las plantas, Euell Gibbons, escribió: "No hay instrucción que pueda sustituir a la experiencia para hacer bien esta tarea... (pero) usted se sorprenderá de lo rápido que dominará este arte".

Cuando su jalea pase esta sencilla prueba y parezca estar lista para el próximo paso, quítela del fuego. Luego recoja y deseche la espuma acumulada y vierta la jalea con una cuchara en un frasco esterilizado de conservas (*Mason canning jars*, en inglés) de media pinta (1/2 litro) con tapa de dos piezas (una banda de metal y tapa de metal con una banda de goma que rodea el borde). Estos son mucho mejores que los frascos convencionales reciclados (de alimento infantil, mayonesa, mostaza, pepinos y cosas así).

Después de llenar cada frasco, séllelo bien. Luego someta cada frasco a un baño de agua hirviendo durante unos 7 minutos, lo cual ayuda a esterilizar aun más los contenidos y ajusta más las tapas de los frascos, previniendo así una futura contaminación. Las jaleas y las mermeladas hechas de esta manera pueden ser guardadas durante un máximo de 3 años en un lugar frío y seco. Los anillos de metal de las tapas deben quitarse después de un año para evitar que se oxiden. Sin embargo, si aparece moho por alguna razón en su jalea o mermelada, no debe comerla bajo *ninguna* circunstancia. Estos mohos pueden ser altamente tóxicos y se sabe que han producido cáncer en animales de laboratorio. ¡Deseche inmediatamente esos productos!

JALEA DE MELOCOTÓN Y MANZANA SILVESTRE

Use la fruta madura y roja de la mata floreciente de la manzana silvestre japonesa *(Japanese crab apple),* un arbusto ornamental común, y melocotones *Hailstone* muy maduros, si es posible. Agosto es el mejor mes para obtener ambas frutas en un estado de maduración. Córtelas en mitades y quíteles las semillas y el carozo. Cubra con agua mineral o destilada. Lleve al punto de hervor, dejando hervir a fuego lento durante 20 minutos. Vierta el jugo; cuele a través de un filtro de café para obtener una jalea más clara. A 7 tazas de jugo, añada 1 paquete de pectina comercial. Lleve hasta el punto de hervor, mezclando todo el tiempo. Hierva durante 1 minuto, luego quite del fuego. Saque la espuma y vierta la jalea en frascos. Selle con tapas de 2 piezas.

MERMELADA DE MELOCOTÓN, PERA Y MANZANA

Lave, pele y saque el carozo a unos 4 melocotones de 2 1/2 pulgadas (7 cm) de diámetro, y 4 peras *Bartlett*. Asegúrese de que ambas frutas estén bien maduras. Aplástelas y mida 2 tazas de esta mezcla en una olla grande. Lave, pele y saque las semillas a 1 manzana grande; píquela en pedazos y añada 1 taza de ella a los melocotones y peras. Agregue 1/8 de cucharadita de cardamomo *(cardamom)* y 1/8 de cucharadita de canela *(cinnamon),* ambos en polvo. Mezcle 6 tazas de azúcar morena *(brown sugar)* y 1/2 taza de miel con 1/3 taza de jugo de lima (limón verde, *lime*) con las frutas y ponga todo a hervir a fuego alto, mezclando constantemente. Luego añada 12 cucharadas (6 onzas fluidas) de pectina de frutas comercial en líquido. Haga que hierva, y que hierva bien, durante 1 minuto, mezclando constantemente. Saque del fuego, quite la espuma, vierta en frascos y tape herméticamente. (El autor agradece a Charlie Fergus por gran parte de esta información).

MELONES

MELÓN CANTALUPO O MELÓN DE CASTILLA
(Cucumis melo cantalupensis)

MELÓN CHINO O DE INDIAS
(Cucumis melo indorus)

MELÓN DULCE
(Especie Cucumis melo)

SANDÍA
(Citrullus vulgaris)

Breve descripción

MELÓN CANTALUPO (*cantaloupe* en inglés). Una variedad del melón común, con una corteza corrugada y una pulpa de color rojiza-anaranjada.

MELÓN CHINO O DE INDIAS (*casaba* en inglés). Una variedad del melón común o melón de invierno, con una corteza amarilla. Se originó en Esmirna, Asia Menor.

MELÓN DULCE (*honeydew* en inglés). Una variedad del melón común —dulce, blanca y de suave cubierta.

SANDÍA (*watermelon* en inglés). Fruta grande, oblonga o redonda, de una enredadera de la familia de los pepinos. Tiene una corteza dura de color verde o blanca, y una pulpa rosada o roja, con gran cantidad de jugo dulce.

Algunos científicos que se especializan en la evolución, migración y uso de las plantas en las culturas indígenas creen que estos melones fueron traídos al hemisferio occidental alrededor del año 2.000 a.C. por emigrantes del centro de Iraq, quienes cruzaron el océano en naves especiales.

Los melones como laxantes

Además de ser buenos diuréticos, los melones ayudan a corregir el estreñimiento. Generalmente, un cuarto o la mitad de un melón, comido sin acompañamiento, debe provocar una discreta evacuación intestinal varias horas después.

Cura para la ictericia

Un tratamiento eficaz contra la ictericia *(jaundice)* del hígado en algunos países caribeños requiere melones verdes frescos que no han madurado totalmente; éstos se deben consumir regularmente junto con té de perejil. Se puede hacer un buen té dejando en remojo durante media hora, un puñado de perejil picado. Bébalo después de colarlo.

Remedios de sandía

Las semillas de la sandía han sido elogiadas universalmente por su maravillosa actividad diurética y su efecto suavizante en la inflamación de la vejiga. A veces hasta la corteza se seca y se usa de la misma forma. En las Bahamas, las semillas recién sacadas de la fruta se machacan un poco con un objeto pesado, y cuando están un poco partidas se hierven a fuego lento durante 45 minutos (6 cucharadas de semillas en 1 cuarto de galón o litro de agua caliente). Luego se cuelan y se bebe el líquido por lo menos 3 veces al día en cantidades de 1 taza cada vez. El mismo té es bueno también para expulsar algunos parásitos intestinales.

En algunos países de Sudamérica la gruesa corteza se ata alrededor de la frente y las sienes para aliviar las migrañas. También se la machaca hasta hacerla puré y se aplica como una cataplasma directamente sobre el hígado o la vesícula biliar para aliviar el dolor en esos órganos.

Un pedazo de sandía consumido inmediatamente después de un plato de frijoles casi siempre ayuda a aliviar y reducir el gas intestinal que con frecuencia se produce más tarde.

Maravillosamente refrescante durante el calor intenso

Nada parece saciar la sed como la sandía fresca, sobre todo si se quita la pulpa de la corteza y se mezcla en una licuadora con un poco de hielo machacado. ¡Pero qué bien se siente uno cuando lo está bebiendo!

Una vez, en las montañas de Tennessee, unos sencillos montañeros me demostraron un curioso, pero aparentemente eficaz, remedio para la urticaria producida por la hiedra venenosa *(poison ivy)*. Uno de los niños del lugar tocó una hiedra venenosa y volvió a casa hecho un desastre. Sus padres trajeron una sandía fresca del jardín, la abrieron y procedieron a frotar cuidadosamente las partes afectadas del cuerpo del niño con la pulpa y hasta con la misma corteza. A la mañana siguiente, cuando mi colega y yo estábamos listos para marcharnos, nos trajeron al chico para que lo examináramos. ¡Les aseguro que la urticaria del pequeño ya había desaparecido en, por lo menos, un 70%!

Pero lo que tiene que ser uno de los más increíbles, y sin embargo altamente exitosos, tratamientos para quemaduras de primer, segundo y tercer grado, lo presencié en la República Popular China en el verano de 1980.

La pulpa y el jugo de una sandía completamente madura se colocaron en un frasco de vidrio limpio y bien cerrado, que se dejó a temperatura ambiente durante unos 3 a 4 meses. Entonces, se filtró el jugo, el cual había adquirido en ese tiempo un olor de ciruela amarga.

Yo vi cómo las quemaduras serias se lavaban primero con una solución fría de sal común o con tan sólo agua fría. Luego, un pedazo de algodón especialmente tratado o desgrasado se empapaba en el jugo claro fermentado de la sandía y se aplicaba directamente sobre el área quemada. Esta venda se cambiaba varias veces al día.

Mi intérprete me dijo, en respuesta a una pregunta que yo había hecho a los doctores, que las quemaduras de primer y segundo grado por lo general se demoraban de 8 a 9 días para curarse y las de tercer grado de 17 a 21, o menos.

MENTAS

MENTA PIPERITA
(Mentha piperita)
(Peppermint en inglés*)*

MENTA VERDE O HIERBABUENA
(Mentha spicata)
(Spearmint en inglés*)*

Breve descripción

Ambos tipos de mentas son hierbas aromáticas perennes muy relacionadas con tallos rastreros *(runners),* de los cuales se propagan. Las hojas de la menta verde no tienen peciolos, mientras que las de la menta piperita son pecioladas. Ambas crecen hasta aproximadamente 1 yarda (1 metro) de altura y se cultivan en todo el mundo. Cada especie tiene numerosas variedades que producen aceites esenciales, con un aroma y sabor mentolados en diferentes grados.

Alivia los dolores de cabeza

El té de menta piperita es excelente para el alivio de la presión producida por los dolores intensos de las migrañas. Ponga a hervir 1 pinta (1/2 litro) de agua. Retire del fuego, añada 2 cucharadas de hojas de menta frescas o secas. Tape y deje reposar durante 50 minutos, y luego cuele. Beba de 1 a 2 tazas de té frío cuando tenga dolor de cabeza. También puede lograr alivio adicional frotándose un poco de aceite de menta piperita en las sienes y en la nuca.

Calma los trastornos digestivos

El nerviosismo general y los trastornos estomacales pueden ser tratados eficazmente bebiendo varias tazas de té de menta piperita y menta verde tibio, endulzado con un poco de miel. Esta combinación de partes iguales de ambas mentas calma muy agradablemente el sistema nervioso. El té puede hacerse siguiendo las instrucciones dadas previamente.

Trastornos digestivos de varias clases pueden aliviarse notablemente tomando un extracto de té, previamente remojado, en forma de cápsula o en polvo. Este extracto hecho en Europa sólo está disponible con la etiqueta de *Alta Health Products* en la mayoría de las tiendas de alimentos naturales *(health food stores)* o puede ser adquirido directamente del fabricante en Pasadena, California (vea el Apéndice). El Dr. Richard Barmakian, un renombrado naturópata y homeópata del sur de California, ha incluido en su formula especial otras hierbas, además de la menta piperita, tales como las hojas de arraclán *(alder buckthorn),* de maravilla *(marigold)* y de malvavisco *(marshmallow).*

Llamado *Can-Gest,* este extracto puro de hierba digestiva ayuda a aliviar la acidez estomacal *(heartburn),* la indigestión, los retortijones abdominales y otros malestares gastrointestinales. Algunos han informado que no hay necesidad de recurrir a los antiácidos cuando se ha empezado a tomar el *Can-Gest.* La dosis recomendada por el Dr. Barmakian a muchos de sus pacientes es entre 1 y 3 cápsulas por comida según se necesite, o 1/2 cucharadita del polvo preparado en forma de té.

Inhibe el herpes

La menta piperita también combate fuertemente los virus y puede ser usada con éxito para ayudar a impedir que el virus del herpes siga avanzando. Trabaja mejor en forma de té, ya que las cápsulas de jalea tienden a anular sus fuertes propiedades antivíricas. Dos tazas de té caliente al día es lo que se sugiere durante esos períodos en que el virus del herpes está más activo. El Dr. Barmakian sugiere vaciar los contenidos de unas 3 cápsulas de *Can-Gest* en una taza de agua caliente endulzada con miel, y luego sorberla lentamente cuando esté tibia.

MIEL Y OTROS PRODUCTOS DE LA COLMENA
(Honey en inglés*)*

Breve descripción

Son necesarias unas 300 abejas y 3 semanas para reunir 1 libra (450 gramos) de miel para su mesa. La mayoría de la miel fabricada por las abejas permanece en la colmena para su propio consumo, pero 1 de cada 3 kilos es retirado con gran cuidado por el apicultor. Usando un cuchillo calentado, el apicultor desprende la miel, la cera y pedazos del panal, y los coloca en un recipiente. La ley exige que la miel sea filtrada o que se pase por un colador de nailon. Los panales se pueden añadir después. Las regulaciones de la agencia federal *Food and Drug Administration (FDA)* prohíben adiciones de cualquier tipo. La miel es tan pura como saludable.

La miel se conserva muy bien y nunca se echa a perder. Es la mejor de todas las sustancias conservadoras. Es tan buena, que el malvado rey Herodes mantuvo el cuerpo de Miriam, su esposa asesinada, en perfecto estado de conservación en una bañera llena de miel durante 7 años. Y en 1943, los cadáveres de monjes budistas de Birmania estaban aún siendo conservados en miel hasta que pudieran hacerse los arreglos funerarios apropiados, ¡lo que podía durar meses y hasta años!

Yo he estado en numerosos países y he probado numerosos tipos de miel. Para mí, la mejor de todas ha sido la miel escocesa *Scottish heather:* es espesa y dulce, y maravillosamente fragante. Por otra parte, la miel de vara de oro *(goldenrod)* tiene una sabrosa acritud muy especial. Durante mi viaje en 1979 a la antigua Unión Soviética, descubrí las fuertes cualidades de la miel de alforfón *(buckwheat),* junto al delicado y casi angelical gusto de la miel extraída de la bella acacia blanca *(white acacia).* Las mieles más deliciosas, sin embargo, provienen de los capullos del higo y las flores silvestres que se hallan en las colinas alrededor de Atenas, Grecia. Sin duda ellas son las más dulces del mundo.

El polen de abeja son los granos sexuales masculinos de las plantas que tienen semillas, el cual es transportado por las abejas a sus colmenas. El polen es comparable a los espermatozoides de los seres humanos y los animales. Cuando las abejas entran a la colmena y la sacuden, la sustancia cae al fondo, de donde lo recoge el apicultor después para venderlo a la industria de alimentos naturales para que sea consumido por los seres humanos.

El propóleos es una sustancia resinosa, recogida por las abejas, proveniente de los brotes de las hojas o las cortezas de los árboles (sobre todo los álamos). Las abejas usan esta sustancia para sellar cualquier abertura o grieta en la colmena, para reparar el panal del techo y para proteger la colmena de los contaminantes externos.

Cuando el panal de miel es construido dentro de la colmena, algunas de las celdillas se hacen de dimensiones ligeramente mayores. Estas se conocen como las celdillas reales. Los huevos que la abeja reina deposita en estas cámaras están diseñados para producir posibles reinas de las larvas femeninas, las que serán alimentadas con jalea real *(royal jelly)*. Este alimento es una sustancia pegajosa que secretan las glándulas que están cerca de la boca de la abeja obrera, la productora de miel. Es una masa gomosa, de un blanco-perla, que contiene una gran reserva de proteínas y azúcares invertidos como la glucosa y la levulosa.

La cera se obtiene del panal de la abeja. Después de que se quita la miel de los panales, éstos se lavan rápida y totalmente con agua. Entonces se derriten con agua caliente o con vapor, se cuelan y se ponen en moldes para que se enfríen y endurezcan.

Gran eliminador de las arrugas

La miel añade suavidad y frescura a la piel. Las manos de los apicultores están por lo general muy suaves y maravillosamente tersas cuando recogen la miel. Cada día, échese agua tibia en el rostro y el cuello para abrir los poros y luego aplíquese una delgada máscara de miel. La miel tiende a suavizar y a estirar las feas y viejas arrugas. Luego, enjuáguese y termine echándose un poco de agua fría vigorizante en el rostro. Debido a la composición de la miel, ésta hace que el tejido de la piel retenga la humedad. Las células secas de la piel se llenan y las arrugas tienden a desaparecer.

Al hacer esto a su piel, usted notará que un nuevo resplandor rosado de salud retorna a la que una vez fue una tez sin vida. Puede añadir crema de leche, clara de huevo batida, jugo fresco de limón, vinagre de cidra *(apple cider vinegar)* o cualquier jugo de fruta a su máscara de miel antes de aplicársela.

Sueño tranquilo

¿Le cuesta trabajo quedarse dormido? Trate entonces un viejo remedio eslavo para el insomnio. Se necesita una combinación de 2 cucharadas de miel con el jugo de 1 limón o de 1 naranja. Mezclados ambos en medio vaso de agua tibia, esta bebida le ofrece el camino más corto hacia el País de los Sueños. ¡Mientras más oscura sea la miel, mejor funcionará!

Alivio de alergias

A veces las cosas que nos causan más malestar, son las mismas que nos ayudan a superar esos trastornos. La fiebre del heno *(hayfever)* y otras alergias relacionadas al polen pueden ser corregidas, o al menos minimizadas en gran parte, tomando miel al menos durante un mes antes de que empiece la temporada del polen.

El mejor tratamiento a seguir para prepararse, es tomar 1 cucharada de miel después de cada comida. Luego, un día sí y un día no, tome un pedazo ceroso de panal y mastíquelo durante un par de horas entre las comidas. El remedio preventivo ideal es, naturalmente, comer miel y masticar un panal proveniente de la misma área donde usted vive.

Habiendo padecido de fiebre del heno durante años, yo puedo atestiguar acerca de la efectividad de este remedio cuando se siguen *ambos* tratamientos. Aunque nunca han llegado a curar mi fiebre del heno, puedo asegurar que han reducido por lo menos en un 80% el malestar y el sufrimiento de tener los ojos y la nariz llenos de fluido durante la temporada de alergias.

Beber miel detiene la diarrea

Los indios nativos de la zona del noroeste de Sudamérica a menudo bebían una gran cantidad de miel de abeja para detener la diarrea y curar la disentería. Pediatras del Hospital King Edward VIII, en Durban, Sudáfrica, administraron a 169 bebés y niños afectados con gastroenteritis infantil una fuerte solución líquida de miel que debían beber a diario. Esto ayudó a reducir la incidencia y el tiempo de recuperación de la diarrea bacteriana.

En 8 onzas (250 ml) de agua, mezcle bien 4 cucharadas grandes de miel y bébala. Esto no funciona, sin embargo, con la diarrea que *no* ha sido causada por bacterias. Además, los diabéticos deben tener mucho cuidado con ingerir tanta miel de una sola vez.

Para mantenerse fresco en el verano

Cuando las abejas están volando por el aire en medio de una temperatura muy calurosa, con frecuencia mantienen una o dos gotitas de néctar de miel en los pliegues de la lengua para transferir el calor de su cabeza hacia su tórax. Este pasivo paso del calor de una parte del cuerpo a otra les produce un notable efecto refrescante.

Basados en estos recientes hallazgos entomológicos, decidimos conducir, nosotros mismos, algunos experimentos informales con seres humanos en un caluroso día de julio, en nuestro Centro de Investigaciones en Salt Lake City, Utah.

Descubrimos que masticar un pedazo de panal de miel y mantenerlo en la boca todo el tiempo posible durante períodos de intensa actividad física en medio de una temperatura calurosa produce un descenso de la temperatura del cuerpo. Otro método es tomar una pequeña cantidad de miel sólida granulada, envolverla en un poco de gasa y colocarla en la boca para masticarla de vez en cuando y mantenerla junto a la mejilla, como hacen los que mastican tabaco. Esto hace la misma función que el panal. En los dos casos, el cuerpo se mantendrá más fresco.

Acción doble para los que están a dieta

Aquellas personas que hacen dieta se pueden beneficiar de las dos propiedades de la miel. Primero, los azúcares de la miel están casi completamente predigeridos y pueden ser absorbidos fácilmente por el torrente sanguíneo. La dextrosa se asimila muy rápidamente, proporcionando el impulso "instantáneo" de energía que el cuerpo necesita. Por otra parte, la levulosa se absorbe mucho más lentamente y mantiene el nivel de azúcar durante un tiempo. La doble acción de los azúcares de la miel satisface rápidamente el deseo de comer dulces y tiende a mantener esa sensación de satisfacción durante un tiempo. Esto es algo importante que deben tener en cuenta quienes están a dieta.

Maravilloso remedio para la garganta

Para una garganta irritada, un antiguo remedio casero puede que sea tan eficaz como una inyección de penicilina. Eso es lo que escribió el Dr. Neil Solomon, cuyos artículos se publican en varios periódicos de Estados Unidos, en una de sus columnas médicas de junio de 1987. "Cada vez que una persona tiene la garganta irritada, no tiene por qué ir corriendo al médico", comenzaba su columna. Luego añadía este famoso médico de Maryland: "La academia estadounidense de otorrinolaringología *(American Academy of Otolaryngology—Head and Neck Surgery)* recomienda un té tibio y miel para la garganta irritada".

Si prefiere, usted puede hacer su propio jarabe de miel para la garganta. Pele unos dientes de ajo y colóquelos en un frasco. Añada miel, un poquito cada vez, durante un par de días hasta que el frasco esté lleno. Colóquelo en una ventana donde dé el sol hasta que el ajo se haya tornado algo opaco y hasta que todo el sabor del ajo haya sido transferido a la miel. Este es un magnífico remedio para aliviar la ronquera, la laringitis y la tos. Tome 1 cucharadita cada 3 horas según sea necesario. Para un niño, diluya cada cucharadita con un poco de agua. Tenga en cuenta que el ajo es decididamente hipoglucémico, por lo que debe ser usado cuidadosamente por aquellas personas que tienen niveles bajos de azúcar en la sangre. Un excelente jarabe de miel y hierbas está disponible por correo de la empresa *Great American Natural Products*, en St. Petersburg (vea el Apéndice).

Llagas y herpes curados milagrosamente

A lo largo de este libro, he usado adjetivos como "mágico" o "milagroso" con mucha discreción, y sólo cuando considero que es apropiado y que el caso lo merece. ¡Pues bien, ésta es una de esas pocas situaciones en las que puede decirse que las lesiones del herpes y las llagas causadas por la prolongada estadía en cama son curadas milagrosamente en muy poco tiempo cuando se aplica la miel directamente sobre ellas!

Ya sea miel cruda o el jarabe de miel y ajo arriba mencionado pueden ser aplicados 2 ó 3 veces al día como vendajes curativos con excelentes resultados. El Volumen 62 de *The Chinese Medical Journal*, de 1944, recomendaba mezclar un 80% de miel con un 20%

de vaselina *(Vaseline)* o manteca *Crisco (shortening)* para curar las úlceras de la piernas, las quemaduras pequeñas y los trastornos causados por el lupus eritematoso. La mezcla se entibiaba y se mezclaba constantemente para hacerla más fácil de aplicar. Entonces el ungüento se aplicaba en una capa gruesa a las áreas afectadas y se cubría con una gasa y vendajes esterilizados. Cuando las llagas infectadas soltaban mucho pus, las vendas se cambiaban todos los días o cada dos días. Cuando se mantenían bastante limpias y secas, el cambio se hacía cada 2 ó 3 días.

De los 50 casos de llagas de la piel que fueron tratados de esta manera, hubo 38 (el 76%) que se curaron totalmente, con otros 10 (el 20%) que mostraron una considerable mejoría o al menos una cura parcial. Sólo 2 (el 4%) no respondieron al tratamiento con este vendaje de miel. No cabe duda que un índice de curación tan elevado sugiere milagrosos poderes curativos en uno de los remedios más sencillos y abundantes de la naturaleza.

Cura heridas grandes

Las heridas grandes deben recibir atención médica inmediata tan pronto como sea posible. No obstante, a veces las circunstancias requieren la improvisación cuando la atención médica de emergencia no está disponible de inmediato. Un ama de casa de Wyoming que vivía en un aislado rancho (estancia) me informó de un incidente que demuestra el notable poder curativo de la miel:

> Un día en que estaba ocupada en la cocina, me hice una herida muy grande en la mano izquierda con un cuchillo. La herida era de por lo menos 2 pulgadas (5 cm) de largo y muy profunda. La sangre salía a borbotones.
>
> Mi esposo estaba lejos en ese momento y nuestro segundo carro no funcionaba. A gritos, le pedí a mi hija adolescente que viniera a ayudarme. Cuando llegó a la cocina corriendo, por poco se desmaya al ver la cantidad de sangre que ya había perdido.
>
> Le dije que me trajera el frasco de miel que guardábamos en la despensa. Cuando lo hizo y le quitó la tapa, saqué del frasco de boca ancha varios puñados de miel con mi mano sana y me cubrí con ella la mano herida.

Entonces, hice que mi hija me vendara toda la mano con una gasa y que la ajustara bien con venda adhesiva.

A la mañana siguiente, cuando mi hija quitó el vendaje, notamos que gran parte de la piel cortada ya había comenzado a unirse nuevamente. Decidimos aplicar un segundo vendaje de miel. Mi esposo regresó esa noche y después que se le informó del accidente insistió en que yo fuera con él al hospital local en el pueblo de Buford. Pero yo decidí esperar hasta el día siguiente para ver cómo iba la herida.

Imagínese nuestra sorpresa cuando se cambió la venda a la mañana siguiente. La piel parecía haberse pegado nuevamente por sí misma, casi como si la miel hubiese actuado como un pegamento para unir todo de la misma forma en que estaba antes. Ambos decidimos seguir usando el vendaje de miel.

Nunca hizo falta poner puntos y mi mano se curó bien por sí misma, sin dejar siquiera la huella de una cicatriz. Cuando le mencioné esto a nuestro médico familiar, él no hizo otra cosa que rascarse la cabeza como si le fuera difícil creerlo.

Los antiguos médicos egipcios usaban una combinación de miel y grasa para tratar las heridas grandes sufridas en el trabajo o la batalla. Su mezcla generalmente era 1/3 parte de miel y 2/3 parte de grasa o mantequilla. Algunos doctores de la Facultad de Medicina de la Universidad de Harvard probaron este remedio en ellos mismos y vieron que funcionaba muy bien. El tercio de miel era suficiente para hacer una pasta de suave consistencia; demasiada miel la hacía demasiado pegajosa. Y como no hay bacteria de ningún tipo que pueda subsistir en la miel durante mucho tiempo, también constituye un excelente antibiótico. Un poco de jugo de ajo añadido a esta combinación de miel y grasa parecería ser la cura perfecta para la mayoría de las heridas mayores, cuando no hay otro tratamiento médico disponible.

El polen es una fuente de energía

Si usted está arrastrando los pies y parece que no puede reunir suficiente ánimo y energía, entonces usted probablemente debería tomar polen de abeja *(bee pollen)*. Alrededor de un 15% del polen es lecitina *(lecithin)*, una sustancia que derrite la grasa. Otro 20% es proteína de la mejor. El equilibrio de estos ingredientes son carbohidratos productores de energía y vitaminas y minerales que trabajan sobre ciertas glándulas del cuerpo que suministran energía.

En algunos países europeos, los apicultores que inhalan el polen mientras hacen su trabajo de rutina en sus panales durante los períodos de recolección de la miel, demuestran una salud y una actividad física más vibrante que en cualquier otro tiempo del año. Esto no es extraño, ya que, peso por peso, el polen de la abeja contiene más proteínas completas que otras fuentes aceptadas como la carne, los huevos y el queso.

Un polen de abeja europeo de buena calidad se vende en las tiendas de alimentos naturales *(health food stores)* de todo el país bajo la etiqueta de *Nature's Way*. Se recomienda un promedio de 2 cápsulas al día para cubrir las necesidades normales de energía. Debe tenerse cuidado antes de tomar esta sustancia, sin embargo, si se padece de alergia al polen, ya que es posible que se produzcan efectos secundarios adversos.

El propóleos combate la infección

Durante un brote de influenza en Sarajevo, en la antigua Yugoslavia, hace varios años, el Dr. Izet Osmanagic, de la universidad local, administró propóleos a 88 estudiantes de un colegio de enfermería que habían sido expuestos a esta epidemia. Otro grupo de 182 estudiantes no tomó la sustancia. De los que tomaron el propóleos, sólo un 7% se enfermó, mientras que un asombroso 63% de los que no lo tomaron se enfermaron con una gripe fuerte.

El Dr. E.L. Ghisalberti, del Departamento de Química Orgánica de la Universidad de Western Australia, ha descubierto que cada vez que se administra propóleos junto con penicilina o antibióticos naturales como el ajo, la efectividad de éstos se *aumenta* en un 10% a un 100%. Esto ayuda a reducir drásticamente el uso de la penicilina y los posibles efectos secundarios provocados por su frecuente uso. El propóleos está disponible en las tiendas de alimentos naturales *(health food stores)*.

La jalea real como un rejuvenecedor sexual

Un asombroso estudio sobre las maravillosas propiedades de rejuvenecimiento sexual de la jalea real *(royal jelly)* fue publicado en el volumen 56 del *Journal of the Egyptian Medical Association.* Los médicos de El Cairo, Egipto, administraron jalea real a un grupo de hombres que eran relativamente estériles. La jalea real no sólo aumentó su conteo de espermas y los hizo más activos, sino que también promovió el crecimiento de sus órganos genitales. También las eyaculaciones parecieron ser más frecuentes.

La jalea real puede encontrarse en cualquier tienda de alimentos naturales *(health food stores).* Se recomienda un promedio de 20 miligramos al día para problemas de esterilidad y de pobre desempeño sexual. Una excelente combinación de polen de abeja, propóleos y jalea real se puede encontrar en un suplemento alimenticio especial llamado *Aqua-Vite,* disponible a través de la empresa *Great American Products,* en St. Petersburg, Florida (vea el Apéndice).

El mejor protector de labios

La importancia de la cera de abeja como bálsamo labial se ha mantenido a través de muchos años. Tanto la cera amarilla extraída directamente de la colmena como la cera comercial blanqueada son usadas ampliamente en los creyones (lapices) labiales o pintalabios. Si cerca de su área hay apicultores, le sugiero que visite a uno de ellos y le compre un poco de cera de abeja. Se conserva bien en un sitio fresco y seco. Cada vez que salga al sol o se exponga al viento demasiado tiempo, lleve con usted un poco de la cera y frótela sobre sus labios de vez en cuando. Verá que los mantiene bellos, suaves y húmedos.

MIJO
(véase: Cereales)

MILENRAMA
(Achillea millefolium)
(Yarrow en inglés*)*

Breve descripción

La milenrama es una hierba perenne que se encuentra en los terrenos baldíos, los campos, los pastizales y las praderas de todo el mundo, y a lo largo de las laderas de las vías del ferrocarril y de las carreteras, de donde no debe nunca ser recogido debido al rocío químico que se lleva a cabo de rutina para reducir la cantidad de malas hierbas. El sencillo tallo tiene aromáticas hojas bipinadas y seccionadas, lo que les da una apariencia de encaje. La planta puede crecer hasta una yarda (1 metro), dando bellos capullos con rayos blancos y discos amarillos (que se convierten en pardos). El rizoma trepador pardo claro produce un tallo redondo, suave y lleno de médula que se abre en ramas cerca del tope.

Extremadamente útil para la inflamación

Uno de los estudios más notables que he encontrado tiene que ver con la gran habilidad de la milenrama para reducir la inflamación de tejidos y articulaciones causada por una vasta gama de cosas, desde las heridas y los edemas, hasta la gota y la artritis.

El informe, que apareció en el número de agosto de 1969 del *Journal of Pharmaceuticals Sciences*, explicó con gran detalle que un grupo de íntimamente relacionados complejos de proteína y carbohidratos o glicoproteínas que se encuentran en la milenrama, por lo general, se acumulan en el lugar de una inflamación y permanecen allí mientras el tejido lesionado está siendo reparado. En un experimento, a un grupo de ratones hembras del tipo suizo-Webster se le inyectó una sustancia diseñada para inducir inflamación en la planta de su pata izquierda. Luego, a la mitad del grupo se le inyectó fracciones de milenrama, lo que redujo la inflamación en un 35%, comparado con el grupo que no fue tratado.

La milenrama puede ser utilizada en una variedad de formas para reducir notablemente todo tipo de inflamación. Una es un método de dos partes, que incorpora la ingestión del té y el uso externo de una crema a base de manzanilla para las manos. Tanto la hierba seca como la *CamoCare Pain-Relieving Cream* (vea el Apéndice) pueden obtenerse en las tiendas de alimentos naturales. Ponga a hervir 2 tazas de agua y añada 3 cucharadas de milenrama seca. Tape, reduzca el fuego y haga hervir a fuego lento durante 4 minutos. Quite del fuego y deje reposar durante 20 minutos. Beba 1 taza fría varias veces al día. Al mismo tiempo, frote un poco de *CamoCare Pain-Relieving Cream* sobre los puntos externos de la inflamación. Ambos parecen trabajar bien con este propósito.

Dennis Carman, quien trabaja en el Departamento de Correlaciones de la Iglesia de Jesucristo de los Santos de los Últimos Días, en Salt Lake City, me contó hace algún tiempo el siguiente caso real:

> Hace unos 12 años, yo y algunos otros adultos llevamos a un grupo de "jovencitos problemáticos" de varios albergues mormones a un viaje campestre de fin de semana en una parte remota del Parque Yellowstone. Un adolescente se puso a recoger un poco de madera para hacer fuego en un prado cercano. Al halar una rama seca que salía de un árbol caído, accidentalmente se cayó contra otro pedazo saliente de madera afilada, haciendo que se le clavara bastante adentro de la pierna.
>
> Mientras atendíamos a su herida nos dimos cuenta de lo mal preparados que estábamos para este viaje en términos de necesidades adecuadas de primeros auxilios. Un adulto recogió un puñado de milenrama y lo machacó entre dos piedras, aplicando luego esta cataplasma directamente sobre la herida del chico. Luego se la ajustamos con una cinta adhesiva. Un par de días después pudimos llevar al chico a un hospital, donde el médico le examinó la pierna. En su opinión, la pierna no tenía ningún problema y el muchacho fue dado de alta inmediatamente. Nosotros atribuimos a la milenrama esta notable curación.

Sana los pezones irritados y las manos agrietadas, detiene la hemorragia

El té de milenrama y la crema de manzanilla para las manos pueden ser también utilizados con gran efectividad en el tratamiento de pezones adoloridos, manos y labios partidos (debidos a la sequedad), piel reseca, llagas del herpes, urticaria *(hives),* hemorroides y sangrados leves.

Milenrama para las necesidades femeninas

Maria Treben, una renombrada curandera y herbolaria popular de Alemania, relató, hace algún tiempo, sus propias experiencias con la milenrama ante una gran audiencia:

> Nunca se recomienda la milenrama lo bastante para las mujeres. ¡Ellas se podrían ahorrar muchos problemas si tan sólo bebieran té de milenrama de vez en cuando! Ya sea una jovencita con una menstruación irregular o una mujer mayor durante la menopausia o ya pasada ésta, para todas ellas, jóvenes y viejas, es importante beber una taza de té de milenrama de vez en cuando. Es muy beneficioso para los órganos reproductivos de la mujer.
>
> Para hacer el té, vierta 4 1/2 tazas de agua hirviendo sobre 1 1/2 cucharada colmada de milenrama, tape y deje reposar durante un rato. El té debe tomarse con regularidad. O también puede remojar 100 gramos (unas 2 tazas) de milenrama en agua fría durante toda la noche. Al día siguiente, póngala a hervir y luego añádala a suficiente agua en la bañera como para que pueda sumergir el cuerpo en ella y remojar el área de los riñones.

Cura las cataratas y el glaucoma

Maria Treben insiste en que el glaucoma no es un trastorno ocular, sino una disfunción de los riñones. Ella recomienda hacer un té, con partes iguales de milenrama, ortiga picante *(stinging nettles),* caléndula y cola de caballo *(horsetail),* y beber de 2 a 3 tazas todos los días. Ponga a hervir 1 cuarto de galón (litro) de agua, añada estas hierbas, tape y haga hervir a fuego lento durante 7 minutos. Luego quite del fuego y deje reposar durante otros 45 minutos. Cuele y endulce con miel antes de beberlo.

Para las cataratas, ella recomienda pasarse frecuentemente un poco de *Swedish Bitters* a través de los párpados. Hay varios tipos de este compuesto de hierbas bajo nombres diferentes en *algunas* tiendas de alimentos naturales. Una alternativa a esto que es igual de eficaz, requiere frotar un poco de gel de áloe (zabila) obtenida de *una hoja fresca de la planta*, junto a una cantidad igualmente pequeña de látex jugoso recogido de *una planta fresca* de algodoncillo *(milkweed)*, entre sus dedos pulgar e índice, ambos mojados, hasta que se haga una buena mezcla. Esta mezcla se pasa entonces suavemente sobre los párpados cerrados, hacia las esquinas del ojo, ¡pero *nunca,* bajo ninguna circunstancia, se debe frotar directamente sobre el ojo! Aunque se aplique de esta manera, parece ser razonablemente beneficioso para ayudar a que desaparezcan gradualmente las cataratas y las manchas en la córnea. Naturalmente, como con todas las cosas, es posible que esto trabaje mejor en algunas personas que en otras.

MIRRA
(Commiphora myrrha)
(Myrrh en inglés)

Breve descripción

Los arbustos que dan goma de mirra crecen hasta 30 pies (10 metros) de altura y son oriundos del nordeste africano y del sudoeste asiático, especialmente alrededor del Mar Rojo. La parte que se usa es la exudación, el líquido que sale de las grietas naturales de la corteza o de las incisiones hechas por el hombre. Esa sustancia es un líquido de un amarillo pálido que se endurece rápidamente para formar masas amarillo-rojizas o rojizo-pardas que luego son recogidas.

Cura problemas del aliento y las encías

En 1 pinta (1/2 litro) de agua hirviendo, ponga 2 ramitas de perejil picado, 3 clavos de olor *(clove)* enteros, 1 cucharadita de mirra en polvo y 1/4 de cucharadita de botón de oro (hidraste, *goldenseal*) en polvo. Mezcle ocasionalmente mientras se enfría, y luego vierta la parte clara del líquido a través de un colador y úsela como antiséptico bucal para librarse del mal aliento, o haga gárgaras para eliminar la irritación de garganta.

Raymond Saunders, de Detroit, Michigan, me escribió hace varios años acerca de su propia experiencia personal con la mirra para las pequeñas úlceras de los labios (aftas, *canker sores*). Las estaba causando una comida a la que él era alérgico. Un día, leyendo la Biblia, dio con un versículo en el que se mencionaba la mirra. Un pensamiento vino inmediatamente a su mente: "Esto te ayudará con tus problemas de la boca".

Se compró una caja de bolitas de algodón *(cotton swabs)*, y luego un poco de resina (goma, *gum*) de mirra de la marca *Nature's Way* en una tienda de alimentos naturales. En su casa, vació el contenido de 2 cápsulas de la resina en polvo sobre la superficie de un plato limpio. Mojó dos bolitas de algodón con agua del grifo (de la canilla) antes de ponerlas en el polvo; entonces, las aplicó directamente sobre las úlceras de la boca.

Usando este tratamiento dos veces al día, su problema desapareció completamente en menos de una semana. Este mismo remedio también trabaja bien para las ampollas que se forman en los labios producto de la fiebre alta. Para curar la inflamación de las encías *(gingivitis),* unte un poco de mirra en polvo en su cepillo de dientes mojado y cepíllese las encías todos los días hasta que el problema desaparezca.

Debido a sus indudables efectos antibióticos, la resina de mirra aparece en ciertas fórmulas *(Sinese, Herpese, Resist-All* y *Ginger-Up)* que se usan para tratar las alergias y las infecciones. Se pueden obtener de la empresa *Great American Natural Products* de Florida (vea el Apéndice).

MOSTAZA
(véase: Col y sus variedades)

NABO Y RUTABAGA O NABO SUECO
(Brassica campestris, B. campestris rutabaga)
(Turnip y *Rutabaga* en inglés*)*

Breve descripción

A través de gran parte de la historia, el nabo ha ocupado una posición inferior en la escala gastronómica, habiendo sido considerado sólo como comida para campesinos y para el ganado. Los nabos vienen en diferentes variedades, pero los que se cultivan en América son generalmente los de masa carnosa blanca, con la parte superior morada o verde. Este vegetal de gusto singular se combina bien con la carne de res a la brasa o el cerdo asado.

El rutabaga se cree originario de Suecia, en tiempos de la Edad Media. Es más grande, áspero y de sabor más fuerte que el nabo, del cual puede que sea una mutación. El rutabaga es más alargado que el nabo y su parte de arriba es ligeramente violácea. La mayoría tiene una masa amarilla o anaranjada, pero algunos son blancos.

Reduce el colesterol y el estreñimiento

Tanto el rutabaga como el nabo son ideales para reducir el nivel de colesterol en la sangre y para promover evacuaciones más frecuentes.

Si el nivel de colesterol está peligrosamente elevado o si las evacuaciones intestinales son infrecuentes, se debe consumir media taza de cada uno de esos productos, ya sea en trozos o rebanadas, o 1 taza de cada uno de ellos hechos puré, por lo menos una vez por semana.

Una forma fácil de prepararlos es cortándolos en rebanadas o cubos y poniéndolos a hervir durante unos 25 minutos en una pequeña cantidad de agua que contenga 1 cucharadita de jugo de limón, una pizca de alga marina *kelp* y mantequilla derretida, en una olla cubierta.

Cura de Brooklyn para el resfrío común

Joel Bree, un amigo mío preocupado por la salud, que vive en Brooklyn, en la ciudad de Nueva York, ha conseguido lo que la gente de su barrio considera uno de los mejores remedios para tratar el resfrío común y la gripe, junto con síntomas relacionados tales como la fiebre alta, las amígdalas inflamadas, la infección de los oídos y la nariz que gotea.

"La primera vez que hice esta sopa, mi hija de dos años, Tziporah, se tomó tres tazones, lo que nos sorprendió a todos. Al día siguiente se sentía mejor y desde entonces no ha vuelto a necesitar antibióticos.

"Yo compro la parte inferior de un pollo *kosher* y la pongo en una olla con suficiente agua como para que quede a 1 pulgada (2,5 cm) arriba del pollo. Tapo y dejo hervir. Añado 1 cucharadita de vinagre de sidra de manzana *(apple cider vinegar)* para extraer todos los minerales de la carne.

"Después que el líquido haya hervido hasta que quede sólo la mitad de la cantidad inicial, saco el pollo, pero dejo el caldo en la olla. Luego, pelo y paso por mi extractor de jugos 3 dientes de ajo, 1 cebolla roja grande, 1 batata (boniato, camote, papa dulce, *sweet potato*) que haya sido lavada y con la cáscara intacta, 1 calabacín *zucchini sin pelar* o 1 calabaza de cuello torcido *(yellow crookneck squash)*, 3 zanahorias *sin pelar*, 1 pastinaca *(parsnip) sin pelar*, 1 nabo *sin pelar*, y 1 rutabaga *sin pelar*. Luego ésto es añadido al caldo.

"Después, vuelvo a poner la olla al fuego y cocino a temperatura media hasta que suelte el hervor. Entonces, la quito del fuego para no destruir las valiosas vitaminas y enzimas. Considero que este breve recalentamiento ayuda a eliminar la mayor parte del sabor almidonoso que, de lo contrario, permanecería y haría desagradable el gusto de la mezcla. Recomiendo este antiguo remedio familiar a cualquier persona que esté buscando alivio a los malestares del resfrío, la gripe y la fiebre".

Dentífrico y desodorante

Comer un nabo crudo una vez por semana es una buena manera de limpiar los dientes y masajera las encías al mismo tiempo. Se sabe que hacer esto frecuente y consistentemente ayuda a reducir en algo las placas dentales y el sarro.

Un delgado japonés me dijo que el jugo de nabo era una de las "mejores cosas para eliminar el mal olor en las axilas." Me mostró una botellita de jugo de nabo que llavaba con él a todas partes.

Curioso por ver si funcionaba, le pedí y recibí un poco para usarlo. Primero me lavé bien ambas axilas, luego las froté rápidamente con 1 cucharadita del jugo. Y aunque la temperatura estaba por encima de los 90°F y el factor de humedad era de un 65%, el sudor *no tuvo virtualmente ningún olor.* Recomiendo esto en vez de los desodorantes comerciales, los que contienen dañinas cantidades de aluminio que pueden causar cáncer de la piel con el paso del tiempo. A diferencia de ellos, el jugo de nabo no impedirá que las glándulas sudoríparas hagan su trabajo normal, sino que, por lo general, evitará que el olor corporal se manifieste durante un período de hasta 10 horas.

Elimina los moretones de los golpes

Del mismo amigo japonés, aprendí que un nabo o un rábano *Daikon* son muy eficaces para reducir la hinchazón y eliminar los feos moretones de la piel. Ralle 1/3 de nabo, aplíquelo directamente a la zona afectada y déjelo allí durante media hora. Repita el proceso varios días seguidos como sea necesario. En cierta manera, esto funciona como una bolsa de hielo para reducir el dolor y la hinchazón.

Recetas de preparación rápida

Usted puede hacer una deliciosa y nutritiva sopa añadiendo en una licuadora 2 cucharadas de cebollinos *(chives)* picados a 3 tazas de leche de cabra enlatada, junto con 2 tazas de puré de nabos y 1 tazas de puré de rutabaga. Cuando obtenga un puré suave, cocínelo a fuego lento durante 15 minutos. Adorne con perejil picado y una pizca de pimentón *(paprika)*.

Las partes verdes del nabo se pueden cocinar al vapor durante 25 minutos con un poquito de jugo de limón y de lima (limón verde, *lime*) y una pizca de alga marina *kelp* y otra de mantequilla para aumentar el sabor. Sírvalo con huevos duros como complemento.

NARANJAS
(véase: Cítricos)

NARCISO Y MARGARITA
(véase: Plantas ornamentales)

NÉBEDA
(Nepeta cataria)
(Catnip en inglés*)*

Breve descriptión

La nébeda es una hierba perenne de la familia de la menta. Su velludo y ramoso tallo es erecto, cuadrado, y crece de 3 a 5 pies (1,5 metro). Las puntiagudas hojas son ovales o acorazonadas y tienen bordes escamosos y vellos grises o blanquecinos en el lado inferior. Las flores son blancas con manchas moradas y crecen en racimos colgantes desde junio a septiembre.

Cura segura para el insomnio y la hiperactividad

Un constituyente importante de la nébeda, el *nepelactone,* es muy semejante en su estructura química a los valepotriatos, los principales sedantes de la raíz de valeriana. Esto ayuda a explicar por qué una "taza de té de nébeda caliente a la hora de dormir asegura una noche de sueño." Ratones a los que se les dio extracto de nébeda experimentaron una reducción de su actividad en general y un aumento del tiempo que dormían. Y un extracto administrado en agua caliente a pollitos (entre 9 y 27 días de nacidos) en un criadero causó un "aumento significativo" en su promedio diario y semanal de tiempo de sueño ligero.

Para hacer un té que le asegure dormir bien, sencillamente ponga a hervir 1 1/2 taza de agua. Quite del fuego y añada 1 cucharada de la hierba, preferiblemente fresca, o 1 cucharadita de la seca, y deje reposar durante unos 20 minutos hasta que esté lo bastante tibia como para beberla. Si lo desea, puede añadir miel. Un remedio de *Old Amish Herbs* llamado *Night Nip* funciona bien para el insomnio (vea el Apéndice). Se sugieren 3 cápsulas antes de ir a la cama. El té es muy bueno también para reducir la fiebre, los malestares de la fiebre del heno y las náuseas. Una tacita de té de nébeda tibio endulzado con miel es bueno para calmar a los niños hiperactivos.

Alivia los dientes y las encías adoloridas

Los campesinos que residen en las montañas Ozark y Apalaches emplean hojas frescas de nébeda machacadas o la hierba seca en polvo como una cataplasma que se aplica en las encías y los dientes adoloridos, para aliviar el dolor intenso. Si se usa el polvo, se debe mojar con agua un dedo o un pedazo de algodón y entonces se aplican en ellos un poco del polvo, después de lo cual el dedo o el algodón se coloca en la boca y lo mantiene firmemente en el diente que duele o se frota sobre la encía para conseguir alivio rápido. Las hojas frescas parecen traer un alivio casi instantáneo, mientras que el polvo seco se demora un poco más en dar resultados.

Notable lavado para los ojos

Se puede usar un té fuerte de nébeda como un lavado eficaz de ojos para aliviar la inflamación y la hinchazón debidas a ciertas alergias transmitidas por el aire, el resfrío y la gripe, y la excesiva ingestión de alcohol (el síndrome de los "ojos rojos"). Ponga a hervir 3 tazas de agua y añada 5 cucharaditas de hojas frescas. Reduzca a fuego lento y deje hervir durante sólo 3 minutos. Quite del fuego y deje reposar durante 50 minutos más. Cuele y refrigere en un frasco limpio. Úsela como lavado de ojos en una copita ocular varias veces todos los días. O remoje una toallita limpia en una solución tibia del té y aplíquela sobre los ojos durante media hora. Las bolsitas usadas del té de nébeda, mientras están todavía tibias, pueden también ser colocadas sobre los párpados para conseguir algún alivio.

Sustituto de la marihuana

En mis ocasionales conferencias en centros de enseñanza para estudiantes universitarios o de escuela secundaria sobre el tema de las hierbas en general, a menudo me hacen la pregunta: "¿Qué hierbas legales existen que me pongan a volar?". Y mi respuesta, basada en sólidas evidencias clínicas, ha sido invariablemente "nébeda", aunque yo creo que los jóvenes no debieran usarla como droga.

En un antiguo número del *JAMA* (*Journal of the American Medical Association*, 236:473, 1976), el Dr. Ronald K. Siegel, un psicólogo de la Universidad de California, en Los Angeles (*UCLA*), ha mencionado también la nébeda en este sentido. Pero la mejor evidencia de los efectos sicodélicos de la nébeda proviene del número de *JAMA* del 17 de febrero de 1969. Se reportaron varios casos, uno de los cuales mencionamos aquí para beneficio de nuestros lectores, que tal vez conozcan a personas jóvenes que se podrían beneficiar con una hierba alucinógena más sana y legal que aquellas que son dañinas para la salud y definitivamente ilegales.

Una estudiante de escuela secundaria, blanca y de 17 años, había estado asistiendo a sesiones de psicoterapia durante dos años por problemas de comportamiento relativamente leves. La paciente había fumado marihuana durante aproximadamente un año, por lo general dos veces al mes. Había usado cataria durante 3 meses, aproximadamente una vez por semana. Ella describió el efecto de la nébeda como semejante al de la marihuana; por ejemplo, alivia la depresión, mejora el ánimo y produce euforia... El sujeto puede reactivar voluntariamente esta experiencia por un máximo de 3 días después de haber fumado cataria y a menudo lo hace para escapar del aburrimiento que experimenta en la escuela.

Los cigarrillos o el té de nébeda son también muy buenos para superar cualquier tipo de mareo.

NUEZ DE COLA
(Cola acuminata)
(Kola nut en inglés*)*

Breve descripción

La semilla seca de la nuez de cola proviene de árboles siempre verdes que crecen hasta 66 pies de altura y tienen hojas largas y correosas. Son oriundos de África occidental, Indonesia y otros climas tropicales. La fruta consiste en 4 ó 5 vainas duras con 1 ó 4 semillas cada una. Aunque no es en sí una nuez, se le llama así debido a su consistencia dura cuando se seca, que es cuando se parece entonces a una nuez.

Elimina la fatiga

En pequeñas dosis la nuez de cola produce una excitación pasajera en el sistema nervioso central, aumenta ligeramente la presión de la sangre, y eleva la fuerza del latido cardiaco. Esto se debe a la presencia de 1.5 a 2% de cafeína y menos cantidades de teobromina, ambos estimulantes naturales del cuerpo. La actividad mental aumenta igualmente debido a la cantidad considerable de fructosa que existe de forma natural en la nuez de cola, la cual llega al cerebro para nutrirlo.

Una importante revista de salud, *East West Journal*, realizó una encuesta de las hierbas estimulantes de energía que se venden actualmente y concluyó que un producto llamado *Super Energy* tenía la mayor cantidad de nuez de cola, lo que lo hacía extremadamente efectivo. Un promedio de 2 cápsulas diarias es la cantidad que toman generalmente miles de consumidores que compran este producto de *Great American*, de St. Petersburg (vea el Apéndice).

Ayuda a dejar las drogas

El *Journal of the American Medical Association* (4 de noviembre de 1974) recomendaba la nuez de cola para sostener al cuerpo cuando se experimenten los síntomas del abandono de la adicción al alcohol, al tabaco y a las drogas. La misma compañía que elabora *Super*

Energy también tiene otro producto llamado *Kola Nut* que se debe tomar cuando se abandonan esos malos hábitos sociales (vea el Apéndice). Hasta 4 cápsulas al día, pueden ser necesarias en tales casos.

Diet Coke como anticonceptivo

La nuez de cola está en todos los refrescos de cola, pero en diferentes concentraciones. *Diet Coke* (*Coca Cola* de dieta) parece tener una concentración muy alta de cola. Investigadores de la Facultad de Medicina de la Universidad de Harvard estudiaron el efecto de *Diet Coke* sobre la movilidad de los espermatozoides e informó sus hallazgos en un número de 1985 de *New England Journal of Medicine*. Ellos encontraron que *Diet Coke* había matado a todos los espermatozoides presentes en la vagina de las mujeres que lo usaron como ducha vaginal inmediatamente después del coito. Esto significa que *Diet Coke* tiene la "más pronunciada acción espermicida" de todas las bebidas de cola. Los médicos especulan que puede tener algún valor aún no descubierto como agente potencial de control de la natalidad en un futuro cercano.

OLMO NORTEAMERICANO
(Ulmus fulva)
(Slippery elm en inglés*)*

Breve descripción

Este hermoso árbol alcanza alturas de 65 a 70 pies (hasta 22 metros) y se puede encontrar sembrado a lo largo de calles y creciendo en bosques desde Quebec hasta Florida, y desde North Dakota hasta Texas. El árbol tiene una corteza externa rojiza, pardo oscura, dura y rugosa, mientras que la corteza en su interior es blanquecina, ligeramente dulce y algo aromática. Los ramitas son velludas, los brotes pardo oscuros, sin punta y cubiertos en los extremos con pelos largos y rojizos. Las hojas son muy duras al tacto, gruesas y rígidas, con vellosidad en ambas superficies.

Increíble reemplazo de la cadera

Una de las historias más asombrosas que he leído acerca de lo que una hierba puede hacer, se encuentra en el antiguo libro, difícil de encontrar, *The Women of Mormondom*, de Edward W. Tullidge. Allí se relata con gran detalle cómo una mujer llamada Amanda Smith fue inspirada con una cura divina, la cual impidió que su hijo se convirtiera en un inválido para toda la vida.

El martes 30 de octubre de 1838, el pequeño asentamiento mormón de Haun's Mill, en el condado de Caldwell, en Missouri, fue atacado sin piedad por una banda armada de fanáticos religiosos. Cerca de 25 niños, adolescentes y hombres fueron asesinados a sangre fría y luego sus cuerpos fueron tirados dentro de un profundo pozo para ocultarlos.

Al hijo más joven de Amanda Smith le despedazaron totalmente la articulación de una cadera cuando un atacante colocó el cañón de su escopeta contra la cintura del chico y disparó deliberadamente. La madre se recuperó del choque inicial y le rogó a Dios que le diera inspiración. Una voz invisible le dijo que hiciera una lejía de las cenizas de nogal americano o pacana *(shagbark hickory)* y que lavara cuidadosamente toda la suciedad y los destrozos de la fea y abierta herida.

Luego, ella procedió a tomar algunas raíces y pedazos de corteza interna de olmos cercanos y los machacó con piedras hasta que estuvieran algo pulposas. Colocó esta cataplasma gomosa directamente dentro la herida hasta que se llenó, y luego la vendó con una tela de hilo limpia. La madre del chico cambiaba la cataplasma cada varios días. En unas 5 semanas su hijo se recuperó completamente, con un cartílago flexible que había crecido en el lugar de la articulación perdida, lo que asombró a los médicos durante muchos años. La familia luego se fue para Utah, donde el chico disfrutó de una vida adulta activa y normal, sin ningún impedimento físico proveniente de esa tragedia de su niñez. Un té de la corteza también es bueno para la apendicitis.

Remedio ideal para llagas y eczema

Ciertos indios norteamericanos del siglo XIX como los menoiminee y los potawatomi mezclaban agua con un poco de la corteza de olmo en polvo y la colocaban sobre las llagas y los furúnculos con buenos resultados.

Y un remedio bastante notable para el eczema usando corteza de olmo norteamericano nos ha sido dado por una pareja de Minnesota. La hermana jovencita del esposo había padecido seriamente de eczema en ambos brazos. Los padres habían agotado sus recursos económicos en médicos tratando de encontrar una cura para su terrible problema, pero sin éxito. Alguien les recomendó una aplicación de chamico (*jimsonweed*, una hierba venenosa) hervida y corteza de olmo norteamericano, lo cual le eliminó el problema enseguida.

Yo recomiendo usar chaparro (*chaparral* en inglés) en lugar de esta hierba venenosa. Tome 2 cuartos de galón (2 litros) de agua y póngalos a hervir, añadiendo aproximadamente 4 cucharadas colmadas de chaparro picado y seco. Reduzca el fuego y deje hervir a fuego lento durante 1 hora y media hasta que el líquido se halla reducido hasta más o menos 1 cuarto de galón (litro). Cuele, échelo en un frasco limpio, y guarde en el refrigerador la parte que no vaya a usar. Agregue una taza del líquido caliente en una olla pequeña. En una taza, combine bastante agua fría y polvo de olmo norteamericano hasta que se mezclen bien. Agregue esto al líquido caliente de chaparro que está en el fuego y caliente, revolviendo constantemente hasta que se forme una pasta espesa. Tal vez tenga usted que experimentar un poco para dar con el punto de consistencia adecuado (parecido al de la crema de trigo *cream-'o-wheat* cocida).

Con una cuchara de madera, esparza esta mezcla sobre varias tiras de gasa quirúrgica esterilizada. Se puede añadir 1 cucharada de aceite de oliva a la mezcla de la olla antes de esparcirla para impedir que se seque rápidamente. Aplíquela a cualquier urticaria, eczema, dermatitis o, en pequeñas cantidades, a úlceras venéreas, lesiones del herpes, úlceras de las piernas, heridas que no sanan y trastornos similares. Déjela allí durante varias horas. Repita el proceso un par de veces todos los días. La curación tendrá lugar antes de que usted se dé cuenta.

Recetas para sentirse mejor

Esta *es* la mejor hierba nutritiva para darles a quienes se recuperan de cualquier tipo de enfermedad benigna o seria, sea un niño o un anciano.

Estamos agradecidos al ya fallecido Euell Gibbons por estas recetas que se encuentran en su libro *Stalking the Healthful Herbs*.

Limonada de olmo para la recuperación

Gibbons nos dice que pongamos 1 pinta (1/2 litro) de agua hirviendo sobre 5 1/4 cucharadas (1 onza o 30 ml) de corteza de olmo cortada y seca, y que se deje reposar hasta que se enfríe. Luego añada el jugo de 1/2 limón y suficiente miel como para endulzar a su gusto. "Esta misma limonada de olmo es altamente recomendada para las personas que tienen fiebre; deje que tomen todo lo que quieran, porque esta bebida les saciará la sed y les ayudará a aliviar la enfermedad dándoles un alimento fortalecedor y fácilmente digerible al mismo tiempo", escribió él en su capítulo sobre esta hierba.

Pastillas caseras contra el hábito de fumar

Por ser un gran amante de los espacios abiertos y un verdadero creyente en la naturaleza, Euell Gibbons no estaba muy preocupado por su salud en muchos otros sentidos. Él creía en el uso excesivo del azúcar refinada, y al igual que la fallecida especialista en alimentos naturales Adelle Davis, fumaba un cigarrillo tras otro. Pero él descubrió que la corteza del olmo norteamericano lo ayudaba a resistir el constante deseo de fumar.

Coloque un poco de olmo norteamericano en polvo dentro de un tazón. Haga un hueco en el polvo y derrame allí un poco de miel oscura, y mezcle bien con el dorso de una cuchara de madera o una fuerte cuchara de metal. Siga mezclando hasta que la masa esté un poco rígida. Coloque sobre una tabla y corte en cuadraditos. Ruede estos cuadraditos en polvo de olmo norteamericano, y guárdelos en su refrigerador. Recomiendo añadir una pizca de nuez moscada o canela a la corteza en polvo por la cual se pasan los cuadraditos, para añadirles sabor. Gibbons dijo: "Funcionan como pastillas muy efectivas, suavizando mi garganta, eliminando la carraspera y aliviando la tos; hallo que chupar estas pastillas satisface mis infantiles deseos orales, para no estar constantemente fumando otro cigarrillo que realmente no deseo".

ORÉGANO
(véase: Mejorana y Orégano)

Oreja de ratón o Pamplina
(Stellaria media)
(Chickweed en inglés*)*

Breve descripción

Este aparentemente débil miembro del grupo rosado es en realidad una robusta planta anual con tallos que se expanden a su alrededor. Comienza su desarrollo en otoño y crece vigorosamente durante las tormentas de invierno, aun en el extremo norte. Sobrevive a la mayoría de las malezas (malas hierbas), comenzando a florecer cuando todavía hay nieve en el suelo y muchas veces termina de producir semillas en primavera. Es tan fructífera, sin embargo, que florece a lo largo del país durante todo el año.

Crece hasta 1 pie (30 cm) en tallos que van de enredados a rectos y reptantes. Sus hojas inferiores y centrales tienen forma ovalada, y las superiores no tienen tallos y presentan formas muy variables. En la gran oreja de ratón *(S. pubera)* los capullos típicos, blanco-brillantes y de aproximadamente 1/2 pulgada (1 cm) de ancho, tienen pétalos con unas melladuras tan profundas que sus cinco pétalos parecen diez, que es el número de sus estambres. Por lo general, se cierran por la noche y en los días nublados o neblinosos, y se abren bajo el sol brillante.

Antídoto para el envenenamiento de la sangre

La oreja de ratón está considerada entre las mejores hierbas que sirven para purificar la sangre, tales como la raíz de bardana *(burdock)*. En los casos en que se presente una amenaza de envenenamiento de la sangre o de tétanos debido a tinturas químicas o a la presencia de impurezas en el torrente sanguíneo, he aquí lo que usted debe hacer. Primero, haga una cataplasma y aplíquela directamente sobre el área afectada para extraer tanto veneno como sea posible. Para hacer la cataplasma, mezcle 1 cucharada de raíz de jengibre *(ginger)* en polvo, 1 cucharada de pimienta de Cayena *(Cayenne pepper)* y 1 cucharada de alga marina *kelp*, añadiendo suficiente miel y aceite de germen de trigo (cantidades iguales de ambos) para formar una pasta suave de consistencia pareja. Espárzala sobre una gasa quirúrgica limpia y aplíquela al área. Cubra y déjela allí hasta un máximo de 7 horas antes de cambiarla de nuevo, si es necesario.

Al mismo tiempo, administre internamente cápsulas de oreja de ratón (6 cada vez) o un té (2 tazas cada vez) que se hará añadiendo 1 cucharada de hierba seca a 2 tazas de agua hirviendo; se dejan remojar allí durante 20 minutos antes de colar y beber el té. Los mismos pasos se pueden seguir con gran éxito para tratar carbunclos, furúnculos, enfermedades venéreas, llagas del herpes, testículos y senos hinchados, y otros trastornos por el estilo. Todas las hierbas mencionadas anteriormente se pueden adquirir en su tienda local de alimentos naturales bajo la marca de *Nature's Way*.

Buen ungüento para aliviar el escozor y la urticaria

La oreja de ratón alivia enormemente los malestares producidos por el escozor crónico y las urticarias serias. Sencillamente, haga un ungüento usando oreja de ratón fresca, si es posible; si no, tendrá que usar el polvo seco.

Ingredientes: 1 1/2 taza de oreja de ratón fresca picada (o 1/2 taza de clorofila líquida con 1 taza de oreja de ratón en polvo); 2 tazas de aceite de oliva virgen puro; 6 cucharadas de cera de abeja. *Preparación:* Caliente a fuego moderado el aceite y la cera en una olla. Luego, combine todos los ingredientes en una sartén resistente de hierro colado o en una pequeña y pesada olla de asar, y colóquela en el horno durante 2 horas al nivel de temperatura "warm", es decir, para mantenerlo caliente. Después, cuele en un colador de fino mientras la mezcla aún está caliente, vierta en pequeños frascos limpios y tape bien.

Programa herbario para bajar de peso

La mayoría de los textos herbarios, del pasado y del presente, recomiendan usar la oreja de ratón para tratar la obesidad. Mi amigo, Mike Tierra, un herbolario licenciado de Santa Cruz, California, mencionó en su libro *The Way of Herbs* que "la oreja de ratón es particularmente útil para reducir el exceso de grasas, ya que tiene propiedades tanto diuréticas como laxantes".

Mike nos ofrece su propio programa de pérdida de peso, el cual ha ayudado a muchos de sus pacientes más obesos a perder esas libras de más. *Ingredientes:* Las siguientes hierbas en polvo —alga marina *kelp* (5 porciones), cáscara sagrada (1 porción), hoja de sen o *senna* (1 porción), canela o *cinnamon* (1 porción) y raíz de orozuz o *licorice* (1 porción). (He omitido la porción de hierba carmín o *poke root* que recomienda Mike porque considero que no es sano usarla). Llene con la anterior mezcla de hierbas algunas cápsulas de gelatina "00" compradas en cualquier farmacia y tome de 1 a 2 cápsulas 3 veces al día, *antes* de las comidas, con una taza de té de hierbas.

Para hacer el té de hierbas, combine porciones iguales de estas hierbas cortadas y secas —oreja de ratón, presera *(cleavers)* y semillas de hinojo *(fennel seeds)*— o aproximadamente 2 1/2 cucharadas de las mismas en 1 pinta (1/2 litro) de agua hirviendo. Déjelas remojar durante 1/2 hora antes de tomarse el té. Ambos métodos deberían lograr que su balanza marque menos, lo cual le agradará mucho.

Receta de un naturalista

El fallecido gran amante de la naturaleza y forrajero de hierbas Euell Gibbons, diseñó varias recetas usando oreja de ratón fresca.

RECETA DE OREJA DE RATÓN Y VERDURAS DEL SR. GIBBONS

"La oreja de ratón es tan tierna que se cocina casi instantáneamente", escribió él, "y siempre debe cocinarse poco para que conserve la mayor cantidad posible de sus saludables nutrientes. Para hacer oreja de ratón y verduras, siempre uso 2 porciones de oreja de ratón y 1 porción de hojas de verduras consistentes. Las hojas más fuertes se colocan primero, se cubren con agua hirviendo y se cocinan unos 10 minutos; luego se añade la oreja de ratón, y después de que el agua ha vuelto a hervir, se cocinan dos minutos más. Cuele, pero no deseche el agua de cocción. Corte las verduras dentro de la olla; sazone con sal, mantequilla, un poco de pimienta y un poquito de cebolla cruda cortada muy fina. Esparza en cada porción un poco de tocino (panceta, *bacon*) crocante. Esto constituye un plato saludable y sabroso que no requiere excusas".

He hecho la anterior receta omitiendo el tocino frito porque soy enemigo de usar cerdo, ya que creo que es perjudicial para la salud, y he sustituido la sal por el alga marina *kelp* y la pimienta negra por la pimienta de Cayena. También, he esparcido el jugo de medio limón y de media lima (limón verde, *lime*) sobre las verduras cocidas, revolviéndolas antes de servirlas. Les dan al plato un sabor especial. Gibbons sugiere que el agua donde se han cocinado la oreja de ratón y las hojas de verduras se beba para resolver problemas de obesidad.

OROZUZ O REGALIZ
(Glycyrrhiza glabra)
(Licorice root en inglés*)*

Breve descripción

El orozuz o regaliz es una planta perenne que se encuentra silvestre en las regiones centrales de Europa y en partes de Asia, y se cultiva en Estados Unidos y Canadá. El rizoma leñoso es rugoso y pardo en el exterior, amarillo en el interior y de sabor dulce.

Cura las úlceras pépticas

Ciertos elementos que se encuentran en la saliva humana y en la raíz de orozuz tienen casi idénticas acciones curativas de las úlceras pépticas y duodenales. Aún más notable es el hecho de que estos elementos constituyentes tienen una extraña semejanza entre sí cuando se examinan bajo un poderoso microscopio de electrones. Para ese trastorno se pueden tomar 2 cápsulas diarias de raíz de orozuz de *Nature's Way* disponibles en cualquier tienda de alimentos naturales.

Trata el desequilibrio emocional y la histeria

Mi amigo Michael Tierra, quien practica la ciencia herbaria en el sur de California, cree realmente en el efecto tranquilizante de la raíz de orozuz sobre el sistema nervioso. A menudo él añade pequeñas cantidades de orozuz para equilibrar muchas de sus fórmulas, para armonizar la acción de las hierbas que las componen y para evitar potenciales efectos secundarios posteriores. El llama a la raíz de orozuz un tipo de hierba "pacificadora".

En su libro *The Way of Herbs*, él recomienda no sólo orozuz, sino también *kava kava* (una hierba polinesia del sur del Pacífico) y los calmantes conocidos como lúpulo *(hops)*, esculetaria *(skullcap)* y valeriana *(valerian)* para la histeria y los problemas emotivo-mentales. La *kava kava* por sí misma y estas otras hierbas en las fórmulas de *HIGL* y *Ex-Stress Formula* están disponibles en su tienda de alimentos naturales bajo la marca de *Nature's Way* (vea el Apéndice).

Se recomiendan dosis de 2 cápsulas cada vez, con el estómago vacío, con un vaso de agua de 8 onzas (250 ml).

Una taza diaria de té de raíz de orozuz o 3 cápsulas diarias de la misma son también remedios efectivos para tratar el Mal de Parkinson.

ORTIGA MAYOR
Urtica dioica
(Stinging Nettle en inglés*)*

Breve descripción

Esta es una planta perenne que se encuentra por todo el mundo. En Estados Unidos crece en los terrenos baldíos y los jardines y a los largo de las carreteras, en cercas y paredes en los estados al norte de Colorado, Missouri y South Carolina. El tallo cuadrado y erizado crece de 2 a 7 pies (2 metros) de altura y tiene hojas puntiagudas que por debajo son aterciopeladas, y florecillas verdosas que crecen en ramilletes de julio a septiembre.

Fantástico poder hemostático

¡Nada parece detener el sangrado profuso más rápida y efectivamente que la ortiga picante! Debido a que la evidencia que presentaremos es tan increíble, la fuente de la que fue obtenida tiene que ser citada también para hacerla más creíble.

Francis P. Porcher fue cirujano y médico de la Confederación Sureña. Su libro *Resources of the Southern Fields and Forests,* fue un texto médico importante durante la Guerra de Secesión. En él, el doctor relataba cómo él y otro médico deliberadamente cortaron y expusieron una arteria principal de una oveja adulta. Luego, sólo con mojar una gasa en un té frío hecho de ortiga picante y aplicarlo directamente sobre la herida abierta, pudieron detener todo el sangrado en cuestión de minutos. Aún más asombroso es el hecho de que cuando el jugo de la planta se añadió a la sangre que se derramaba en la palma de la mano, inmediatamente se empezó a coagular.

Para hacer una solución fuerte para sus propias necesidades personales, ponga a hervir 1 cuarto de galón (litro) de agua. Quite del fuego y añada un buen puñado de planta de ortiga picada y *fresca.* Tape y deje reposar durante 1 hora, antes de colarlo. Siempre es mejor usarlo cuando está ya frío. Se puede usar la planta seca, pero no funcionará tan bien. El té puede ser usado internamente para las úlceras sangrantes o, externamente, como lavado o cataplasma para detener una hemorragia seria.

Notable tónico capilar para la calvicie

La loción de ortiga parece ayudar a hacer salir de nuevo el pelo en las áreas afectadas de calvicie. Las dos lociones siguientes deben ser usadas al mismo tiempo todas las mañanas después de lavarse y enjuagarse el cabello de la forma en la que usted normalmente lo hace. Cuando se masajee bien con la punta de los dedos las lociones en el cuero cabelludo, asegúrese de inclinar hacia abajo la cabeza, masajeando la loción desde la nuca hacia arriba hasta la frente. Después, deje que el cuero cabelludo se seque naturalmente sin usar toalla ni secadora de pelo.

En 1 cuarto de galón (litro) o 4 tazas de ginebra, ponga 2 puñados de ortiga lavada y picada, 3/4 puñado de romero *(rosemary)* fresco picado, 1 puñado de flores de manzanilla *(chamomile)* fresca picada y 2/3 de puñado de salvia *(sage)* fresca picada. Tape el frasco con una tapa hermética y déjelo expuesto a la luz *indirecta* del sol (a la sombra) durante 2 1/2 semanas, asegurándose de agitar bien el contenido de la botella 2 veces al día. Cuele y refrigere en un frasco de fruta limpio con tapa.

Ponga a hervir 1 1/2 cuarto de galón (1 1/2 litro) de agua *Perrier* u otra agua mineral embotellada, añadiendo la mitad de un rutabaga pequeño y picado y la mitad de una papa pelada, y un tallo de apio en pedazos. Tape, reduzca el fuego y cocine a fuego lento durante 25 minutos; luego cuele el líquido en otra olla, desechando los vegetales. Vuelva a calentar hasta el punto de hervor y añada 1/2 puñado de ortiga fresca picada, 1/2 puñado de salvia *(sage)* de huerta fresca y picada, 1/4 cucharadita de raíz de rábano picante *(horseradish)* rallada y el jugo de la mitad de un limón. Tape y quite del fuego, dejándolo reposar durante 50 minutos. Cuando esté frío, cuélelo y refrigérelo en un frasco de vidrio limpio con tapa.

Cuando use el extracto alcohólico, recuerde diluir 1 porción de éste con 1/2 porción de la infusión. Si se usa con regularidad durante varios meses, se hará evidente el surgimiento de nuevos cabellos.

Recetas divertidas para una figura más esbelta

El fallecido forrajeador de plantas Euell Gibbons, escribió en una ocasión que "¡la ortiga picante es muy eficaz para eliminar los kilos de más!". Esas personas obesas que me han escrito solicitando desesperadamente consejos sobre cómo rebajar de peso y a quienes he puesto en una semidieta de ortiga picante ¡me han informado que han perdido hasta 32 1/4 libras (casi 15 kilos) en sólo 3 meses o menos!

Las ortigas deben ser recogidas al principio de la primavera, cuando tienen de 4 a 8 pulgadas (10 a 20 cm) de altura. A medida que la planta madura, se hace bastante dura y de mal sabor. Se recomienda el uso de un par de buenos guantes de piel para proteger las manos cuando se las maneje. Y es preferible usar bolsas fuertes de papel, y no bolsas de plástico, para guardarlas y transportarlas.

Después que haya recogido bastantes ortigas, se deben lavar en agua fría. Un par de tenazas de cocina resultarán de mucha ayuda cuando se quiten las ortigas lavadas del agua. Déjelas escurrir sobre toallas de papel durante unos minutos antes de refrigerarlas. Se mantendrán bien durante 1 semana.

Las ortigas se congelan muy bien. Coloque las ortigas lavadas en una tetera grande. Vierta sobre ellas agua hirviendo y tápelas. Después de 5 minutos, cuele y colóquelas en recipientes en el congelador. Congeladas durarán, por lo general, hasta 9 meses.

HOJAS DE ORTIGAS AL ESTILO DE GEORGIA

Ingredientes: 2 cuartos de galón (2 litros) de ortigas; 3/4 taza de extracto de caldo hecho de alas de pollo hervidas y de la carne picada y cocinada de esas alas; 3 cebollas verdes en rebanadas; 2 huevos duros; y 1/4 cucharadita de jugo de limón.

Preparación: Corte las ortigas en pedazos. Colóquelas en una olla con los otros ingredientes, menos los huevos. Deje hervir a fuego lento durante 20 minutos. Quite del fuego y sirva adornada por encima con huevos duros picados. Sazone a gusto con un poco de alga marina *kelp*, si es necesario.

SOPA CREMOSA DE ORTIGA

Ingredientes: 1 1/2 cuartos de galón (1 1/2 litro) de ortigas; 1/3 taza de *Perrier* u otra agua mineral; 1/4 taza de aceite de semilla de ajonjolí *(sesame seed oil);* 1/4 taza de harina de trigo integral; 3 tazas de leche de cabra enlatada.

Preparación: Cocine las ortigas con agua en una olla tapada, a fuego medio durante 10 minutos. Deje enfriar durante 15 minutos, luego hágalas puré en una licuadora o procesador de alimentos. En otra cacerola, caliente el aceite y ponga allí la harina, mezclando bien ambos. Luego, añada lentamente la leche de cabra y deje hervir a fuego lento hasta que la mezcla se espese. Añada las ortigas hechas puré y caliente bien. Añada un poco de alga marina *kelp* para sazonar. Suficiente para 4 porciones.

CERVEZA DE ORTIGA ADELGAZANTE

Esta es una cerveza del tipo *ale* que quita la sed y que yo recomiendo mucho a aquellos que quieren perder peso. Es una alternativa más sana que los refrescos y las colas de dieta, para no mencionar que también ayuda a perder esas libras de más de alrededor de los muslos y en las caderas en particular.

Ingredientes: 4 cuartos de galón (4 litros) de hojas de ortigas; 2 galones (8 litros) de agua; 2 limones cortados en rebanadas delgadas; 3 limas (limón verde, *lime*) cortadas en rebanadas delgadas; 2 onzas de raíz de jengibre *(ginger)* fresco rallado; 1/2 cucharadita de nuez moscada *(nutmeg)* en polvo; 1/4 de cucharadita de macis *(mace)* en polvo; 2 tazas de azúcar morena *(brown sugar);* 1 torta de levadura activa *(active yeast).*

Preparación: Hierva los primeros 4 ingredientes en una olla grande durante 50 minutos. Cuele a través de 4 capas de estopilla antes de añadir el azúcar. Enfríelo hasta que esté tibio. Disuelva la levadura en 2 tazas de este líquido; luego vierta y mezcle con el resto de la cerveza. Embotéllelo en frascos de 1 cuarto de galón (litro) o en frascos limpios de 1 galón (4 litros) con bocas estrechas. Déjelo reposar durante 1 semana en un sitio fresco. Refrigere durante 15 horas antes de beberlo.

NOTA: Estoy muy agradecido a Darcy Williamson, autora de *How to Prepare Common Wild Foods*, por sus recetas de ortiga, las cuales han sido adaptadas ligeramente para satisfacer las necesidades de este libro.

P

PAN

(véase también: Cereales)
(Bread en inglés)

Breve descripción

Una rebanada de pan negro *(pumpernickel)*, de pan de centeno *(rye)* o de pan de trigo integral *(whole wheat)* equivalen a 8 rebanadas de pan blanco en lo que se refiere a capacidad para crear bolo fecal. "La mejor manera de aumentar el consumo de alimentos ricos en fibra", escribe Denis Burkitt, M.D., un prominente médico británico, "es aumentar el consumo de pan, asegurándose de sustituir el pan blanco con pan hecho de harina que sea lo más entera posible. El pan de trigo integral tiene 3 veces más cantidad de fibra dietética que el pan blanco".

Cómo satisfacer los "antojos" con pan

¿Alguna vez ha tenido deseos de comer golosinas que le hacen aumentar de peso? Pues bien, 2 rebanadas de pan de trigo integral lo harán sentirse satisfecho durante varias horas, mucho más que otros alimentos procesados. Los productos de harina blanca no tienen virtualmente ningún valor —de hecho, hacen falta 8 panes blancos para lograr el mismo efecto laxante en el colon que el que se logra con un sólo pan de trigo integral. Así que un *sandwich* de mantequilla de maní *(peanut butter)* con dos rebanadas de pan de trigo integral o dos tostadas de pan de trigo integral con un poco de mantequilla, espolvoreados con canela *(cinnamon)* y cardamomo *(cardamom),* puede ser una manera muy agradable de satisfacer a un estómago que ruge sin añadir demasiados kilos de más.

La cataplasma de pan que controla el tétanos

Recuerdo el caso sucedido hace años en Lander, Wyoming, en que un perro *pit bull terrier* mordió a una niña en un tobillo. Un anciano de su barrio oyó hablar del incidente y fue a ver a los atormentados padres. Les pidió permiso para tratar la pierna. Ellos conocían de su reputación de curandero y estuvieron de acuerdo, pues no estaban totalmente convencidos de que debían someter a su pequeña hija al trauma adicional de un hospital o de la consulta al médico.

Inmediatamente, él se puso a trabajar e hizo una cataplasma especial remojando algunas rebanadas de pan ligeramente mohoso en leche condensada; las aplicó al tobillo de la niña con algunas tiras de gasa limpia y las pegó en los extremos con cinta adhesiva. A la mañana siguiente cambió el vendaje, y por la noche ya habían desaparecido para siempre el color rojo y la inflamación.

El aroma curativo del pan recién horneado

Un aspecto terapéutico que raras veces o nunca se comenta en los libros para el autotratamiento de la salud que conozco, tiene que ver con los beneficios sicológicos y emocionales que se derivan del aroma del pan recién horneado. Aunque Freud o su analista favorito no hayan recomendado esto para los problemas mentales, yo lo hago porque he presenciado su éxito en varias ocasiones.

Algunas culturas llegan a creer que el olor del pan fresco tiene importancia curativa. En el número de enero de 1983 de la revista *Natural History,* por ejemplo, se dice que "el pan recién horneado, aplicado sobre el cuerpo de un paciente de malària, se supone que tiene el poder de aliviar los ataques de malaria", en la isla italiana de Cerdeña. Y en la aldea de Esporlatu, en Cerdeña, los transeúntes juran que "el olor del pan fresco es tan poderoso que puede alejar la enfermedad y la muerte".

Hace algunos años tuve la oportunidad de pasar algún tiempo entrevistando a varios sicólogos y terapeutas en el Hospital de Utah State, en Provo. Un caso que me llamó particularmente la atención, me condujo a investigar este tema más profundamente en años posteriores. En el caso que se me describió, una mujer de mediana edad que había estado hospitalizada debido a fuertes depresiones, no estaba respondiendo en absoluto a ninguna de las terapias aplicadas. Y el medicamento que estaba recibiendo a diario tampoco la ayudaba mucho. Finalmente, había comenzado a salir de su derpesión cuando la asignaron para trabajar en la cocina del hospital junto al panadero, ayudándole a hacer el pan. Cuando sus terapeutas le preguntaron qué era lo que la estaba haciendo sentirse mejor, ella respondió que el aroma del pan recién horneado le daba una indescriptible sensación de bienestar tan fuerte que ella comenzó a sentir y a pensar que, después de todo, tenía esperanzas de recuperarse. Unos 2 1/2 meses después le dieron de alta, aparentemente gracias a la ayuda del olor al que estuvo expuesta durante varias horas todos los días, y también al hecho de exteriorizar sus frustraciones mientras amasaba y golpeaba la masa del pan. Después de esto, nunca necesitó terapia nuevamente.

Cómo hacer un buen pan

La siguiente receta apareció en el número de diciembre-enero de 1978 de la revista *Quest*.

PAN DE CENTENO

Ingredientes: 2 paquetes de levadura de cerveza activa seca *(active dry yeast);* 1/2 taza de agua caliente (de 115°F a 125°F); 1 cucharada de miel; 1 1/2 taza de cerveza malta oscura *(dark malt beer);* 2 cucharadas de mantequilla; 1 cucharada de sal; 1/2 de taza de yogur sin sabor; 2 1/2 tazas de harina de centeno oscura *(dark rye flour);* 1 taza de harina para pan negro *(pumpernickel flour)* (o 1/2 taza de centeno y 1/2 taza de trigo integral); 1 taza de harina de gluten *(gluten flour);* 1 taza de harina blanca; 1 cucharada de clara de huevo mezclada con 1 cucharada de agua; harina de maíz *(cornmeal)*.

Preparación: En un tazón grande disuelva la levadura en agua tibia y agregue la miel, revolviendo. Caliente la malta hasta que esté lo suficientemente caliente como para derretir en ella toda la mantequilla; añada sal y yogur. Deje descansar la mezcla hasta que esté tibia, y luego agregue la levadura líquida. Añada todas las harinas, menos 1/2 taza de la harina blanca. Mezcle bien, luego vierta todo sobre una superficie enharinada y amase, añadiendo la harina reservada si es necesario, durante 5 a 10 minutos.

Cuando la masa esté suave, aunque esté un poquito pegajosa, colóquela en un tazón engrasado con mantequilla, déle una vuelta, tápela y colóquela a 85°F (puede ser dentro de un horno frío con una olla de agua humeante debajo) y deje que crezca hasta el doble de su tamaño (unas 2 1/2 horas). Déle la forma de dos hogazas ovaladas o redondas y colóquelas en una bandeja para hornear rociada con harina de maíz. Cúbralas ligeramente para que crezcan de nuevo, hasta el doble de su tamaño (alrededor de 1 1/2 hora). Precaliente el horno a 375°F; hornee de 40 a 50 minutos. Si las golpea con los nudillos deben sonar como huecas. Deje enfriar en una parrilla. Suficiente para dos panes.

Pasas
(véase: Uvas y Pasas)

Papas o Patatas

Batata, Boniato, Camote o Papa dulce
(Ipomea batatas; Sweet potato en inglés)

Ñame
(Dioscorea sativa, D. alata; Yam en inglés)

Papa o Patata blanca
(Solanum tuberosum; Potato en inglés)

Breve descripción

Los ñames y los boniatos o batatas a menudo se confunden. Ambos son tubérculos comestibles, pero son de diferentes familias de plantas. Los ñames probablemente se originaron en África Occidental, mientras que los boniatos, como las calabazas, son vegetales nativos del Nuevo Mundo. Hay muchas variedades de batatas, pero son de dos tipos básicos: las que tienen su parte interior más bien seca, harinosa y de un color amarillo pálido; y las que las tienen húmeda y de color amarillo intenso a naranja rojizo (a las cuales a menudo se llaman, incorrectamente, ñames). El ñame común *(Dioscorea sativa)* y el ñame de 10 meses *(D. alata)* se cultivan ampliamente a través del sur del Pacífico y se sabe que han llegado a pesar hasta 100 libras (40 kilos). Se pueden hornear, hervir, asar y freír, o usarse crudos en ensaladas.

La patata blanca fue cultivada primeramente por los incas en Sudamérica en las zonas más elevadas de los Andes, y luego Sir Francis Drake las llevó a Inglaterra en 1586. De aquí su cultivo se extendió a Irlanda, Europa continental y finalmente, en 1719, a las colonias de Norte América.

Las patatas modernas o papas, las cuales son muy distintas de las originales, pequeñas y harinosas, se dividen en tres grupos generales. Las papas nuevas *(new potatoes)* son las tiernas y de piel fina que se cultivan generalmente a finales del invierno y comienzos de la primavera; se pueden hervir, hacer cremas o usar en ensaladas de papas. Las papas que sirven para todo son las *Red Pontiac*, que se pueden hervir, hacer puré, hornear o freir. Y las famosas papas *Idaho*, o *Russet*, son populares como papas para hornear.

Una cataplasma de papa para aliviar el dolor y la inflamación

En 1987, conocí a un joven estudiante de farmacología de Nova Scotia, quien había crecido en la zona productora de papas de Maine. Una tarde durante el almuerzo, él compartió conmigo algunos conocimientos populares que llegaron a su familia a través de su bisabuela.

Según él, ella hacía cataplasmas especiales de papa para reducir las inflamaciones causadas por contusiones, esguinces, quemaduras, fracturas, hemorroides, abscesos, apendicitis, artritis, neuralgia y eczema.

Para hacer sus cataplasmas especiales, ella pelaba y rallaba papas comunes, mezclaba la mitad de las mismas con porciones iguales de hojas de verduras verdes (col, rábano o espinaca), las cuales ya habían sido hechas puré en un procesador de alimentos. A esta mezcla húmeda se le añadía un 10% de harina blanca. Entonces todo se mezclaba bien a mano en una olla grande. Se añadía gradualmente bastante agua fría (*nunca* tibia) para darle a la pasta una consistencia húmeda, algo uniforme y espesa, sin que llegara a gotear o a formar grumos.

Su abuelita aplicaba esta cataplasma de papa directamente sobre la piel. Encima de la misma colocaba una tela limpia y la ataba con una venda de hilo larga que hacía de tiras de sábanas viejas. Ella exigía que la persona se mantuviera en posición reclinada durante el tiempo que esta cataplasma permaneciera puesta, lo cual duraba por lo general un promedio de 3 1/2 horas.

Muy a menudo la cataplasma se secaba, por lo que ella aplicaba un poco de agua tibia sobre la masa seca hasta que quedara húmeda otra vez. Esto hacía que fuera más fácil sacarla sin que el paciente sintiera mucho dolor o incomodidad. Después que la cataplasma se retiraba, se enjuagaba la piel con un poco de agua tibia.

A veces, me decía él, la abuela frotaba un poquito de aceite de oliva en el área a tratar para evitar o reducir cualquier escozor crónico que pudiera ocurrir mientras la cataplasma estaba sobre la piel.

Señaló que ella también usaba las mismas cataplasmas de papa para extraer pus de furúnculos, abscesos, acné infectado, carbunclos, quistes infectados y varios tipos de tumores (benignos, fibroides o incluso malignos). En un par de ocasiones, a las mujeres a las que trató por problemas de tumores del seno, se les acumuló en la superficie la mayor parte de la materia cancerosa del interior de sus cuerpos, gracias a la cataplasma de papas. Estas mujeres fueron después sometidas a cirugías para eliminar estas acumulaciones malignas, pero, curiosamente, los cirujanos no tuvieron que operar tan profundamente como lo habrían hecho si estas mujeres nunca hubieran sido tratadas por la abuela.

Cómo perder peso comiendo papas

Las papas en sí *no* engordan. Son las salsas y los aliños que se les ponen encima lo que les ha dado fama de que engordan. El sentido común indica que una papa bañada en mantequilla, crema agria o mucha salsa está llena de calorías destinadas a hacer su cintura más amplia. Pero una papa sola no engorda más que una pera: la papa misma está libre de grasas en un 99.9%, y una papa horneada de media libra (8 onzas o 225 g) ¡tiene *menos* de 250 calorías!

Nutricionistas del departamento de economía doméstica de Douglass College, de la Universidad de Rutgers, en New Brunswick, Nueva Jersey, demostraron que la papa puede ser incluida con buenos resultados en una dieta para bajar de peso. En un estudio cuidadosamente controlado, los estudiantes que siguieron un plan de alimentación que contenía papas bajaron 14 libras (más de 6 kilos) en 8 semanas, una cantidad ideal para perder peso.

Remedios de una abuela de Nueva Orleáns

Una señora muy anciana de ascendencia francesa, nativa de Louisiana, Clothilde Rousseau, de 86 años de edad, me dio una serie de remedios con papas blancas muy eficaces para ciertos problemas de salud.

"A principios de los años 30 yo padecía de fatiga visual. Lavé 1 papa y luego corté 6 tajadas del tamaño de una moneda de 25 centavos de dólar. Me las puse sobre los ojos, 3 en cada lado, y me até una tira de tela alrededor de la cabeza para mantenerlas en su lugar. Me dieron un gran alivio y me quitaron el dolor y la inflamación.

"A las personas que padecían de neuralgia, las trataba colocándoles una papa horneada contra el lado del rostro o del cuello donde más les dolía, y la cubría con una toalla para mantener el calor el mayor tiempo posible. ¡Y siempre daba resultados!

"Para los moretones causados por golpes, descubrí que las papas funcionaban mejor que la carne de res cruda. Preparaba una cataplasma sencilla de papa cruda rallada y la aplicaba sobre cualquier golpe en la piel. Después de dejarla allí durante más o menos 1 hora, el moretón y el dolor al tacto por lo general se habían reducido bastante.

"Cuando tenía 5 años, me enfermé repentinamente con un caso serio de cálculos biliares. Al principio, mi mamá pensó que tal vez se trataba de apendicitis, porque me dolía muchísimo un costado del cuerpo. Pero ella consultó con un viejo curandero de la zona, quien le dijo que pelara unas cuantas papas e hiciera un extracto de caldo con la piel. Ella lo hizo y me dio 4 ó 5 tazas al día durante una semana. Por lo general, ella examinaba mis excrementos y notó que un grupo de cálculos había comenzado a salir. Muy pronto me curé y nunca más he tenido ese tipo de problemas. Durante muchos años he usado este mismo remedio con otras personas con el mismo problema y nunca me ha fallado.

"A lo largo de los años, algunas personas me han referido personas que no siempre podían ingerir nuestros platos picantes. En todos los casos, yo hacía que la persona tomara un pedacito de papa cruda, no mayor que mi dedo pulgar, y lo masticara bien antes de tragarlo. Por lo general, el alivio se sentía en 1 ó 2 minutos. A los que tenían úlceras en mal estado, les mandaba a beber una taza de jugo de papa cruda con agua tibia, todas las mañanas al levantarse.

"Una señora vecina mía llegó una vez pidiendo ayuda a gritos porque su hijo se había quemado con agua hirviendo, escaldándose bastante la piel. Fui a su casa todos los días durante un mes y le apliqué al hijo montones de papa cruda rallada en todas las áreas donde se había quemado. Él pudo superar el problema y, que yo sepa, no le quedaron cicatrices.

"Las papas tienen el poder de atracción más grande que he visto en un vegetal. He usado tajadas de papas sobre llagas infectadas para ayudar a sacar el pus y la infección cuando ya nada parecía dar resultados. Dudo que usted encuentre otra cosa que dé mejor resultado que esto para los abscesos y las heridas. Realmente ayuda a extraer la materia descompuesta para que la curación ocurra con más rapidez".

Las papas reducen los infartos

Los hombres en Irlanda consumen más de un 170% más de papas que los hombres de ascendencia irlandesa en Estados Unidos. En un año reciente los irlandeses comían 267 gramos de almidón o fécula al día (la mayoría proveniente de papas), mientras que los irlandeses americanos de segunda generación de Massachusetts consumían sólo 116 gramos de almidón al día (y sólo una pequeña porción provenía de la papa). Las estadísticas indican que a finales de los años 60 en Irlanda, sólo un 29% de todas las muertes de hombres entre los 45 y los 64 años de edad era resultado de isquemia cardiaca, en comparación con el asombroso 42% de todas las muertes durante el mismo período en descendientes de irlandeses de segunda generación en Boston.

Un análisis de papas frescas demostró que éstas constituyen la fuente más rica de vitamina C entre una serie de vegetales examinados. Los investigadores concluyeron que tales alimentos ricos en vitamina C ofrecen alguna protección contra la enfermedad cardiaca coronaria. Un estudio final indicó que grandes cantidades de papas administradas en dietas experimentales reducían significativamente los niveles de colesterol en la sangre en los hombres. Y la Dra. Elizabeth Barrett-Connor, de la Universidad de California, en San Diego, encontró que hombres y mujeres de un grupo de 859, de edades entre los 50 y 79 años, con dietas bajas en potasio, tenían de 3 a 5 veces más posibilidades de morir de una apoplejía que quienes llevaban dietas con mayor contenido de potasio. Entre los alimentos recomendados para reducir significativamente las apoplejías estaba "una papa pequeña con 350 miligramos de potasio". Por lo tanto, parecería que las papas son beneficiosas para el corazón cuando se consumen sin grasas y horneadas o hervidas.

El almidón puede prevenir el suicidio

El tema del suicidio se encuentra a menudo en estos días en las noticias, sobre todo entre los jóvenes. Un profesor de historia de la

Universidad de San Diego State, Howard Kushner, se inclina a pensar que las sociedades que consumen cantidades importantes de carbohidratos tienen una incidencia mucho menor de suicidio que las culturas donde eso no sucede. En un ensayo publicado en el número del verano de 1985 en el *Journal of Interdisciplinary History*, el Dr. Kushner postula que puede ser que las papas y la pasta estén evitando que se suicide un número indeterminado de irlandeses e italianos; mientras que los daneses, los alemanes y los austríacos, quienes consumen menos de estos carbohidratos, tienen tasas de suicidio más elevadas.

Experimentos suecos y estadounidenses incluían la extracción de fluido espinal de 30 voluntarios que habían intentando suicidarse para determinar el nivel de una importante sustancia química cerebral llamada serotonina. Un gran número de ellos tenía niveles de serotonina significativamente más bajos que un grupo de control de personas normales. Además, quienes tenían menos serotonina también eran más propensos a la violencia.

La serotonina es una proteína que transporta mensajes a las células cerebrales. La produce en el cuerpo el aminoácido triptófano, el cual debe ser ingerido en la dieta. Pero el triptófano encuentra una dura competencia por parte de otros aminoácidos cuando intenta cruzar la barrera del torrente sanguíneo hacia el cerebro. Sin embargo, cuando se consumen ciertos carbohidratos como las papas o la pasta, se segrega insulina, la cual, entonces, reduce el nivel de los aminoácidos que compiten, de manera que puede pasar más triptófano. Cuando éste llega al cerebro, entonces se puede producir suficiente serotonina, la cual ayuda a reducir algo la depresión y la ansiedad.

Por eso parece relativamente seguro decir que las papas deben figurar frecuentemente en la dieta de aquellas personas que están experimentando desequilibrios mentales y emotivos de algún tipo, como una precaución razonable contra la posibilidad del suicidio.

Evacuaciones intestinales más rápidas y frecuentes

Según el número de septiembre de 1977 del *Irish Journal of Medical Science,* el consumo frecuente de papas sin pelar puede hacer maravillas en la limpieza de los intestinos. Veinticinco de 48 voluntarios consumieron diariamente una dieta de papas de aproximadamente 2,2 libras (1 kilo) durante un mínimo de 10 semanas y un máximo de 20 semanas. El consumo promedio fue ligeramente inferior a las

2 libras y contenía aproximadamente 1/7 de onza (4 g) de fibra cruda. Se hicieron evidentes una reducción significativa del tiempo que demoraba la comida en pasar por el conducto intestinal y una reducción en la presión sobre el colon y el recto. También se notó un importante aumento en el peso de los excrementos.

El ñame elimina los metales pesados del cuerpo

Los ñames y las batatas contienen sencillas sustancias péptidas llamadas fitoquelatinas, las cuales pueden atraer metales pesados como cadmio, cobre, mercurio y plomo, participando así en la desintoxicación metálica de los tejidos del cuerpo. Estos compuestos metal-quelantes interactúan con el mineral sulfuro para lograr la quelación. Ante esto, es interesante notar que los médicos rusos incluyen las papas, los ñames y la col (verduras ricas en sulfuro) en una dieta profiláctica especial para los trabajadores industriales que están expuestos constantemente a medio ambientes laborales llenos de sustancias químicas tóxicas. Cuando consideramos que la mayoría de nuestras grandes ciudades tiene un terrible problema de contaminación ambiental, parece prudente que comamos más de estos vegetales, para que no acumulemos y nos enfermemos con los metales pesados que están en el aire que respiramos a diario.

La batata y el ñame también ayudan a eliminar cualquier tipo de objeto extraño que haya sido ingerido accidentalmente por un niño pequeño o un adulto con retraso mental (como imperdibles, ganchos, agujas, monedas, tachuelas y objetos parecidos). Al alimentar a la persona con algunos ñames o batatas hervidos, horneados o al vapor, ayudaremos a envolver el objeto y a hacer que pueda ser expulsado del cuerpo posteriormente a través del colon. También son buenos para esto las bananas (plátanos dulces) maduras y aplastadas.

Cómo cocinar con creatividad

Las siguientes recetas son sencillas y fáciles de preparar. Ellas ofrecen comidas rápidas nutritivas y deliciosas.

Papas irlandesas

Comience con papas lionesas *(Lyonnaise)*, usando rebanadas (1/8) o cubitos de papas medianas hervidas, peladas y doradas en mantequilla derretida; combínelas con cebolla salteada y perejil picado y sazone a gusto. Cuando las papas lionesas estén listas, agregue 1/4 taza de pimiento (ají) verde dulce picado, 1/4 taza de pimentón *(pimiento)* y 1/4 taza de crema espesa. Preparación: Cocine la crema a fuego medio. Mezcle agitando la olla a medida que el plato se cocina. Sirva en un plato caliente.

PAPA DULCE CON ALBARICOQUE

Ingredientes: 1 batata (boniato, papa dulce) horneada; 4 mitades de albaricoques (damascos) secos y picados; 2 cucharaditas de almíbar de arce; 1/2 cucharadita de jugo de limón, 1/2 cucharadita de jugo de limas (limón verde, *lime*); 2 cucharadas de puré de manzana *(applesauce);* unas cuantas almendras *(almonds)* tostadas como adorno (opcional).

Preparación: Corte aproximadamente 1/3 de la parte de arriba de la batata cocinada. Saque la masa con una cuchara. Mezcle la masa con el resto de los ingredientes. Póngala de nuevo en la cáscara de batata que ha reservado. Sirva caliente.

PAPAYA
(véase: Frutas tropicales)

Pasta
(véase también: Cereales)

Breve descripción

Las pastas son básicamente alimentos con pocas proteínas, mucho almidón o fécula, y pequeñas cantidades de vitaminas. Las pastas se pueden dividir en dos grupos principales: tallarines y macarrones. Los tallarines se caracterizan por la adición de huevos a la harina. Esto aumenta las proteínas, pero también aumenta el contenido de grasa. Puede usar yogur en lugar de huevos cuando usted haga tallarines en casa, como se indica en la receta de más adelante.

El grupo de los macarrones incluye espaguetis, lasaña, macarrones, conchas y otras formas de macarrones. Éstos, por lo general, están enriquecidos con vitaminas o germen de trigo. Mi sugerencia es usar estos productos en pequeñas cantidades junto a alimentos muy nutritivos. Llene las sopas con un puñado de macarrones o tallarines de trigo integral. Complete los platos de pasta de trigo integral con crema de pollo o de atún, o una salsa de tomate y verduras.

En 1985, el típico estadounidense consumió 12 libras (5 1/2 kilos) de pasta. El espagueti es la pasta que más se vende en el mercado, con un 55 % del total, seguido por los macarrones (27 %), los tallarines de huevo (13 %), la lasaña y las pastas de formas especiales (3 %) y otros tipos de pasta (sólo 2 %).

Realmente baja el colesterol

La mayoría de las personas que hace dieta rechaza la pasta pensando que engorda. Nada puede estar más lejos de la verdad. En realidad, estudios clínicos muestran que ¡la pasta es uno de los mejores alimentos para ayudar a mantener bajo el nivel del colesterol en la sangre!

Un equipo de médicos internacionales de Minnesota e Italia estudió las dietas y los niveles de colesterol en la sangre de hombres italianos sanos entre los 40 y los 55 años de edad que residían en Nápoles, y los de hombres sanos de la misma edad que residían en el área de Minneapolis y St. Paul.

La mayor parte de la dieta italiana consistía en pan, pasta y verduras del área, mientras que la carne, el pescado, la leche, el queso y los huevos constituían lujos debido a su precio elevado. También se consumían muy a menudo algunas frutas y muy pequeñas cantidades de queso. Pero la dieta de los hombres de Minnesota era todo lo contrario, siendo los productos lácteos y la carne los platos favoritos, junto a los alimentos con azúcares, las papas y los platos fuertes con mucha grasa. Se consumían algunos vegetales y se comían frutas ocasionalmente. El pan procesado y otros productos de harina blanca se consumían más a menudo que las pastas.

Los cereales de granos proveían a los italianos aproximadamente un 67% de todas sus calorías, y solamente un 20% provenía de las grasas. Esto explica, probablemente, por qué los italianos tenían 30 mg de colesterol *menos* en 100 mililitros de sangre, que sus contrapartes estadounidenses, ¡quienes obtienen de fuentes de grasa, cerca de un 50% de todas sus calorías! Y, como regla general, los italianos experimentan considerablemente menos infartos que los estadounidenses, a pesar de que muchos de ellos pueden estar gordos y pasados de peso. Esto señala que la pasta puede verdaderamente salvar su vida, al menos en lo que respecta al colesterol, y debe ser incluida en nuestra dieta más frecuentemente.

Recetas de pasta

Los tallarines y los espaguetis caseros saben muy bien y son mejores para usted que algunas de las pastas que se compran en el mercado.

TALLARINES Y ESPAGUETIS DE TRIGO INTEGRAL

Ingredientes: 1 1/2 taza de harina de trigo integra*l (whole wheat flour);* 1/4 cucharadita de sal de mar; 1 taza de yogur sin sabor.

Preparación: Mezcle la harina y la sal. Añada bastante yogur como para hacer una masa firme. Amase durante unos 3 minutos. Ponga bastante harina sobre la superficie para cocinar. Presione la masa con las manos. Esparza más harina sobre la masa y aplástela con un rodillo enharinado. ¡Es absolutamente esencial que la masa quede muy delgada! Déjela reposar durante 5 minutos. Corte, con un cuchillo muy afilado, en secciones de 1/4 pulgada (50 mm) para los tallarines y de 1/8 pulgada (25 mm) para los espaguetis. Esparza sobre papel encerado y deje que se seque unas 3 horas, o hasta que se ponga dura. Cocine poniendo los tallarines en agua o caldo de pollo o carne, hirviendo. Cocine de 10 a 15 minutos. Suficiente para 6. Nota: ¡Con estos tallarines se puede hacer una deliciosísima sopa de pollo o de pavo!

PASTA PRIMAVERA

Ingredientes: 1 cucharada de aceite de oliva; 1 diente de ajo machacado; 1/2 cebolla mediana picada; 2 tomates grandes en trozos; 1/2 cucharadita de orégano; 1/4 cucharadita de mejorana *(marjoram);* 1/2 cucharadita de alga marina *kelp;* 1/2 taza de vino blanco; 1 cucharada de aceite de oliva; 2 a 3 tazas de vegetales picados (bróculi, zanahoria, calabacita *zucchini,* calabaza, zapallo, etc.); 1 libra de la pasta de su preferencia, caliente y cocida; un poco de queso parmesano rallado, si lo desea.

Preparación: Caliente 1 cucharada de aceite de oliva en una sartén honda. Añada ajo y cebolla; cocínelos hasta que estén traslúcidos. Agregue los tomates, el orégano, la mejorana y la pimienta; saltee 2 minutos. Añada el vino; caliente a fuego lento mientras prepara los vegetales. En otra sartén honda, caliente 1 cucharada de aceite de oliva. Añada los vegetales y cocínelos hasta que estén tiernos. Añada la mezcla de tomate y cebolla, y sirva sobre pasta caliente y cocida. Esparza un poco de queso parmesano rallado, si lo desea.

PENSAMIENTO
(véase: Plantas ornamentales)

PEONÍA
(véase: Plantas ornamentales)

PEPINO
(Cucumis sativus)
(Cucumber en inglés*)*

Breve descripción

Esta antigua planta es oriunda del suroeste de Asia, donde se han descubierto semillas cultivadas hace casi 12.000 años. Los faraones egipcios se lo daban como alimento a sus esclavos hebreos, lo que posteriormente hizo que este pueblo se quejara contra Moisés por no tener más "pepinos y melones como los que comíamos tanto en Egipto".

El pepino está relacionado con los melones y, como ellos, tiene un gran contenido de agua, lo que mantiene su pulpa interior fresca en las temperaturas más calurosas; de aquí la expresión de "fresco como un pepino". Los pepinos se dividen en tres clases: el tipo más común, que se cultiva en los campos y que se corta en tajadas; el tipo más pequeño, que se pone a encurtir, y que también se cultiva en los campos; y las nuevas variedades de invernadero, algunas de las cuales no tienen semillas. El té caliente o frío hecho de pepinos pelados es maravilloso para eliminar el exceso de acumulaciones de líquidos en los tejidos del cuerpo, especialmente en los casos crónicos de gota y edema.

Alivia los ojos cansados e inflamados

Colocar una tajada de pepino sobre cada ojo, después de un largo día hace maravillas para los ojos cansados e inflamados. Esto también tiene buenos resultados para los ojos enrojecidos: haga una cataplasma de pepinos aplastados, colóquela en una gasa y aplíquela directamente sobre los párpados durante media hora aproximadamente. También es bueno para el escozor y la inflamación debida a la fiebre del heno y a alergias semejantes durante la temporada de verano.

Remedio perfecto para las picaduras de avispas

Lo que relato a continuación me lo contó hace varios años, en un viaje aéreo, Joy Adkins, que en aquel entonces trabajaba para el departamento de justicia criminal de la Universidad de Marshall, en Huntington, West Virginia:

Cuando mi hijo tenía siete años, salimos juntos a buscar ginseng. Yo moví una rama y molesté a unas avispas que estaban allí en su nido. Se nos vinieron encima como bombarderos de la Segunda Guerra Mundial. Mi hijo salió corriendo hacia el arroyo, manoteando y espantando las avispas durante todo el trayecto. A mí también me picaron mientras las espantaba.

Bueno, logramos regresar a casa, pero muy adoloridos. Salí, busqué algunos pepinos en el jardín, los corté en tajadas y las puse encima de todas nuestras picaduras. ¿Y sabe qué pasó? Créame, se podía sentir el poder de atracción de estos pepinos mientras sacaban el veneno de los pinchazos a través de la piel. En realidad, dolía un poquito, como cuando alguien le saca un vello del brazo. Bien, la hinchazón se redujo en cuestión de minutos.

Alivia los pies adoloridos

¿Quiere darle a sus pies el mejor tratamiento, después de horas de haberlos tenido en calcetines y zapatos con poca o ninguna ventilación? Ponga en su licuadora trozos de pepinos largos y sin pelar. Licúelos hasta hacer una especie de puré. Refrigérelos hasta que se enfríen. Tome 2 recipientes lo bastante grandes como para poner en ellos sus pies y vierta cantidades iguales de este puré de pepino frío. Luego, ponga allí sus pies descalzos, frotando el puré entre sus dedos. Recuéstese en una silla reclinable y disfrute lo que algunos han llamado "deliciosa maravilla" para los pies adoloridos.

Bálsamo labial de la naturaleza

¿Ha tocado alguna vez el exterior de un pepino? Note lo ligeramente grasoso o aceitosa que se siente la cáscara. Los pepinos tienen cantidades moderadas de aceite en la cáscara. Cuando usted tiene los labios partidos y secos, tome un pepino sin pelar, séquelo bien, haga con sus labios la mueca típica de quien se va a poner lápiz labial, y entonces pase por ellos lentamente de un lado al otro la cáscara del pepino. He descubierto que esto lubrica bien los labios.

El antiarrugas secreto de Cleopatra

A finales del verano de 1980, regresando a casa desde China, hice una breve parada en El Cairo, Egipto. Mientras estaba allí, conocí a un egiptólogo llamado Mostafa Abdel El-Selim, que era experto en descifrar los antiguos jeroglíficos. Me llevó a un salón adjunto a su pequeño museo en la ciudad de Nazlet El-Simman, y me mostró algunos fragmentos de papiros muy antiguos y quebradizos, cuya edad se estimaba en unos 2.000 años y que habían sido escritos en la época de Cleopatra, una de las grandes reinas de Egipto.

Enterado de mi profundo interés por las hierbas y los remedios populares, él me entregó una traducción de varias columnas de jeroglíficos que habían sido descifrados recientemente después de mucho esfuerzo (parte del fragmento del manuscrito había desaparecido). Pero lo que pude leer me emocionó bastante. Me dijo que yo tenía en mis manos uno de los secretos de belleza más antiguos, el cual, según una leyenda, había mantenido a Cleopatra libre de arrugas la mayor parte de su vida.

Con el consentimiento de mis amigos de Egipto, esta es la primera vez que esta receta se reproduce en un libro. He hecho algunos cambios menores para adaptarla a la tecnología y conveniencias de nuestro siglo, tales como sustituir la sangre de toro por proteína de crema de leche fresca, y reemplazar las piedras lisas para machacar los pepinos con una licuadora. Por lo demás, casi todo permanece igual.

Pique en tajadas, a lo largo y a lo ancho, dos pepinos sin pelar. Colóquelos en su licuadora con la suficiente crema de leche batida para que se forme una mezcla espesa y suave que "fluya tan uniformemente como el Nilo" o, de acuerdo a mi forma de pensar, que tenga la consistencia de crema de trigo cocida. Luego añada 1 cucharada de aceite de oliva y mezcle de nuevo. Añada 1 cucharada de miel y vuelva a mezclar. Finalmente, añada un poquito de lodo (yo lo sustituyo por almidón) y mezcle durante unos segundos más. Guárdelo en el refrigerador durante media hora para que se enfríe.

Frótese el rostro, la frente, el cuello y la garganta con varias mitades de lima o limón, pero no se lo seque. Inmediatamente, acuéstese y aplíquese lentamente esta mezcla cremosa de pepino como si fuera crema de afeitar que se aplica en la cara o las piernas. Déjese esta máscara durante 1 1/4 hora antes de quitársela. Después, cuando el rostro esté completamente limpio, ponga sus dedos en media taza

llena de crema de leche batida. Frótesela bien con un movimiento circular. Deje que el aire la seque. *No se aplique ninguna otra cosa, bajo
ninguna circunstancia.* En poco tiempo, comenzará a tener menos
arrugas y si hace esto a menudo, ¿quién dice que no llegará a ser usted
tan bella como lo fue Cleopatra? Debo señalar que el jugo que se
obtiene de licuar un pepino *pelado* en una licuadora es muy bueno
para aliviar los problemas de acné de los jovencitos, los cuales son
causados por una dieta constante de hamburguesas, papas fritas, batidos y refrescos de soda.

Un aliño de ensalada especial

¿Le gustaría probar algo diferente en sus ensaladas, para cambiar, y
hacer de esos "vegetales sosos" unos "vegetales apetitosos"? Entonces, cúbralos con este aliño extravagante que van a encontrar
increíblemente sabroso cuando usted y sus invitados lo prueben.

Aliño de pepino, yogur y leche de cabra

Ingredientes: 8 onzas de yogur sin sabor; 1/4 taza de queso
gorgonzola desmenuzado; 1/4 taza de queso *limburger* desmenuzado; 1 cucharada de vinagre de sidra de manzana *(apple
cider vinegar)*; 1 pizca de alga marina *kelp* (disponible en las
tiendas de alimentos naturales); 3 cucharadas de almíbar de arce
puro *(pure maple syrup)*; 3/4 de un pepino grande, sin pelar y
rallado; 1 cucharada de queso de cabra enlatado (el queso de
cabra se puede sustituir por los quesos anteriormente mencionados si usted desea un aliño más suave).

Preparación: En un tazón, combine el yogur, los dos quesos, el almíbar de arce, el vinagre y el *kelp*. Agregue y mezcle el
pepino. Tape y deje enfriar. Luego, añada la leche de cabra para
hacerlo menos espeso. Suficiente para dar 1 2/3 tazas o aproximadamente 10 porciones.

PEREJIL
(Petroselinum crispum)
(Parsley en inglés*)*

Breve descripción

El perejil es una planta bianual, no vellosa, o una planta perenne de corta vida con un tallo de muchas ramas. Una raíz delgada, blanca y en forma de espiga produce el tallo erecto, acanalado, glabro y angular que puede alcanzar una altura de poco más de 2 pies (60 cm). La planta se cultiva a menudo como anual por su follaje, sobre todo en California, Alemania, Francia, Bélgica y Hungría. Hay numerosas variedades. Las partes usadas son las frutas maduras (semillas), la hierba y las hojas.

Las flores blancas o verde amarillentas aparecen en forma de umbelas compuestas, de junio a agosto. Curiosamente, el perejil es venenoso para la mayoría de las aves, pero es muy bueno para los animales, pues cura enfermedades como el pie infectado en las ovejas y las cabras. El perejil silvestre que se encuentra por todas las Islas Británicas está íntimamente relacionado al apio y era usado en la antigüedad por los anglosajones para las fracturas del cráneo ocurridas en combate.

Elimina el mal aliento

¿Ha usted olido alguna vez el aliento de un perro o de alguien con halitosis aguda? Son olores capaces de producir náuseas. Pero hay una solución sencilla para ambos extremos. La próxima vez que dé de comer a su perro, mezcle varias ramitas de perejil con un poco de carne molida o picada, y luego combine eso con la comida normal del animal. ¡Se sorprenderá de lo bien que esto funciona! Y con respecto a los problemas del aliento humano, sencillamente moje unas cuantas ramitas en vinagre y mastíquelas bien antes de tragarlas. El efecto purificador debe eliminar los olores desagradables durante al menos 3 ó 4 horas.

Un preventivo del cáncer

Algo que no muchas personas saben es que unas cuantas ramitas de perejil son un buen agente anticancerígeno. Por un lado, contiene tanta vitamina A como 1/4 cucharadita de aceite de hígado de bacalao. Por otro, ¡provee 2/3 de la vitamina C de una naranja *entera!* Además, el perejil, comparado con la mayoría de los vegetales, tiene más histidina, un aminoácido que inhibe poderosamente el desarrollo de tumores en el cuerpo, según la publicación *Mutation Research* (77:245-50). Las vitaminas A y C están ahora reconocidas como nutrientes importantes en la lucha contra el cáncer. Por lo tanto, parece que todos estaríamos mejor si comiéramos más perejil y no lo dejáramos sobre el plato.

Remedio yucateco para problemas renales

Por toda la península de Yucatán, en el sureste de México, se hace un té de perejil fresco para tratar la inflamación de los riñones, la dificultad para orinar, la micción dolorosa, las piedras en los riñones y el edema. Ponga a hervir 1 cuarto de galón (litro) de agua. Retire del fuego y añada 1 taza de perejil picado. Cubra y deje en remojo durante 40 minutos; luego cuele y bébalo. Beba 1 taza de té tibio 4 veces al día con las comidas.

Vence la frigidez sexual

Este mismo té de perejil manifiesta leves propiedades afrodisíacas en parejas que están experimentando algún tipo de frigidez sexual en sus relaciones. Deben seguirse las mismas indicaciones, excepto que se usan 2 tazas de perejil picado con 1 cuarto de galón (litro) de agua y se dejan reposando durante 1 hora; cada miembro de la pareja debe consumir 2 tazas de té relativamente caliente al menos 20 minutos antes de comenzar la actividad sexual. Curiosamente, en España se da de comer perejil a las ovejas para ponerlas en celo en cualquier época del año.

Algunas parejas con las que he conversado después de haber tratado el mencionado remedio, me han informado acerca de un aumento en sus deseos sexuales, aunque algunos desearían que esta hierba fuese más poderosa en ese respecto.

Sana los moretones

Un viejo remedio gitano de Rumania indicaba que se machacaran varias ramitas de hojas de perejil, y que luego se aplicaran a cualquier moretón sobre la piel y se dejara allí durante un rato. Varias aplicaciones de esto por lo general eliminan cualquier moretón en cuestión de un día, más o menos.

Receta exótica

El siguiente plato es parte de la cena tradicional iraní de Año Nuevo, y es tan delicioso como tentador.

Arroz con pescado, perejil y cebolla verde

Ingredientes: 3 tazas de arroz sin cocinar; agua tibia; alga marina *kelp;* 2 puñados de cebollas verdes picadas; 2 puñados de perejil picado; 3 libras de filetes de pescado; sal de mar a gusto; 1 pizca de cúrcuma *(turmeric);* 2 cucharadas de mantequilla.

Preparación: Lave el arroz varias veces hasta que el agua salga clara; déjelo en remojo en agua tibia, con sal. Ponga a hervir una olla llena de agua (unas 8 tazas de agua). Cuele el agua donde se está remojando el arroz y añada éste al agua hirviendo. Hierva de 10 a 15 minutos hasta que el arroz ya no esté crujiente, pero aún firme. Revuelva de vez en cuando para impedir que los granos se peguen entre sí.

Cuele el arroz; añada las cebollas y el perejil. Vierta un poco de agua fría sobre el arroz, el perejil y las cebollas. Cubra el fondo de la olla con mantequilla y un poco de agua. Vaya esparciendo poco a poco el arroz y los dos vegetales dentro de la olla con una cuchara, manteniéndolos en el centro de la olla sin tocar los costados. Cubra la olla con una toalla de papel o un pañito de secar platos limpio y coloque encima la tapa bien ajustada. Cocine aproximadamente durante 10 minutos a fuego medio y luego a fuego lento. Deje que el arroz se cocine durante 30 a 40 minutos.

Corte el pescado en porciones para servir; rocíelo con sal, *kelp* y un poquito de cúrcuma. En una sartén, dore el pescado, cocinándolo en mantequilla hasta que esté hecho por ambos lados. Sírvalo con el arroz.

Perifollo
(Anthricus cerefolium)
(Chervil en inglés*)*

Breve descripción

Perifollo viene de una palabra griega que significa "hoja de regocijo". El herbolario inglés del siglo XVI, Gerare, confirmó este significado original cuando escribió: "es bueno para los viejos: regocija y conforta el corazón y aumenta su fuerza".

El perifollo es originario de Europa oriental y se encuentra silvestre en el sureste de Rusia y en la mayor parte de Irán. Los antiguos romanos lo llevaron a Inglaterra. Hoy, sin embargo, las hojas y tallos se usan principalmente en Francia en ensaladas, sopas y como condimento.

Esta planta anual tiene un tallo con ramas, redondeado y finamente acanalado, que crece de una raíz delgada y blanquecina y llega a tener de 12 a 26 pulgadas (30 a 65 cm) de altura. Las hojas opuestas, son de un verde claro y bipinadas, siendo pecioladas las de más abajo y sin pedúnculo las de más arriba. Las flores pequeñas y blancas crecen en umbelas compuestas de mayo a julio. Las semillas alargadas y segmentadas maduran en agosto y septiembre.

Excelente para problemas oculares

El perifollo es notable en partes de Europa (sobre todo en Francia) por su tratamiento exitoso de una variedad para trastornos oculares, entre ellos la inflamación seria de las estructuras más profundas del ojo (oftalmitis), la separación de la retina de las coroides (retina desprendida) y la pérdida de la transparencia del lente ocular (catarata). Y cuando se usa conjuntamente con otras hierbas que son también remedios oculares, tales como la eufrasia, los resultados son sencillamente asombrosos.

Un distinguido oculista de París del siglo pasado usaba perifollo para la oftalmía. Él propuso aplicar cataplasmas de perifollo al ojo afectado y también lavar el ojo con un cocimiento de la misma planta. Este tratamiento ha sido recomendado debido a los buenos resultados obtenidos por otros especialistas.

Las virtudes medicinales de esta hierba están muy relacionadas a su olor, el cual se destruye fácilmente con el calor. Por tanto, esta es una planta que no debe ser cocinada, ni siquiera asada a la parrilla. "Los antiguos la usaban para los problemas de los ojos", anota Maurice Mességué, un famoso curandero popular francés, "y yo he podido confirmar su valor en esos casos. A mí mismo me gusta usar perejil y perifollo contra la conjuntivitis y otras inflamaciones de los ojos. Remoje las hojas cortadas en agua hirviendo, deje enfriar hasta alcanzar la temperatura del cuerpo, y aplique la solución con una copita ocular *(eye cup)*. Esto alivia la sensación de ardor y actúa como desinfectante".

Una de las fórmulas más exitosas para muchos trastornos de los ojos que jamás haya sido producida en Francia, se le atribuye al profesor Leon Binet, un prolífico autor de libros de medicina y antiguo decano de la Facultad de Medicina de París. Su remedio pide porciones iguales (o 1 cucharadita de cada uno) de perifollo, perejil, manzanilla romana (*Anthemis nobilis*, no manzanilla alemana) y flores de lavanda, todas frescas, que se añaden a 1 pinta (1/2 litro) de agua hirviendo y se dejan remojar, lejos del fuego, durante 20 a 30 minutos. Yo recomiendo que se añada a la solución una cantidad igual (1 cucharada) de hierba de eufrasia seca (la cual luego se cuela) y se aplica a ambos ojos con una copita ocula*r (eye cup)*, 3 veces al día. Esto es bueno para las cataratas, la retina desprendida y, ocasionalmente, el glaucoma.

PETUNIA
(véase: Plantas ornamentales)

PIMIENTA NEGRA Y BLANCA
(Piper nigrum)
(Black o *White pepper* en inglés*)*

Breve descripción

El pimiento negro es el fruto seco, sin madurar pero totalmente desarrollado, mientras que el tipo blanco es el fruto seco maduro con la parte exterior del pericarpio quitada después de haberlo remojado en agua y haberlo frotado. Es menos aromático que el negro, pero tiene un sabor más delicado. Los productores importantes de ambos tipos son la India, Indonesia, Malasia y China. No deben ser confundidos con la pimienta roja o la de Cayena, la cual proviene de la especie de los Capsicum.

Buen remedio para la congelación

Durante mi viaje a China en 1979, llegué a las zonas frías del interior de Mongolia. Allí recogí un remedio excelente para tratar la congelación de los dedos de los pies y las manos, las orejas y las narices, el cual me gustaría compartir con el lector.

Mucho antes de la llegada del invierno, remoje durante una semana, 2 cucharadas de granos de pimienta negra, 1 cucharada de rábano picante *(horseradish)* rallado y 1 de raíces de jengibre *(ginger)* en 1 1/4 taza de vino blanco. Luego, filtre y guarde el líquido en una botella bien cerrada en un lugar fresco y oscuro hasta que se necesite. En ese momento, usando una brocha o un pincel, esparza esta solución generosamente sobre las partes del cuerpo afectadas para traer alivio inmediato al punzante dolor.

Magnífico insecticida

Se ha comprobado que la pimienta negra es tóxica para los insectos agrícolas y domésticos, incluidas las hormigas, los chinches de la papa, los lepismas, algunas cucarachas y polillas. Rocíe pimienta molida en las áreas que frecuentan los mencionados insectos. Puede hacer un té fuerte y rociarlo sobre las plantas de tomate y col, para mantener alejados a los pulgones y los gusanos. En 2 cuartos de galón (2 litros) de agua hirviendo, agregue 5 cucharadas de granos de pimienta negra y 2 cucharadas de dientes de ajo cortados. Ponga a calentar a fuego bajo hasta que quede sólo 1 cuarto de líquido, durante 2 horas. Deje que se enfríe, y luego rocíelo sobre las plantas.

Remedio para la diarrea

Cuando se viaja al extranjero, a países donde es dudosa la pureza del agua, a menudo se es víctima de diarrea crónica y de retortijones abdominales que son el resultado de beber agua contaminada. Un remedio accesible para esto es llevar con usted un poco de pimienta negra y alga marina kelp. Cuando se le presenten de repente esos malestares intestinales, sencillamente mezcle 3 cucharaditas de pimienta negra con 1 1/2 cucharada de kelp en 2 tazas de agua hervida, pero déjela enfriar primero. Repita tantas veces como sea necesario.

PIMIENTA ROJA O PIMENTÓN
(véase: Ajíes y Pimientos)

PIMIENTOS
(véase: Ajíes y Pimientos)

PIÑA
(véase: Frutas tropicales)

PLANTAS ORNAMENTALES

AZUCENA
(Hemerocallis fulva, H. flava)

CAPUCHINA
(Tropaeolum majus)

CRISANTEMO
*(*Especie *Chrysanthemum)*

DRAGÓN
(Antirrhinium majus)

GERANIO DE JARDÍN
*(*Especie *Perlargonium)*

LIRIO COMÚN
(Iris germanica)

MALVA REAL
(Althae rosa)

MARAVILLA
(Tagetes erecta, T. patula)

MARGARITA
(Bellis perennis)

NARCISO
(Narcissus pseudo-narcissus)

PENSAMIENTO
(Viola tricolor hortensis)

PEONÍA
(Paeonia officinalis)

PETUNIA
(Petunia hybrida)

ROSA
(Especie *Rosa)*

TULIPÁN
(Especie *Tulipa)*

VIOLETA
(Viola cucullata, V. odorata)

Breve descripción

AZUCENA AMARILLA (*Day lily* en inglés). Esta puede ser cualquier planta de un género de la familia de los lirios, la cual se caracteriza por hojas largas y estrechas y grupos de llamativas flores amarillas. También incluye a cualquier planta de un género relacionado (Especie *Hosta*) que tiene flores blancas o violetas en forma de racimos.

CAPUCHINA (*Nasturtium* en inglés). Es una planta anual oriunda de Sudamérica, pero se cultiva en los jardines de todo el mundo. Los tallos rastreros o trepadores crecen de 5 a 10 pies (hasta 3 metros) y tienen hojas pequeñas, casi redondas, con venas radiales, y están adornados con flores rojas, anaranjadas o amarillas que son más grandes que las mismas hojas.

CRISANTEMO (*Chrysanthemum* en inglés). Es una planta ornamental del género aster. Las flores son de variados colores cálidos, tales como blanco, rojo o amarillo, con hojas verde oscuras; ambas tienen el sabor de una coliflor suave. Los chinos y los japoneses la han usado durante siglos en remedios y recetas de cocina.

DRAGÓN (*Snap dragon* en inglés). Cualquier planta de jardín de ese género que tenga flores bilabiadas de color blanco, carmesí o amarillo, curiosamente semejantes al rostro de un temible dragón. La familia de las plantas de sombra nocturna *(Solaneceae)*, a la cual pertenece la petunia, está muy relacionada al género del dragón *(Scrophulariales)* y es un eslabón entre éste y la familia de los flox *(Polemoniceae)*, que está primordialmente limitada al oeste de Estados Unidos.

GERANIO DE JARDÍN (*Garden geranium* en inglés). Pertenece a un género de plantas sudafricanas, cuyas especies se cultivan ampliamente en los jardines debido a sus llamativas flores rojas o blancas. También hay varias clases de geranios fragantes, los cuales algunos pacientes de la antigua Unión Soviética, huelen durante 20 minutos todos los días, para aliviar la hipertensión y los dolores de cabeza.

LIRIO COMÚN (*Iris* en inglés). Su cultivo ha producido un gran número de variedades, tanto entre los lirios españoles o bulbosos, como entre los lirios herbáceos que tienen rizomas carnosos y trepadores. El lirio alemán de los viveros modernos estadounidenses es una bella planta con hojas en forma de espadas de color verde azul, estrechas y planas. Los tallos de las flores son de casi 3 pies (1 metro) de altura, con flores grandes, de color azul profundo o verde azules, que tienen una fragancia agradable que hace recordar en algo a los azahares.

MALVA REAL (*Hollyhock* en inglés). Es una hierba china, alta y perenne, que pertenece a la familia de las malváceas. Esta planta se cultiva bianualmente en los jardines debido a sus bellas flores de color pastel. Antes se pensaba que las hadas de las leyendas populares comían sus flores.

MARAVILLA (*Marigold* en inglés). Esta puede ser cualquiera de las plantas del género que pertenece a la familia aster, sobre todo las maravillas africanas y francesas. Una especie relacionada, la calta *(marsh marigold)*, es conocida también bajo el nombre de caléndula, y tiene propiedades maravillosas para sanar la piel (véase bajo: CALÉNDULA). Todas las maravillas tienen capítulos terminales de gran tamaño, amarillos, anaranjados o rojos.

MARGARITA (*Daisy* en inglés). Es una hierba europea que crece a poca altura, de la familia aster, con rayos blancos o rosados y discos amarillos en los capítulos. Crece hasta unas 18 pulgadas (50 cm) y tiene muchas hojas anchas en la base, con bordes dentados y del ancho de un dedo.

NARCISO (*Daffodil* en inglés). Hay varios tipos. Algunos tienen un círculo carmesí o rojo púrpura en el centro de la flor, y otros tienen un círculo amarillo que parece una coronita o copa en el centro. El narciso común llega hasta 1 pie (30 cm) de altura, con hojas largas, estrechas, con aspecto de grama, y de un color verde profundo. La única flor, amarilla y grande, en el extremo del tallo, se inclina un poco hacia abajo debido a su peso.

PENSAMIENTO (*Pansy* en inglés). Es una planta anual que se cultiva ampliamente como una planta ornamental de jardín, pero que también se da de forma silvestre en los campos y las praderas y a lo largo de los bordes de los bosques en Norteamérica, el norte de Asia y Europa. El tallo angular, suave y hueco tiene hojas alternas, dentadas, que pueden ser ovaladas o lanceoladas. Las flores axilares y solitarias pueden ser amarillas, azul violetas o bicolores, y el tiempo de floración es de marzo a octubre.

PEONÍA (*Peony* en inglés). Esta planta perenne crece de forma silvestre en el sur de Europa y es cultivada en otras partes como una flor de jardín. El rizoma grueso y nudoso produce un tallo verde y jugoso que tiene de 2 a 3 pies (60 a 90 cm) de altura. Las hojas son ternadas o biternadas, con hojuelas largas ovaladas-lanceoladas. Las flores grandes, solitarias, rojas o rojo-púrpuras se parecen a las rosas y florecen de mayo a agosto. Esta "reina de las hierbas" fue muy apreciada por los antiguos griegos por sus propiedades milagrosas. Pero no fue hasta que comenzó a ser despreciada por los herbolarios de los siglos XVII y XVIII, que se convirtió en una planta adorada por los horticultores.

PETUNIA. Cualquier planta del género de hierbas tropicales americanas con pétalos o corolas tubulares, en forma de embudo, y expansivas. La petunia de jardín común, así como muchas de sus formas y variedades, deriva del *P. axillaris* (con flores blancas) y el *P. violacea* (con flores violetas). Ambas son oriundas de Argentina. Las petunias pertenecen a la misma familia de las solanáceas que las papas, los tomates, el tabaco y los chiles.

ROSA (*Rose* en inglés). Hay más de 100 especies de rosas en el género *Rosa,* que consiste de arbustos espinosos que crecen de forma silvestre y que se cultivan extensamente en las partes templadas del hemisferio norte. Sus tallos ascendentes, trepadores o erectos tienen hojas alternas e imparipinadas, con flores que pueden ser blancas o de un rojo profundo o, aunque más raramente, negras, las cuales son individuales y de cinco pétalos en las especies silvestres, pero en su mayoría son dobles en las variedades cultivadas. Dan escaramujos pulposos, ricos en vitamina C y parecidos a las frutas.

TULIPÁN (*Tulip* en inglés). El nombre se aplica no sólo a cualquier planta de este género, sino también a su flor o bulbo. Los tulipanes se cultivan desde hace tanto tiempo que es imposible relacionar el parentesco de los tipos comunes de los jardines con alguna especie silvestre. Holanda sigue siendo el centro del cultivo de tulipanes, aunque los bulbos que se venden en el mercado se cultivan también en Estados Unidos hoy en día. Horticulturalmente, los tulipanes se clasifican en dos divisiones básicas: los que florecen temprano y los que florecen en mayo.

VIOLETA (*Violet* en inglés). Este nombre no sólo se aplica a cualquier planta, flor o especie de este género, sino que se refiere también a las de colores parecidos a los de algunas violetas. La violeta púrpura o encapuchada es común en la zona oriental de Estados Unidos, y es la flor de los estados de Illinois, Wisconsin, Nueva Jersey y Rhode Island. Las violetas varían en tonalidades, desde el rojo-azuloso al azul-rojizo, son de saturación mediana y el brillo de su coloración va de bajo a mediano.

Crisantemos para la hipertensión, la angina y los ojos enrojecidos

Evidencia clínica encontrada en revistas médicas y farmacéuticas de China y Japón muestra que el crisantemo es excelente para tratar la presión sanguínea alta y sus síntomas asociados, como el dolor de cabeza, los mareos y el insomnio. Recoja suficientes flores de crisantemo como para tener 6 cucharadas, divídalas en 4 porciones iguales de 1 1/2 cucharada cada una y sepárelas para usarlas a lo largo del día. Comenzando por la mañana a las 8 y cada 4 horas después, coloque 1 porción en una taza y vierta sobre ella agua hirviendo, tápela con un pedazo de papel de aluminio *(aluminum foil)* y deje en remojo durante 15 minutos antes de tomar la infusión. Repita este mismo procedimiento 3 veces más cada día, durante un mes. En un experimento donde se trató de esta forma a un total de 46 pacientes hipertensos, 35 de ellos mostraron una rápida mejoría en sus síntomas, y la presión sanguínea volvió a su nivel normal en menos de una semana. Los otros pacientes mostraron también diversos grados de alivio de los síntomas y una reducción de la presión sanguínea después de 10 a 30 días de tratamiento.

Este mismo procedimiento, dos veces al día en cantidades idénticas, produjo un alivio considerable de los fuertes dolores de opresión en el pecho en un 80% de un grupo de 61 pacientes que sufrían de angina de pecho. En ambas aplicaciones, las infusiones deben tomarse preferiblemente en ayunas para obtener mejores resultados.

Los ojos cansados y enrojecidos debido a la lectura excesiva, al trabajo de precisión, a la falta de sueño, a alergias de la atmósfera o a factores relacionados, pueden ser aliviados con crisantemos. Sumerja durante 5 minutos unas 2 cucharadas de flores enteras en agua hirviendo. El líquido se puede beber como un tónico estomacal. Mientras las flores aún están muy tibias y relativamente libres de exceso de líquido, se deben colocar sobre los ojos cerrados, con la cabeza reclinada, y se deben dejar allí durante 15 minutos. Luego se reemplazan por otras flores calientes, pero no tanto como para que quemen la piel. Siga este procedimiento durante una hora antes de irse a dormir.

Narcisos para los furúnculos y la tendinitis

El pus que sale en las llagas de las herpes, las úlceras de las piernas, los furúnculos, los carbunclos y las heridas y los abscesos infectados puede ser extraído con efectividad aplicando una cataplasma de bulbos de narciso frescos rallados y de hojas de crisantemos machacadas, los cuales han sido convertidos en puré en una licuadora. Coloque la cataplasma sobre el lado húmedo de un pedazo de tela de hilo limpia o de una toallita de mano, y aplíquela directamente sobre el área, dejándolo allí durante unos 45 minutos más o menos antes de cambiarlo.

Coloque varios bulbos de narciso picados en una licuadora y hágalos puré. Sáquelo y mézclelo con un poquito de miel hasta formar una pasta algo rígida y pegajosa. Aplíquela generosamente en donde haya tendinitis, en los tobillos torcidos, los hombros y los codos dislocados, o las rodillas lesionadas, para lograr un increíble remedio para el dolor intenso y el malestar.

Margaritas para la gota y las rupturas

Un best-séller de hace algunos años, *Please Don't Eat the Daisies (Por favor, no se coma las margaritas),* contenía en su título una ingeniosa prohibición contra su uso. Sin embargo, son muy recomendables para la gota, la artritis y las inflamaciones del hígado y la vejiga. A 1 cuarto de galón (litro) de agua hirviendo que ha sido alejada del fuego, añada dos generosos puñados de margaritas cortadas y déjelas en remojo durante 1 hora y 10 minutos, *sin tapar.* Endulce con un poco de miel, después de colarlo. Beba de 3 a 4 tazas al día, según sea necesario.

El mismo cocimiento puede usarse como un enema para ayudar a aliviar diferentes tipos de inflamaciones intestinales, como colitis y diverticulitis, entre otras. Las margaritas son también valiosas para ayudar a curar cualquier tipo de rupturas internas, como las hernias, o inclusive, hasta cierto punto, la apendicitis, pero *sólo cuando el cuidado de emergencia médica no esté disponible de inmediato.* En tales casos, 2 puñados dobles de margaritas pueden añadirse a 1 cuarto de galón (litro) de agua hirviendo y dejar que se remojen allí durante 1 1/2 hora sin tapar, antes de beberlo. En estos casos hacen falta unas 5 tazas al día, por lo general.

Azucenas para las escaldaduras y las quemaduras

Los bulbos y las hojas de la azucena amarilla son absolutamente fantásticos para las quemaduras de sol, las quemaduras profundas y las escaldaduras accidentales causados por líquidos calientes o algún tipo de grasa. Mientras se pone temporalmente agua muy fría sobre la quemadura o escaldadura seria, se hace un puré con trozos de bulbos y hojas y flores cortadas de 2 azucenas amarillas en una licuadora, añadiendo un poco de hielo machacado para formar una pasta espesa. Luego ésto se aplica con cuidado sobre el tejido lesionado de la piel y se deja allí durante horas hasta que haga falta otro cambio. Es buena idea añadir de 1/2 a 1 cucharadita de aceite de oliva mientras se mezclan los bulbos y las hojas, ya que esto ayudará a impedir que la cataplasma se seque demasiado rápido. Algunos pedazos de muselina o tela de hilo humedecida, colocados levemente sobre la cataplasma ayudarán también a retener la humedad por más tiempo.

Los geranios son buenos astringentes

Los geranios de jardín son buenos astringentes, tanto internos como externos, para ayudar a controlar la diarrea y la hemorragia. Ponga a hervir 1/2 cuarto de galón (1/2 litro) de agua, añada 2 cucharadas de raíz de geranio rallada o picada. Reduzca el fuego y deje hervir a fuego lento durante 7 a 10 minutos, *sin tapar*. Quite del fuego y añada 1/2 puñado de hojas finamente picadas. Tape y deje descansar durante 40 minutos. Cuele, endulce con miel a gusto y beba 1 taza cada 3 1/2 horas. O haga una cataplasma con el fuerte cocimiento para uso externo.

Esta flor ornamental puede ser también un estíptico útil para las cortaduras que se producen durante el afeitado. Tome 1 hoja de geranio y dóblela una y otra vez en ambas direcciones hasta tener un cuadrito grueso de material verde. Luego aplástelo con un martillo o una piedra hasta que esté bien machacado. Aplíquelo a la cortadura y manténgalo sobre ella con una cinta adhesiva (esparadrapo). Esto detiene el sangrado casi inmediatamente. Para las áreas más pequeñas, use sólo 1/4 ó 1/2 hoja.

La malva real cura las úlceras y las piedras en los riñones

Las úlceras pépticas y duodenales parecen responder muy bien a un té hecho de las hojas de la malva real o malva rósea. Ponga a hervir 1 cuarto de galón (litro) de agua y luego añada 1 1/2 puñado grande de hojas de malva real acabadas de cortar en pedazos. Aleje del fuego, cubra con una tapa y deje reposar durante 1 hora. Cuele y beba 1 taza con cada comida, endulzando con 1/2 cucharadita de almíbar de arce puro (*pure maple syrup*).

Una decocción hecha siguiendo las instrucciones anteriores, con la excepción de cocinar a fuego lento durante 5 minutos antes de alejar del fuego y dejarla reposar durante 1 hora, es muy buena para aliviar los dolores que acompañan a los cálculos renales (piedras del riñón). Dos a tres tazas al día entre comidas o en ayunas deben ayudar también a disolver las piedras. Otra variación de este mismo remedio es usar sólo 1 puñado grande de hojas de malva real cortadas y 1/2 puñado grande de nébeda *(catnip)* fresca.

Los edemas y los moretones desaparecen con los lirios

Las acumulaciones excesivas de fluidos acuosos y transparentes en cualesquiera de los tejidos o cavidades del cuerpo parecen desaparecer con una tintura de raíz de lirio. Ralle suficiente raíz de lirio fresca y limpia como para que dé 1 cucharada colmada. Añádala a 1 pinta (1/2 litro) de vino blanco, revolviéndolo bien. Tape la botella y déjela reposar durante 10 días en un lugar fresco y seco, asegurándose de agitarla 2 veces al día. Cuele y tome de 2 a 3 cucharaditas diariamente.

Para eliminar los moretones, haga una cataplasma de raíz de lirio y pétalos de rosa y colóquela sobre los golpes hasta que desaparezcan. Limpie una raíz de lirio fresca lavándola bien con el agua del grifo. Luego, corte la mitad de ella en pedazos, los cuales pueden hacerse puré en una licuadora o procesador de alimentos. Si la raíz resulta demasiado dura para esto, aplástela con un martillo hasta que quede bien machacada. Haga un puré de un puñado de pétalos de rosa, con 2 cucharadas de agua, y mézclelo con la raíz machacada. Aplique toda la cataplasma sobre la piel lesionada, cubriéndola con una tela húmeda o una toallita ligeramente humedecida. Déjela allí durante un máximo de 4 horas. Repita este proceso por lo menos 2 veces al día por dos días, hasta cuando los moretones ya deben haber desaparecido.

Maravilla para el tétanos, las enfermedades venéreas y el estreñimiento

En algunas partes de Sur y Centroamérica, la maravilla es extremadamente popular para *curar* el tétanos o el envenenamiento de la sangre y para tratar exitosamente enfermedades venéreas tales como la sífilis y la gonorrea.

Para el tétanos, bañe frecuentemente el área lesionada 2 ó 3 veces al día con decocciones de maravilla, una fría y otra caliente. Ponga a hervir 1 cuarto de galón (litro) de agua, luego reduzca el fuego y añada 1 1/2 puñado de raíces cortadas y limpias. Tape y deje hervir a fuego lento durante 10 minutos antes de retirar del fuego y dejarlo descansar durante otros 45 minutos. Cuele y refrigere esta cantidad hasta que esté helada. Luego haga otra porción igual a la primera. Cuélela mientras aún esté muy caliente y tolerable como para ponerla sobre la piel. Remoje durante 1 minuto la parte afectada en la solución caliente, antes de ponerla en la porción helada durante otro minuto. Haga esto durante 1 hora por lo menos. Repita nuevamente 6 horas después. Para tratar las enfermedades venéreas, use la misma solución ya sea en forma de lavado o de ducha vaginal.

Los antiguos aztecas del México pre-colombino empleaban un té hecho de maravilla para corregir el estreñimiento crónico. Los médicos aztecas ponían a calentar a fuego moderado durante 1 hora un puñado de maravillas picadas (las flores, los tallos y las hojas) en una vasija de barro llena de 1 cuarto de galón (litro) de agua hirviendo. Cuando el brebaje estaba tibio, se colaba a través de una tela tejida gruesa y se le daban inmediatamente al paciente varios tazones a la vez. Este mismo brebaje se usaba también para aliviar las acumulaciones de los fluidos serosos en la cavidad peritoneal (ascitis) y la retención general de fluidos en otras partes del cuerpo, tales como las piernas, por ejemplo. Los médicos aztecas también administraban este brebaje mientras aún estaba un poco caliente para inducir la sudoración en sus pacientes para una limpieza completa del cuerpo y como parte de una purificación ceremonial. De acuerdo a la revista *Science*, del 18 de abril de 1975, de donde proviene esta información, más del 60% de las hierbas medicinales aztecas evaluadas por los científicos demostraron ser tan eficaces como las antiguas fuentes nativas señalaban.

La capuchina es un maravilloso expectorante

Esta planta ornamental en forma espiral ayuda realmente a romper la congestión de las mucosidades en los conductos respiratorios y en los pulmones durante los períodos de resfríos y gripes. Un té tibio hecho de las flores y las hojas actúa también como un desinfectante que ayuda a matar, al contacto, las bacterias ofensivas, además de que promueve el desarrollo de más glóbulos blancos que luchan contra la infección dentro del cuerpo.

El té que se debe tomar *no se prepara* de la misma forma que el té de hierbas normal. Coloque un puñado grande doble de hojas y flores de capuchina cortadas en un procesador de alimentos o una licuadora. Luego añada bastante agua caliente *del grifo* (*no* hirviendo) y licue para hacer una bebida de suave consistencia, bastante aguada. Beba la mitad en ese momento y beba el resto 3 horas después con el estómago vacío, asegurándose de que ambas cantidades estén calentitas.

Pensamientos para el corazón y la piel

William Shakespeare se refirió a esta planta en sus obras de teatro como *"heartsease"* (el alivio del corazón), y varias infusiones diarias de esta planta en su época de floración, de marzo a octubre, constituyen un excelente tónico para los corazones débiles. Naturalmente que no hay nada de débil acerca de su apariencia adorable y delicada cuando se trata de tratar las erupciones de la piel, sobre todo en los niños, debidas al acné y a las enfermedades contagiosas como el sarampión, las paperas y la varicela.

Remoje durante 35 minutos 3 cucharadas ligeramente colmadas de la planta, picada en pedazos, en 1 pinta (1/2 litro) de agua mineral o agua Perrier muy caliente (pero *no* hirviendo), tapada. Cuele y beba 2 tazas diariamente, a temperatura agradablemente tibia (*no* fría). Las llagas en la superficie de la piel también se pueden lavar frecuentemente con esta solución.

Peonías para la ictericia y las alergias

Un remedio efectivo para la ictericia y los problemas de los riñones y la vejiga es el hacer un extracto alcohólico, remojando durante 9 días 2 cucharadas de rizoma fresco de peonía picada en 1 pinta (1/2 litro) de vino tinto, en una botella tapada, agitándola bien dos veces al día. Una cucharada 4 veces al día en ayunas ayuda al hígado.

Una decocción del rizoma de la peonía es también muy útil para prevenir o para reducir la incidencia de algunas alergias durante esos meses del verano y los comienzos del otoño cuando las personas están más propensas a contraerlas, de una forma u otra. Ponga a hervir 1 1/2 pinta (750 ml) de agua, luego añada 1 1/4 cucharada de rizoma de peonía finamente picado. Reduzca el fuego y deje hervir a fuego lento durante 3 minutos, antes de apartarlo y dejarlo descansar, tapado, durante 40 minutos más. Bébalo mientras aún esté tibio en porciones de 1/2 taza a lo largo del día según se necesite, o cada 4 a 5 horas, para encontrar alivio y protección.

Bajo ninguna circunstancia se deben usar internamente ni las flores ni la planta que crecen sobre la tierra, ya que contienen sustancias tóxicas que podrían hacer que una persona se sintiera bastante enferma e incómoda.

Una buena noche de descanso con té de petunia

Un conocido remedio para la inquietud y el insomnio que me enseñó en Costa Rica un curandero popular, requiere 1/2 taza de pétalos de petunia recién cortados y unas cuantas hojas; remójelos durante 25 minutos, en 1 1/4 de taza de agua caliente (que no esté hirviendo), *sin tapar.* Luego, se puede colar, endulzar con unas gotas de almíbar de arce puro *(pure maple syrup)* y una gota de extracto puro de vainilla, y beber *lentamente* mientras aún está agradablemente caliente.

Trastornos de la alimentación que se corrigen con el té de rosa

En los últimos tiempos, varios trastornos alimenticios, a menudo asociados con manifestaciones de la personalidad, han estado siendo presentados en los medios de prensa. Uno de ellos es la *anorexia nervosa,* una aversión extrema a la comida. Su contraparte, por otro lado, es un intenso deseo súbito de llenarse de comida en el restaurante de "sírvase usted mismo" más cercano. Este mórbido ataque de apetito se llama *bulimia,* y a menudo alterna con períodos de anorexia.

El mejor tratamiento que he encontrado para ambos problemas es una infusión, tomada con regularidad, de pétalos de rosa, que se debe beber unas 6 veces al día en cantidades de 1 1/2 taza. El mejor tipo de rosas que se puede usar para esto es la rosa roja conocida como híbrida perpetua *(hybrid perpetuals).* Ponga a hervir 2 cuartos de galón de agua *pura mineral.* Luego, retire del fuego en cuanto esté hirviendo y añada 2 puñados grandes de pétalos *frescos* de rosa roja, junto con 2 cucharadas de flores de manzanilla *secas (dried chamomile flowers),* obtenidas en cualquier tienda local de alimentos naturales. Tape con una tapa bien *ajustada,* que cierre bien, y deje descansar durante *solamente* 25 minutos ¡*al máximo*! Quite la tapa y deje reposar la infusión durante 15 minutos más hasta que esté un poco tibia. Cuele, endulce con un poco de almíbar de arce puro *(pure maple syrup)* y beba de acuerdo a las instrucciones anteriores. Guarde el resto para usarlo después; póngalo en un lugar fresco y seco, *pero no lo refrigere*. Se puede conservar hasta 17 horas antes de que deba prepararse una nueva decocción. Cada vez que se tome, el té debe estar un poquito caliente para que funcione mejor.

Trate los ojos irritados con el dragón

Yo estoy realmente sorprendido de que ningún herbolario estadounidense o canadiense haya descubierto los fantásticos poderes terapéuticos de esta singular e ingeniosa planta ornamental para cualquier tipo de trastornos de la vista.

Este libro, en realidad, puede que sea la única enciclopedia herbaria reciente que omite total y *deliberadamente* la eufrasia *(eyebright)* de su maravilloso repertorio de plantas medicinales. Yo personalmente no tengo nada en contra de esa hierba. Sucede sencillamente que hay algo que es *muchísimo mejor* para los ojos que ella.

Mi abuela húngara trataba numerosos trastornos de la vista que iban desde las cataratas en sus *etapas iniciales* y las inflamaciones de los ojos, hasta la conjuntivitis y quién sabe cuántas cosas más, con un lavado ocular hecho de flores, hojas y raíces de dragón (en otras palabras, *¡toda la planta!*).

Ponga a hervir 1 cuarto de galón (litro) de agua *destilada* (es muy importante usar *solamente este tipo* de agua), hasta que llegue a hervir bien. Añada 1 puñado grande de raíz *fresca* de dragón, bien lavada y en pedazos. Tape con una tapa que cierre bien, reduzca el fuego y déjelo hervir a fuego lento durante 15 minutos *exactamente*. Retire rápidamente del fuego, destape y añada el contenido completo de 1 dragón (de pequeño a mediano), cortado en pedazos. Tape de nuevo y deje reposar durante 1 hora. Cuele *2 veces*, embotéllelo y refrigérelo. Esto constituye el mejor lavado de ojos que usted jamás haya visto. Lave frecuentemente sus ojos con una copita ocular *(eye cup)* cada vez que lo necesite.

Alivie el dolor con los tulipanes

Por alguna razón, ciertos tipos de dolor parecen responder muy bien a los bulbos de los tulipanes. Un viejo farmacéutico chino de Hanoi me dijo esto mientras yo estaba asistiendo a un simposio internacional sobre la medicina oriental popular y la acupuntura en Taipei, Taiwán.

Para aliviar un terrible dolor de muelas o una picadura de insecto especialmente dolorosa, simplemente aplaste un pedacito de bulbo de tulipán fresco y aplique la cataplasma machacada en la muela o en la picadura para un alivio rápido y efectivo. Las hojas frescas y machacadas del tulipán son también muy buenas como una cataplasma para ayudar a extraer el pus de los abscesos con secreciones.

El jarabe de violeta alivia la tos seca

Para la garganta irritada o la carraspera, la voz ronca o la tos seca típica de los fumadores, nada se puede comparar al alivio que se logra con un delicioso jarabe hecho de las flores y las hojas de la violeta. Se siente casi como oro líquido resbalando por la garganta, a la cual deja (y a los pulmones también) con una sensación de suavidad.

Ponga 5 tazas de flores de violetas cortadas muy cerca del peciolo y 1 taza de hojas cortadas finamente en una vasija de barro o en un recipiente de porcelana esmaltada (no use *ningún* tipo de metal o plástico). Derrame sobre ellos 2 3/4 pintas de agua *destilada* hirviendo (o agua de lluvia limpia) y cubra bien con una tapa. Deje reposar durante 24 horas y luego saque el líquido y cuele cuidadosamente a través de varias capas de tela de muselina limpia. Podría ser una buena idea agitar el contenido del recipiente varias veces durante este período de descanso de 24 horas, para así agitar levemente lo que hay dentro.

Transfiera este líquido a una cacerola normal de acero inoxidable y caliéntelo a fuego lento, asegurándose de que *¡nunca llegue a hervir!* En diversos momentos del proceso de calentamiento, añada porciones de miel *tibia* en una cantidad total equivalente a 4 tazas. Siga removiendo con una cuchara de madera hasta que se haya alcanzado una consistencia parecida a la de un jarabe. Embotéllelo en frascos limpios para conservar frutas y guárdelos en un lugar fresco. Use de 1 a 2 cucharadas cada vez que lo necesite para los problemas de la garganta o los pulmones. ¡Siempre funciona mágicamente!

ENSALADA DE *DAFFY DUCK* Y *DAISY DUCK*
CON NARCISO Y MARGARITA

Las personas que ven los dibujos animados de los sábados en la televisión sabrán probablemente que el pato *Daffy* es el loco amigo emplumado del conejo *Bugs*, mientras que los fanáticos de Disney deben reconocer a *Daisy* como la novia eternamente juvenil de *Donald Duck* (en inglés *"daffy"* o *"daffodil"* significa "narciso", mientras que *"daisy"* significa "margarita"). Pues bien, con un poco de ambos, además de raíces y hojas de cada una de las plantas ornamentales cuyos nombres en inglés nos hacen recordar estos animales de los dibujos animados, podemos crear esta delicia cómica.

Ingredientes: 1 cabeza de lechuga romana de tamaño mediano que se debe lavar y cortar en pedazos apropiados para ensalada; 1/2 cabeza de col púrpura *(purple cabbage)*, rallada; 2 cucharaditas de bulbo fresco de narciso *(daffodil)* finamente rallado; 1 cucharada de cebolla finamente picada; 1 cabeza de ajo machacado; 1/2 taza de hojas de narciso picado y 1/2 de margarita *(daisy)* picada; 1 1/4 taza de flores de narciso y margarita en pedazos pequeñitos; 2 tazas de pedazos de carne fría de pato, cortada y deshuesada; 1/4 taza de masa de nueces de nogal *(walnut);* 1/4 taza de manzana roja finamente picada (sin pelar); 1 pinta (470 ml) de yogur sin sabor; 7 dátiles *(dates)* sin semilla; 1/2 taza de pasas *(raisins)* y unos toques de jerez *(sherry)* y vainilla pura mezcladas.

Preparación: Primero, frote el ajo machacado en la parte interior de una fuente de ensalada grande *de madera.* Después, añada la lechuga, la col, las hojas y flores de las plantas ornamentales, las nueces, la manzana, las pasas y el pato. Mezcle todo bien. En una licuadora combine el yogur, los dátiles, los bulbos de narcisos, la cebolla, la cereza y la vainilla. Mezcle bien. Este es su aliño para lo que parece ser una ensalada muy tonta (o *daffy*), pero ¡con un gusto delicioso (o *a daisy of a taste*)!

MIEL DE GERANIO FRAGANTE

Aplaste unos cuantos capullos de geranios frescos y fragantes. Colóquelos en capas en el fondo de una cacerola pequeña. Vierta miel a temperatura ambiente dentro de la cacerola y cocine a fuego lento. Revuelva la mezcla unos 2 minutos hasta que la miel esté tibia. El fuego elevado dañará la miel. Vierta la mezcla en frascos esterilizados y séllelos bien. Guarde los frascos a temperatura ambiente durante 1 semana aproximadamente para permitir que los sabores se combinen. Recaliente la miel a fuego lento y cuele los capullos de la flor. Vuelta a tapar los frascos o use el contenido de inmediato.

PRESERA, AMOR DE HORTELANO O CUAJALECHE
(Galium aparine, G. verum)
(Cleavers o *Bedstraw* en inglés*)*

Breve descripción

La presera es una planta anual que se encuentra en los sitios húmedos o llenos de grama y a lo largo de las riberas de los ríos y las cercas, en Canadá, la mitad oriental de Estados Unidos y la costa del Pacífico. Una esbelta raíz primaria produce un tallo débil, cuadrado, trepador, espinoso, que crece de 2 a 6 pies (hasta 2 metros) de largo. Las ásperas hojas, que van de formas oblongo-lanceoladas a casi lineales, se dan en unos 6 a 8 espirales alrededor del tallo. Las pequeñas flores, blancas o verdiblancas, aparecen entre mayo y septiembre. La planta transpira un olor fuerte semejante al de la miel y su mejor época de recogida es en julio.

Ayuda a estirar la piel colgante

La presera constituye un excelente lavado para el rostro, ya que estira la piel. Aquellas personas que tienen las consabidas arrugas y bolsas que vienen con el paso del tiempo, deberían prestarle mucha atención a esta hierba.

Ponga a hervir 1 cuarto de galón (litro) de agua. Retire del fuego y añada 3 1/2 cucharadas de hierba seca. Tape y deje reposar durante 40 minutos. Lávese con frecuencia el rostro y el cuello con este cocimiento. Para ayudar a estirar la piel colgante, pueden usar almohadillas consistentes de una toallita de baño o un trapo de cocina empapado en el té, ligeramente exprimido y luego aplicado en todo el área facial durante un máximo de 10 minutos varias veces al día. Los resultados graduales deben hacerse evidentes en dos semanas. Una de las primeras cosas a las que debe aspirar es una nueva sensación de vida en lo que antes era una piel cansada y gastada.

Calma los ataques epilépticos

El fallecido médico naturópata, John Lust, recomendó la presera para los ataques epilépticos. Probablemente el uso más efectivo es en forma de tintura. Use de 10 a 15 gotas una vez al día como regla general o dos veces al día si los ataques son muy frecuentes y seguidos. La tintura de presera está disponible de *Eclectic Institute,* de Portland, Oregon (vea el Apéndice). Y la hierba cortada y seca para hacer el té se puede obtener en las tiendas de productos naturales o de *Indiana Botanic Gardens* (vea el Apéndice).

PRÍMULA NOCTURNA
(Oenothera biennis)
(Evening primrose en inglés*)*

Breve descripción

La prímula nocturna o primavera es una planta áspera, anual o bienal, que se encuentra en las praderas secas y las tierras baldías y a lo largo de los caminos al este de las montañas Rocosas, hacia el Atlántico. El tallo es erecto, fuerte y de vellos suaves, con hojas de vello duro, lanceoladas, puntiagudas en forma de velas, de unas 3 a 6 pulgadas (7 a 15 cm) de largo. Las flores amarillas y con fragancia parecida a la del limón, tienen de 1 a 2 1/2 pulgadas (hasta 6 cm) de ancho, abren en el crepúsculo y crecen en espigas desde junio hasta octubre. La fruta es una cápsula velluda y oblonga.

Una nueva esperanza para la esquizofrenia y el síndrome premenstrual

Las personas que experimentan las consecuencias, embarazosas desde el punto de vista social, de la esquizofrenia o el síndrome premenstrual *(PMS)* ahora tienen la esperanza de un futuro mucho mejor gracias al aceite de la prímula nocturna. Kenneth Vaddadi, un psiquiatra de la Universidad de Leeds, en Inglaterra, ha obtenido resultados exitosos en pruebas clínicas con un pequeño número de pacientes esquizofrénicos. Parece ser que unas 7 cápsulas de 500 mg diarios de prímula nocturna, junto a vitaminas B-3, B-6, C y zinc, logran notables resultados.

Treinta mujeres que padecían de *PMS* severo fueron tratadas diariamente con 3 gramos de aceite de prímula nocturna a partir del día 15to. del período hasta la menstruación durante 2 períodos, y con cápsulas de un placebo durante 2 períodos. La severidad de los síntomas del *PMS*, sobre todo la depresión, se alivió mucho más con el aceite que con el placebo. Se notó una mejoría durante un 62% de los períodos tratados con el aceite, pero sólo 40% de las veces en los casos tratados con placebos. Parece que hasta un máximo de 6 cápsulas diarias producen importantes mejorías terapéuticas.

La prímula reduce la presión sanguínea

En dos estudios diferentes realizados en Canadá, el constituyente principal de la prímula nocturna, ácido gamma-linolénico (*GLA* por las siglas en inglés) y el aceite mismo de la planta *(EVO)* redujeron de manera significativa la presión sanguínea. En el primer estudio, el *GLA* fortaleció notablemente la respuesta del corazón al estrés crónico, mientras que en el segundo estudio se hizo evidente una reducción general de la presión sanguínea en las primeras 18 semanas de vida de unas ratas que habían sido criadas para mostrar síntomas de hipertensión. Aproximadamente 4 cápsulas de aceite de prímula nocturna al día son recomendadas para la hipertensión, junto con un mayor consumo de potasio (750 mg) también.

Alivio para trastornos crónicos

Si bien no hay ninguna hierba que pueda considerarse como la respuesta para cada problema de la salud que se presenta en la vida, ciertas investigaciones científicas aparentemente justifican el uso del aceite de prímula nocturna para una serie de trastornos crónicos. Un fisiólogo sudafricano que escribió en el número de septiembre de 1985 de la revista Medical Hypotheses, citó evidencia muy confiable que apoyaba la idea de que la enfermedad de la arteria coronaria, la hipertensión, la hipercolesterolemia, el eczema alérgico y otros trastornos de la piel, el cáncer, el envejecimiento prematuro, la inflamación crónica y los trastornos autoinmunológicos están relacionados al desequilibrio de los ácidos grasos en el cuerpo.

Las deficiencias de *GLA* y de otro importante ácido graso que se encuentra en los aceites de pescado, pueden causar el bloqueo metabólico de una enzima clave. Esta actividad enzimática vital también puede ser inhibida por la presencia de demasiadas grasas saturadas, de excesos de azúcar, de alcohol, de un alto contenido de colesterol en la dieta, de altos niveles de estrés, de la exposición a bajos niveles de radiación y de deficiencias crónicas de zinc o magnesio.

Estos fisiólogos concluyeron su informe sugiriendo que suplementar la alimentación con aceite de prímula nocturna es un buen medio para evitar este bloque y, tal vez, para prevenir y, también, tratar muchos trastornos crónicos. Se recomienda ingerir 2 cápsulas dos veces al día, en la mañana y, nuevamente, a mitad de la tarde, para tener una salud óptima.

Yo recomiendo el aceite de prímula nocturna de la marca *Efamol (Evening Primrose Oil)* distribuido exclusivamente en todas las tiendas de alimentos naturales de Estados Unidos y Canadá bajo la etiqueta de *Nature's Way* (vea el Apéndice).

Comestibles medicinales

La siguiente receta es la otra cara de la antigua idea de que "la comida es también nuestra mejor medicina". En este caso, un medicamento confiable le da un rico sabor a unas tajadas de ternera. Le agradezco a Kathryn G. y Andrew L. March por dejarme usar esta receta de su maravilloso libro *The Wild Plant Companion* (vea el Apéndice).

PRÍMULA NOCTURNA Y TERNERA CON VINO DE MADEIRA

Ingredientes: 8 tajadas muy delgadas de ternera *(veal cutlets),* con toda la grasa eliminada y suavizadas con un martillo de cocinar o la parte roma de un cuchillo; un poco de harina; 2 cucharadas de mantequilla; 16 plantas de prímula nocturna, muy pequeñas, con raíces y cabezas lavadas (las raíces de cerca de 1/8 de pulgada (3 mm) de diámetro, o use plantas más grandes y sancóchelas o *parboil*); 1/4 cucharadita de sal de mar; 1/2 taza de vino de Madeira; 1/2 taza de agua; tajadas de limón.

Preparación: Enharine bien las tajadas de ternera y sacuda el exceso. En una sartén de 10 a 12 pulgadas (25 a 30 cm), a fuego moderado, derrita la mantequilla. Cuando ya no se produzcan burbujas, dore rápidamente la ternera por ambos lados, preparando varias tajadas a la vez. Coloque en un plato las que ya se han dorado mientras dora las demás. Coloque la prímula nocturna en la olla, añada la sal, el vino de Madeira, el agua y la ternera con todos los jugos que se hayan acumulado en ella. Cocine a fuego lento, tapado, durante 10 minutos, hasta que la prímula nocturna esté tierna y la salsa se haya reducido. Páselo a una fuente de servir, vertiendo la salsa que queda sobre la carne y adornándola con las tajadas de limón. Suficiente para 4 porciones.

Psilio
(Plantago ovata)
(Psyllium en inglés*)*

Breve descripción

Es una hierba anual sin tallo o de tallo corto. Sus hojas están en forma de roseta o alternadas, agarrando apretadamente al tallo, y tiene un promedio de 3 a 10 pulgadas (7 a 25 cm) de largo y de 1/4 a 1/2 pulgada (1 cm) de ancho. Las flores son blancas, diminutas, de cuatro secciones, dispuestas en espigas erguidas ovoides o cilíndricas. La fruta tiene forma ovalada y cuando se madura, la parte superior se separa bastante, dejando salir una semillas suaves y ovaladas, de tonalidad rosa-gris-parda o rosa-blanco con rayitos pardos sobre ellas. Cada semilla está encapsulada en una vainita delgada y traslúcida que no tiene olor ni sabor. Cuando se pone a remojar en agua, toda la semilla se expande y aumenta considerablemente de tamaño.

Cura la obesidad y el estreñimiento

Ciertos laxantes que promueven el bolo fecal, como el *Metamucil,* el *Effersyllium* y el *Syllamalt* están compuestos de las vainitas o las semillas molidas del psilio, combinadas con azúcar para darles un sabor más agradable. Estudios clínicos han mostrado que el psilio por sí mismo es superior en su acción a cualquier otro laxante conocido, como el aceite mineral, la leche de magnesia, la cáscara sagrada, la metilcelulosa o la fenolftaleína.

Varios experimentos clínicos llevados a cabo en Italia han demostrado el valor de la semilla de psilio para los pacientes obesos y diabéticos. En las personas obesas, hubo un descenso notable del colesterol en la sangre y una reducción del consumo de alimentos también. Los pacientes diabéticos se beneficiaron del descenso de sus niveles de azúcar en la sangre. Un grupo de doctores en medicina del sur de California observó que el psilio ayudaba a aliviar el síndrome del intestino irritable en muchos de sus pacientes. Un promedio de 3 cápsulas al día de un singular producto llamado *Fiber Cleanse* se recomienda para los problemas anteriormente mencionados. El producto puede ser obtenido en cualquier tienda local de alimentos naturales bajo la marca de *Nature's Way.*

Quingombó o Quimbombó
(Hibiscus esculentus)
(Okra en inglés*)*

Breve descripción

El quingombó —conocido también como quimbombó— es una hierba anual con un tallo alto y erecto, cubierto de pelusa, que alcanza una altura de 3 a 7 pies (1 a 2 m). Sus hojas poseen de 3 a 5 lóbulos, tienen forma de corazón y son toscamente dentadas. Sus flores adquieren un gran tamaño y son de color amarillo con el centro carmesí. Las vainas del quingombó miden entre 5 y 12 pulgadas (12 y 40 cm) de largo y son de apariencia espinosa, de color verde o verde cremoso y de superficie lisa o cubierta de pelusa. Las vainas contienen numerosas semillas redondas, estriadas y cubiertas de pelusa. Toda la planta es aromática y despide un olor semejante al del clavo de especia.

Las vainas del quingombó han sido utilizadas con increíbles resultados para reponer el plasma sanguíneo. Según el volumen cinco de *The Wealth of India,* los doctores usaban el mucilago contenido en sus vainas para expandir el volumen sanguíneo en casos de hemorragia en perros cruzados. Probablemente, los estudiosos descubrirán algún día que esta substancia puede ser un agente útil en las transfusiones sanguíneas en seres humanos.

Como emplasto eficaz para curar las quemaduras

Con el quingombó y las cortezas del olmo americano *(slippery elm)* y roble blanco *(white oak)* se puede preparar un estupendo emplasto líquido para el tratamiento eficaz de todo tipo de quemaduras graves, cuando resulta imposible conseguir asistencia médica de emergencia. Sin embargo, lo primero que hay que recordar a la hora de lidiar con una situación de esta naturaleza es conservar la calma. Mantenga la calma, deje que prevalezca el sentido común y siga las sencillas instrucciones que le daremos a continuación.

El área afectada debe ser sumergida en agua helada (o preferiblemente cubierta con nieve limpia) para aliviar el dolor, hasta que se pueda aplicar el emplasto. En una cacerola de acero inoxidable, ponga a hervir 5 tazas de agua mineral o agua destilada. Una vez que

esté hirviendo, baje el fuego y agregue 2 tazas de quingombó rebanado y 2 tazas de trozos de corteza seca de olmo americano (no en
polvo), con 1 1/4 taza de trozos de corteza seca de roble blanco. En
caso de que no pueda conseguir la corteza del olmo americano,
sustitúyala por la misma cantidad de trozos de raíces secas de consuelda *(comfrey)*. Tape la cacerola y deje hervir la mezcla a fuego
lento durante no más de 45 minutos. Pasado ese tiempo, la mezcla
debería estar bastante espesa y viscosa. Proceda a colarla de inmediato, antes de que se enfríe, usando varias capas de tela de muselina.

Para que se enfríe más rápidamente, vierta el contenido colado
en un recipiente o molde de hornear limpio cubierto con un paño de
hilo. Colóquelo en el congelador hasta que se enfríe, pero no permita
que se congele o que se ponga excesivamente rígido. Otra forma de
acelerar el proceso de enfriamiento del emplasto es colocar el recipiente encima de una mesa y utilizar un ventilador eléctrico para
darle aire fresco.

Antes de aplicar el mucilago fresco sobre la piel afectada, asegúrese de limpiar y desinfectar sus manos minuciosamente introdu-
ciéndolas en una pequeña cantidad de enjuague bucal antiséptico
Listerine. Una vez hecho esto, hay dos formas de aplicar este maravilloso emplasto curativo sobre las quemaduras. Puede esparcirlo suavemente sobre la piel con un cepillo de pelo de camello genuino *(camel
hair brush)* previamente *esterilizado,* que sea bastante ancho, y luego
cubrir la quemadura con bandas de gasa; o puede saturar la gasa con
el mucilago y luego colocarla con la mano sobre el área afectada.

El emplasto debe cambiarse en un tiempo máximo de 5 horas.
El resultado podrá apreciarse en aproximadamente un día. El mucilago no sólo reducirá el dolor y la inflamación, sino que además el
ácido tánico que se encuentra en la corteza del roble blanco provocará la proliferación de células nuevas y evitará la posible formación
de bacterias infecciosas.

Para aliviar los efectos de la hiedra venenosa y la soriasis

Además de servir como tratamiento para casos de quemaduras
graves, el emplasto anterior es también un excelente remedio para
aliviar las ronchas causadas por la hiedra venenosa y los síntomas de
la soriasis. Siga las mismas instrucciones básicas, omitiendo sólo la

corteza del roble blanco. La solución debe ser colada mientras aún está caliente, pero puede permitir que se enfríe con más lentitud a temperatura ambiente. Aplique luego el mucilago, frotándolo con la mano y déjelo sobre la piel por varias horas antes de repetir el tratamiento tantas veces como considere necesario.

Receta de quingombó

En su libro *Down Home Southern Cooking,* publicado por *Doubleday & Co., Inc.,* en 1987, el ex cocinero de *"P.M. Magazine"* y famoso propietario de un restaurante en Encinitas, California, LaMont Burns, destaca una exquisita sopa de pollo con quimbombó que incluimos en este libro, con la generosa autorización de la casa editora:

SOPA SUREÑA DE POLLO CON QUINGOMBÓ

Ingredientes: 1 pollo de 2 1/2 libras (1 kilo); 3 cucharadas de harina de trigo; 3 cucharadas de mantequilla; 1 cucharadita de azúcar morena *(brown sugar);* 1/2 pimiento rojo dulce *(sweet red pepper)* cortado en pedazos; 4 tazas de trozos de quingombó; 1 lata grande de tomates o 6 tomates maduros pelados; 1 lata de maíz *(corn niblets)* o los granos de 3 mazorcas de maíz fresco; 2 ramitas de perejil picadas; 2 pedazos de hojas de albahaca *(basil).*

Preparación: Ponga a hervir el pollo a fuego lento y tápelo por 1 hora. Luego, sáquelo del caldo y déjelo enfriar un poco. Quítele el pellejo y los huesos y corte la carne en pedazos. Dore la harina en mantequilla, agregue los vegetales, el azúcar y el caldo del pollo. Cueza a fuego lento hasta que se ablanden y la sopa se haya espesado. Agregue la carne de pollo cocida y sirva caliente.

R

RÁBANO PICANTE
(Armoracia lapathifolia)
(Horseradish en inglés)

Breve descripción

El rábano picante es una planta perenne oriunda del sudeste de Europa y del oeste de Asia, que se encuentra ocasionalmente en forma silvestre, pero usualmente es cultivada, en otras partes del mundo. La raíz larga, blanca, cilíndrica o cónica produce un tallo de 2 a 3 pies de altura en su segundo año.

La raíz seca y pulverizada que se encuentra hoy en día en muchas fórmulas herbarias no tiene prácticamente ningún valor. Los verdaderos beneficios se encuentran en la raíz fresca extraída de la tierra. Sin embargo, cuando se ralla, se liberan sus fuertes aceites volátiles, así que es necesario cubrir la raíz rallada con vinagre de sidra *(apple cider vinegar)* y refrigerarla en un frasco de vidrio con una tapa bien apretada. De esta manera se conservará por lo menos 3 meses, o también toda la raíz puede ser empaquetada en arena mojada y mantenida en un rincón fresco de su sótano o garaje. Mantenga la arena húmeda.

Un gran aceite para masajes

Se puede preparar un aceite muy estimulante para dar masajes que alivian los dolores y los malestares musculares y que ayudan a aflojar la congestión del pecho, remojando una pequeña cantidad de raíz de rábano picante, fresca y rallada, en un poco de aceite prensado *(cold-pressed)* en frío de su preferencia (por ejemplo, de germen de trigo, de ajonjolí o de oliva).

Beneficios cosméticos

El vinagre de rábano picante aclara la tonalidad de la piel y elimina las pecas y las manchas. También es muy bueno como enjuague para el cabello y como revitalizador de los cueros cabelludos débiles. Cubra la raíz rallada del rábano picante con vinagre de sidra *(apple cider vinegar)* y deje que se asiente, colocándola en una ventana donde le dé el sol, durante 10 días. Luego, el vinagre se filtra y se guarda en una botella de vidrio cerrada herméticamente.

Cuando usted lo use sobre la piel, dilúyalo, por lo menos, con un 50% de agua. Se le puede añadir leche para darle más color a la piel del rostro y para ayudar a aliviar el escozor causado por el eczema. Remoje 1 cucharada de raíz de rábano picante fresco y rallado en 1 taza de suero de leche *(buttermilk)* durante media hora antes de colarlo. Únteselo en la cara y déjelo sobre la piel durante 15 minutos antes de enjuagarlo con agua. Refrigere el resto para usarlo después.

Té para calentarse

Duante la temporada de invierno o cuando una persona de edad avanzada experimenta sensaciones de frío en las manos, las piernas y los pies debido a la mala circulación, un buen té caliente puede aliviar esta sensación de hipotermia. Ponga a hervir 1 cuarto de galón (litro) de agua. Añada 1 cucharada de raíz de jengibre rallada y 1 cucharada de raíz de rábano picante rallada. Tape, reduzca el fuego y deje hervir a fuego lento durante 10 minutos. Saque del fuego, destape y añada 2 cucharadas de hojas de mostaza fresca o seca y 2 cucharadas de berro *(watercress)*. Tape y deje reposar durante 1 hora. Déle sabor con una pizca de alga marina kelp en polvo y unas gotas de jugo de lima (limón verde, lime). Beba 1 taza, tibia, varias veces al día.

Receta para salsa de rábano picante

He aquí una salsa favorita de rábano picante que ha estado en la familia
Heinerman durante casi 200 años y que fue traída a Estados Unidos por
mi abuela, Barbara Liebhardt Heinerman, procedente de su tierra nativa
(Temesvar, en Hungría) a principios del siglo XX. Tiene un rico sabor,
pero sin el desagradable picor del rábano picante.

SALSA BÁSICA DE RÁBANO PICANTE DE MI ABUELA

Ingredientes: 1/4 de pinta de yogur sin sabor; 1/4 de pinta
de mayonesa casera (vea la receta más adelante); 2 1/2 cucharada de jugo de lima (limón verde, *lime*) y 1/2 cucharada de jugo
de toronja (pomelo). Mezcle todo junto en una licuadora o a
mano. Es muy sabrosa con aves, pescado y carne de res.

DELICIOSA MAYONESA CASERA

Ingredientes: 1 taza de crema agria *(sour cream)*; 1/4 taza de
yogur sin sabor; 3 cucharadas de jugo de cebolla exprimida; 1/2
cucharadita de almíbar de arce puro *(maple syrup)*; 1/4 cucharadita de raíz de jengibre *(ginger)* molida; 1 cucharadita de eneldo
(dillweed); 1 cucharadita de estragón francés *(tarragon)* muy finamente picado y 1 cucharadita de perifollo *(chervil)* (ambos frescos). Mezcle todos los ingredientes en una licuadora hasta que se
logre una consistencia suave y pareja. Suficiente para 1 1/2 taza.

RÁBANOS
(Radish en inglés*)*

RÁBANO ROJO
(Raphanus sativus)

RÁBANO DAIKON
(Raphanus sativus longipinnatus)

Breve descripción

Los rábanos han existido desde los tiempos de Moisés. Los faraones egipcios los incluían diariamente, junto al ajo, el puerro, las cebollas y los pepinos, en las dietas de los varios cientos de miles de esclavos judíos que construían para ellos sus imponentes pirámides.

Aunque en Estados Unidos, el rábano rojo del tamaño de una cereza es la variedad más común, los rábanos vienen en todos los tamaños y colores, incluyendo uno de un intrigante color negro. Las variedades más populares son el *Scalet Globe* y el *Cherry Belle* (ambos rábanos rojos globulares), el *French Breakfast* (un rábano rojo alargado, blanco en la punta), el *White Icile* (largo y de sabor dulzón) y el favorito de los japoneses, el rábano *Daikon* (un rábano blanco largo y de gusto fuerte).

Ayuda a digerir los alimentos a base de almidones

A través de gran parte de Europa, los rábanos se consumen frecuentemente con el pan y los cereales del desayuno. Y a los japoneses realmente les gusta que la variedad *Daikon* acompañe virtualmente todos los platos. En ambos casos, encontramos que los rábanos parecen ayudar a la digestión de los alimentos que contienen almidones (féculas), tales como los cereales y granos, las pastas, las papas y otros alimentos semejantes. Esto se debe, en parte, a la presencia de una enzima digestiva especial llamada diastasa, que se encuentra en grandes cantidades en el rábano *Daikon*. Así que con aquellas comidas que están cargadas de féculas, asegúrese de incluir algunos rábanos crudos para tener una mejor digestión.

Elimina los depósitos solidificados de grasa

Hace varios años, cuando yo me encontraba en Tokio asistiendo a un simposio de medicina herbaria, me llamó la atención un artículo en el *Asahi News* (el periódico diario más grande que circula en Japón) escrito por un colega japonés. Un científico amigo mío lo tradujo al inglés para que yo pudiera leerlo. La historia tenía que ver con un remedio empleado por doctores *kanpõ* en las montañas orientales de Kioto. Estos doctores, al mismo tiempo que practicaban la medicina popular alternativa, eran doctores en medicina y se habían graduado de la prestigiosa Facultad de Medicina de la Universidad de Kioto.

El remedio empleado para reducir y eliminar depósitos solidificados de grasas endurecidas que se habían adherido a los tejidos del cuerpo, consistía en una bebida vegetal hecha con zanahoria y rábano *Daikon* (1 cucharada de cada uno), añadidas a 2 tazas de agua con 7 gotas de salsa de soja *(soy sauce)*, 1 cucharadita de jugo de limón y una pizca de alga marina *kelp;* todo esto se ponía a hervir durante 5 minutos. Después, el caldo se filtraba y debía ser tomado todos los días, una taza por la mañana y otra por la noche.

Detiene la tos crónica y la fiebre alta

Un antiguo remedio chino se prepara con un puñado de raíces medulosas picadas de un planta vieja de rábano, las cuales se ponen a hervir en 1 litro de agua con un poco de carne de cerdo durante 40 minutos. Se debe tomar varias tazas de este caldo tibio todos los días para aliviar la tos espasmódica, para reducir la fiebre alta y para despertar el apetito en aquellas personas que se están recuperando de enfermedades recientes.

Controla la diarrea

Cuando persiste la diarrea y no hay nada disponible que puede detenerla, algunos rábanos podrán ayudar de manera muy efectiva. En una licuadora, mezcle bien 1 puñado de rábanos rojos picados, 1 taza de leche fría y 1/2 cucharadita de fécula de maíz *(cornstarch)* de la marca *Kingsford*. Bébalo todo lentamente. Este brebaje debería detener la diarrea en menos de una hora. Repita el proceso nuevamente en 4 horas, si es necesario.

Previene los cálculos biliares y renales (piedras de la vesícula y del riñón)

Para obtener un buen remedio para el control de cálculos existentes en la vesícula biliar o en los riñones, o para evitar que éstos se formen, haga una bebida diaria en su licuadora utilizando 2 rábanos rojos picados y 1/2 taza de vino tinto. Esta mezcla también se puede tomar 2 veces al día en los casos de dificultades para orinar.

Un antiguo remedio inglés para los cálculos ha sido usado con gran éxito durante varios siglos. El jugo exprimido de rábano *Daikon* blanco o de rábanos españoles negros se administra en dosis crecientes de 1 a 2 tazas al día. Estas 1 a 2 tazas diarias se siguen tomando durante 2 a 3 semanas. Luego la dosis se reduce hasta tomar 1/2 taza 3 veces a la semana durante casi un mes más. El tratamiento puede repetirse tomando 1 taza al comienzo, luego 1/2 taza diariamente y después 1/2 taza un día sí y un día no.

Desodorante para los pies y las axilas

Además de ser un vegetal nutritivo y una maravillosa medicina, los rábanos también ofrecen un tercer uso como desodorante para los olores corporales fuertes. Para esto se necesita un extractor de jugos. El jugo de aproximadamente 2 docenas de rábanos se puede colocar en un frasco de agua de Colonia vacío con un atomizador, o en una botella con rociador. También se debe añadir 1/4 cucharadita de glicerina *(glycerine)* al jugo antes de embotellarlo, para que se conserve más tiempo, a menos que sea refrigerado (en ese caso no hace falta la glicerina).

Después de su ducha o baño matinal, vierta un poco de este jugo de rábano en la palma de su mano y frótelo debajo del brazo, en las axilas. O también puede rociar con él las axilas y las plantas de sus pies y entre los dedos, frotándolo bien para conseguir varias horas de protección contra el mal olor. El jugo de rábano es también útil para las lesiones, la congelación, las picaduras y las mordeduras de insectos y las quemaduras leves.

Remedio rápido para las quemaduras y las escaldaduras

A lo largo de este libro ofrecemos numerosos remedios confiables para el tratamiento de quemaduras y escaldaduras serias (vea la Tabla de Síntomas para una lista completa). Muchos de ellos, sin embargo, requieren tiempo para prepararlos.

Aquí tiene un remedio realmente rápido que sólo requiere un puñado de rábanos, limpios y cortados, los cuales se deben poner en una licuadora con un poco de hielo machacado para convertirlos en un puré espeso y uniforme. Entonces, esto se aplica directamente sobre la quemadura o la escaldadura, y se cubre ligeramente con una muselina limpia que se mantiene en su lugar por medio de una venda adhesiva. Esto produce un alivio casi inmediato del dolor y reduce considerablemente la infección. Para acelerar aún más la curación, añada algunas tabletas de zinc y 1 cucharadita de aceite de vitamina E, al mezclar los rábanos y el hielo en una licuadora.

Rábanos para el tratamiento del cáncer

Los rábanos frescos y las semillas de rábano han sido empleados en el tratamiento del cáncer en todo el mundo. Su éxito ha sido documentado detenidamente en una variedad de publicaciones científicas. El libro *Medicinal Plants of East and Southeast Asia*, de Lily M. Perry, editado por *Massachusetts Institute of Technology Press*, de Cambridge, describe el uso de un té fuerte hecho con semillas de rábano para reducir el cáncer del estómago, y de la aplicación externa de rábano como un emplasto *(poultice)* caliente para el tratamiento del cáncer de mama en las mujeres.

El Dr. Jonathan L. Hartwell, antiguo miembro del *National Cancer Institute* de Bethesda, Maryland, examinó cuidadosamente miles de plantas en busca de su actividad potencial como anti-carcinógeno. Su amplio informe, fue publicado en varios números de la revista científica *Lloydia*. En el número de marzo de 1969, el Dr. Hartwell citaba que los fomentos de jugo de rábano en aceite de cocinar eran beneficiosos para los tumores abdominales; también decía que la planta entera cocida en vino y aceite es buena para la rigidez del hígado y del bazo, y que el rábano rojo por sí mismo, hervido en vino tinto y miel, es bueno para tratar lo que él describía como el "cáncer de las partes carnosas".

Un análisis profundo de los posibles constituyentes anticarcinógenos del rábano *Daikon* y el rábano rojo apareció en el número de septiembre de 1978 de la revista *Agricultural & Biological Chemistry*. Entre los muchos componentes sulfúricos volátiles citados estaba el metanetiol *(methanethiol)*. Este factor tiene un olor de col podrida, también evoluciona a partir de los cultivos de penicilina en el pan y se usa en la elaboración de pesticidas y fungicidas debido a sus fuertes propiedades antibacterianas. Son componentes como éstos los que hacen que los rábanos sean tan buenos para tantos diferentes tipos de cáncer. Yo no estoy recomendando que esto sea lo único que se use, sino que estoy sugiriendo que se incluya el rábano, junto a otros vegetales y hierbas que contienen sulfuros, como la col *(cabbage)*, la col rizada *(kale)*, el nabo *(kohlrabi)*, la col de Bruselas *(Brussels sprouts)*, las hojas de mostaza *(mustard greens)*, el berro *(watercress)*, el ajo y la cebolla, en un programa dietético especial para combatir el cáncer desde el punto de vista de la nutrición, tanto como desde el punto de vista de la medicina.

Algunas ideas para ensaladas

Los japoneses tienen más de 100 diferentes maneras de cocinar con rábano *Daikon*. Es la fibra blanca que se sirve con el *sashimi* (pescado crudo) en los restaurantes japoneses. Crudo, puede ser rallado y comido con pescado o carne. Se añade a la sopa de *miso* (pasta de frijoles fermentada). Se usa para hacer flores para una decoración de comida. Puede desmenuzarse con zanahorias y servirse en forma de ensalada con un aliño de vinagreta dulce. O puede ser cortado en trozos y puesto en los estofados (guisos). Una buena característica del rábano *Daikon* es que a pesar de que se ablanda cuando se cocina, no se deshace.

Los rábanos se combinan especialmente bien en las ensaladas. A continuación hay ideas interesantes para ensaladas para aquellas personas de gusto exquisito que gustan de comidas saludables.

ENSALADA DE COL Y RÁBANO CON ALIÑO DE AJONJOLÍ (SÉSAMO, *SESAME*) Y YOGUR

Ingredientes: 2 tazas de col desmenuzada en tiritas (preferiblemente una mezcla de coles rojas y verdes); 1 taza de zanahoria rallada; 1 taza de rábano *Daikon* rallado; 2/3 de taza de rábano rojo rallado; 3/4 taza de yogur sin sabor; 2 cucharaditas de eneldo *(dill)* fresco picado ó 1 cucharadita de eneldo seco; 1 cucharadita de aceite de semilla de ajonjolí *(sesame seed oil)*; 1/4 taza de semillas de ajonjolí tostadas; 1 1/2 cucharada de *tamari.*

En un tazón grande combine la col, la zanahoria y los dos tipos de rábano. Mezcle todo con el yogur, el eneldo, el aceite de ajonjolí, las semillas de ajonjolí y el *tamari.* Pruebe y añada más *tamari* si lo desea.

Ensalada del "amante latino"

Ingredientes: 1 cabeza de lechuga romana, despedazada en trozos como para ensalada; 1 puñado de coriandro fresco y picado; 1 puñado de rábanos cortados en tajadas y sus hojas; 1 ají verde *(green bell pepper)* picado (incluyendo las semillas); 2 aguacates *(avocados)* pelados, sin semilla y en tajadas; 2 tomates maduros, en tajadas; 1/2 libra (225 gramos) de camarones o gambas descascarados y limpios de venas, hervidos; 1/3 taza de aceite de oliva; 2 limas (limón verde, *lime)* sin semillas, cortadas a la mitad; alga marina *kelp* a gusto.

Arregle los vegetales y los camarones en un tazón grande, y rocíelos con aceite de oliva. Exprímales encima el jugo de la lima y añada el *kelp.* Revuelva ligeramente. Suficiente para 4 a 6 porciones.

NOTA: Estas dos recetas han sido adaptadas del elegante libro *Vegetables,* escrito por 4 autores del área de San Francisco, con permiso de la casa editora, *Chronicle Books* (vea el Apéndice).

REMOLACHA Y ACELGA SUIZA
(Beta vulgaris y Beta vulgaris cicla)
(Beets y Swiss chard en inglés)

Breve descripción

Las raíces comestibles de la remolacha (betabel) pertenecen a la misma familia de las remolachas azucareras *(Beta vulgaris saccharifera)*, cultivadas para la elaboración de azúcar, cuya extracción comenzó en el siglo XVIII. Las raíces comestibles de la remolacha son de dos colores básicos, rojo y amarillo. Los ingleses fueron los primeros que desarrollaron la variedad roja, pero en las otras partes de Europa la de raíz amarilla fue mucho más apreciada debido a su sabor más dulce y a su adaptabilidad para ser conservada en vinagre.

También existe la remolacha de raíz blanca, la cual se cultiva sobre todo por sus hojas y tallos. Las partes superiores se usan en lugar de la espinaca y las nervaduras son, en cierta forma, como los espárragos. En la Edad Media, ninguna comida se consideraba completa sin una sopa hecha de las hojas de esta acelga suiza, como a menudo se la llama.

Terapia de remolacha usada por un hospital para tratar el cáncer

Uno de los programas más asombrosos y exitosos para tratar muchas diferentes clases de tumores cancerosos dio comienzo a finales de los años 50, dirigido por el Dr. Alexander Ferenczi, M.D., en el Departamento de Enfermedades Internas del hospital del distrito de Csoma, en Hungría, usando nada más que remolacha roja cruda. Porciones de este interesante triunfo médico fueron traducidas recientemente del húngaro y publicadas en la revista australiana *International Clinical Nutrition Review*, en julio de 1986.

El informe clínico del Dr. Ferenczi incluye métodos para administrar la remolacha y varios casos muy importantes de estudio clínico:

> Al señor D.S., un hombre de 50 años de edad, yo le diagnostiqué un tumor pulmonar, que luego fue confirmado en un hospital de Budapest y también en un hospital nacional, el cual correspondía clínicamente a un cáncer del pulmón... Comencé el tratamiento con raíz de remolacha

de la manera descrita. Después de 6 semanas de tratamiento, el tumor había desaparecido... Después de 4 meses
de tratamiento, el paciente aumentó 10 kilos (22 libras) de
peso, el nivel de sedimento de eritrocitos (glóbulos rojos
maduros) se redujo de 87 mm/h a 77 mm/h. Por lo tanto, él
presentó los síntomas de una recuperación clínica.

Una comparación detallada de dos pacientes de cáncer, uno
bajo terapia de remolacha y el otro no, demuestra aún más la eficacia de este maravilloso tratamiento.

Recibimos simultáneamente a dos pacientes. Uno
sufría de cáncer de la próstata y la otra de cáncer del útero.
El peso de ambos era el mismo. El paciente con cáncer de
la próstata fue tratado con raíz de remolacha. La paciente
con cáncer del útero no pudo tomarla, pero permaneció en
nuestra sala. El estado de salud del hombre comenzó a
mejorar. Cuando fue ingresado, estaba confinado a la cama
con un catéter permanente. Después de un mes, se le quitó
el catéter. Él pudo caminar un poco y subió de peso, mientras que la mujer perdió peso. Después de 3 meses, había
una diferencia de peso de 10,5 kilos entre los dos.

La experiencia acumulada hasta ahora sugiere el hecho
de que la raíz de remolacha contiene un ingrediente activo
que inhibe los tumores, es decir que es anti-cancerígeno.
Sin embargo, hasta el momento no se sabe nada acerca de
la naturaleza de esta sustancia activa. Una cosa es cierta:
que no es muy inestable, ya que también actúa cuando se
toma oralmente; por lo tanto, la digestión no la daña. El
muy evidente color rojo podría sugerir que la sustancia activa es la materia colorante. El tratamiento con la raíz de remolacha presenta varias ventajas sobre el resto de los
medicamentos que se usan en el tratamiento del cáncer. En
primer lugar, no es tóxica y se puede administrar en cantidades sin límites. Además, hay suministros ilimitados de
raíz de remolacha a nuestra disposición. Por lo tanto, nos
hemos esforzado para administrar al paciente esta sustancia activa en la forma más concentrada y en las mayores
cantidades posibles, debido a que la raíz de remolacha, o
mejor, su jugo, no podían ser dados en grandes cantidades.

Ahora bien, la raíz de remolacha está disponible para los consumidores de varias maneras. Una empresa de Lawrence, en el estado de Kansas, *Pines International*, hace un concentrado de raíz de remolacha roja orgánica muy bueno. Este polvo de remolacha está disponible en la mayoría de las tiendas de alimentos naturales *(health food stores)*.

Sin embargo, hay que tener cuidado con la cantidad de remolacha que se consume en un momento determinado. Ciertamente, no debido a que sea dañina, sino debido más bien a su increíble habilidad para descomponer rápidamente el cáncer dentro del cuerpo. Una mujer de unos 30 años que fue tratada con raíz de remolacha por un problema de cáncer de mama, contrajo una fiebre de 104° F (40° C), debido a la rápida descomposición de los tumores. En casos como éstos, la remolacha elimina el cáncer más rápidamente que lo que el hígado es capaz de procesar todos los desechos que le llegan en un momento determinado. Por ello, la administración interna de la raíz de remolacha necesita hacerse por etapas, prestando mucha atención a la desintoxicación del hígado y el colon al comenzar a aplicar la terapia de la raíz de remolacha.

El Dr. Ferenczi concluyó su informe médico con este hecho innegable: "Los resultados logrados con la raíz de remolacha no son peores que los que se han obtenido con preparados de sustancias químicas bien conocidos, tales como el *Tetramin* (un antineoplásico experimental)". El atribuyó la fuerza anti-cancerígena de la remolacha al agente natural que le da su coloración roja, la betaína.

Fortalecimiento de hierro para las mujeres

La raíz de remolacha roja y la acelga suiza son buenas fuentes de hierro para las mujeres, así como lo son las tabletas de hígado, las yemas de huevo, las legumbres y los cereales fortificados con hierro. De 1 a 2 cucharaditas rasas de polvo de remolacha *(beet powder)* de marca *Pines* añadidas a un vaso de 8 onzas (250 ml) de agua o de jugo provee una gran cantidad de hierro. El resto del hierro necesario puede provenir de una variedad de alimentos, incluyendo la acelga suiza cocida, la lechuga romana de hoja oscura, el perejil, las aves y el pescado. La remolacha, junto a la zanahoria y la chirivía *(parsnips)*, también es buena para la hipoglucemia.

Ensalada anticáncer

Estoy en deuda con el Dr. James Duke, director de *Germplasm Resources Laboratory* del Departamento de Agricultura estadounidense *(USDA)*, en Beltsville, estado de Maryland, por permitirme usar aquí una versión ligeramente adaptada de la ensalada preventiva del cáncer que él llama *Quack Salad* (ensalada del curandero). Se necesitarán estos ingredientes: 1 taza de remolacha roja cruda, lavada, pelada y rallada; 1 puñado de nueces picadas *(walnuts)*, no de paquete y sin salar; 3/4 taza de apio picado; 1/2 taza de endibia *(endive)* lavada y picada; 1 pepino de tamaño mediano a grande, lavado, sin pelar y cortado en rodajas; 1/4 cucharadita de comino *(cumin);* 1 cucharada de linaza *(flaxseed);* 1 diente de ajo pelado y picado; 1 pizca de pimienta de Cayena *(Cayenne pepper)* en polvo; 1/2 cebolla blanca pelada y picada; 1 puñado de cacahuetes (manís, *peanuts*) descascarados y picados (no enlatados, ni salados ni fritos); 1/2 cucharadita de salvia *(sage);* 2 tomates maduros de tamaño mediano, lavados, en cuartos.

Revuelva ligeramente todos los ingredientes juntos, en una ensaladera de madera grande, hasta que queden bien mezclados. Para hacer el aliño, añada 1/4 cucharadita de alga marina *kelp* y 1 diente de ajo picado a 2 1/2 tazas de jugo de limón. Revuélvalo bien y viértalo sobre la ensalada.

Sopa de remolacha rusa

Durante mi visita a la antigua Unión Soviética en el verano de 1979, tuve la suerte de conocer a un anciano de Leningrado (ahora San Petersburgo) cuyo padre había sido el cocinero personal del último de los grandes zares de Rusia, Nicolás Romanov. A través de un intérprete aprendí la receta de una maravillosa sopa (en ruso se llama *borscht*) de remolacha y col que su padre preparaba para los Romanov.

Borscht del palacio

Ingredientes: 3/4 apio; 1 1/4 taza de remolacha cruda; 3/4 taza de zanahorias; 3/4 taza de cebollas verdes finamente picadas; 1 taza de col (repollo, *cabbage*) cortado en tiras finas; 3 cucharaditas de raíz de jengibre *(ginger)* rallado; 12 onzas (350 g) de huesos de pato asado (o pollo o pavo); 2 1/2 tazas de caldo de carne de res; 1/4 cucharadita de alga marina *kelp;* 3 cucharaditas de alcaravea *(caraway);* 3/4 cucharadita de cáscara de naranja finamente rallada; 3/4 cucharadita de albahaca *(basil);* 3/4 cucharadita de tomillo *(thyme);* 1/2 taza de puré de tomate; 1 1/2 taza de sidra de manzana; 1/2 taza de vodka.

Coloque los huesos (esqueleto) del ave en el horno y deje que se doren durante un rato. Ponga a hervir el caldo de carne. Añada los huesos del ave. Reduzca el fuego y déjelo hervir a fuego lento durante 1 hora antes de colarlo. Corte el apio, la remolacha y la zanahoria en forma de tiras largas y finas, de unas 2 pulgadas (5 cm) de largo y de 1/4 de pulgada (1 cm) de ancho, y añádalas al caldo, con las cebollas verdes picadas, las especias y el puré de tomate. Revuélvalo todo bien con una cuchara de madera, luego hierva a fuego lento durante 30 minutos. Añada la col finamente picada, la sidra de manzana y el vodka. Cocine a fuego lento durante 15 minutos. Suficiente para unas 6 porciones.

ROMERO
(Rosmarinus officinalis)
(Rosemary, en inglés)

Breve descripción

Este arbusto siempre verde es oriundo del Mediterráneo y hoy en día se cultiva extensamente en todas partes del mundo debido a sus hojas aromáticas. Las numerosas ramas tienen una corteza escamosa, de color ceniza, con hojas opuestas, ásperas y gruesas que son lustrosas y de color verde oscuro por arriba, y por abajo, de un blanco aterciopelado. Tienen una vena prominente en el medio, y bordes que se doblan hacia abajo.

Un lavado bucal eficaz

El té de romero constituye un lavado bucal maravillosamente refrescante y bueno para eliminar el mal aliento. En 1/2 litro (1 pinta) de agua que acaba de hervir y que ha quitado del fuego, ponga 3 cucharaditas de florecillas u hojas secas y déjelas reposar durante media hora, tapadas. Cuele y refrigere. Haga gárgaras y enjuáguese la boca todas las mañanas o varias veces al día con este té.

Notable purificador del agua

Se piensa que algunas de las especias aromáticas, tales como la menta piperita *(peppermint)*, el romero *(rosemary)*, la salvia *(sage)*, la ajedrea *(savory)* y el tomillo *(thyme)*, tienen un gran poder para esterilizar el agua contaminada con bacterias dañinas. Rob McCaleb, editor de la revista *HerbalGram*, especula que si hervimos el agua que pudiera estar contaminada y le agregamos un poco de cualquiera de estas especias aromáticas, tendríamos algo saludable para tomar, sin miedo de ser víctimas de diarrea, de retortijones o de fiebre debido a la presencia de un microbio dañino con un largo nombre en latín. Cualquiera de estas especias es especialmente fácil de transportar consigo cuando se viaja a países del tercer mundo, donde las condiciones de limpieza dejan mucho que desear.

Elixir juvenil

El famoso herbolario francés Maurice Mességué llama al romero "la hierba milagrosa que restaura la juventud" a aquellas personas físicamente decrépitas y ancianas. Durante el siglo XIV, la reina Isabel de Hungría se enamoró cuando tenía más de 70 años. Durante varios años, el reumatismo y la gota la habían convertido en una inválida, pero el romero le devolvió la juventud, ¡hasta tal extremo que el rey de Polonia la pidió en matrimonio!

La tremenda acción diurética de la hierba explica su eficacia contra el reumatismo y la gota, así como contra las piedras del riñón y la incapacidad para orinar. Además, el romero es un agradable digestivo que ayuda al hígado a hacer su trabajo al aumentar el flujo de la bilis en los intestinos.

Para hacer un elixir similar al que usó la reina de Hungría para restaurar algo de su juventud perdida, machaque ligeramente 2 puñados de ramas florecidas de romero fresco, luego remójelas durante 10 días en 2 tazas de un buen coñac *(brandy)*. Repita este procedimiento y las misma medidas con lavanda *(lavender)* fresca. Coloque cada solución de hierbas en botellas separadas con tapas bien cerradas. Asegúrese de agitar las botellas dos veces al día.

Filtre el contenido de cada una y colóquelo en un lugar fresco hasta el momento en que lo vaya a usar. Entonces, mezcle 3 porciones de tintura de romero con 1 porción de tintura de lavanda. Una persona de edad avanzada debe tomar 1 cucharadita rasa de esta mezcla dos veces al día, con el estómago vacío.

Linimento que alivia los músculos adoloridos

El aceite de romero puede ser hecho en casa para frotar los músculos adoloridos o las áreas donde se ha producido un esguince o torcedura, y remediar así estos malestares. Pique en pedacitos un puñado grande de florecillas y hojas de romero fresco y déjelas que se remojen en 1 pinta (1/2 litro) de aceite de oliva durante un semana, en un frasco bien tapado. Cuele el contenido y guárdelo en un sitio seco y fresco. Como el romero es un antioxidante natural que se ha usado para conservar los cereales, las carnes empaquetadas y las pizzas en vez de los *BHA* y los *BHT* sintéticos, también debería evitar que el aceite se ponga rancio.

Usos culinarios

El romero tiene muchas aplicaciones en los panes y dulces, en algunas frutas horneadas o cocidas, en los platos de la cocina alemana que llevan carnes, coles y patatas, en alimentos como la carne de cerdo, el pescado y las aves, en las sopas y los estofados (guisos). El sabor que esta especia imparte tiene una ligera y refrescante acritud que recuerda en algo al pino resinoso.

RUIBARBO CHINO
(Rheum officinale)

RUIBARBO DE HUERTA
(Rheum rhaponticum)
(Chinese rhubarb y Garden rhubarb en inglés)

Breve descripción

Las especies de ruibarbo se caracterizan por ser grandes y robustas y de hojas grandes, que salen de peciolos gruesos. Estas plantas perennes y fuertes crecen entre 7 y 10 pies (2 y 3 1/2 metros) de altura, son oriundas de China, la India y del sur de Siberia, y se cultivan extensamente en todo el mundo.

El ruibarbo chino se usa más con propósitos medicinales, mientras que la variedad de huerta se cultiva más por sus tallos (peciolos) comestibles y su belleza ornamental.

Fortalece el esmalte de los dientes

El ruibarbo es rico en potasio y calcio, con cantidades menores de fósforo. Estas sales minerales, según un dentista de Rochester, en el estado de Nueva York, están presentes en el jugo de ruibarbo y parece que cubren al esmalte de las piezas dentales con una fina película protectora. El Dr. Basil G. Bibby, del *Eastman Dental Center,* cree que el consumo frecuente de ruibarbo cocido podría tener algún beneficio positivo para ayudar a reducir el deterioro general de los dientes.

Mejor aún, un poquito del mencionado jugo de los tallos frescos de ruibarbo cepillado en los dientes con un cepillo de dientes suave, o frotado con unas bolitas de algodón cada dos días, ayuda a cubrir el esmalte con esos minerales protectores.

Combate los tumores

El ruibarbo ha demostrado tener algunas excelentes cualidades para bloquear tumores. Por ejemplo, el primer suplemento del volumen

20 de la revista *Pharmacology* relataba que dos de los compuestos purgantes que se encuentran en el ruibarbo, el *rhein* y la emodina *(emodin)*, bloquean los tumores de Ehrlich y los tumores mamarios en las ratas a un nivel de 75%, en dosis relativamente altas de 50 mg por kilogramo de peso corporal, al día.

Un número del *Journal of Ethnopharmacology* del año 1984 informó que el *rhein* y la emodina inhibían el crecimiento de los melanomas malignos en dosis diarias de 50 mg por kilogramo de peso corporal. Los porcentajes de inhibición eran de un 76% para el *rhein* y de un 73% para la emodina. En ciertas partes de China, el jugo de ruibarbo y el té de ruibarbo se usan en el tratamiento de algunas formas de cáncer con buenos resultados. Aproximadamente 1/2 taza de jugo dos veces al día, obtenido pasando tallos frescos a través de un extractor de jugos mecánico, es administrado a los pacientes. Más a menudo, sin embargo, se hace el té poniendo 2 tazas de tallos de ruibarbo finamente picado en 1 cuarto de galón (litro) de agua hirviendo, tapada, durante un máximo de una hora. Después, el líquido se cuela y se les da a los pacientes de cáncer en cantidades de 1 taza de 2 a 3 veces al día.

Alivio para la soriasis y la artritis

Las antraquinonas del ruibarbo, además de ejercer una maravillosa acción laxante, también ayudan a aliviar el escozor y el dolor que acompañan a la soriasis y a la artritis. Combine 1 taza de raíz de ruibarbo picada y ligeramente machacada, 1/2 taza de tallo de ruibarbo picado y ligeramente machacado, 10 cucharadas de raíz de uva de Oregon en polvo y 8 tabletas de zinc pulverizadas (de 50 mg) con 3 tazas de ginebra o ron de buena calidad. Coloque la mezcla en una botella sellada y agítela 2 veces al día durante 15 días.

Luego filtre la tintura a través de una tela limpia de muselina y añada 1 1/4 taza de jugo de col (repollo, *cabbage*) frío. Agítelo todo bien hasta que ambos líquidos estén bien mezclados. El jugo vegetal puede obtenerse poniendo a hervir a fuego lento la mitad de una cabeza de col verde en trozos o desmenuzada, en 1 cuarto de galón (litro) de agua hirviendo, hasta que sólo quede la mitad del líquido. Cuele y deje enfriar antes de mezclar con la tintura alcohólica. Luego colóquelo en una botella con una tapa bien cerrada.

Debe tomarse 1 cucharadita rasa de esta tintura cinco veces al día con el estómago vacío. Esto no sólo ayudará a aliviar la soriasis y la artritis, sino que también funcionará bien para el eczema, el herpes, el acné vulgar y la hepatitis.

Gran laxante y antidiarreico

Dos importantes compuestos en la raíz de ruibarbo chino, llamados senosidos E y F, muestran las mismas idénticas propiedades en los intestinos que los senosidos A y B, que están presentes en otra hierba laxante muy conocida, el sen *(senna)*. Y cuando se usa en grandes cantidades, remediará rápidamente hasta la más persistente forma de estreñimiento. Pero, aunque parezca extraño, también es un astringente capaz de detener la diarrea cuando se usa en cantidades pequeñas.

Es posible que hagan falta de 4 a 6 cápsulas de ruibarbo chino en polvo para el estreñimiento crónico, pero tan sólo de 2 a 3 cápsulas es lo que se necesita para terminar con la diarrea. O se puede hacer un té poniendo a hervir 1/2 litro (1 pinta) de agua y añadiendo 1 1/2 cucharada de rizoma de ruibarbo seco cortado para el estreñimiento, o sólo 1 2/3 cucharaditas de rizoma para la diarrea.

Reduzca el fuego y cocine a fuego lento durante 3 minutos; luego retírelo del fuego y deje que se asiente, tapado, durante una media hora más. Se puede tomar 1 taza a la vez para el estreñimiento, pero sólo 1/4 a 1/2 taza para la diarrea.

Sana las enfermedades del aparato digestivo

Algunos interesantes estudios clínicos conducidos con ruibarbo chino fueron llevados a cabo en el Hospital Central del distrito de Luwan, en Shanghai, en los comienzos de los años 80. En el primer estudio, unos 890 casos de sangrado de la zona superior del intestino (57 % eran úlceras duodenales complicadas con hemorragias) fueron tratados con ruibarbo en polvo, en tabletas o en jarabe (sirope). Fue administrado en equivalentes a 1 cucharadita 3 veces al día hasta que el sangrado cesó, lo que sucedió generalmente en sólo 2 días, en la mayoría de los pacientes. Se obtuvo un nivel de éxito de 97 %.

Una comparación entre este uso específico del ruibarbo y el tratamiento combinado de medicina occidental y hierbas chinas fue hecho con otros pacientes que tenían el mismo tipo de problemas. Además, se probaron 6 diferentes combinaciones de ruibarbo. En todas las pruebas realizadas, el simple uso del ruibarbo fue lo que demoró menos en detener el sangrado, reducir la fiebre y ayudar a los pacientes a alcanzar una recuperación más rápida. Esta acción demostrada por el ruibarbo puede que se deba a la presencia del ácido tánico *(tannic acid)*, que constriñe los conductos sanguíneos.

En el siguiente estudio, 100 casos de inflamación aguda del páncreas (pancreatitis) y 10 casos de inflamación aguda de la vesícula (colecistitis) fueron tratados exitosamente con el equivalente de 4 cucharadas de un cocimiento de ruibarbo de 5 a 10 veces al día hasta que se notó una recuperación total en la mayoría de los participantes. Síntomas relacionados, como el dolor abdominal, la fiebre alta y la ictericia, desaparecieron, por lo general, en 5 días o menos. Para hacer un cocimiento para cualquiera de estos problemas, ponga a calentar a fuego lento 2 1/2 cucharadas de raíz de ruibarbo chino seca y cortada en 1 1/2 litro o 6 tazas de agua hirviendo; tape y déjelo hervir a fuego lento durante 40 minutos, o hasta que quede sólo la mitad (3 tazas) del líquido. Filtre y tómelo como se ha indicado previamente para cualquiera de las enfermedades antes mencionadas.

Baja el nivel del colesterol peligroso

Una solución líquida de raíz de ruibarbo fue administrada de forma oral a conejos normales y a conejos hiperlipidémicos. Aquellos con niveles elevados de colesterol, triglicéridos y lipoproteínas experimentaron un *descenso* significativo en todos ellos. Esto sugiere que una comida con mucha grasa debe ser acompañada por un postre sencillo de delicioso ruibarbo cocinado para ayudar a controlar el colesterol.

Ese postre se puede hacer lavando y cortando en pedazos de 1 pulgada, unas 7 tazas (aproximadamente 2 libras) de ruibarbo. Cocine al vapor en una olla doble *(double boiler)* con un poquito de agua y 1/4 cucharadita de sal de mar, hasta que esté casi tierno. Luego añada 1 1/4 taza de miel oscura y siga cocinando otros 40 minutos o hasta que esté listo. También se puede cocinar al horno en una fuente tapada, usando 1/2 taza de agua, pero con las mismas cantidades de sal y de miel. Hornee a 350° F durante 50 minutos. Un postre terapéutico servido con comidas grasosas o que engordan debe contener aproximadamente 1 1/2 taza de ruibarbo cocido. Añadiendo un poquito de cardamomo, 1/2 cucharadita de almíbar de arce puro *(pure maple syrup)* y un toquecito de vainilla pura, se hace más agradable para aquellas personas a quienes no les entusiasma mucho su sabor agrio.

S

SALVADOS

SALVADO DE TRIGO
(Triticum aestivum)

SALVADO DE SORGO
(Sorghum vulgarie)
(Brans, Wheat bran y Sorghum bran en inglés)

Breve descripción

El salvado es una relativamente barata y abundante fuente de fibra alimenticia; es la áspera cubierta exterior o vaina del grano de trigo, separada de la masa o harina cerniéndola o engulléndola.

El salvado de sorgo, por otra parte, proviene del sorgo, un cultivo cereal importante en muchos países del tercer mundo. En realidad, es el tercer grano de cereal más cultivado del mundo. El sorgo es una especie de grama áspera, de tallo muy similar al del maíz.

Un salvado tolerable para el paciente celíaco

La enfermedad celíaca o esprúe celíaco es una sensibilidad aguda a ciertas fracciones de gluten de trigo, que se puede manifestar en síntomas tales como diarrea crónica, constantes problemas intestinales, posible anemia y trastornos semejantes. Los pacientes con enfermedad celíaca son puestos en dietas totalmente libres de trigo o de gluten.

Un interesante estudio informa que el sorgo es capaz de aumentar la defecación y la suavidad del bolo fecal tanto como el trigo, aunque carece del gluten que es tan dañino a quienes sufren de enfermedad celíaca. Puede servir como un laxante de salvado ideal para esas personas en lugar del trigo. También sirve para aliviar la colitis y otras inflamaciones gastrointestinales crónicas que podrían agravarse debido a la aspereza de las partículas de salvado. El salvado de sorgo se puede obtener en algunas de las tiendas de alimentos naturales *(health food stores)* más grandes o en mercados especializados que importan artículos de comida especiales de otros países.

Libres de las enfermedades occidentales

A principios de los años 70, los campesinos negros de Sudáfrica que comían más de 50 gramos de fibra alimenticia al día estaban relativamente libres de apendicitis, enfermedades del colon como diverticulitis, pólipos, hemorroides y cáncer, enfermedad de la arteria coronaria, diabetes y hernia hiatal. Pero cuando se mudaron para las grandes ciudades y se acostumbraron a las preferencias occidentales por alimentos más refinados, comenzaron a sufrir de las mismas enfermedades occidentales. El salvado es una valiosa adición a su dieta para impedir que usted contraiga muchas de estas enfermedades.

Cómo el salvado trabaja como laxante

He aquí una manera novedosa de describir los efectos del salvado en el colon, con palabras no científicas que las personas comunes pueden comprender fácilmente. La fibra que pasa a través de los intestinos es algo así como una esponja mojada, que absorbe y retiene en ella no sólo el agua y las sustancias tóxicas, sino también los compuestos como los ácidos de la bilis, los que a su vez podrían modificar el metabolismo del colesterol. La esponja, debido a su gran volumen, también aumenta el tamaño del bolo fecal y disminuye el tiempo que demora el colon en evacuar su contenido.

El salvado evita y sana las úlceras

En un estudio, el salvado de trigo ingerido regularmente por voluntarios en buena salud tiene un mayor efecto amortiguador sobre los jugos gástricos ácidos del intestino que el que tienen los alimentos de carbohidratos refinados. Esto sugiere que el salvado proporciona una protección contra el desarrollo de las úlceras duodenales.

En otro experimento, 21 pacientes entre los 15 y los 70 años de edad diagnosticados con úlceras rectales aisladas consumieron por lo menos 6 cucharadas de salvado de trigo diariamente durante un promedio de casi un año (10 meses y medio). Quince pacientes se curaron por completo, indicando un 71% de efectividad del salvado con relación a este tipo de trastorno.

Reduzca el apetito con salvado

¿Está usted siempre con ganas de comer algo? ¿Está siempre "picando" cualquier cosa y, por consecuencia, engordando? Si es así, ¿por qué no prueba comer un poco de salvado todos los días para reducir su apetito por esas comidas deliciosas pero prohibitivas? Un experimento sueco realizado en 1983 probó el efecto del salvado en 135 miembros de un club para perder peso en Estocolmo; se descubrió que comiendo una porción adicional de salvado justo antes de la hora de la comida, se reducían notablemente las ansias de comer.

Usted puede probar esto, comiendo antes de las comidas 1 ó 2 tostadas de pan de trigo integral *(whole wheat bread)* con muy poca mantequilla, o 1 cucharada de salvado revuelta dentro en un vaso de cualquier tipo de jugo. Usted verá que estará comiendo *mucho menos* como resultado de esto. Y *menos* comidas con grasa y azúcar significan *menos* kilos.

Un buen preventivo del cáncer

Una autoridad de la categoría del Dr. Varro Tyler, jefe de las Facultades de Farmacia, Enfermería y Servicios de Salud de la Universidad de Purdue, cree que el salvado puede prevenir ciertos tipos de cánceres. En su libro, *Honest Herbal*, él explica cómo el salvado probablemente trabaja: "(1) El salvado diluye, en la gran cantidad de agua contenida en la fibra, los carcinógenos que pudieran estar presentes y (2) reduce el tiempo de contacto con sustancias potencialmente dañinas, ya que las heces fecales de mayor tamaño son eliminadas más rápidamente".

El salvado también es bueno para la diabetes

Tanto la diabetes mellitus adulta como la que se produce en los jóvenes, pueden ser aliviadas con el consumo frecuente de salvado de trigo o de sorgo. Un estudio clínico señaló que el salvado de trigo puede ejercer una leve reducción en la cantidad de insulina que necesitan los pacientes jóvenes de diabetes que son dependientes de esa sustancia. Según otro informe se notó un mejoramiento en la tolerancia a la glucosa por parte de pacientes diabéticos después de ingerir salvado.

Basándonos en la evidencia que se acaba de presentar, se recomienda que los diabéticos tomen aproximadamente 1 1/2 cucharada de salvado al día, ya sea mezclado con algo como yogur sin sabor o con jugos de vegetales, como *V-8*, o de zanahorias y verduras mixtas. A lo largo de un período de tiempo, se debe notar una mejoría definitiva.

El mejor tónico para evacuar

No existe otra manera de decirlo: el salvado *es* el mejor tónico que usted puede usar para corregir el problema de las evacuaciones intestinales irregulares. Un estudio médico fascinante proporcionó resultados de "antes y después" respecto al peso de las heces fecales de personas que comían alimentos procesados y a quienes se les pidió que añadieran a sus comidas 1 cucharada de salvado dos veces al día una semana después. A continuación vea una sencilla tabla que ilustra los notables cambios en el peso de las heces fecales de 8 saludables médicos y estudiantes de medicina entre las edades de 25 a 43 años, sin y con el salvado en sus dietas semanales.

Los médicos y cirujanos del Hospital Western General, de Edimburgo, en Escocia, quienes compilaron este informe, estimaron que sin el consumo de salvado, un hombre de 176 libras (80 kilos)

	Experimento A		Experimento B	
	Sin salvado	*Con salvado*	*Sin salvado*	*Con salvado*
Peso mojado	107 ± 44	174 ± 51	126 ± 47	215 ± 22
Peso seco	26 ± 9	41 ± 9	31 ± 10	47 ± 6

que expulsa sólo 3 1/2 onzas (100 g) de heces al día, excretaría materias fecales equivalentes al peso de su cuerpo aproximadamente cada 2 años. Pero ingiriendo aproximadamente 2 tazas de salvado al día, esa cantidad se lograría en sólo 12 meses. Y mientras más ásperas sean las partículas de salvado, tendrán más capacidad de retener agua, por lo que será mayor su propiedad laxante.

Un magnífico laxante usado por algunos miembros de los grupos amish de Ohio, llamado *FarmLax*, contiene una singular mezcla de salvado que se puede obtener a través de *Old Amish Herbs* (vea el Apéndice).

Dos cereales laxantes garantizados

Hoy en día, están disponibles en el mercado muchos cereales procesados que aseguran tener un alto contenido de fibras. Pero, ¿por qué confiar en el fabricante? Vaya a lo seguro y sepa lo que usted está consumiendo. ¡Adelante, haga el suyo! He aquí dos recetas para escoger.

Granola de frutas y nueces

Ingredientes secos: 2 tazas de copos de avena *(rolled oats)*; 3 tazas de germen de trigo *(wheat germ)*; 1/2 taza de trigo desmenuzado *(shredded wheat)*; 1/2 taza de salvado; 1/2 taza de dátiles *(dates)* picados; 1/2 taza de pasas *(raisins)*; 1 taza de manzanas secas picadas; 1/2 taza de anacardos *(cashews)* descascarados; 3 tazas de leche en polvo; 1/2 taza de semillas de girasol *(sunflower seeds)*; 1/2 taza de semillas de calabaza *(pumpkin seeds)*; 3/4 taza de papaya seca picada. Sobre una buena tabla de picar alimentos y con una cuchilla china de picar vegetales o con un cuchillo francés afilado, comience a picar y cortar todos los ingredientes en diminutos pedacitos (el tamaño depende de su propia preferencia).

Ingredientes líquidos: 1/2 taza de miel; 1/8 de taza de almíbar de arce puro *(pure maple syrup);* 1/8 de taza de melaza *(blackstrap molasses);* 1 cucharada de vainilla pura; 1 cucharadita de canela *(cinnamon);* 2 cucharaditas de cardamomo *(cardamom).* Mezcle bien todos los ingredientes a mano con una cuchara de madera en un tazón grande.

Preparación: Combine los ingredientes secos con el líquido. Revuelva hasta que todo esté uniformemente mezclado. Engrase con un poco de lecitina (que se consigue en las tiendas de alimentos naturales) una fuente de horno muy honda, luego vierta, con una cuchara, la mezcla en una capa pareja. Hornee de 1 1/2 a 2 horas a 225° F. Hornee un poco más si desea obtener una consistencia seca y crocante. Suficiente para aproximadamente 13 tazas. Coma un tazón todas las mañanas como desayuno y como una merienda de medianoche.

GRANOLA BÁSICA

Ingredientes: 8 tazas de copos de avena *(rolled oats);* 2 tazas de germen de trigo *(wheat germ);* 1 taza de coco rallado; 1/2 taza de miel oscura; 1 taza de agua y 2 cucharadas de vainilla pura.

Preparación: Mezcle los copos de avena secos, el germen de trigo y el coco en un tazón grande con una cuchara de madera. Luego, mezcle en otro tazón la miel, el agua y la vainilla. Después añada esto último a los ingredientes secos y mezcle bien. Vierta el contenido en un molde engrasado de hornear pan. Hornee a 275° F durante aproximadamente 1 hora y 15 minutos, dependiendo de cuán crujiente usted lo prefiera. Si lo desea, puede añadir pasas y dátiles picados y sin semillas a la granola caliente después de sacarla del horno.

SEMILLAS

ADORMIDERA O AMAPOLA
(Papaver somniferum)
(Poppy en inglés)

AJONJOLÍ O SÉSAMO
(Sesamum indicum)
(Sesame en inglés)

ALAZOR O CÁRTAMO
(Carthamus tinctorius)
(Safflower en inglés)

GIRASOL
(Helianthus annuus)
(Sunflower en inglés)

Breve descripción

Las semillas de adormidera (amapola, *poppy*) crecen en las regiones templadas y subtropicales del mundo. En la India, las semillas se cultivan sobre todo en los estados de Madhya Pradesh, Uttar Pradesh y Rajasthan. Las semillas son una buena fuente de proteínas y aceite, y desde hace tiempo se han estado usando en alimentos como el *curry*, los panes, los dulces y las confituras. Irónicamente, esta saludable semilla proviene de la misma planta de donde se deriva el opio, un narcótico muy adictivo y peligroso. Esta sustancia ilegal y destructiva se obtiene de la savia (secreción lechosa) y de las cápsulas en forma de urnas de las semillas.

El ajonjolí (sésamo, *sesame*) puede cultivarse en climas tropicales o menos calurosos, tales como el sur de Estados Unidos. Es una planta anual muy atractiva, que llega a alturas de 2 a 6 pies, con tallos pesados y relucientes donde se apoyan las variables hojas. Las que están cerca de la base son anchas, carnosas y de bordes dentados, mientras que las que se encuentran en la parte superior son esbeltas y de bordes lisos. Las flores de ajonjolí se parecen a las de la planta dedalera *(foxglove)* o digitalis. Son extremadamente bellas, con manchas blancas o pinceladas rojizas, amarillas o lilas. Las flores siempre se autofertilizan y producen sus semillas en cápsulas o vainas de una pulgada de largo y de forma parecida a una quilla. Las diminutas semillas son planas y ovaladas, con un extremo en punta, su peso no es más de 1/10 de un gramo cada una, y contienen de 50 a 60 % de un aceite fijo y semiseco. Si se exprimen y se filtran una sola vez, producen un aceite claro amarillo pálido sin sabor definido, pero comestible. Un aceite mucho más oscuro y de inferior calidad también se produce al volver a exprimir las semillas dos veces más, con una presión intensa del residuo calentado, pero para usarlo es necesario refinarlo y desodorizarlo.

El alazor (cártamo, *safflower*) es un planta anual oriunda de la región mediterránea y también cultivada en Estados Unidos y Europa. Esta emparentada botánicamente, con la lechuga, el girasol, la alcachofa, la achicoria y la margarita. El alazor es una planta de muchas ramas, cuya altura va desde 1 a 4 pies (30 a 120 cm), con tallos lisos blancos o de un gris claro. El florecimiento, parecido al del cardo, está constituido de una densa masa de capullos que pueden ser blancos, amarillos, anaranjados o rojos. Están rodeados por numerosas brácteas protectoras formadas por las espinosas hojas terminales. La fruta o aquenios se producen muy adentro de las flores, donde están protegidas de las aves hambrientas. Cada aquenio contiene una sola semilla oblonga, la cual, como los tallos, es de color blanco o verde claro. Cada semilla tiene entre un 24 a un 36 % de su propio peso constituido por un aceite que es muy usado para cocinar.

La flor oficial del estado de Kansas, el girasol, crece en todas partes casi como si fuera una mala hierba. El nombre científico del género es *Helianthus*, que proviene de dos nombres griegos: *helios* por "sol" y *anthus* por "flor". Las llamativas flores amarillas no sólo son como una reproducción primitiva del sol, sino que por sí mismas se vuelven hacia las radiaciones de este luminoso cuerpo celestial. Con unas 2 docenas de pétalos dorados que emanan de un disco central que puede ir de amarillo y púrpura rojizo a pardo —en el cual maduran después las semillas—, las flores terminales, a menudo solitarias, se convierten en masas de oro en el verano, con hasta más de 15 pies (5 metros) de altura. Los tallos y las hojas son mayormente velludos. Todas las numerosas especies tienen flores neutrales y capullos planos y fértiles que también producen brácteas. Las semillas de girasol de la especie *H. annuus* suman un promedio de 650 por onza y contienen aproximadamente un 50 % del aceite semiseco y amarillo pálido que se usa para cocinar y para ensaladas y en la preparación de margarina, queso y otros productos lácteos.

Las semillas inhiben el cáncer

Reciente evidencia epidemiológica parece sugerir que las semillas de las plantas pueden reducir el riesgo de desarrollar ciertos tipos de cánceres que son generalmente asociados con el consumo de demasiada carne y grasas. Por lo menos esa es la conclusión obtenida por el Dr. Walter Troll, profesor de medicina ambiental de la Facultad de Medicina de la Universidad de Nueva York, y publicada en un artículo del *Journal of the American Medical Association (JAMA)* del 27 de mayo de 1983.

Troll analizó datos de computadora provenientes de estudios epidemiológicos que indicaban que los niveles de cáncer de la próstata, de los senos y del colon eran considerablemente más bajos en los pueblos que tenían dietas ricas en "semillas comestibles". Él encontró que inyectar ciertas enzimas, comunes a todas las semillas, en ratones de laboratorio previamente inoculados con células de melanoma, prevenía el desarrollo del cáncer. En otro grupo de control también inoculado, pero sin el beneficio de estas enzimas de semillas, los tumores se desarrollaron rápidamente.

El Dr. Troll dijo a un reportero de la citada revista: "Una dieta prudente sería aquélla en la que de un tercio a la mitad de todas las proteínas consumidas provinieran de semillas". El *New England Journal of Medicine* del 19 de enero de 1978 confirmó que el consumo frecuente del aceite de semillas de girasol en Bulgaria, Rumania y la Unión Soviética condujo a niveles de mortalidad por tumores malignos más bajos que en otras partes del mundo. ¡Por lo tanto, las semillas constituyen un beneficio definitivo cuando se trata de prevenir el cáncer!

El aceite de alazor previene las enfermedades del corazón

En estos momentos la enfermedad que más personas mata en los Estados Unidos es la enfermedad coronaria del corazón. Si se fuera a hacer un gráfico con los aumentos estadísticos de este mal solamente en las tres últimas décadas, habría que trazar una línea casi vertical hasta arriba, aunque ligeramente inclinada a la derecha. O, dicho de otra forma, ¡NO ha habido reducciones en las enfermedades cardiacas en los últimos 30 años!

El uso de aceites de cocinar hidrogenados por parte de la industria alimenticia es la causa de esto. Allá en 1956, la respetada revista médica inglesa *The Lancet* (2:557) lanzó esta advertencia: "¡Las plantas de hidrogenación de nuestra industria alimenticia puede que hayan contribuido a causar una enfermedad muy seria!". ¡Qué trágicamente proféticas fueron estas palabras!

Pero para poder entender por qué este país ha experimentado tan grandes aumentos en las enfermedades del corazón, sin paralelo en ninguna otro país del planeta, necesitamos examinar brevemente lo que es la hidrogenación.

Ante todo, el proceso de hidrogenación se originó como una manera de hacer jabón barato de las grasas desechadas de animales. De allí, se extendió hacia la poderosa industria alimenticia. En términos sencillos, aceite líquido o grasa suave son endurecidos a altas temperaturas y bajo intensa presión. Entonces, el hidrógeno es introducido en burbujas a través del aceite en la presencia de metales tóxicos como níquel, platino o algún otro catalizador causante de cáncer. Los átomos de hidrógeno se combinan con los átomos de carbono y el producto llega a saturarse o endurecerse.

La hidrogenación se lleva a cabo por lo general para abaratar aceites vegetales como el de palma y el de coco, o grasas animales con las cuales se hacen la margarina y la manteca *(shortening* y *lard)*. Después de la hidrogenación lo que se tiene es una grasa maloliente y de feo aspecto que sería totalmente inaceptable para un ser humano normal. Pero las habilidades mágicas de los expertos tecnólogos alimenticios son usadas para blanquear, filtrar y desodorizar esta sustancia fétida con una miríada de sustancias químicas y convertirla en una grasa sumamente artificial de color blanco puro, sin olor y sin sabor.

Así que cuando usted come alimentos fritos en su restaurante favorito de comidas rápidas *(fast food)*, usted está, en efecto, poniendo las bases para la enfermedad coronaria del corazón. Hágale caso a un experto que sabe de lo que está hablando. Durante esos primeros años en que yo estaba estudiando como antropólogo médico, trabajé horarios de tiempo completo durante 7 años en restaurantes y casi 4 años más en pompas fúnebres.

En mi trabajo en funerarias, de vez en cuando presenciaba autopsias cada vez que tenía que recoger un cadáver del consultorio del médico forense. Varios de los que eran abiertos, habían sido individuos a quienes yo había conocido durante mis experiencias en los restaurantes. Cuando el médico que los estaba abriendo me permitía, por pura curiosidad, echar una mirada a sus corazones, me acordaba que cada uno de ellos había sido un consumidor *fuerte* de comidas fritas. Ciertamente, todos tenían, increíblemente, un corazón repleto, tupido de grasa amarillenta. ¡No quiero decirles cómo lucían el hígado y la vesícula!

El comer algo frito inmerso en grasa es como si usted fuera a poner una gran cantidad de aceite de motor *en el tanque de gasolina de su auto*. En poco tiempo, las válvulas comenzarían a pegarse, el carburador se tupiría y las bujías no se encenderían apropiadamente. En otras palabras, el vehículo dejaría de funcionar. Algo muy parecido sucede dentro del cuerpo humano cada vez que se consume cualquier comida que ha sido frita sumergida en grasa.

Por el bien de su salud y para evitar ser víctima de una enfermedad del corazón, usted debe dejar de comer alimentos tan grasientos. En su lugar, debería considerar seriamente comer sólo aquellos alimentos que han sido fritos u horneados en aceites de alazor, de semilla de ajonjolí o de girasol. Un estudio reciente de la Administración de Veteranos sobre la dieta de los hospitales mostró que el promedio de colesterol en la sangre era un 17 % más alto en una dieta rica en aceite de palma que en una dieta que contenía cantidades equivalentes de aceite de alazor altamente insaturado. Esta de ningún modo es una diferencia trivial, ya que una disminución del 10 % del colesterol de la sangre significaría una reducción del 24 % de enfermedades del corazón en Estados Unidos.

¡Esto es algo muy serio! Un informe publicado en el número de febrero de 1984 del *American Journal of Clinical Nutrition,* por ejemplo, mostró, sin lugar a dudas, que cuando se alimentaba sistemáticamente a los cerdos con grasas hidrogenadas, esto inducía a un endurecimiento de la arterias *mucho mayor* en ellos que en otros que habían sido alimentados con otros tipos de grasas, tales como algunos de estos aceites de semillas.

Los aceites de semillas de ajonjolí y de girasol también desempeñan un valioso papel en prevenir la enfermedad coronaria del corazón. Ambos aceites contienen un grupo de compuestos llamados fitosteroles *(phytosterols),* los cuales los científicos han hallado que reducen significativamente el colesterol en la sangre y *no* hacen acumular ningún tipo de placa de grasa en las paredes arteriales del corazón. En otras palabras, una persona podría comer muchos alimentos fritos u horneados con cualesquiera de estos tres aceites de cocinar y, aún así, tener un corazón relativamente libre de grasa y que brilla de limpio.

Mejora la mala circulación de sangre al cerebro

Años de abuso alimenticio, como sucede cuando se ha consumido frecuentemente comidas cocidas o hechas con aceites hidrogenados, pueden hacer que la sangre se vuelva espesa y se estanque. No sólo se hace lenta la circulación en general, sino que también las paredes de las arterias, sobre todo aquellas que conducen al cerebro y al corazón, se hacen más estrechas y ocasionalmente se tupen con acumulaciones de sangre espesa y bacterias.

Si usted piensa que el estado de su propia sangre es algo espeso y perezoso, y que pudiera conducirle a algún tipo de problemas vasculares del cerebro, le convendría recurrir al aceite de alazor. Consumir de 1 a 2 cucharadas de ese aceite todos los días podría mejorar una situación que ha ido de mal en peor.

Se curan las heridas difíciles

Hay ciertos tipos de heridas que son muy difíciles de tratar. Estas son las complicadas con fracturas y las heridas quirúrgicas difíciles de cicatrizar, tales como los injertos de piel o la mediastinitis, una inflamación del tejido que está entre los pulmones y que a veces se produce después de una operación del corazón.

Médicos del Departamento de Ortopedia del Hospital de Tianjin, en China, y otros médicos del Hospital Bichat, en París, usaron varios ingredientes diferentes de forma individual, los cuales, combinados, parecen tener un uso más diverso. De esas sustancias empleadas por los médicos chinos, sólo el aceite de semilla de ajonjolí (500 gramos o 2 1/2 tazas) y cera de abeja *(beeswax)* derretida y filtrada (90 gramos o aproximadamente 1/4 taza), añadida al aceite calentado, parecen poseer las mayores propiedades curativas. Por ello, yo le daría al lector la siguiente receta para obtener un remedio efectivo para las heridas: 2 1/2 tazas de aceite de semilla de ajonjolí, 1/4 taza de cera de abeja derretida, 3/4 a 1 1/4 taza de azúcar blanca, 3 cucharadas de harina de huesos *(bonemeal)* en polvo y 2 cucharaditas de tabletas de calcio en polvo. Cuidadosamente, caliente el aceite de semilla de ajonjolí a fuego lento, asegurándose de que no humee. Agregue la harina de huesos y el polvo de calcio. Luego, añada gradualmente el azúcar, revolviendo constantemente con una cuchara de madera o un batidor de metal *(wire whip).* Finalmente, vierta la cera derretida y siga revolviendo hasta que consiga que la mezcla tenga una consistencia pareja y suave, pero no demasiado rígida ni grumosa. En tal caso, añada un poco más de aceite de semilla de ajonjolí calentado hasta lograr la consistencia deseada. Cuando se haya enfriado por completo, coloque la mezcla sobre las heridas y cámbiela varias veces al día.

Aceite de ajonjolí para problemas de los oídos y los ojos

He aquí algunos usos populares del aceite de ajonjolí que aprendí de un estudiante de farmacia egipcio. El aceite de semilla de ajonjolí tibio se usa a veces como gotas para los oídos cuando éstos están tupidos por un exceso de cera endurecida. El aceite, me aseguró él, ablandaría la cera, de manera que pudiera expulsarse más fácilmente con un lavado de oídos. La mejor manera de entibiar el aceite, me sugirió él, era poner una pequeña cantidad en un frasco de vidrio (un frasco vacío de compota infantil, por ejemplo), y luego colocarlo dentro de una olla con aproximadamente 2 pulgadas (5 cm) de agua hirviendo, durante no más de 1 minuto.

Para los problemas de los ojos involucrados con la acumulación de agua en el ojo, tales como glaucoma, miopía y tracoma, se debe usar el aceite de ajonjolí de la mejor calidad. Ante todo, hay que cocinar aproximadamente 1/2 taza del aceite, hasta que esté bastante caliente. Esto se puede lograr de la misma manera como se calentó anteriormente el aceite para el oído. Sólo que en este caso, se ponen en la olla 2 1/2 pulgadas (7 cm) de agua hirviendo *y* se coloca en el fondo un platillo, en posición inversa. Se vuelve a poner la olla a hervir a fuego medio. Cuando el aceite esté muy caliente al tacto, quite la olla del fuego y cuele el aceite a través de varias capas de gasa. Deje que se enfríe totalmente, hasta que esté agradablemente tibio. Esto se puede probar dejando caer una gotita en la punta de la lengua. Luego, usando un gotero ocular, ponga 3 gotas del aceite en cada ojo poco antes de irse a dormir.

Cómo eliminar la caspa y los dolores de cabeza

El mismo colega egipcio compartió conmigo también otro importante remedio usando aceite de ajonjolí para los problemas de la caspa y los dolores de cabeza. Ralle 2 raíces de jengibre *(ginger)* fresco en los agujeros más pequeños de un rallador manual para obtener una pulpa más fina. Coloque el resultado en dos capas de gasa o de estopilla y presione fuertemente para extraer de 1 a 2 cucharaditas de jugo. Esta bolsita de jengibre rallado puede ser colocada entre dos trozos pequeños de madera, los cuales se aprietan lentamente en una grampa (prensa, tornillo de presión) de carpintero, para sacar el jugo necesario.

Luego, el jugo se liga con 3 cucharadas de aceite de semilla de ajonjolí y 1/2 cucharadita de jugo de limón. Este aceite de ajonjolí y jengibre puede frotarse entonces, con una toallita de baño, sobre el cuero cabelludo, separando el cabello con un peine cada 1/2 pulgada (1 cm). Esto se debe hacer 3 veces a la semana para eliminar la caspa, la seborrea y para evitar que el cabello se caiga. Este mismo aceite puede frotarse sobre la frente con un pedazo de tela de lino para aliviar el dolor de cabeza. Es también muy bueno para aliviar la neuralgia y la ciática si se frota directamente sobre las áreas afectadas.

Sopa de ajonjolí para el estreñimiento

El destacado investigador químico y microbiólogo Albert Y. Leung, recordó que:

Los usos más comunes de las semillas de ajonjolí en los hogares chinos son como nutrientes, tónicos y laxantes. Estos tres efectos se pueden obtener con una bebida (tal vez sería más apropiado llamarla sopa) hecha de semillas de ajonjolí y de arroz.

Para preparar esta sopa, 11 porciones de semillas de ajonjolí se ponen a remojar en agua, junto a una pequeña cantidad de arroz. Después que las semillas de ajonjolí y el arroz están bien mojados y ablandados, se muelen —pasándolos por un moledor de comida pequeño o un molinillo de nueces— para hacer con ellos una pasta. La mezcla lechosa resultante se cuela para quitar de ella las partículas más gruesas, y luego se diluye con un poco más de agua y un poco de miel antes de cocinarla a fuego lento, hasta que su consistencia se parezca a la de un jarabe. Dos tazas de esta deliciosa sopa por lo general son capaces de terminar con el estreñimiento más persistente, dentro de 1 hora aproximadamente.

Pasta para picaduras de arañas, llagas y quemaduras

Un antiguo recetario de hierbas chino del siglo VIII daba un remedio efectivo para tratar las picaduras de insectos, especialmente las dolorosas picaduras de arañas y de ciempiés, así como las quemaduras leves y varios tipos de llagas de la piel. Aproximadamente de 2 a 3 cucharadas de semillas de ajonjolí se deben moler hasta hacer con ellas un polvo grueso, con el cual se hace una pasta añadiéndole un poquito de agua. Esta pasta es aplicada en el área afectada y se deja allí hasta que el dolor y la hinchazón se alivien un poco. Las semillas se pueden moler en un mortero o se machacan bien sobre la mesa de cocinar con un rodillo pesado, o se aplastan cuidadosamente con el fondo de una botella vacía de Coca Cola o con un martillo.

En otro remedio a base de hierbas de 7 siglos más tarde, las llagas en la cabeza y el rostro eran tratadas masticando semillas crudas de ajonjolí durante un par de minutos y luego aplicando lo que resulta mojado a las áreas afectadas. Yo he tenido ocasión de tratar esto solamente una vez, en un pequeño grano (barro) que me salió a un lado del cuello, justo donde va el cuello de la camisa, lo cual era muy irritante cuando salía de viaje al extranjero. Conseguí unas cuantas semillas de ajonjolí en uno de mis viajes, las mastiqué bien y luego me apliqué ese emplasto mojado en el cuello, y lo mantuve allí con varias curitas *(Band-Aids)* grandes. Me olvidé del problema hasta la mañana siguiente, cuando noté, después de quitarme las curitas, que el color rojo y la hinchazón habían desaparecido y que el granito mismo se había ido casi por completo.

Ayuda para acabar con el vicio de fumar

Allá por 1980 ó 1981, un médico llamado John M. Douglass descubrió un modo efectivo para dejar de fumar mientras trabajaba largos turnos como internista en el grande y lujoso centro médico Sunset Kaiser-Permanente, cerca de Hollywood. "Es un arma fantástica para dejar de fumar", admitió.

Las semillas "son un excelente sustituto del cigarrillo porque las semillas tienen un efecto comparable en las personas que las comen al que el tabaco tiene en los fumadores", explicó. Según él, ésta es la forma en que funcionan: el tabaco libera azúcares almacenados (glucógeno, *glycogen*) del hígado y esto estimula el cerebro. Las semillas de girasol proveen calorías que brindan el mismo impulso mental.

El tabaco tiene un efecto sedativo que tiende a calmar a la persona. Las semillas de girasol también estabilizan los nervios porque contienen aceites que son calmantes y vitaminas del complejo B que ayudan a nutrir al sistema nervioso. El tabaco aumenta la producción de hormonas en las glándulas adrenales, las cuales reducen la reacción alérgica de los fumadores. Las semillas de girasol hacen lo mismo. Estas reacciones alérgicas pueden convertirse en un gran problema para las personas que están intentando dejar de fumar.

El Dr. Douglass dijo que había visto a pacientes que desarrollaban problemas respiratorios cuando dejaban de fumar y pensó que esto se debía probablemente a las reacciones alérgicas que habían sido mantenidas bajo control por los efectos anti-alérgicos del tabaco. "Mientras más pronto comience usted a masticar semillas, más pronto dejará de fumar", comentó él. "Unas cuantas semanas pueden ser todo lo que se necesita. Coma sólo semillas de girasol crudas y peladas. Tenga guardadas en su cartera o en su bolsillo varias onzas de estas semillas y cada vez que sienta el deseo de encender un cigarrillo, coma, en su lugar, un puñado de semillas".

Y si se cansa de masticar semillas constantemente, entonces el Dr. Douglass aconseja, para acomodar esa necesidad innata que sentimos de variar las cosas, el uso de galletas *(wafers)* de girasol para los fumadores. Es así como él nos dijo que las hiciéramos: muela las semillas hasta formar con ellas una harina fina. Mójelas ligeramente para formar una masa espesa. Algunas personas prefieren añadir pasas o *miso* (una pasta salada hecha de frijoles de soja). Con pedacitos de la masa, forme panecillos u obleas del tamaño de una moneda de 50 centavos de dólar. Colóquelos sobre una superficie plana y ponga ésta sobre el refrigerador o en algún sitio seco durante 3 a 4 días, hasta que las obleas estén secas. "El panecillo de semillas sin cocinar que resulta le llenará, será extremadamente nutritivo y agradable, y eliminará el deseo de fumar cigarrillos, igual que lo hacen las semillas de girasol crudas", me dijo el Dr. Douglass.

Detenga el timbre en los oídos

Un viejo pero efectivo remedio chino para reducir o eliminar totalmente extraños sonidos y ruidos en los oídos, requiere beber un cocimiento hecho de las vainas vacías de las semillas de girasol hasta que el problema se haya resuelto. Las semillas mismas a menudo se añaden al té.

Ponga a hervir 1 1/2 pinta (750 ml) de agua. Añada 2 cucharadas de semillas machacadas y 2 cucharadas de sus vainas vacías. Tape, reduzca el calor y deje hervir a fuego lento durante 15 minutos. Luego, quítelo del fuego y déjelo descansar durante 1/2 hora más. Beba 1 taza del té tibio, después de colarlo, cada 4 a 6 horas.

Buenas recetas a base de semillas

Estas recetas piden algunas de las diferentes semillas que hemos mencionado en esta sección. Usted las encontrará saludables, sanas y deliciosas.

PANECILLOS DE SEMILLAS DE ADORMIDERA

Ingredientes: 2 cucharadas de levadura activa seca *(active dry yeast);* 1/2 taza de agua tibia; 6 cucharadas de miel; 2 1/2 tazas de suero de leche *(buttermilk)* tibio; 1 cucharada de *tamari* (una salsa de soja de estilo oriental disponible en las tiendas de alimentos asiáticos y en las tiendas de alimentos naturales); 1 1/2 taza de germen de trigo *(wheat germ);* 6 1/2 tazas de harina de trigo integral *(whole wheat flour);* 6 cucharadas de aceite de semillas de ajonjolí o de girasol; unas cuantas semillas de adormidera *(poppy seeds).*

Preparación: Disuelva la levadura en un tazón grande con el agua tibia, y vierta, revolviendo, la miel. Cuando la levadura esté haciendo burbujas, añada el suero de leche, el *tamari,* el germen de trigo y 2 tazas de harina. Con un batidor de mano, a alta velocidad, mezcle el germen de trigo, la harina y la levadura durante 5 minutos. Añada 1/4 taza del aceite y lo que queda de la harina de trigo, 1 taza a la vez, mezclando después de verter cada taza. Cuando la masa esté compacta, colóquela sobre una superficie enharinada y amásela hasta que esté suave, añadiendo sólo la harina necesaria para evitar que la masa se pegue. Cubra con aceite la superficie interior de un tazón grande y ponga dentro de él la masa, dándole vuelta hasta que esté totalmente recubierta de aceite. Tape el recipiente y deje que la masa repose en un sitio calentito hasta que haya duplicado su tamaño. Déle golpes a la masa hasta que descienda, haga una bola con ella y tápela, volviéndola a colocar en el sitio calentito. Cuando la masa haya duplicado su tamaño por segunda vez, sáquele el aire amasándola, y colóquela sobre una superficie enharinada.

Haga bolitas de masa, de unas 2 pulgadas (5 cm) de diámetro, y cúbralas con un poco de lo que queda de las 2 cucharadas de aceite. Coloque las bolas (12 serán suficientes) en el fondo de un molde redondo para hornear pastel *(cake pan),* engrasado, de 8 pulgadas (20 cm). Esparza en ellas bastantes semillas de ajonjolí y déjelas levantar. Cuando los panecillos ya han crecido hasta casi el doble de su tamaño original, cóloquelos en un horno precalentado a 400° F. Después de quince minutos, baje la temperatura a 350° F y hornéelos durante 20 minutos más, hasta que se hayan dorado y estén totalmente cocidos. Quítelos del horno y colóquelos en una rejilla para que se enfríen. Los panecillos se separarán fácilmente a la hora de servirlos. Suficiente para 1 docena de panecillos.

CEREAL DE AJONJOLÍ Y ARROZ

Ingredientes: 3/4 taza de arroz moreno *(brown rice)* crudo; 1 taza de leche en polvo; 3 1/2 tazas de agua; 1 cucharadita de sal; 2 cucharadas de semillas de ajonjolí enteras que han sido molidas parcialmente en una licuadora de alimentos para hacer harina con ellas; 1/2 cucharada de levadura de cerveza *(Brewer's yeast);* 1 cucharada de vainilla.

Preparación: Tueste el arroz en una olla seca a fuego medio, revolviéndolo hasta que se dore. Páselo por una licuadora, luego tueste brevemente en la olla seca el polvo que ha obtenido, revolviendo continuamente. Combine la leche en polvo y el agua con un batidor manual de alambre. Coloque la mezcla en una olla pesada, añada sal y haga hervir. Agregue el polvo de arroz, revolviendo constantemente. Baje el fuego y cocine a fuego lento, tapado, unos 10 minutos, o hasta que el cereal se espese. Tueste a fuego medio la harina de ajonjolí en una olla seca, revolviendo constantemente durante 1 minuto más o menos, y añádala, junto con la levadura, al cereal. Revuélvalos. Añada la vainilla y siga revolviendo. Sirva con leche de cabra fresca o enlatada y miel oscura. Suficiente para unas 5 porciones.

SABROSO APERITIVO

Uno de los más deliciosos aperitivos que jamás he probado en mis muchos viajes al extranjero, fue el plato de *tahina* que me sirvieron en un pequeño y retirado café de Doha, la capital del diminuto reino árabe petrolero de Qatar, a mediados del verano de 1980. La *tahina* es una pasta increíblemente deliciosa hecha de semillas de ajonjolí finamente molidas. Por lo general, puede ser obtenida en ciertas tiendas de alimentos especiales que venden productos culinarios del Oriente Medio.

Lo que a mí me sirvieron fue *tahina* mezclada con un poquito de vino tinto de oporto y aderezada con ajo picado y unas gotas de jugo de lima. Vino acompañado de pedazos de pan negro de centeno, el cual usé para limpiar el plato. Mi mesero también me sirvió un vaso de *arrack* (una bebida alcohólica parecida al ron) para acompañar mi comida. Tanto me satisfizo esta *tahina* especialmente preparada que ni me preocupé por pedir cena después, ¡esta merienda sencilla y de gusto exquisito fue mi cena!

HAMBURGUESAS McSOL

He aquí una hamburguesa totalmente vegetariana con la que ni siquiera podrían soñar quienes se preparan comidas rápidas poco saludables. Precaliente el horno a 350° F.

Ingredientes: 1/2 taza de zanahorias crudas ralladas; 1/2 taza de apio finamente picado; 2 cucharadas de cebolla picada; 1

cucharada de perejil picado; 1 cucharada de pimientos verdes picados; 1 huevo batido; 1 cucharada de aceite; 1/4 taza de jugo de tomate; 1 taza de semillas de girasol molidas; 2 cucharadas de germen de trigo *(wheat germ);* 1/2 cucharadita de sal; 1/4 cucharadita de albahaca *(basil).*

Combine los ingredientes y amáselos como si fueran hamburguesas de carne. Colóquelas en una asadera aceitada y no honda. Hornee a temperatura moderada hasta que se doren por encima; déles vuelta y dórelas por el otro lado. Cocine unos 15 minutos por cada lado. Sirve 4 porciones. Estoy agradecido a Rodale Press por estas recetas obtenidas de sus libros, *Rodale Cookbook* y *Natural Healing Cookbook.* (Vea el Apéndice)

SOJA
(véase: Frijoles)

SQUAWVINE
(Mitchella repens)

Breve descripción

Esta hierba perenne y siempre verde se encuentra alrededor de la base de árboles y tocones en los bosques desde Nueva Escocia hasta Ontario, y por el sur, en la Florida y Texas. Sus tallos rastreros o trepadores crecen hasta 1 pie (30 cm) de largo, enraizándose en varios puntos; sus hojas son opuestas, redondas-ovaladas, de color verde oscuro, brillantes en la parte superior y a menudo con rayitas blancas. Las flores acanaladas y blancas crecen en pares y la fruta es una drupa roja parecida a una baya que tiene hasta 1/3 (casi 1 cm) de pulgada de diámetro.

La mejor hierba para el embarazo

Varios famosos herbolarios de Estados Unidos están de acuerdo en que esta hierba es incomparable, en muchos sentidos, para las mujeres embarazadas, quienes la deben tomar antes del parto. Los ya fallecidos Jethro Kloss y John R. Christopher consideraban al *squawvine* (pronúnciese "eskuóvain") como la medicina por excelencia para tomar durante el embarazo para "hacer el parto maravillosamente fácil". Michael Tierra, un herbolario que reside en Santa Cruz, California, recomienda el *squawvine* "para prevenir los abortos naturales". Y el fallecido médico naturópata, John Lust, afirmó que "el *squawvine* hace el parto más rápido".

La hierba de *squawvine* cortada está disponible en *Indiana Botanic Gardens* (vea el Apéndice) para hacer té con ella. Ponga a remojar 2 1/4 cucharaditas de hierba seca en 2 tazas de agua hirviendo, tapada, durante media hora. Una mujer embarazada debe beber entre 1 a 3 tazas al día a lo largo de su embarazo. Un extracto de la hierba, mucho más fuerte, está disponible en *Bio-Botanica*, de Hauppauge, en el estado de Nueva York (vea el Apéndice). Debe tomarse 1 cucharada todas las mañanas en ayunas.

Cuando se hace el té, se pueden usar juntas partes iguales de hojas de frambuesa roja e hierba de *squawvine* y se obtendrán resultados excelentes.

Buen lavado de ojos para bebés y ancianos

El *squawvine* constituye un excelente lavado de ojos para los recién nacidos y también para los ancianos, cuando se combina con otras hierbas. En 1 pinta (1/2 litro) de agua hirviendo, combine partes iguales (1/2 puñado de cada una) de hierba de *squawvine*, hojas de frambuesa *(raspberry)* y hojas de fresa (frutilla, *strawberry*), todas cortadas y secas. Tape y déjelas reposar en el agua durante media hora. Cuele en un colador fino. Lave frecuentemente los ojos de los bebés y de los ancianos con esta solución. También constituye una buena ducha vaginal para la sífilis, la gonorrea y la infección vaginal.

Antiguo remedio indio para el insomnio

Los indios menominee, de la región de los Grandes Lagos Superiores, preparaban en el siglo XIX un té de hierbas y hojas para el insomnio. Ponga a remojar un puñado de hierba cortada y seca en 1 1/2 pinta (750 ml) de agua hirviendo, tapada, durante 45 minutos. Cuele y beba el cocimiento tibio, aproximadamente 1 1/2 taza antes de irse a dormir.

S<small>UMA</small>
(Pfaffia paniculata)
(Suma en inglés)

Breve descripción

El suma (también denominado "ginseng brasileño" o "zanahoria brasileña") es un arbusto sufrutescente que abunda en el área de Goias, al sur de la cuenca del Amazonas, en Brasil. Aquí, gran parte del suelo es rojo, lo que significa que existen grandes cantidades de óxido de hierro e hidróxidos de aluminio, pero muy poco de otros nutrientes.

En este suelo rocoso y laterítico crece este miembro de la familia de los amarantáceos. Su parte superior es más bien frágil, pero el rizoma bajo tierra es usualmente bastante grueso. Incluso en regiones donde las precipitaciones son limitadas, el suma se ha adaptado muy bien.

Tónico para la mujer

De lo que sabemos acerca del suelo de la región en la cual crece, podemos asumir que esta hierba posee un contenido relativamente alto de hierro. Datos adicionales procedentes de una investigación realizada en el Japón revelan la presencia de una cantidad de azúcares naturales y varios componentes regularmente asociados al ginseng.

Al parecer, el consumo de suma resulta muy útil para las mujeres en casos de anemia, fatiga y, hasta cierto punto, el síndrome premenstrual. Una de las pocas compañías que conozco que tienen esta hierba disponible, obtiene su suma de esta área del Brasil y prestan gran atención a la pureza e integridad de las hierbas importadas. Busque el suma de mayor calidad de la marca *Nature's Way* en las tiendas de alimentos naturales *(health food stores)*. Un promedio de 2 cápsulas diarias ayuda a complementar la dieta con hierro.

Un posible valor contra el cáncer

Algunos herbolarios estadounidenses atribuyen virtudes al suma que no pueden ser confirmadas por la literatura científica regular. Además de esto, la etnobotánica popular de que disponemos es bastante escasa. Es decir, no existe casi ningún dato confirmado sobre su uso popular durante un período largo de tiempo. Un botánico me dijo en privado que los usos populares que se le atribuyen son en realidad bastante recientes y su opinión profesional es que "fueron en su mayoría creados por unos cuantos comerciantes brasileños para ayudar a aumentar la venta de la hierba". Cuando informé sobre esta hierba en una reciente reunión de directores de tiendas de alimentos naturales efectuada en Filadelfia, unos cuantos propietarios de tiendas quedaron muy sorprendidos.

La única persona a quien el informe no produjo un efecto negativo fue Ken Murdock, de *Nature's Way*. Al preguntarle acerca de mis observaciones, él comentó que "la política de la empresa ha sido siempre apoyar la verdad, aun si las cosas no siempre coinciden con nuestros puntos de vista como fabricantes y distribuidores. Creemos que la integridad es importante cuando se ofrece información sobre cualquier hierba".

Experimentos recientes realizados en Japón con células de melanomas malignos en un medio de cultivo, revelaron que ciertos constituyentes naturales del suma poseen propiedades anticancerosas. Estos elementos inhibidores del cáncer (ácido de Pfaff *(pfaffic acid)* y pfafosidas son descritos en el volumen 23 de *Phytochemistry* y en el volumen 102 (191149n) de *Chemical Abstracts,* entre otros.

Aunque aquí no lo recomendamos específicamente para el cáncer por sí, en un buen programa general de nutrición y como un buen suplemento herbario, el suma parece tener cierto valor preventivo contra esta enfermedad. Se sugiere una dosis promedio de 3 cápsulas diarias.

T

TAMARINDO
(Tamarindus indica)
(Tamarind en inglés*)*

Breve descripción

Este es un árbol siempre verde que crece en los climas tropicales, alcanzando 80 pies (25 metros) de altura o más, con un tronco peloso y pardo-grisáceo que a menudo tiene 25 pies (8 metros) de diámetro. Las hojas alternas y pinadas tienen de 20 a 40 hojuelas pequeñas, opuestas y oblongas; las flores de un color amarillo-pálido, con venas rojas en sus pétalos, crecen en racimos en los extremos de las ramas. Su fruta es una vaina oblonga de color canela, de 3 a 8 pulgadas (7 a 20 cm) de largo, con una cáscara delgada y quebradiza que envuelve una pulpa suave, pardusca y ácida.

Rápido laxante y reductor de la fiebre

El principal y más común uso de su pulpa madura, fibrosa y agridulce a través de las Américas y el Caribe es como laxante. La pulpa madura contiene entre 10.86 y 15.23 por ciento de ácido tartárico, el constituyente que se encuentra con frecuencia en algunos polvos de hornear *(baking powder)* y que se considera responsable de estimular las evacuaciones intestinales. Por lo general, sólo se necesita 1 fruta madura para resolver leves problemas de estreñimiento.

En las Indias Occidentales, la pulpa madura de 2 frutas (menos las semillas cuadradas, pardas, brillosas y duras) se mezcla a mano o mecánicamente junto a 2 tazas de agua helada y 1 cucharadita de azúcar blanca (en lugar de esto se puede usar una cantidad equivalente de miel). Esto es administrado a quienes tienen fiebre alta y, en relativamente corto tiempo, puede hacer bajar en varios grados la temperatura del cuerpo.

Alternativa al polvo de hornear

Al final de la sección dedicada a las UVAS Y PASAS, se ofrece una receta libre de aluminio para hacer polvo de hornear *(baking powder)*. Quienes pueden conseguir tamarindos maduros podrían sustituir las 2 porciones de crema tártara por 4 porciones de jugo de tamarindo fresco. Éste se debe hacer *solamente* en el momento en que se vaya a hornear. Combine 1 porción de polvo de hornear y 1 de fécula de maíz *(cornstarch)*, luego vierta allí lentamente el jugo de tamarindo, mientras va mezclando. Después añada esto al resto de su receta, que requiera una cantidad específica de polvo de hornear. Este tipo especial de polvo de hornear casero realmente da a los panes y a los dulces un sabor original y único.

Mermelada del trópico

En las Filipinas, la pulpa parda y las semillas de los tamarindos maduros a menudo son convertidas en bolas, algo más pequeñas que un puño cerrado, y se venden al público, en mercados al aire libre. Muchas amas de casa filipinas hacen mermeladas, conservas, dulces y refrescos con ellos; yo he probado algunos y los he hallado excepcionalmente deliciosos. Esto se debe a que el tamarindo contiene casi un 7 por ciento de pectina, la cual es un ingrediente importante en la confección de conservas y mermeladas (vea bajo MELOCOTÓN, PERA Y MEMBRILLO para encontrar más detalles).

TAPIOCA
(Manihot esculenta)

Breve descripción

Los gránulos comerciales de tapioca que se usan en los budines y natillas provienen de las raíces almidonosas, largas, gruesas y tuberosas de la mandioca, un arbusto medio leñoso que alcanza de 3 a 12 pies (1 a 4 metros) de altura. Estas raíces oscuras, pardas y gruesas no sólo contienen almidones blancos sólidos, al igual que las papas, sino que también poseen una cantidad considerable de látex lechoso.

Emplasto para las erupciones de la piel

En Venezuela, Trinidad y en otras partes de las Américas, el almidón seco en polvo de la raíz se usa como un efectivo emplasto sobre las erisipelas, los eczemas, los furúnculos, los carbunclos, los abscesos y las lesiones del herpes. Usted puede hacer en casa un emplasto similar con los mismos propósitos. Combine 1 cucharada de papa cruda, pelada y rallada con 2/3 cucharadita de tapioca granulada de rápida cocción (aunque *no* ya cocida) con un poco de agua, para formar una pasta pegajosa y pareja. Espárzala sobre varias capas de gasa cortadas formando un pequeño cuadrado. Fije éste sobre la erupción de la piel y asegúrelo con un esparadrapo (cinta adhesiva). Cámbielo todos los días, hasta que el pus sea extraído de la llaga y comience la curación.

Ayuda a curar las úlceras del estómago y la colitis

En San Pablo, Brasil, algunos médicos y curanderos locales usan la tapioca para ayudar a curar las úlceras pépticas y la colitis. Ponga a hervir 1 taza de agua, añadiendo 2 cucharadas de gelatina sin sabor *(unflavored gelatin)* de marca *Knox* hasta que se disuelva bien, revolviendo vigorosamente. Luego añada de 4 a 6 cubitos de hielo a la solución. Cuando se enfríe, añada lentamente esta mezcla a 8 claras de huevo bien batidas. Después, añada 1 taza de almíbar de arce puro *(pure maple syrup)*, una pizca de cardamomo *(cardamom)* y 4 cucharadas de tapioca granulada de rápida cocción. Revuelva hasta que la mezcla se ponga firme, y luego coma un plato de ella. Se puede refrigerar para comer más tarde. Se sabe que este sencillo budín, si se consume con regularidad, puede promover, en poco tiempo, la curación del tracto digestivo.

Alivia los senos adoloridos por la lactancia

Una tendencia común hoy en día entre muchas mujeres de todos los niveles sociales es amamantar a sus bebés, en lugar de alimentarlos con fórmulas preparadas, como *Similac*. Por lo general, las mujeres de las clases trabajadoras y pobres, acostumbradas a parir y dar de mamar a muchos hijos, no se preocupan generalmente por los pechos inflamados o los pezones irritados. Pero las mujeres de clase media y alta, muchas de las cuales son profesionales, parecen ser víctimas más frecuentes de estos problemas cuando les dan el pecho a sus hijos, algunas de ellas por primera vez.

Existe un remedio argentino para esto. Mezcle un poco de tapioca granulada y de rápida cocción con leche, suguiendo las instrucciones de la caja. Asegúrese de que adquiere la consistencia del cereal de crema de trigo cocido *(cream-o'-wheat)*. Cuando llega a ese punto, colóquela con una cuchara sobre varias capas de gasa o un pedazo de muselina limpia. Luego, aplique este emplasto, aún algo caliente, a uno o a ambos senos inflamados, cubriéndolos con una toalla para retener el calor durante el mayor tiempo posible. Repita tantas veces como sea necesario y cambie el emplasto cuando se enfríe.

Enema para la diarrea infantil

En Venezuela, un poco de tapioca granulada de cocción rápida (pero *sin* cocinar) se disuelve totalmente en un poco de agua y se emplea como enema en los casos de diarrea, especialmente en los recién nacidos. En estos casos, se debe usar una perilla de goma (jeringuilla, *bulb syringe*).

Flan delicioso

Esta receta puede hacerse sin el jugo de naranja, sustituyéndolo con 1/2 taza de leche descremada. Luego añada cualquier fruta fresca en lugar de los pedazos de naranja. Estoy agradecido al autor y los editores de *Recipes to Lower Your Fat Thermostat* (vea el Apéndice) por permitirme usar esta deliciosa receta de flan de tapioca.

FLAN DE TAPIOCA

Ingredientes: 1 1/2 taza de leche descremada; 1 cucharada de azúcar morena *(brown sugar);* 3 cucharadas de tapioca de cocción rápida; 2 claras de huevo; 1/2 taza de jugo de naranja; 1/2 cucharadita de vainilla pura; 1/2 taza de naranja en trozos o 1/2 taza de dátiles *(dates)* deshuesados y picados.

Preparación: Combine la leche, el azúcar y la tapioca en una cacerola; deje reposar durante 5 minutos. Bata las claras hasta que estén firmes. Póngalas a un lado. Lleve la mezcla de tapioca al punto de hervor a fuego medio, mezclando constantemente. Añada el jugo de naranja. Enfríe, revolviendo de vez en cuando. Añada la vainilla. Incorpore suavemente a la mezcla las claras de huevo y los trozos de naranja o los dátiles. Enfríe y sirva. Suficiente para 6 porciones. Si utiliza dátiles, no use azúcar ni trozos de naranja. Añada los dátiles a la tapioca hirviendo *antes* de añadir el jugo de naranja. Cocine unos 6 minutos. Agregue el jugo de naranja y proceda como ya se ha indicado.

TÉ NEGRO O VERDE
(Camellia sinensis)
(Black or green tea en inglés*)*

Breve descripción

El tomar el té se ha convertido en algunos países de Asia en un delicado arte, tanto como la degustación del vino en Francia. Hay conocedores de tés, que pueden decir el tipo de agua que se usó, el tipo de utensilios utilizados y las condiciones aproximadas en las que se hizo un té determinado. En China, algunos tés son tan increíblemente fuertes al paladar que se sirven en (literalmente) tacitas del tamaño de un dedal.

Alivia la migraña

Tanto el té negro como el verde contienen cafeína (de 1 al 5 por ciento). Debido a que la cafeína constriñe los vasos sanguíneos de la cabeza, es capaz de calmar el dolor causado cuando ellos palpitan y se hinchan. Durante mi visita en 1980 a la República Popular de China, noté que varios hospitales de medicina tradicional administran té negro a los pacientes que sufrían de dolores de migraña.

En el Hospital de Medicina Tradicional China de Soochow, hubo un notable 92 por ciento de recuperación de migrañas. A 1 taza de agua caliente, añada 2 bolsitas de té negro y déjelo reposar allí durante 20 minutos, hasta que el té esté bien fuerte. Luego, bébalo mientras está aún bastante caliente, pero no tanto como para que le queme la lengua o le dañe el interior de la boca. "¡Siempre funciona!", me dijeron mis anfitriones chinos.

Un gran luchador contra la infección

A través de toda China, encontré que el té negro se usa en numerosos hospitales y clínicas para tratar con éxito todo tipo de infecciones e inflamaciones del estómago, los intestinos, el colon y el hígado, con un índice de recuperación entre el 83 y el 100 por ciento para la mayoría de los pacientes tratados. Una taza de té fuerte y tibio se administraba de 4 a 5 veces al día para varias de estas enfermedades infecciosas.

Disminuye la ateroesclerosis

Científicos de la Universidad de California han descubierto que las personas que toman té experimentan mucho menos endurecimiento de las arterias que las que beben café. Parece que la cafeína del café está asociada con algunos aceites pesados que tienden a elevar bastante los niveles de colesterol en la sangre. Pero esto no sucede con el té negro o el verde. En realidad, se cree que el contenido de cafeína en ambos tés puede ayudar a reducir el colesterol en cierta medida. Además de esto, los polifenoles del té actúan junto a las vitaminas C y P que allí se encuentran para ayudar a fortalecer más las paredes de los vasos sanguíneos del corazón.

El té elimina las placas dentales

Entre 1983 y 1984, científicos dentales de la Universidad de Washington, en St. Louis, llevaron a cabo una serie de experimentos que probaron que el té negro inhibe, sin duda, el crecimiento de las bacterias que causan caries y que son comunes a la acumulación de placas en los dientes. Esto se debe probablemente al alto contenido de flúor natural que se encuentra en ambos tés.

En 1977, un estudio dental que se llevó a cabo en Taiwán mostró que 50 ratas a las que se les suministró alimentos productores de caries, como pan blanco, azúcar blanca y gaseosas —pero también tés negros o verdes— tenían de 1/2 a 3/4 *menos caries* que aquellas ratas a las que no se les dio ningún té. Coloque una bolsita de *Lipton Brisk Tea* en una taza de agua caliente durante al menos 6 minutos para poder obtener una mayor liberación de flúor. También ayuda exprimir la bolsita antes de desecharla. Use el té para lavar los dientes o como enjuague bucal después de comer dulces. En el número de abril de 1986 de *Dentistry* se aconsejaba a las personas tomar más té para reducir las caries y la acumulación de placas.

TOMATE
(Lycopersicon esculentum)
(Tomato en inglés*)*

Breve descripción

Los primeros tomates fueron cultivados por los incas, en los Andes, pero luego fueron llevados a Europa por los conquistadores españoles. Estas pequeñas frutas amarillas eran del tamaño de los tomates-cereza *(cherry tomatoes)* de la actualidad. Pero el miedo y la ignorancia, hasta cierto punto, impidieron que se hicieran muy populares, sobre todo en Francia e Inglaterra. Inclusive cuando fueron reintroducidos en América, se consideraban venenosos, igual que otros miembros del grupo venenoso de la hierba belladona *(deadly nightshade)*. Los criollos *(creoles)* de Nueva Orleans fueron quienes finalmente llevaron los tomates a la cocina en 1812, pero tuvo que pasar otro medio siglo antes de que otras áreas del país tuvieran el suficiente coraje y la curiosidad como para probarlos.

Pero aún así, los problemas del tomate no terminaron. Botánicamente, son en realidad frutas, lo que confunde a muchas personas, pues ellos son usados más a menudo como vegetales. Finalmente, fue necesario, créalo o no, una decisión del Tribunal Supremo estadounidense en 1893 para reclasificar al tomate oficialmente como un vegetal, ¡aun cuando, desde el punto de vista botánico, no lo es y nunca lo será!

Las variedades de tomates disponibles en la actualidad incluyen el tipo de tomate grande y rojo, llamado *beefsteak* en inglés, que se usa para muchos platos; la variedad ovalada tipo ciruela *(plum tomato)*, que se usa sobre todo para cocinar; el tomate pequeño y de mucho sabor, tipo cereza *(cherry tomato)*, que se usa en ensaladas; y el tomate grande, amarillo o anaranjado, que tiene bajos niveles de ácido.

Cómo elegir el mejor tomate

En Estados Unidos, se consumen más tomates que ninguna otra fruta o vegetal. Ellos aventajan, con mucho, a las naranjas, las papas y la lechuga, para no mencionar alimentos tan populares como los guisantes (arvejas, chícharos, *peas*), las zanahorias y los plátanos (bananas). Pero como han notado los editores de *Selecciones del*

Reader's Digest: "Los tomates comerciales de piel gruesa disponibles hoy en día, por lo general recogidos verdes y 'madurados' con gas etileno, no tienen nada digno de recomendación salvo los dudosos valores del mercado: facilidad de transporte y larga vida en el estante de venta".

"Tales tomates son sólo símbolos de tomates", se quejó el editor de alimentos del *Los Angeles Herald Examiner.* "No tienen sabor alguno, su textura es pulposa, y su contenido de vitaminas es más bajo que el de los tomates completamente desarrollados que se han madurado en la planta. Para distinguir, sin probarlo, un tomate que se ha madurado naturalmente de uno que ha sido madurado con gas, huélalo. Los tomates a los que se les ha aplicado gas no tienen olor, mientras que los que han madurado en la planta tienen una fragancia muy propia".

Como usted seguramente habrá adivinado, los mejores tomates son los del tipo suculento y madurados en sus plantas, comprados en su temporada en granjas locales, en puestos de verduras al aire libre, en camiones de transporte de comestibles o, sencillamente, cultivados en su propia huerta. ¡Nada se puede comparar con ellos en cuanto a sabor y calidad nutritiva!

El tomate secado evita la diarrea

Investigadores del Laboratorio de Nutrición Animal de la Universidad de Cornell informaron en el número del 19 de abril de 1940 de la revista *Science,* que la pasta de tomate (el orujo o los residuos secos del jugo de tomate, *tomato pomace* en inglés) estabilizaba y daba forma y consistencia a las heces fecales de perros, zorros y visones cuando se añadía a las dietas de estos animales. Antes de hacer estas mezclas, los excrementos de estos animales casi eran, en muchos casos, parecidos a una diarrea. Pero al añadir a la dieta una cantidad de pasta de tomate seco y molido (semillas, piel y pulpa) igual al 5 por ciento de la ración húmeda, sus excrementos adquirieron una consistencia más sólida y uniforme.

Usted puede hacer un preparado semejante en su casa para mejorar la forma y consistencia de sus propias heces fecales. Seleccione tomates firmes y apenas maduros. Lávelos y quíteles los tallos. Córtelos en rodajas gruesas de 1/2 pulgada (1 cm) de ancho, con el mismo grosor en toda la rodaja (no como las que se esparcen en las ensaladas). Colóquelas en bandejas de plástico —no las metálicas, debido a su alto contenido ácido— y séquelas en un deshidratador durante 2 horas a 155° F y otras 9 horas a 125° F. O forre una bandeja de hornear galletas con una hoja de aluminio y coloque sobre ella las rodajas de tomate, y séquelas en el horno, durante la misma cantidad de tiempo a las mismas temperaturas ya citadas.

Cuando estén listas, se habrán puesto muy delgadas y quebradizas. Examine la piel para ver si quedan algunas gotitas de humedad. Una vez frías, guárdelas en recipientes herméticamente cerrados. Un tomate fresco da de 4 a 5 rodajas, dependiendo del tamaño, por supuesto. También puede colocar las rodajas secas en la licuadora y hacer con ellas un buen polvo de tomate. Se necesitan aproximadamente 1 docena de rodajas secas para tener suficiente polvo de tomate para mezclar con 2/3 taza de agua fría y beber a fin de controlar una diarrea leve. Esta cantidad puede aumentarse, según haga falta.

Para un preparado antidiarreico realmente eficaz, combine porciones iguales de polvo de tomate seco con polvo de manzana seca (use su licuadora para pulverizar). Incorpore 1 cucharada rasa de cada polvo en 1 1/4 taza de agua tibia.

Para hacer manzanas secas, corte manzanas *sin* pelar en rodajas o en forma de aros de 1/4 de pulgada (1/2 cm) de ancho. Antes de secarlas, mójelas en jugo de lima (limón verde, *lime*). Séquelas a 155° F durante 2 horas, y luego a 125° F durante unas 3 horas más en su deshidratador o en su horno. Pruebe si ya están lo suficientemente secas cortando una rodaja ya fría en la mitad. Cuando la apriete con el cuchillo, no debe aparecer ni una gota de humedad. Los pedazos que no están totalmente secos, tienden a sentirse más fríos y húmedos. Retire las rodajas a medida que se secan, déjelas enfriar y luego guárdelas en recipientes herméticamente cerrados.

A las rodajas de tomate secas también se les puede poner por encima una tajada de queso ligeramente derretido y comerlas como una sabrosa merienda, o usadas en sopas. Las manzanas y los tomates en rodajas pueden ser vueltos a hidratar para usarlos en otros platos: póngalos en agua hirviendo y déjelos reposar allí durante 20 minutos, en una olla tapada.

Tomates madurados en su planta para tratar la hipertensión

Evidencia clínica citada en este libro indica que el potasio tiene una influencia muy positiva sobre los riñones, por lo que en muchos casos se puede reducir notablemente la presión sanguínea alta. Un sólo tomate grande de aproximadamente 3 pulgadas (7 cm) de diámetro y de unas 7 onzas (200 g) de peso contiene casi 450 mg de potasio. Imagínese entonces si se consumieran 2 tomates grandes cada 2 días, en forma de un delicioso cóctel vegetal, cuánto potasio estaría recibiendo el cuerpo.

Pero un momento, aún hay más: si añadiera a los 2 tomates maduros, 1 cucharadita cada uno de estragón *(tarragon)* molido, pimentón *(paprika)*, cúrcuma *(turmeric)* molida, albahaca *(basil)* molida, y 1 cucharada de jugo de limón, junto con 2/3 tazas de agua mineral o destilada, todo bien mezclado, usted obtendría una deliciosa bebida que contiene casi 1.200 mg de potasio puro *y solamente* unos 15 mg de soda. ¡Esta es una increíble proporción de 80 a 1 y una *muy poderosa* terapia para ayudarle a controlar la hipertensión!

Convierte la quemadura del sol en un agradable bronceado

Paul Neinast, dueño y operador del principal salón de belleza de Dallas, tuvo una ingeniosa idea hace varios años para convertir una quemadura de sol relativamente dolorosa en un bronceado discretamente decente. Él toma rodajas de tomate pelado, las remoja en suero de leche *(buttermilk)* durante un rato, y luego las aplica directamente sobre la piel. Ellas no sólo ayudan a aliviar el dolor, sino que también cierran los poros y convierten la quemadura en una especie de bronceado. El también las ha usado para hacer un puré, añadiendo a los tomates apenas pelados y machacados un poco de suero de leche, pero no tanto como para que gotee. Ésto se extiende sobre la piel quemada por el sol para darle un bronceado más parejo y ligeramente más oscuro.

Cura las heridas y las llagas infectadas

En Papua, Nueva Guinea, algunas tribus primitivas aún se valen de las hojas machacadas de plantas de tomate silvestre en forma de emplastos para ayudar a curar las heridas y las llagas que no sanan. Una pareja del estado de Rhode Island compartió conmigo experiencias parecidas por las que ellos atravesaron. A él se le había infectado un dedo del cual salía bastante pus y sangre. Él tomó una tajada de tomate y la envolvió alrededor del dedo, manteniéndola fija por medio de un esparadrapo (cinta adhesiva). Se cambiaba este emplasto un par de veces al día y al cabo de 2 ó 3 días la infección desapareció.

Su esposa, por otra parte, había estado probando un nuevo par de zapatos de tacones altos comprados en una elegante tienda del centro de la ciudad de Providence. Pero le quedaban pequeños y le apretaban el dedo gordo del pie. Pronto comenzó a sentir un dolor insoportable. Entonces colocó una tajada de tomates sobre el dedo, y la tapó con un poco de gasa y cinta adhesiva. *¡En menos de un día,* el dolor desapareció por completo! Tal es el poder de los tomates.

Reemplaza la fatiga con energía

Uno de los síntomas que con más frecuencia se observa en los hipoglicémicos (personas que tienen un nivel bajo de azúcar en la sangre) es la fatiga constante y la falta evidente de energía. Pero parece que los tomates pueden desempeñar un papel vital en la recuperación de sus fuerzas. Médicos de la Universidad Tohoku, en Sendai, Japón, informaron que el jugo fresco de tomate es extremadamente eficaz para acelerar la formación de glucógeno (azúcar en la sangre) en conejos normales por medio de la estimulación del hígado.

Por lo tanto, no debería ser una sorpresa que unos de los constituyentes más importantes del tomate sean varios azúcares naturales, los cuales representan alrededor del 50 por ciento del total de su materia seca. Los tomates maduros son especialmente ricos en glucosa y, sobre todo, en fructosa. Curiosamente, cuando los tomates se cultivan a la sombra, sus contenidos de azúcar se reducen drásticamente.

Además, aquellas personas que desarrollan alguna actividad atlética podrían encontrar que comer el polvo de semillas de tomate es una buena manera de obtener proteínas. El perfil de aminoácidos de la proteína de las semillas de tomate, dice la *CRC Critical Review in Food Science & Nutrition* en su número de noviembre de 1981, es "parecido al del girasol y el frijol de soja". Cualquier persona que tenga la suerte de vivir cerca de una fábrica de sopa o de productos enlatados puede probablemente obtener todas las semillas de tomate gratis que desee.

Una ayuda para la salud del hígado

En la ex–Unión Soviética, muchos médicos recomendaban los tomates para las dietas de los trabajadores que estaban expuestos a los ambientes laborales tóxicos. Una razón principal para esto puede deberse al hecho de que los tomates contienen dos elementos desintoxicadores muy importantes: el cloro y el sulfuro.

El cloro natural ayuda a estimular al hígado en su función de filtro de los desechos del cuerpo y ayuda a este órgano importante en sus esfuerzos para eliminar los productos de desechos tóxicos del organismo. El sulfuro ayuda a proteger el hígado de la cirrosis y de otras condiciones debilitantes. En 100 gramos de tomate crudo comestible hay 51 mg de cloro y 11 mg de sulfuro.

Algunas evidencias clínicas también sugieren que el jugo fresco de tomates que han madurado en la planta puede ayudar al hígado a regenerarse o a reproducir una parte de sí mismo si una porción ha sido destruida o se ha eliminado quirúrgicamente. Por eso, podemos ver que los tomates, definitivamente, ayudan a promover la salud y el bienestar de uno de los órganos más importantes del cuerpo. "¡Un tomate al día, mantiene al hígado en buen estado!"

También es bueno consumir tomates cuando se está comiendo demasiada grasa de origen animal en forma de mantequilla, queso, huevos, cerdo, carne de res y muchos platos fritos. El tomate por lo general ayuda a disolver estas grasas, previniendo así el endurecimiento de las arterias.

Recetas creativas

Los siguientes usos culinarios de los tomates son un desafío para su imaginación y, sin duda, una tentación para su paladar.

Salsa de tomate *catsup* de Nueva Inglaterra

"El mejor tipo de *catsup* es el que se hace de tomates", observó seriamente la frugal Sra. Child en su libro *American Frugal Housewife*, escrito en 1832, casi como si implicara que el *ketchup* (que es salsa de tomate aderezada con vinagre, azúcar y especias) se pudiera hacer también con otros tipos de vegetales. "Los vegetales deben ser exprimidos a mano, se les debe poner sal, y dejarlos descansar durante 24 horas. Después de tamizarlos, se les debe añadir clavos, malagueta (pimienta de Jamaica, *allspice*), pimienta, macis *(mace)*, ajo y semillas de mostaza. Se debe hervir hasta que se reduzca un tercio, y cuando esté frío se embotella. No hace falta líquido, ya que los tomates tienen mucho jugo. Es necesario bastante sal y especias para mantener la salsa en buen estado. Es deliciosa con carne asada; y las sopas y el guisado de mariscos quedan muy sabrosos si se les añade una taza. Se le debe sacar el ajo antes de embotellarlo". Así es, más o menos, como hacían en aquella época la salsa de tomate *catsup* en Boston.

FETTUCINI DE TOMATE

Ingredientes: 7 onzas (aproximadamente 3/4 taza) de fettucini de tomate; 6 cucharadas de bulbos de chalota (cebolla escalonia, *shallot bulbs*) crudos y picados; 8 rodajas de tomate seco (vea en esta misma sección bajo "evita la diarrea"); 1 cucharada de aceite de oliva; 1 cucharada de mantequilla derretida; 4 cucharadas de vino blanco; 10 aceitunas; 2 tajadas de queso de cabra; y pizcas de albahaca, romero, salvia, estragón y perejil.

Preparación: Saltee los bulbos de chalota en la mantequilla y el aceite. Añada los tomates secados al sol, las aceitunas y el vino blanco. Reduzca ligeramente el fuego y añada las hierbas. Vierta la salsa sobre los fettucini previamente cocidos y colados y agregue el queso de cabra.

HOJA DE TOMATE

Un plato popular y mucho menos caro para hacer en la casa es la hoja de tomate. Antes de comenzar, asegúrese de que los tomates estén limpios, y quíteles todas las partes dañadas y machucadas. Córtelos en pedazos de 1/2 pulgada (1 cm), con la piel. Hágalos puré en una licuadora hasta que no queden pedazos grandes. Puede añadir 1 cucharadita de jugo de lima (limón verde, *lime*) por cada taza de puré de tomate para ayudar a evitar que se oscurezca.

Coloque el tomate hecho puré sobre las parrillas plásticas de un deshidratador, ligeramente aceitadas, o sobre bandejas de hornear ligeramente engrasadas y forradas en papel de aluminio. Esparza el puré de forma pareja, en láminas de menos de 1/4 pulgada (1/2 cm) de espesor. Séquelas a 135° F durante 6 a 8 horas en un deshidratador o en un horno a baja temperatura, hasta que sean correosas y no pegajosas al ser tocadas. Despéguelas de las bandejas y córtelas en porciones para servir. Envuélvalas en papel plástico, enrollando las rodajas junto con el plástico, para evitar que se peguen. Guárdelas en una bolsa plástica en un sitio oscuro y fresco. Este mismo proceso se puede usar también con diferentes clases de frutas; algunas, como los plátanos dulces o bananas, las peras, las piñas (ananá), las sandías y las naranjas, necesitan pelarse, pero otras no.

CAZUELA DE ENCHILADAS CON SALSA DE TOMATE

El autor está agradecido a La Rene Gaunt y los editores de su libro *Recipes to Lower Your Fat Thermostat* por dejarle usar su plato mexicano deliciosísimo (vea el Apéndice para más información sobre cómo obtener este libro de cocina).

Ingredientes: 1 cebolla picada; un diente de ajo machacado; 1 pimiento (ají) verde dulce picado; 1/2 taza de hongos (setas, champiñones, *mushrooms*) cortados en rebanadas; 1 porción de salsa básica de tomate (vea la receta más adelante); 1 cucharadita de chile (ají) en polvo *(chili powder);* 1 1/2 taza de habichuelas pintas *(pinto beans)* cocinadas; 1/2 taza de yogur; 1 taza de requesón *(cottage cheese);* 8 tortillas de maíz; 1/2 taza de queso *mozzarella* rallado.

Preparación: Saltee la cebolla, el ajo, el ají verde y los hongos hasta que las cebollas estén traslúcidas. Añada la salsa de tomate, el chile en polvo y las habichuelas. Caliéntelo todo. Agregue revolviendo el yogur y el requesón. En una cacerola de 1 1/2 cuarto de galón (1 1/2 litro) cuyo interior ha sido untado con lecitina líquida *(liquid lecithin)*, coloque una capa de tortillas, una capa de salsa, un poco de queso *mozzarella* y una capa de la mezcla de yogur. Repita hasta que todos los ingredientes se hayan usado, terminando con una capa de salsa. Cubra con la mezcla de yogur. Hornee a 350° F durante 15 a 20 minutos. Sírvalo caliente. Suficiente para 8 porciones.

SALSA BÁSICA DE TOMATE

Esta salsa tiene una amplia gama de usos. Se le puede verter a los espaguetis, a la col rellena, a los pimientos rellenos, y al arroz, entre muchos platos.

Ingredientes: 1 taza de cebollas picadas; 2 dientes de ajo machacados; 1 lata de 28 onzas (825 g) de tomates guisados *(stewed tomatoes);* 3 cucharadas de pasta de tomate *(tomato paste);* 1/2 cucharada de alga marina *kelp;* 1/2 cucharadita de orégano; 1/2 cucharadita de albahaca *(basil);* 1 pimiento (ají) verde dulce picado (incluyendo las semillas del centro); 1/2 taza de hongos (setas, champiñones, *mushrooms*).

Versatilidad del tomate

Una de las grandes virtudes del tomate es su versatilidad. Usted puede hacer con ellos un guiso sin usar agua, cortándolos en cubitos y revolviéndolos a fuego lento. Puede asarlos a fuego moderado durante 10 minutos, creando sabores diferentes al aplicarle diferentes ingredientes, o también hornearlos, cortados a la mitad, en un horno precalentado a 425° F durante 10 a 15 minutos. He aquí unas cuantas ideas para cubrirlos, de la cocina de la junta *Fresh Tomato Advisory Board* del estado de California: (A) Pan rallado sazonado con una pizca de albahaca *(basil)*, salvia *(sage)*, tomillo *(thyme)* o limón; (B) Queso parmesano o queso *cheddar* rallado; (C) Cebollas verdes o cebollinos *(chives)* picados y mantequilla; (D) queso azul desmenuzado con crema agria; (E) pedacitos de salmón ahumado mezclado con queso crema.

Por último, puede hacer tomates rellenos, pero tenga cuidado con su madurez y consistencia. Déjelos con la piel, corte el tallo y el corazón, y luego, comenzando en el centro del extremo sin cortar, divídalos en cuartos, hasta 3/4 hacia abajo. Ábralos cuidadosamente y llénelos con atún, pollo o ensalada de vegetales, requesón o aguacates aplastados o en trozos. O trate de hacer una verdadera delicia, precocinando cebollas picadas, trigo desmenuzado, pulpa de tomate, menta y pasas picadas en aceite de oliva, y luego rellene los tomates con esta mezcla. Hornéelos a 350° F durante 30 minutos. Esta versión de Tomates a la griega es un plato internacional favorito de los *gourmets*.

TOMILLO
(Thymus vulgaris)
(Thyme en inglés*)*

Breve descripción

Tomillo es el nombre general para las numerosas hierbas de la especie *Thymus,* todas las cuales son plantas pequeñas y perennes oriundas de Europa y Asia. El tomillo común o de jardín es considerado el tipo principal y se utiliza comercialmente con propósitos florales y ornamentales. Este arbusto leñoso y de poca altura tiene hojas verde grisáceas y flores blancas, rosadas o lilas. El tomillo se produce y se recoge en la mayoría de los países europeos, entre ellos Francia, España, Portugal, Grecia y en el Oeste de Estados Unidos. Las tres principales variedades de tomillo son el inglés, el francés y el alemán, las cuales se diferencian en la forma y color de las hojas, y en la composición de los aceites esenciales.

Un antibiótico natural

El curandero popular más famoso de Europa, el herbolario francés Maurice Mességué, dijo esto sobre el tomillo: "Debido a mis largos años de experiencia como herbolario, puedo apreciar las cualidades antisépticas del tomillo. Contiene timol *(thymol),* y su olor destruye los virus y las bacterias de la atmósfera así como los gérmenes infecciosos del cuerpo. No sé de ninguna infección que no pueda ser aliviada si es tratada con esta hierba preciosa. Es un arma excelente contra las epidemias y mucho más barata que otros medios para controlarlas. Desde los furúnculos y los panadizos hasta la fiebre tifoidea y la tuberculosis, ¡es incomparable!" Esto coloca al tomillo al mismo nivel del ajo, siendo ambos "antibióticos de la naturaleza" y sustitutos de la penicilina y de varios medicamentos a base de sulfas.

Mességué diseñó varios preparados para usar, interna y externamente, este maravilloso antibiótico natural. Para hacer gárgaras (para tratar la garganta irritada), enjuagar la boca (para aliviar el mal aliento, las caries y llagas bucales) y beberlo (para el catarro, la influenza, la fiebre y las alergias), prepare un té remojando una docena de ramitas de tomillo fresco en un litro de agua hirviendo, tape y deje descansar por 1/2 hora alejado del fuego. Cuele y beba de 3 a 4 tazas cada día.

Para usarlo externamente (en compresas calientes para el pecho para ayudar a descongestionar los pulmones en caso de asma, bronquitis, catarro o influenza, o como loción para masajear las articulaciones y músculos adoloridos) coloque 1 1/2 puñado de tomillo fresco en 2 pintas (un litro) de agua hirviendo, tápelo y manténgalo alejado del fuego por 40 minutos. Cuele y úselo.

Mességué también usó las duchas vaginales y los baños de pies y de manos para estimular la circulación de la sangre, eliminar los hongos de las uñas y del "pie de atleta", reducir la fiebre y tratar la infección vaginal llamada *Candida albicans*. Añada un puñado de tomillo fresco a un poco más de 1/2 litro de agua hirviendo, tape y quite del fuego, dejando reposar durante 25 minutos. Cuele y remoje las manos y los pies en esta solución mientras todavía esté algo caliente; para las duchas vaginales se debe usar tibia.

Cualquiera de las soluciones anteriores también pueden ser usadas, una vez frías, para lavar las heridas y las quemaduras, en forma de compresas sobre los chichones y los moretones y como lavado para los ojos irritados. El lavado de los ojos con tomillo es especialmente bueno para los ojos irritados por el agua tratada con cloro de las piscinas públicas. Si no tiene tomillo fresco a mano, use la hierba *cortada* y seca (2 cucharadas = 1 puñado de hierba fresca).

Aun la forma culinaria del tomillo molido tiene algunas aplicaciones medicinales para varios problemas de la piel. Mezcle 1 cucharadita de tomillo molido, 1/2 cucharadita de jugo de lima (limón verde, *lime*), 1/2 cucharadita de jugo de cebolla, con sólo la suficiente miel como para formar una pasta suave y pegajosa. Luego aplíquela directamente sobre los llagas y los furúnculos (abscesos de la piel) abiertos e infectados y déjela allí durante unas 12 horas. Cámbiela o enjuáguela cuando se bañe y póngase una nueva aplicación de pasta. Mességué descubrió que esto ayudará a que sanen mucho más rápido.

Se puede hacer un saludable licor para propósitos tónicos y preventivos remojando 6 ramitas frescas o secas de tomillo en 1 1/2 taza de brandy de buena calidad durante 5 días, agitando varias veces al día. Tome varias cucharaditas de esto a lo largo del día, cuando usted sienta que un resfrío o gripe le está por llegar; no sólo le ayudará a evitar la enfermedad, sino que también reducirá su seriedad si acaso la contrae. Este mismo licor tonificará el estómago y estimulará algo el apetito cuando no siente muchos deseos de comer, pero necesita hacerlo para tener fuerzas y sostenerse.

Otra idea interesante de Mességué fue recetar una pasta de dientes herbaria a base de tomillo para las personas que sufren de enfermedades en las encías y los dientes. Remoje 3 puñados de tomillo fresco, que haya sido ligeramente machacado con un rodillo, en 1 taza de brandy durante 5 horas. Se puede sumergir un cepillo de dientes, con cerda suave o normal, en la solución, y lavar con ella los dientes todos los días. Esta solución da para 4 a 6 cepillados, o unos 2 días.

Ungüento curativo para problemas de la piel

Un buen ungüento se puede hacer en casa para curar las cortaduras, los moretones, el acné, el salpullido y trastornos semejantes de la piel, sobre todo en el área del rostro, el cuello, la garganta y la frente. También se puede usar para las quemaduras, heridas y llagas situadas en otras partes del cuerpo.

El primer paso para hacer este ungüento es preparar la base. *Ghee* es usada como una base excelente para muchos ungüentos y aceites herbarios por los curanderos ayurvédicos de la India. No es nada más que mantequilla clarificada, un aceite delicioso y fragante, semisólido a la temperatura ambiente. Para preparar este *ghee*, derrita dos libras (casi un kilo) de mantequilla en una cacerola hasta que comience a hervir. Retire del fuego y con una cuchara saque cuidadosamente la espuma que se formó. Vuelva a colocar la cacerola al fuego y repita el procedimiento dos veces más, sacando toda la espuma que pueda, y descartándola. Permita que se enfríe por unos pocos minutos y quítele la película fina que se forma en la superficie. Entonces, cuando la mantequilla esté todavía líquida, cuélela a través de un colador de té de malla muy fina. Deje de colar cuando las partículas sólidas del fondo de la cacerola pasen al colador. Vierta el *ghee* en una botella de vidrio, y tápela una vez que ha enfriado completamente. Todo el proceso dura menos de 1/2 hora. Dos libras (un kilo) de mantequilla dan 2 tazas de *ghee*. Puede conservarse sin necesidad de refrigeración hasta 6 meses.

El próximo paso requiere recalentar el *ghee* justo antes de que comience a hacer burbujas, sin quemarlo ni ahumarlo. Añada 2 puñados de tomillo de jardín picado y ligeramente machacado. Cuando el *ghee* se recalienta, y durante la cocción suave del tomillo durante 1 hora, la cacerola debe siempre *mantenerse tapada*. Después, destápela para colar la preparación a través de un colador de alambre grueso. Regrese la mezcla al fuego, tápela y recaliéntela durante unos 5 minutos. Luego quite la tapa y añada entre 1 a 2 cucharadas de cera de abeja *(beeswax)* derretida y revuelva bien. Añada también 1/2 cucharadita de vainilla pura. Finalmente, vierta todo el contenido en frascos limpios no muy hondos (como frascos de compota para bebé vacíos). Deje que se asiente antes de cerrarlos bien con la tapa. Guárdelos en un sitio fresco y seco.

Masajee un poco de este ungüento sobre la piel todos los días antes de bañarse; y de nuevo por la noche, antes de irse a la cama. Le agradezco a mi amigo, Michael Tierra, por la información sobre cómo convertir la mantequilla en *ghee* y preparar un buen ungüento de uso general.

Alivia los dolores de cabeza y los retortijones

El constituyente antiviral timol, que se encuentra en el tomillo, no sólo es efectivo para combatir las bacterias dañinas, sino que también ayuda a relajar los músculos tensos y los vasos sanguíneos constreñidos. Para ayudar a aliviar las migrañas o los retortijones estomacales, haga un té con tomillo fresco o seco, siguiendo cualquiera de las instrucciones dadas anteriormente; y beba 1 taza del té tibio, con el estómago vacío, antes de acostarse durante un rato. También, empape una toallita en un poco de té caliente, exprima el exceso de líquido, y luego aplíquela sobre la frente y coloque sobre ella otra toallita seca para retener el calor durante más tiempo. Cámbiela cuando se enfríe y siga el proceso durante 1 hora antes de levantarse. Teniendo el té caliente cerca de su cama le evitará tener que levantarse cada vez que tenga que cambiar la compresa en caso de que no tenga a nadie que pueda asistirlo.

Si no tiene tomillo seco o fresco disponible en ese momento, puede sustituirlo por un poco de antiséptico de marca *Listerine*. Caliente bien, casi hasta el punto de hervor, 2 tazas de este enjuague bucal comercial. Retírelo del fuego y úselo *solamente* para hacer compresas. ¡*Bajo ninguna circunstancia* debe usted beberlo! *Separadamente,* se puede hacer un té más suave poniendo 1 cucharadita de tomillo molido en 1 1/2 taza de agua hirviendo; cubra y deje que se asiente durante 1 hora. Luego, bébalo lentamente mientras está aún tolerablemente caliente. La razón por la que se recomienda Listerine cuando no hay tomillo, es porque este enjuague bucal contiene mucho timol y eucaliptol, del eucalipto. Estos dos constituyentes ayudan realmente a relajar los músculos cuando se exponen al calor y luego se aplican a la superficie de la piel. En realidad, estos son algunos de los mismos constituyentes que se encuentran en el _Mentholatum Deep-Heat Rub_, el cual se usa para relajar los músculos irritados y adoloridos.

Purifica el aire contaminado

El tomillo es una de varias hierbas aromáticas (menta verde, romero, salvia y ajedrea) que son útiles para purificar el agua en países como México, España, Portugal, Grecia e Italia, y, créalo o no, en partes de la ex–Unión Soviética donde las aguas potables no son confiables en cuanto a pureza. Generalmente, usted encontrará algunos tipos de tomillo en los mercados públicos, los que pueden ser usados cuando hierva agua para beber. Calcule 1 puñado de tomillo cortado por cada cuarto de galón (litro) de agua. Tape y hierva, reduciendo luego el calor y dejando hervir a fuego lento, tapado, durante 20 minutos. Cuele, y tendrá un agua buena para tomar que no le dará diarrea ni fiebre.

Virtudes culinarias

El tomillo se usa para dar sabor a los quesos, las sopas, los guisos, los rellenos, las carnes, los pescados, los aliños, las salsas y la miel. Las plantas de tomillo son especialmente atractivas para las abejas y la miel de tomillo es en sí misma un delicioso manjar.

MIEL DE TOMILLO

Si usted no tiene acceso a un apicultor que haya colocado algunos de sus panales cerca de un terreno de hierba de tomillo, entonces lo mejor que puede hacer es preparar su propia miel de tomillo en casa. Machaque ligeramente un puñado de hierba y flores de tomillo frescas (se recolectan mejor entre junio y agosto), luego colóquelas en capas en el fondo de una cacerolita. Vierta allí miel a temperatura ambiente y cocine a fuego lento. Revuelva la mezcla hasta que la miel esté caliente (unos 4 minutos). ADVERTENCIA: un fuego alto echaría a perder la miel.

Vierta la mezcla en frascos esterilizados y tápelos bien. Frascos vacíos de compota *Gerber* o de mostaza *Dijon* son buenos para esto. Guarde los frascos a temperatura ambiente durante 1 semana para permitir que los sabores se combinen. Recaliente la miel a fuego lento y cuele la hierba y las flores de tomillo. Vuelva a taparla o úsela inmediatamente.

ARROZ MORENO CON HONGOS Y TOMILLO

Ingredientes: 1 taza de agua mineral o destilada; 2 tazas de caldo de pollo; 1/2 cucharadita de sal de mar; 1 1/2 taza de arroz moreno *(brown rice);* 1/2 taza de cebollas picadas; 1 1/2 taza de hongos (setas, champiñones, *mushrooms*) frescos y picados; 2 cucharadas de mantequilla y 1/2 cucharadita de tomillo.

Preparación: Ponga a hervir el agua, el caldo y la sal. Añada lentamente el arroz y vuelva a hervir. Baje el fuego y deje hervir a fuego lento durante 45 minutos. Revuelva de vez en cuando. Mientras el arroz se cocina, pique las cebollas y lave y pique los hongos. Derrita mantequilla en una sartén grande y pesada. Saltee las cebollas y los hongos. Añada el arroz cocido y mézclelos bien. Agregue el tomillo, un poquito de alga marina *kelp* y un poco más de sal a gusto. Suficiente para 6 a 8 porciones. Estoy agradecido al personal de la revista *Country Journal* (vea el Apéndice) por el uso de esta receta.

TORONJA
(véase: Cítricos)

TRIGO BÚLGARO
(véase: Cereales)

TULIPÁN
(véase: Plantas ornamentales)

U

Uva silvestre de Oregon
(Berberis vulgaris o Mahonia aquifolium)
(Wild Oregon grape en inglés)

Breve descripción

Este es un arbusto perenne que se encuentra en laderas boscosas en las áreas montañosas debajo de los 7.000 pies (2.300 metros), desde Columbia Británica en Canadá hasta Utah y, hacia el sur, hasta Oregon y California. Aunque es oriundo de Norteamérica, fue llevado a Europa como una planta cultivada y se ha naturalizado en ese continente. Su rizoma irregular y nudoso tiene una corteza pardusca, y la madera de la parte inferior es amarilla. Este pigmento amarillo es el antibiótico alcaloide conocido como berberina, el mismo constituyente que se encuentra en la raíz de botón de oro (hidraste, *goldenseal*). Sus tallos con ramas tienen 10 o más hojuelas sin pedúnculos y puntiagudas (véase BOTÓN DE ORO para más información sobre la berberina).

Inhibe la meningitis espinal

Un estudio farmacéutico publicado hace 15 años demostró que la berberina era aún más potente que el antibiótico cloranfenicol contra la especie de bacteria *(Neisseria meningitidis)* que causa la meningitis en la espina dorsal y en el cerebro. La berberina también mata al contacto una especie de estafilococo que infecta los puntos (de sutura) y otros tipos de heridas de la piel, así como también al *E. coli* y a otras bacterias infecciosas. Se recomiendan 2 ó 3 cápsulas diarias con el estómago vacío. O tome 1 taza de té hecho con 2 cucharadas del rizoma que se dejan hervir a fuego lento en 1 pinta (1/2 litro) de agua durante 7 minutos; luego saque del fuego y deje descansar por 25 minutos, antes de colarlo y beberlo. Las heridas infectadas y las lesiones del herpes también pueden ser tratadas con un poco de polvo de algunas cápsulas o ser lavadas con el té.

Contrarresta las picaduras de escorpión y las mordeduras de serpiente

Los aborígenes ramah navajo del norte de Arizona usan internamente una fuerte solución de té de rizoma de uva silvestre de Oregon y, externamente, compresas que colocan sobre el área misma de la lesión para contrarrestar los efectos mortales de las picaduras de escorpiones venenosos y las mordeduras de serpientes venenosas. El mismo té también se ha administrado inmediatamente, con el estómago vacío o evacuado, a quienes han sido mordidos por un murciélago u otro animal con rabia, en cantidades de 1 taza 5 a 6 veces al día, hasta que la persona se cure.

Uvas y Pasas
(Especies *Vitis)*
(Grapes y *Raisins* en inglés)

Breve descripción

Las uvas son fácilmente identificables como frutas, con sus parras ras-
treadoras y trepadoras, con hojas anchas, y su fruta que va del verde
pálido al rojo-púrpura. Casi la mitad de los innumerables tipos de
esta planta son oriundos de Norteamérica. Muchas de nuestras especies actuales evolucionaron de su parientas silvestres, tales como
la uva *fox,* que impidió que la expedición de Lewis y Clark se muri-
era de hambre. Es el ancestro de la ahora famosa uva *Concord.*
Apócrifas y antiguas fuentes rabínicas hebreas parecen sugerir que la
fruta consumida por Adán y Eva en el Jardín del Edén, ¡era, en realidad, una racimo de uvas y no la proverbial manzana!

Maravilloso humectante de la piel

El salón *Neinast,* en Dallas, es la meca de la belleza para las personas
importantes de la televisión, los ejecutivos, banqueros, abogados,
médicos y grandes propietarios de esa ciudad. La mayoría de sus
clientes son hombres, quienes van a recibir diversos servicios.

Su dueño, Paul Neinast, ha compartido una serie de sus secretos de belleza por primera vez en este libro. Algunos se mencionan
en la sección FRUTAS CÍTRICAS. Aquí vamos a tratar los maravillosos
humectantes de la piel que él hace a base de uvas.

"Creo que la uva verde *Thompson* sin semilla constituye el
mejor tonificador facial para la piel seca y sensible", dijo él. "Simplemente corte las uvas por la mitad y exprima lentamente el jugo
sobre los labios y debajo de los párpados. También frote un poco del
jugo alrededor de las esquinas de la boca y de los ojos. Es maravilloso
para eliminar las patas de gallo y las pequeñas arrugas alrededor de
los bordes de la boca. También estas uvas se pueden cortar en forma
de una pequeña "x" y aplastarlas sobre la piel, dejándolas allí durante
unos 20 minutos. O se pueden mezclar en una licuadora y frotarlas ligeramente sobre todo el rostro, la frente y la garganta, y dejarlas allí
durante algo menos de 1/2 hora antes de quitarla.

"También recomiendo champaña para estirar la piel colgante y para cerrar los poros. Se puede usar la champaña que cuesta entre $5 y $7 dólares por botella. Échese un poco de champaña sobre la piel como si fuera una loción de afeitar o una colonia y deje que el aire lo seque. Esto lo hemos usado también sobre la piel de mujeres con buenos resultados. La champaña funciona especialmente bien en las mujeres de mediana a avanzada edad que tienen problemas de piel colgante y bolsas debajo de los ojos y alrededor del cuello", concluyó.

El vino reduce los ataques al corazón

Se ha comprobado en estudios clínicos que los vinos hechos con una clase especial de uvas *(Vitis vinifera)* son capaces de reducir las posibilidades de tener un infarto, e incluso ayudan a reducir la presión sanguínea alta, cuando se toman con moderación. Médicos del centro médico *Kaiser-Permanente*, en Oakland, California, han examinado las historias clínicas de más de 200.000 pacientes y encontraron que las personas que tomaban alcohol moderadamente tenían un 30 por ciento menos de posibilidades de tener infartos que los pacientes que no lo hacían.

El consumo moderado de alcohol aumenta el colesterol bueno (lipoproteínas de alta densidad, o *HDL* por las siglas en inglés), el cual, a su vez, reduce notablemente el colesterol malo (lipoproteínas de baja densidad o *LDL*) que obstruye las arterias y que, a largo plazo, conduce a infartos. El consumo moderado de alcohol, especialmente los vinos blancos y tintos, debe ser de aproximadamente 2 onzas líquidas (60 ml) o 1/4 taza al día para que tenga beneficios terapéuticos. Cualquier cantidad menor de esto no dará resultados, y una cantidad mayor puede ser dañina para la salud.

Una bebida eficaz empleada por algunos médicos *kanpö* tradicionales del Japón para aliviar los dolores del pecho que produce la angina, se prepara mezclando un huevo crudo con 2/3 taza de *sake* o de vino y jugo de manzana enlatado. Esta mezcla se pone a hervir y se bebe después de que haya enfriado un poco, pero esté aún tibia. Se debe tomar un promedio de 3 tazas al día durante 3 a 4 días.

Té de pasas para mejorar la inmunidad

Dos microbiólogos canadienses que trabajan en la agencia canadiense de *Health and Welfare*, en Ottawa, descubrieron que el jugo de uvas, los vinos tintos y el té de pasas muestran una poderosa actividad antiviral contra el poliovirus, el virus del herpes simples y el reovirus (una causa de la meningitis, la fiebre y la diarrea).

No todos beben vino y a numerosas personas no les gusta mucho el jugo de uvas debido a su acidez. Pero el té de pasas es una bebida dulce y suave de la que pueden disfrutar personas de todas las edades, al mismo tiempo que suministran al sistema inmunitario un enorme impulso contra futuras infecciones de virus.

Para hacer su propio té, vierta 3 tazas de agua hirviendo sobre 1 taza de pasas que no hayan sido empacadas muy apretadamente. Añada 1 1/4 cucharadita de melaza *(blackstrap molasses)*, revuelva bien, tape y deje que se asiente durante 1 hora. Cuele el líquido y refrigérelo. Beba 1 taza al día. Las pasas se pueden guardar y usar una segunda vez, y luego se puede encontrar otra manera de aprovecharlas, como en un budín de arroz, un pan, o una ensalada de col o de zanahoria.

Si a usted no le gusta la preparación química de las pasas, usted misma las puede hacer. Lave un racimo grande de uvas (de cualquier tipo). Corte cada uva a lo largo y quíteles las semillas, si es que tienen. Luego, colóquelas formando una capa sobre bandejas de hornear y póngalas a secar en un horno a 1650 F, dejando la puerta del horno medio abierta hasta que se hayan encogido (aproximadamente entre 13 y 21 horas).

Polvo de hornear sin aluminio

En la actualidad, cerca de 2 millones de personas en Estados Unidos sufren de la enfermedad de Alzheimer, un tipo de demencia senil que aflige sobre todo a los ancianos. Un creciente número de evidencias médicas relaciona al aluminio con esta horrible destrucción progresiva del cerebro, que causa una seria pérdida de memoria, cambios extremos en la personalidad y la inhabilidad de valerse por sí mismo. El aluminio se encuentra en muchas cosas, desde desodorantes, aspirinas con capa protectora y ungüentos para las hemorroides hasta alimentos para bebés, polvo de hornear *(baking powder)*, harinas y mezclas para hacer tartas, quesos procesados y cremas no lácteas *(nondairy creamers)*.

Sus posibilidades de padecer del mal de Alzheimer más tarde en su vida pueden reducirse notablemente dejando de usar cacerolas y ollas de aluminio, no cocinando vegetales ácidos como el tomate y la col en agua del grifo con flúor dentro de recipientes de aluminio, y también usando polvo de hornear *sin aluminio* en las recetas que requieren ese ingrediente. Algunos científicos de la alimentación han estimado que el polvo de hornear comercial puede contener entre el 7 y el 11 por ciento de aluminio puro en 2 formas: sulfato de aluminio potásico y sulfato de aluminio sódico, los cuales pueden causar daño a la salud en un período de tiempo prolongado.

Esta sencilla receta requiere mezclar 2 porciones de crémor tártaro con una porción de bicarbonato de soda y fécula de maíz en un tazón mediano o grande. Mézclelos bien antes de ponerlos en un recipiente herméticamente cerrado, para así evitar que entre la humedad. El crémor tártaro (bitartrato de potasio) es un subproducto natural de la fabricación del vino, ya que es una parte importante de los sedimentos que quedan. El arruruz *(arrowroot)*, el rizoma almidonoso en polvo de la *Maranta arundinacea,* puede usarse, si lo desea, en lugar de la fécula de maíz. El arruruz se puede comprar en algunas de las tiendas de alimentos naturales *(health food stores)* o en tiendas de alimentos especiales, mientras que crémor tártaro está disponible en la mayoría de los supermercados.

VAINILLA
(Vanilla planifolia)
(Vanilla en inglés*)*

Breve descripción

La vainilla líquida *(liquid vanilla flavoring)* es obtenida de semillas o vainas completamente desarrolladas, pero no maduras, que se encuentran en extensas parras herbáceas perennes, las cuales crecen silvestres o son cultivadas extensamente en países de regiones tropicales, tales como México, Madagascar, Islas Comoras, Tahití, Indonesia, Seychelles, Tanzania y Uganda, entre otros. La polinización se realiza de modo completamente artificial, excepto en México, donde se hace parte artificialmente y parte por medio de colibríes y mariposas que no habitan en otras partes del mundo. Debido al alto costo de la vainilla y al bajo valor de la vainillina, los extractos de vainilla han sido adulterados extensamente, siendo la vainillina el componente principal preferido para dar sabor, entre 150 sustancias químicas aromáticas también empleadas.

Estimulante sexual

En varios países de América Central y del Sur, tales como México, Argentina y Venezuela, se suele beber un extracto alcohólico de vainas de vainilla secas, con el fin de aumentar el deseo sexual. Generalmente se dejan de 4 a 6 vainas de la planta en 2 tazas de tequila o coñac importado durante 21 días, en un recipiente bien cerrado, el cual se agita varias veces al día. La tintura lograda se ingiere en dosis de 10 a 20 gotas, 2 ó 3 veces al día, usualmente por las noches.

Calma la histeria

El extracto puro de vainilla puede ser usado para ayudar a calmar la histeria y otros traumas emocionales. La mejor manera de conseguir este fin es empapando 1 ó 2 bolitas de algodón con extracto de vainilla, ligeramente exprimidas para eliminar el exceso de líquido, antes de colocarlas debajo de la lengua, a los lados del frenillo.

Colocando cada bolita de algodón de esta forma, la vainilla puede penetrar poco a poco en las más pequeñas de las glándulas salivares llamadas sublinguales. La vainilla viaja entonces a través de los pequeños vasos sanguíneos que desembocan en las arterias sublinguales y submentales. A su vez, estas dos últimas se conectan directamente con la vena yugular interna, de mayor tamaño, y las arterias carótidas externa e interna. La vena yugular interna y la arteria carótida interna suministran sangre directamente al cerebro, lo que sugiere que ésta es la ruta a través de la cual la vainilla viaja hasta alcanzar esa parte del cerebro que responde a sus efectos calmantes en los episodios de histeria.

VALERIANA
(Valeriana officinalis)
(Valerian en inglés*)*

Breve descripción

La valeriana común es una planta perenne de entre 2 y 4 pies de altura, que crece abundantemente a orillas de caminos y espesuras de Estados Unidos, desde Nueva Inglaterra hacia el sur hasta Nueva Jersey, y hacia el oeste hasta Ohio, y que también es muy común en toda Europa. Su tuberoso rizoma de color pardo amarillento produce un tallo ahuecado anguloso y con surcos del que crecen hojas compuestas, marcadamente seccionadas, con 7 a 10 pares de hojuelas cada una, en forma de lanza. El rizoma seco pulverizado despide un olor que recuerda el de calcetines sucios o ropa interior sin lavar.

Varios de los componentes de la raíz son los responsables de ese peculiar olor, así como de sus fuertes propiedades sedativas. El isovalerato de butilo presente en ella ha sido empleado en un producto sintético de huevo fermentado para atraer coyotes y ahuyentar ciervos, mientras que el eremofileno ha sido detectado también en mangos maduros de África. Los valepotriatos ejercen un potente efecto tranquilizante en el sistema nervioso central.

Tranquilizante natural

Varias revistas clínicas rusas indican que la raíz de valeriana ha sido empleada con éxito en toda la antigua Unión Soviética para tratar la histeria, la presión sanguínea alta, los dolores de espalda y las migrañas ocasionales. A veces el té, preparado con 1 1/2 cucharada de raíz seca vertida en 1 pinta (1/2 litro) de agua hirviendo y dejada en reposo durante 30 minutos, se administraba en dosis de 1 a 2 tazas diariamente, mientras que en otras oportunidades se recomendaba ingerir 2 tabletas 2 ó 3 veces al día. Iguales dosis de la raíz en cápsulas suelen ser recomendadas a los consumidores en Estados Unidos. La valeriana puede ser obtenida en productos de la marca de *Nature's Way* disponibles en las tiendas de alimentos naturales *(health food stores)*.

Los valepotriatos presentes en la raíz de valeriana son los responsables del poderoso efecto sedativo sobre el sistema nervioso central. Una vez ingerida la raíz, estos componentes se fijan en determinados lugares de recepción situados en partes del cerebro, la columna vertebral y el sistema nervioso, donde ayudan en la función de eliminar el estrés y la tensión.

VINO
(véase: Uvas y Pasas)

VIOLETA
(véase: Plantas ornamentales)

Y

YOHIMBINA
(Corynanthe yohimbe)

ESQUIZANDRA
(Schizandra chenensis)

GINKGO
(Ginkgo biloba)
(Yohimbine, Schizandra fruit y *Ginkgo* en inglés*)*

Breves descripciones

Nos referimos a estas tres plantas en conjunto debido a sus notables propiedades como rejuvenecedor sexual, particularmente cuando son utilizadas juntas.

La yohimbina o yohimbenina es el nombre popular que se le da a un agente químico conocido oficialmente en inglés como "17 alpha-hydroxyyohimban-16 alpha-carboxylic acid methylester", en el que se han comprobado clínicamente efectos afrodisíacos, y que es obtenido de la corteza de una planta africana perenne del mismo nombre que crece en Camerún, en África occidental.

La esquizandra es una enredadera aromática. Las hojas son alternadas oblongas-ovoides (en forma de huevo) y pecioladas. Sus flores pueden ser rosadas o blancas, y su nutritivo fruto está compuesto por una serie de carpelos maduros que se asemejan a una colección de bayas reunidas en una cabeza pequeña, la cual crece a manera de espiga carnosa que no se abre al madurar.

El ginkgo es el único miembro vivo de lo que fuera otrora una vasta familia de altos árboles resinosos, que se extendió ampliamente durante todo el Período Mesozoico. El fruto, parecido a una drupa, presenta semillas amarillas cuando madura y adquiere un olor más bien fétido. La porción carnosa exterior del fruto provoca una sensación de calor cuando entra en contacto con la piel. Sus hojas también son usadas.

La esquizandra y el ginkgo son muy populares en la medicina popular china por sus aplicaciones en el tratamiento de una amplia variedad de trastornos, especialmente la frigidez sexual.

Gran rejuvenecedor sexual

Durante una breve visita realizada en 1984 a Singapur, cuando viajaba rumbo a Indonesia, tuve la buena suerte de ser presentado a un viejo herbolario chino llamado Hsü Ching-tso. A través de un traductor que hablaba muy bien ambos idiomas, pude obtener una fórmula antigua para el rejuvenecimiento sexual guardada por la familia de este hombre durante por lo menos 17 generaciones.

Lo que me atrajo hacia este anciano era la enorme cantidad de relatos de otras personas (especialmente de hombres) respecto a la asombrosa efectividad de su simple fórmula. Aprendí que los únicos tres ingredientes empleados en la receta eran la corteza de yohimbina, las bayas secas de esquizandra y las hojas y semillas de ginkgo.

Ahora bien, yo ya tenía conocimiento de los éxitos de la yohimbina, por informes publicados en el número de agosto de 1984 de la revista *Science*. Científicos de la Universidad de Stanford se referían en ellos a su asombroso descubrimiento sobre cómo las ratas machos impotentes se tornaban sexualmente activas y montaban a las hembras hasta 45 veces en menos de 15 minutos —casi el doble de lo normal—, tras administrárseles yohimbina. Incluso en el caso de machos castrados, cuando se les inyectaba la sustancia montaban por largo tiempo a sus hembras.

También ya conocía el estudio a fondo sobre la yohimbina publicado en el volumen 35 de la revista *Pharmacological Reviews,* en relación con la fantástica capacidad de esta planta para estimular la erección cuando el hombre siente deseo sexual, pero las venas de su pene no se dilatan lo suficiente.

De modo que la ración de una tercera parte de la corteza de yohimbina en el poderoso estimulante sexual del anciano obviamente tiene sentido. Asimismo, yo sabía algo acerca de las notables propiedades energéticas como estimulante sexual atribuidas por los antiguos herbolarios chinos a las bayas de esquizandra, pero no podía imaginarme por qué él incluía además en la poción una tercera parte de hojas y semillas de ginkgo. Este paciente anciano me explicó que el ginkgo ayudaba a aumentar las "energías vitales de la vida" que pasan a través del cerebro. Me dijo que no es suficiente levantar el órgano copulador del hombre —y mientras hablaba elevaba lentamente su huesudo dedo meñique que se ponía firme mientras hablaba—, sino que es necesario elevar también sus poderes *mentales* para el sexo. Este, él creía, era el efecto logrado esencialmente por el ginkgo en la mente, mientras que los otros dos ingredientes actuaban sobre los órganos reproductores.

Él elaboraba esta poción en forma de tabletas, dando instrucciones a los que la adquirían de ingerir de 6 a 8 tabletas por lo menos 30 minutos antes de iniciar la actividad sexual. Al recomendar esta misma fórmula a varios hombres en nuestro país, que no podían comprarla directamente a su creador, pude pronto comprobar que una tintura alcohólica de yohimbina funcionaba mejor que cuando era ingerida en forma de cápsula junto a los otros 2 ingredientes.

Mezcle 6 onzas (180 ml) de corteza de yohimbina en polvo con 3/4 pinta (350 ml) de brandy. Agite diariamente la mezcla, y déjela asentar durante 12 días. Cuélela y embotéllela. Después de ingerir unas 5 cápsulas de *Ginkgold* y *Schizandra Fruit* de *Nature's Way* con la cantidad adecuada de agua, coloque aproximadamente 1 docena de gotas de la mezcla debajo de la lengua para que pueda penetrar en el torrente sanguíneo. Todas estas hierbas pueden obtenerse en la mayoría de las tiendas de alimentos naturales *(health food stores)* o centros de nutrición.

YUCA
(Especie *Yucca)*
(*Yucca* en inglés*)*

Breve descripción

Las numerosas hojas puntiagudas de esta planta llamada "Guardián del Desierto", que se yergue silenciosa proyectando su silueta contra el azul del cielo, asumen una posición en cierto modo defensiva contra cualquier intruso indeseable. En cierto modo, esta omnipresente planta realiza un servicio similar cuando se trata de proteger nuestra salud. Los árboles de yuca (yuca Mojave y árbol de Josué) pueden crecer hasta alcanzar alturas de 15 a 60 pies (5 a 20 metros), o presentarse más modestamente en especímenes que no alcanzan más de un par de metros de altura.

Remedio potencial contra el cáncer

Hace algunos años, un equipo de científicos del *AMC Cancer Research Center and Hospital* de Lakewood, Colorado, aisló un fuerte factor antitumor que se halla en las flores *frescas* de yuca, y que desaparece cuando éstas se marchitan o secan. Un extracto crudo de flores de yuca administrado a ratones con melanoma B16 provocó un aumento en su duración de vida de 50 a 100 por ciento, según se refiere en la publicación *Growth* (42:213-23), de 1978.

Resultados similares fueron también confirmados por el doctor Kanematsu Sugiura, del prestigioso instituto de investigaciones del cáncer Sloan-Kettering, en la ciudad de Nueva York. En su informe, el doctor Sugiura refiere que el extracto parcialmente purificado de flores de yuca inhibió casi completamente el sarcoma 180 y el carcinoma de Ehrlich. También el doctor Jonathan L. Hartwell, quien trabajó para el *Cancer Chemotherapy National Service Center*, informó en publicaciones científicas que el extracto de ciertas flores de yuca inhibió en ratones el desarrollo de tumores del pulmón de Lewis y la leucemia del virus de Friend, en aproximadamente 70 por ciento. Estos datos aparecieron en el año 1968 en *Oncology* (22:57), la renombrada revista de investigaciones sobre el cáncer.

Lo que todo esto significa, para los interesados en encontrar soluciones naturales a los problemas del cáncer, es que los botones o flores frescas de diferentes especies de yuca pueden ser recogidos e incluidos inmediatamente en una mezcla de jugos de verduras y zanahorias pasados por una licuadora. No es que la yuca sola pueda tener el efecto deseado, sino que es otra arma efectiva del arsenal natural que puede ser usada para combatir esta peligrosa enfermedad.

Combate la artritis

A mediados de la década de 1970, los doctores Bernard A. Bellew y Robert Bingham realizaron estudios con 101 pacientes de artritis, administrando tabletas de yuca a la mitad de ellos, y un placebo a los demás. Sesenta y un por ciento de los 50 pacientes que recibieron un promedio de 4 tabletas de yuca diariamente experimentaron menos dolor, rigidez e inflamación debido a la artritis que los que recibieron el placebo. Estos ensayos fueron realizados en la clínica *National Arthritis Medical Clinic*, de Desert Hot Springs, en California, y publicados posteriormente en el *Journal of Applied Nutrition* (otoño de 1975). Se recomienda la administración 2 veces al día, con el estómago vacío, de 4 cápsulas de yuca de marca *Nature's Way* que está disponible en cualquier tienda de alimentos naturales *(health food stores)*.

ZANAHORIA
(Daucus sativus)
(Carrot en inglés*)*

Breve descripción

Las zanahorias crecen en todo el mundo y en todas las formas y colores. Los occidentales confundían los tipos que abundan en Asia con remolachas, debido a sus raíces bulbosas de color rojo púrpura. Otros colores que pueden tener son el amarillo claro o fuerte, el rojo y el blanco. Las raíces varían de esféricas a cilíndricas. Entre las variedades del Lejano Oriente existe una que puede alcanzar hasta un metro de longitud.

Enjuague bucal poco común

El herbolario francés Maurice Mességué aconseja hacer un té con la parte superior de la zanahoria para obtener eficaces enjuagues bucales y gargarismos, debido a la fuerte acción antiséptica que posee. Ponga a hervir 3 tazas de agua, agregue 1/2 taza de la parte superior de zanahorias *(carrot tops)* cortadas en pedazos. Deje hervir a fuego lento durante 20 minutos y deje reposar otros 30. Cuele y guarde en el refrigerador. Enjuáguese la boca y haga gárgaras cada mañana con un poco de esta solución.

Cura las quemaduras y las escaldaduras

Shauna Wilson, de Atlanta, Georgia, me escribió hace algunos años acerca de un tratamiento que utilizó para curar el brazo de su hija de 4 años, cuando la niña se echó encima accidentalmente un recipiente lleno de agua hirviendo. "Primero le sumergí el brazo en agua helada y luego cubrí la lesión con un poco de gasa empapada en jugo de zanahoria y ligeramente estrujada", me explicó. "Repetí esta operación varias veces más al día siguiente y ya al tercer día la mayor parte de la hinchazón e inflamación habían desaparecido".

Reduce el colesterol y las posibilidades de cáncer

Una dieta complementada con zanahorias crudas cada día ayuda a bajar el colesterol en el cuerpo. Se recomienda comer una ensalada de zanahorias o masticar zanahoria cada vez que consuma alimentos grasosos.

Las zanahorias contienen grandes cantidades del nutriente anticarcinógeno beta-caroteno. La documentación científica ha demostrado que esta raíz vegetal ayuda realmente a mantener baja la incidencia de cáncer en quienes la consumen habitualmente, en comparación con quienes raras veces la incluyen en sus dietas. Un artículo publicado en el número de diciembre de 1986 de la revista *Epidemiology* indicó que los riesgos de contraer cáncer del páncreas son mucho mayores en personas que consumen carne frita o a la parrilla y margarina, pero que pueden reducirse con el consumo casi diario de zanahorias y frutas cítricas.

Estimulante energético

¿Ha bebido alguna vez un vaso de jugo de zanahoria y sentido un flujo energético después? Eso se debe probablemente a su alto contenido en azúcar natural. Algunos de los habitantes amish de Pensilvania usan un tónico de zanahoria llamado *Carrot Concoction* de la compañía *Old Amish Herbs* (vea el Apéndice) para cobrar energía y vigor cuando no tienen a mano jugo fresco de zanahorias. Cantidades iguales de jugo de zanahoria y piña (ananá) constituyen una agradable bebida energética para aquellos que padecen de hipoglucemia.

Elimina la diarrea infantil

Aproximadamente 3 docenas de casos de diarrea infantil fueron resueltos con tan sólo ingerir sopa de zanahorias y algarrobo *(carob)*.

Todos esos bebés, de Innsbruck, Austria, habían experimentado diarreas crónicas durante casi una semana o más. Se descubrió que el trastorno había sido provocado por un tipo de bacteria *E. Coli.* Una sopa de zanahoria con 2 por ciento de polvo de algarrobo pudo bloquear exitosamente la actividad de este virus alojado en la parte superior del tracto del intestino delgado y detener la diarrea en todos ellos (vea la receta para preparar la sopa más adelante).

Laxante vegetal

Las zanahorias eliminan también el estreñimiento y promueven cierta flojedad en las materias fecales, mientras que los granos y hojas aumentan los gases en el vientre. Dos estudios médicos publicados con una diferencia de 42 años entre sí, citan las propiedades laxantes de la pulpa de zanahoria cruda (*Journal of Nutrition* 11:444, 1936, y *Lancet,* 7 de enero, 1978). Un informe de 1978 notó que la actividad es mayor cuando se combinan col *(cabbage)* y zanahoria en una misma comida. Una vieja revista sobre nutrición, del año 1931, señala que por cada gramo de zanahoria consumida por 3 estudiantes saludables de medicina, el peso de sus respectivas materias fecales aumentó en 19 gramos o 1/2 onza (vea receta más adelante para preparar una magnífica ensalada de zanahoria y col con pasas, que realmente hace funcionar a los intestinos).

Protege contra agentes químicos tóxicos

No existe nada como la fibra de zanahorias para proteger al cuerpo contra ciertos contaminantes químicos. Ratas que experimentaron pérdida de peso, numerosas diarreas y una apariencia lamentable como reacción a sustancias químicas nocivas incluidas en sus dietas, mostraron una completa reversión de estos síntomas negativos tras agregar a sus raciones diarias polvos de raíz de zanahoria y de col. Bastante interesante es el hecho de que muchos médicos en la ex Unión Soviética recomendaban incluir zanahorias en la dieta a los obreros expuestos ocasionalmente a peligrosos agentes químicos.

Una ayuda para dejar de fumar

En la tira cómica *"Wizard of Id"*, de Parker y Hart, de 1983, dos de los guardias del rey charlan en la corte, y uno dice al otro: "¿Tengo entendido que acostumbrabas fumar cuatro cajetillas diarias?", a lo que el compañero asiente, agregando: "Ahora como una zanahoria cada vez que tengo ganas de fumar". "¿Y qué tal funciona?", pregunta el primer guardia. "Perfectamente", le responde el interpelado, y acto seguido se aleja dando saltos como un conejo.

Pero en ello hay mucha más verdad de lo que uno piensa. Durante años, en los viajes que he realizado por todo el mundo, he escuchado numerosas historias relacionadas con el uso de las zanahorias para eliminar la adicción a la nicotina; pero ninguno de ellos es tan explícito o simple como el que me relató una señora amiga mía en Indonesia, en octubre de 1986. Su nombre es Josephine Hetarihon, de 35 años, y trabaja como secretaria ejecutiva en Yakarta. Esta es su historia:

"Fue el 26 de septiembre de 1979, cuando por fin logré dejar de fumar. Había estado fumando 2 cajetillas de la marca *Dunhill* diarias antes de conseguirlo.

Empecé a fumar cuando estaba en la escuela secundaria, a la edad de 15 años. Un amigo me sugirió que empleara zanahorias para ayudarme a dejar el hábito.

Estuve unas 2 semanas en el programa de las zanahorias, hasta que pude dejar de fumar completamente. Me comía unas 2 ó 3 zanahorias al día y creo que el sabor dulce de ellas me satisfacía lo suficiente, de modo que no tenía ganas de fumar."

Alivia el asma

El reverendo John Wesley, teólogo inglés de 88 años que fundó la iglesia metodista, recomendaba comer zanahorias hervidas y beber el caldo caliente como un remedio "que pocas veces falla" para aliviar el asma. El jugo de zanahorias tibio posee también un efecto similar.

Recetas terapéuticas

Nuestras recetas culinarias pueden ser también nuestros remedios caseros. Las dos recetas que ofrecemos a continuación no sólo son sabrosas, sino que también contribuyen a mantener un buen estado de salud.

MILAGROSA SOPA DE ZANAHORIAS

Ingredientes: 5 1/2 zanahorias lavadas sin pelar; 8 tazas de agua; 1/2 cucharadita de alga marina *kelp;* 1/2 cucharadita de sal de mar; 1/2 cucharadita de miel; 1/2 taza de cebollas picadas; 6 cucharadas de mantequilla derretida; 6 cucharadas de harina de trigo; 2 tazas de leche caliente.

Preparación: Pique las zanahorias bien finas. Combínelas con el agua, el *kelp,* la sal de mar y la miel. Cocine todo durante 1 hora. Añada las cebollas picadas y ponga a cocer a fuego lento durante 10 minutos. Derrita la mantequilla en una sartén a fuego de moderado a lento. Agregue lentamente la harina, pero sin dejar que se dore. Cocine a fuego lento durante 10 minutos, revolviendo frecuentemente para evitar que se queme. Agregue la leche caliente y bata suavemente a mano. Añada la mezcla a la sopa, sin dejar de batir minuciosamente hasta que quede bien mezclado. Suficiente para 6 porciones. Puede ser refrigerado y utilizado para fines medicinales cuando sea necesario.

ENSALADA PROTECTORA DE ZANAHORIA Y COL

Ingredientes: 2 1/4 zanahorias finamente picadas; 2 1/2 tazas de col (repollo, *cabbage*) finamente picada; 1/3 taza de pimiento (ají) verde dulce *(green bell pepper)* bien picado; 2 cucharadas de pasas; 3 cucharadas de trozos de piña (ananá) enlatada; 1 cucharada de jugo de piña enlatado; 1 taza de yogur sin sabor; 10 dátiles *(dates)* picados.

Mezcle las zanahorias, la col y los pimientos en un recipiente grande. Agregue las pasas, los trozos de piña, el jugo y los dátiles. Revuelva mezclando bien. Agregue por último el yogur con ayuda de una cuchara de madera y mezcle cuidadosamente hasta conseguir una consistencia suave. Suficiente para 6 raciones servidas sobre hojas de lechuga romana. También puede refrigerarla y comer un poco cada día para protegerse contra agentes químicos nocivos presentes en el ambiente y en nuestros alimentos y agua.

ZARZA
(véase: Bayas)

ZARZAMORA
(véase: Bayas)

ZARZAPARRILLA
(Smilax officinalis)
(Sarsaparilla en inglés*)*

Breve descripción

Esta planta tropical perenne del continente americano produce un rizoma largo y tuberoso, del que surge una enredadera que se arrastra por la superficie y trepa con la ayuda de zarcillos. Estos zarcillos crecen en parejas desde los peciolos de las hojas aovadas siempre verdes; sus pequeñas florecillas de color verdoso brotan en umbelas auxiliares.

Tratamiento para enfermedades venéreas

Un té de zarzaparrilla ha probado ser efectivo en casos de enfermedades venéreas tales como la sífilis y la gonorrea. Ponga a hervir 1 cuarto de galón (litro) de agua y agregue 2 cucharadas de raíces de zarzaparrilla y 2 de acedera bendita *(yellow dock)*. Reduzca el fuego y déjelo hervir a fuego lento, cubierto, durante 5 minutos. Quite la tapa y agregue 3 1/2 cucharadita de tomillo seco. Cubra de nuevo y déjelo reposar durante 1 hora.

Beba 1 a 3 tazas del té diariamente y úselo también para lavarse o ducharse los órganos genitales frecuentemente. Ambas hierbas pueden adquirirse de la marca *Select* en cualquier tienda de productos naturales, o pueden ordenarse a *Indiana Botanic Gardens* o *Bio-Botanica* (vea el Apéndice).

ZURRÓN DE PASTOR
(Capsella bursa-pastoris)
(Shepherd's purse en inglés*)*

Breve descripción

Esta planta anual ubicua crece por todas partes en los campos y terrenos baldíos, así como al costado de los caminos de Estados Unidos y Canadá. Su tallo simple o ramificado alcanza una altura de 1/2 pie a 1 pie (15 a 30 cm) y produce en su parte superior una roseta de base de hojas pinatífidas y color verde grisáceo. Sus pequeñas flores blancas crecen en cimas terminales, llegando en muchos lugares a florecer todo el año. El fruto de esta hierba es una vaina mellada, plana y triangular o en forma de corazón.

Alivia los trastornos musculares externos

La herbolaria alemana Maria Treben, una de las mejores y más populares curanderas de Europa, cuenta que una noche tuvo una revelación divina sobre las propiedades del zurrón de pastor, como uno de los remedios más eficaces para aliviar cualquier clase de trastorno muscular.

He aquí algunas de sus recomendaciones sobre cómo utilizar esta milagrosa hierba:

Recoja varios puñados de zurrón de pastor frescos. Córtelos en pedazos finos y póngalos en remojo por dos semanas en un cuarto de galón (litro) de whisky de malta amarga *(sour mash whisky)*. Mantenga el whisky al sol o cerca de un radiador o una estufa caliente durante este período. Asegúrese de agitarlo bien un par de veces al día. Se recomienda para esto usar una jarra de frutas de 2 cuartos de galón (2 litros) o un frasco de vidrio de boca ancha de un galón.

Frote la piel con esta tintura varias veces al día, especialmente en la planta de los pies, la parte posterior de las rodillas y las pantorrillas, las caderas, toda la columna dorsal, el cuello, la parte superior de la cabeza, el plexo solar alrededor del ombligo, los brazos —desde los hombros hasta las muñecas— y, por último, pero no menos importante, la palma de las manos y la yema de los dedos. El procedimiento para dar masajes con esta tintura debe comenzar por la planta de los pies y continuar en el orden que acabamos de mencionar, terminando por las manos y la yema de los dedos.

Una anciana de Viena, Austria, que padecía de prolapso del recto, sentía un dolor constante desde el ombligo hasta las caderas. Fue a ver a Maria Treben, quien le aconsejó tomar 4 tazas de pie de león *(Lady's Mantle)* al día. Si no puede conseguir el pie de león, puede sustituirlo por 4 tazas de té de baya de enebro *(juniper berry)* y obtendrá el mismo resultado. Maria agregó 10 gotas de su tintura de zurrón de pastor a cada taza de té. Luego, enseñó a los familiares de la mujer a darle los masajes adecuados para aliviar su problema, trabajando desde los pies hasta la cadera y los glúteos, presionando, plegando y estirando, y desde el cuello hasta la parte inferior de la espalda, con movimientos similares.

"Me llevé una gran sorpresa", señala Maria, "cuando la mujer me llamó al cabo de un tiempo para decirme que todas sus molestias habían desaparecido" (véase MILENRAMA, para más información al respecto).

APÉNDICE

I. PRODUCTOS HERBARIOS

ABKIT, INC.
1160 Park Avenue
New York, NY 10128
1-800-226-6227
(212) 860-8358
   CamoCare Hand Cream
   CamoCare Pain-Relieving
      Cream
   CamoCare Throat
      Spray/Breath Freshener

Alta Health Products
1983 East Locust St.
Pasadena, CA 91107
1-800-423-4155
(818) 796-1047
   Alta Sil-X Silica
   Can-Gest

AVA Cosmetics
Dallas, TX 75247
   Aloe Vera Ointment

Bio-Botanica, Inc.
75 Commerce Dr.
Happauge, NY 11788
1-800-645-5720
   St. Johnswort (Powdered)
   Sarsaparilla Root
   Yellow Dock Root

Coltsfoot, Inc.
P.O. Box 5205
Grants Pass, OR 97527
(503) 476-5588
   Golden Eagle Herbal Chew

Eclectic Institute
14385 S.E. Lusted Road
Sandy, OR 97055
(503) 668-4120
   Bedstraw of Cleavers
      (Tincture)
   Prickly Ash Berries (Tincture)
   St. Johnswort (Tincture)

Great American National Products,
Inc.
4121 16th Street North
St. Petersburg, FL 33703
1-800-323-4372
    Aqua-Vite
    Ginger-Up
    Herb Oil
    Herpes
    Kola Nut
    Herbalmune
    Sinese
    Super Energy

Health Valley Foods
700 Union St.
Montebello, CA 90640
(213) 724-2211
    Oat Bran Cereal

Indiana Botanic Gardens
P.O. Box 5
Hammond, IN 46325
1-800-644-8327
    Birch Bark
    Blue Cohosh
    Blessed Thistle
    Chaparral
    Cleavers
    Prickly Ash Bark
    Sarsaparilla Root
    Yellow Dock Root

Nature's Way Products, Inc.
10 Mountain Springs
Springville, UT 84663
(801) 489-3635
    Alfa-Max
    AKN Formula
    Bee Pollen

BF&C Formula
Black Cohosh
Blessed Thistle
Burdock Root
Cranberry Fruit
Efamol Evening Primrose Oil
Ex-Stress Formula
Fenugreek-Thyme Formula
Fiber Cleanse
Ginkgold
Guar Gum
Herbal Up
HIGL Formula
ImmunAid Formula
Kava-Kava
Kelp
Marshmallow Root
Milk Thistle Seed
Myrrh
Naturalax 3 Formula
Rose Hips
Schizandra Fruit
Siberian Ginseng
Slippery Elm
Suma
Valerian
Yucca

Nu-World Amaranth, Inc.
P.O. Box 2202
Naperville, IL 60567
(630) 369-6819
    Amaranth

Old Amish Herbs
4141 Iris St. North
St. Petersburg, FL 33703
    Cabbage Compound
    Calendula Dairy Salve
    Carrot Concoction

Cohosh Two
Concentrated Cranberry
    Formula
Country Health Syrup
FarmLax
Fig Paste
Night Nip
Old Fashioned Rose Hips
Super C
Thistle Milk

Pines International, Inc.
P.O. Box 1107
Lawrence, KS 66044
1-800-697-4637
(913) 841-6016
    Beet Powder
    Wheat Grass (Tablet,
        Powdered y Bulk)

Quest Vitamin Supplies LTD.
1781 West 75th Avenue

Vancouver, B.C.
Canada, V6P 6P2
1-800-663-1412 (desde
Canadá)
(604) 261-0611
(Nota: aunque está localizado en
Canadá, su excelente línea de pro-
ductos está disponible en Estados
Unidos. Escríbales o llámelos para
detalles específicos)
    Animo Complex
    Super Once-a-Day Vitamins

Wakunaga of America Co., LTD.
23501 Madero
Mission Viejo, CA 92691
1-800-527-5200
1-800-421-2998
1-800-544-5800 (desde California)
(714) 855-2776
    Kyolic Aged Garlic Extract
    (en una variedad de fórmulas)

II. FÓRMULAS HERBARIAS HECHAS A LA ORDEN

Muchas de las excelentes fórmulas herbarias que se venden en las tiendas de alimentos naturales *(health food stores)* y en los centros de nutrición de Estados Unidos están elaboradas en cantidades masivas para el consumo del público. Esto ayuda obviamente a mantener bajos sus precios, haciéndolas más asequibles al consumidor.

Sin embargo, en algunos casos es mejor usar fórmulas herbarias creadas para necesidades específicas de salud, aunque cuesten más. Es por esta razón que algunos profesionales de la salud prefieren las fórmulas específicamente adaptadas a los problemas particulares de sus pacientes, a las fórmulas elaboradas en cantidades masivas.

Para obtener formulaciones expertas y mezclas hechas a la orden, póngase en contacto con:

Custom-Made Formulas
P.O. Box 11471
Salt Lake City, UT 84147

III. LIBROS DE COCINA Y DE HIERBAS

Christian Herald Books
40 Overlook Dr.
Chappaqua, NY 10514
E. Gaden, *Biblical Garden Cookery*

Chronicle Books
One Hallidie Plaza
San Francisco, CA 94102
D. Hirasuna, et al., *Vegetables*

Clarkson N. Potter, Inc.
1 Park Avenue
New York, NY 10016
J. C. Madlener, *The Sea Vegetable Cookbook*

Darcy Williamson
P.O. Box 1032
McCall, ID 83638
D. Williamson, *How to Prepare Common Wild Foods*

Donald I. Fine, Inc.
128 East 36th Street
New York, NY 10016
F. S. Goulart, *The Whole Meal Salad Book*

Doubleday & Co., Inc.
245 Park Avenue
New York, NY 10017
L. Burns, *Down Home Southern Cooking*

McGraw Hill Book Co.
1221 Avenue of the Americas
New York, NY 10020
J.D. Kirschmann, *Nutrition Almanac Cookbook*

Meredith Corp.
Locust at 17th
Des Moines, IA 50336
Better Homes & Gardens Eating Healthy Cookbook
Better Homes & Gardens Fresh Fruit & Vegetables Recipes
Better Homes & Gardens Cooking with Whole Grains

Paradise Farms
P.O. Box 436
Summerland, CA 93067
Guide to Cooking with Edible Flowers

Reader's Digest Assoc., Inc.
Pleasantville, NY 10570
Eat Better, Live Better

Rodale Press Book Division
Emmaus, PA 18049
Rodale Cookbook
M. Bricklin, S. Claessens,
Natural Healing Cookbook

Simon & Schuster
1230 Avenue of the Americas
New York, NY 10020
M. Tierra, *The Way of Herbs*

St. Martin's Press
175 5th Avenue
New York, NY 10010

M. Kushi y A. Jack, *Diet for a
Strong Heart*

Trado-Medic Books
102 Normal Avenue
Buffalo, NY 14213
J. Duke, *Culinary Herbs*

Vitality House International
3707 North Canyon Road/8-C
Provo, UT 84604
L. Gaunt, *Recipes to Lower Your
Fat Thermostat*

Workman Publishing
New York, NY
B. J. Tatum, *Billy Joe Tatum's Wild
Foods Cookbook and Field Guide*

IV. MISCELÁNEOS

Controlling Immune Diseases Naturally (video en inglés)

Una cinta de video de 2 horas producida en una conferencia especial ofrecida por el Dr. John Heinerman en una convención de salud realizada en San Francisco en abril de 1988. Fueron cubiertas en detalle varias enfermedades inmunitarias importantes, entre ellas el SIDA, el cáncer, el síndrome de fatiga crónica (también conocida como mononucleosis o virus de Epstein-Barr), el resfrío común, el herpes, la influenza, la esclerosis múltiple, la infección de estafilococos, y las enfermedades venéreas. El video incluye instrucciones paso a paso para el tratamiento eficaz de esas enfermedades. Participaron cerca de cien profesionales del cuidado de la salud y asistieron algunas personas del público en general. El video en inglés cuesta $59.95 (dólares estadounidenses).

The Treatment of Cancer without Herbs
(libro en inglés)

Una obra en tres volúmenes sobre terapias alternativas para el tratamiento del cáncer fue editada recientemente por el Dr. John Heinerman y el Dr. Henry Yun, especialista de cáncer coreano. El volumen 1, titulado *The Treatment of Cancer without Herbs* ($59), fue escrito por el Dr. Heinerman y publicado por primera vez en 1980. Los volúmenes 2 y 3 fueron editados por los Dres. Heinerman y Yun en 1990, y se venden por $79 cada uno. Los tres volumen cuestan $125.

Folk Medicine Journal (revista en inglés)

Una revista trimestral editada por el Dr. John Heinerman. Esta publicación es muy informativa y contiene artículos minuciosos sobre el diagnóstico y tratamiento de muchos problemas de salud. Los colaboradores incluyen tanto doctores en medicina, enfermeras y quiroprácticos, como especialistas menos tradicionales como herbolarios, curanderos, sanadores populares, chamanes, etc. Precio: $30 ($55 al extranjero) por una suscripción anual.

Mature Health (periódico en inglés)

Un suplemento de 8 páginas de un periódico con circulación de 81.000 ejemplares para personas de la tercera edad. El periódico es el *Utah Senior Prime Times* y es editado por el Dr. Heinerman. La suscripción anual cuesta $15.

The Healing Benefits of Garlic (libro en inglés)

El libro más completo y avanzado que se ha editado acerca de la hierba más antigua y más usada del mundo, titulado *From Pharaohs to Pharmacists: The Healing Benefits of Garlic*. El autor, el Dr. Heinerman, explora en detalle la historia antigua y moderna y los usos del ajo. Se vende por $25.

Para encargar cualquiera de los videos, revistas o libros citados, envíe la cantidad adecuada (en dólares estadounidenses) a:

Anthropological Research Center
P.O. Box 11471
Salt Lake City, UT 84147
(801) 521-8824

INDEX

A

abscesos
  caléndula para, 115, 116–117
  cataplasmas de mostaza para, 178
  extrayendo materia purulenta de, 207
acidez estomacal
  alcaravea para, 51–52
  lechuga para, 292
  menta piperita para, 325
ácido gammalinoleico (GLA), 91–92, 408
ácido nordihidroguaiarético (NDGA), 149
acné. *Véase* piel, acné
adenoides, inflamación de, 77
afrodisiacos. *Véase* sexualidad
afta, 122
agua, purificando, 428
aire contaminado, purificando, 480
alcoholismo
  berenja para, 93
  controlando el deseo de alcohol, 173
  nuez de cola para, 348–349
  y resacas alcohólicas, 121, 139
alergias. *Véase también* asma; fiebre del heno
  manzanilla para, 307
  miel para, 328
  peonías para, 400–401
  tomillo para, 476–477
aliño de pepino, yogur y leche de cabra, 382
almíbar de coñac de chocolate, 158–159
Alzheimer, enfermedad de, 486–487
amigdalitis, 264–265
anemia de células falciformes, 229–230
anorexia nervosa, 401–402
antibióticos. *Véase también* infecciones
  ajo como, 34–35
  tomillo como, 476–477
anticonceptivos
  achicoria como, 13–14
  Diet Coke como, 349

apendicitis
  olmo norteamericano, 351
  salvado para, 437
apetito
  controlando, 131
  estimulando, 221–222, 275
arroz con pescado, perejil y cebolla verde, 385
arroz español sabroso, 30–31
arroz moreno con hongos y tomillo, 481
arrugas. *Véase* piel, eliminando las arrugas de
arterias, descongestionando, 129
arteriosclerosis
  alfalfa para, 53
  té negro para, 466
artritis
  cúrcuma para, 194–195
  dolor de, 273
  esculetaria para, 214–215
  fresno espinoso para, 228–229
  jugo de cereales para, 129–130
  laurel para, 291
  margaritas para, 396
  pimientas para, 26
  reumatiode, 178
  ruibarbo para, 432–433
  yuca para, 496
asma
  cataplasmas de mostaza para, 178
  compresas de jengibre para, 283–284
  gordolobo para, 263
  jarabe de melocotones para, 316
  jugo de guayaba para, 240–241
  aliviando los ataques de, 307
  zanahoria para, 500
aspecto saludable, 232–233
axilas, desodorante para, 343, 419
azúcar, reduciendo los niveles de, 41, 132, 235

B

batido de ciruelas pasas, 163
bebidas de arroz, 139

bizcocho de algarroba, 59
bizcocho de chocolate con avellanas, 157–158
boca. *Véase también* dientes; labios
encías
  adoloridas, 345–346
  dando masajes a, 343
  sangrantes, 165–166
  glándulas salivares inactivas, 228
  infecciones en, 45
  lavando, 90–91, 118, 173, 428, 497
  llagas en, 98
  mal aliento, 173, 191–192, 209, 275, 339, 383, 428, 476–477
  piorrea, 94
  úlceras alrededor de y dentro de, 251
borsch del palacio, 426–427
bróculi arlequín del agent 007, 179
bronquitis
  cataplasmas de mostaza para, 178
  compresas de jengibre para, 283–284
  jarabe de melocotones para, 316
  jugo de guayaba para, 240–241
  laurel para, 291
  mejorana y orégano para, 311–312
brotes, de cereales, cultivando, 130–131
bulimia, 401–402

C

cabello. *Véase también* calvicie
  acondicionador para, 38
  combatiendo la caspa, 148–149, 290–291, 296, 303, 449
  mejorando, 182
  permanente de jugo de frutas, 167
cabeza, dolores de. *Véase también* migrañas
  aceite de ajonjolí para, 449
  albahaca para, 46

bebidas de arroz para, 139
causados por la hipertensión, 284
causados por sinusitis, 309–310
geranio de jardín para, 392
manzanilla para, 305
provocados por el resfrío, 34
tomillo para, 479–480
y resacas alcohólicas, 121, 139
cacao, sustituto de, 58–59
cadera, reemplazo de la, 350–351
calambres, 311–312
cálculos biliares
aceite de oliva para, 9–10
achicoria para, 15
bardana para, 80–81
diente de león para, 203
papas para, 371
previniendo, 419
vinagre de sidra para, 302
cálculos renales. *Véase también* riñones
bardana para, 80–81
jugo de arándano agrio para, 87
malva real para, 397–398
previniendo, 419
té de barbas de maíz para, 133
callos, 247
calor
refrescante durante, 322–323
tolerándolo mejor, 25–26, 329
calvicie, 361
cáncer, previniendo
aceituna para, 6–7
brotes de trigo para, 130
calabaza, pumpkin y calabacera para, 110
canela para, 120
col para, 175–176
de colon, 130, 140
de esófago, 130
de estómago, 130
de hígado, 130, 140
de intestino delgado, 140
de las mamas, 130
ensalada anticáncer, 426
frijoles para, 234
perejil para, 383–384
prímula nocturna para, 407–408
salvado para, 437, 438–439
semillas para, 444–445
suma para, 458–459
zanahoria para, 498
cáncer, tratamientos de
ajo para, 34–35
consuelda para, 186

cúrcuma para, 195
de estómago, 199, 420
de la piel, 187–188
de las mamas, 420
de próstata, 424–425
de pulmones, 423–424
de útero, 424–425
grosellas para, 91
leucemia, 152
linfosarcoma, 152
melanomas, 152
rábanos para, 420–421
reduciendo tumores con higos, 273
tumores, 150–153, 199, 212
abdominales, 420
de Ehrlich, 218–219
remolacha para, 423–425
ruibarbo para, 431–432
yuca para, 495–496
cándida, 98
afta, 122
chaparro para, 149
dermatitis candidal primaria, 60–61
infecciones causadas por los hongos de, 91, 119–120
tomillo para, 477
carbunclos, 314
carcinoma de la célula basal, 187–188
caspa. *Véase* cabello
cataplasmas
de comino, 183–184
de dondiego de día, 207
de mostaza, 178
de narcisos, 395–396
de pan, 365
de papa, 369–370
para llagas y furúnculos, 272
catarro, 476–477
cazuela de enchiladas con salsa de tomate, 474
ceguera nocturna. *Véase* ojos
cereal de ajonjolí y arroz, 453–454
cereal silvestre, 144
cerebroespinales, problemas del, 188–189
cerveza de ortiga adelgazante, 363
chichones, 314–315
chocolate, sustituto de, 58–59
ciática, 178
circulación. *Véase* sangre, circulación
ciruelas en vino, 162–163
colecistitis, 434
colesterol
aumentando el bueno
aceite de oliva para, 6–7

avena para, 134
esculetaria para, 214–215
bajando el malo
aceite de oliva para, 6–7
achicoria para, 14
aguacate para, 17
alcachofa para, 49
avena para, 134
berenjena para, 94
col para, 176
esculetaria para, 214–215
fenogreco para, 225
frijoles para, 234
maíz para, 132
nabo y rutabaga para, 341–342
naranjas para, 170
pasta para, 376
pimienta de Cayena para, 27
psilio para, 410
ruibarbo para, 434–435
zanahoria para, 498
colitis
caléndula para, 115–116, 462–463
colon
cáncer de, 130, 140
estimulantes para, 85
mejorando el funcionamiento de, 176
salvado para, 437
congelación, 388
congestión
bronquial, 39–40
capuchina para, 399–400
jugo de guayaba para, 240–241
marrubio para, 309–310
respiratoria, 223–224
Controlling Immune Diseases Naturally, 509
contusiones, 178
convulsiones, 214, 241
corazón. *Véase también* arteriosclerosis; colesterol; taquicardia
angina, 395
apoplejías, 372
ataques de, 485
enfermedades de
aceites de semillas para, 445–447
aceituna para, 6–7
arroz para, 138
baya del espino para, 88
bayas para, 85
gordolobo para, 264
fortaleciendo, 92, 240–241, 400
infartos, 372

mejorando la función de, 125
relajando los músculos de, 287
crema de apio con almendras, 70
crema de espinaca, 219–220
cutis. *Véase* piel

D
delicia de arroz silvestre, 143
deliciosa cazuela de espárragos, 217
deliciosa mayonesa casera, 416
delicioso arroz español, 43–44
delicioso pan de banana, 79
dentición, 11. *Véase también* dientes
depósitos de grasas, eliminando, 418
depresión, 366. *Véase también* sistema nervioso
desasosiego, 45
desayuno a lo James Bond, 179
desequilibrio emocional, 358–359
diabetes
    controlando, 55
    espinaca para, 219
    hojas de mango para, 242
    insulina en diente de león para, 203–204
    pacientes que no usan insulina, 87–88
    psilio para, 410
    reduciendo la dependencia de insulina, 102, 135
    reduciendo los niveles de azúcar, 235
    reduciendo los niveles de azúcar en la sangre, 41, 132
    salvado para, 437, 438
    úlceras de las piernas de, 75, 207
diarrea
    ajo y cebollas para, 42
    algarroba para, 57–58
    amaranto para, 63–64
    arándano azul para, 88
    arroz para, 138–139
    banana para, 77
    calabaza, pumpkin y calabacera para, 109
    caqui para, 122
    infantil, 463, 498–499
    manzanas para prevenirla, 301
    miel para, 328–329
    pimienta negra para, 389
    rábanos para, 418–419
    ruibarbo para, 433

tomate secado para, 468–469
zarzamora para, 92
dientes
    cirugía dental, 246–247
    dolor de los primeros, 11
    dolores de, 37–38, 94, 345–346
    dolores de muelas, 166, 173
    eliminando las placas de, 466
    fortaleciendo, 182
    fortaleciendo el esmalte de, 431
    limpiando, 91, 230, 272
    limpiando con nabo, 343
    manteniendo blancos, 166
disentería bacteriana aguda, 295
diuréticos
    cola de caballo como, 182
    kiwis como, 289
    pepino como, 379
    romero como, 429
    semillas de sandía como, 322
diverticulitis, 171
    salvado para, 437
dolores. *Véase también* trastornos específicos
    abdominales, 183–184
    ajenjo para, 21–22
    cataplasma de papa para, 369–370
    compresas de jengibre para, 282–283
    corporal, 166
    de artritis, 273
    de dientes, 37–38
    de espalda, 108, 178, 248–249, 490–491
    de los primeros dientes, 11
    de oído, 109–110
    de oídos, 10–11, 37–38, 42
    en los ojos, 206
    Fresno espinoso para, 227–229
    tulipanes para, 402–403
drogadicción
    nuez de cola para, 348–349
    programa de, 98–102

E
eczema
    abedul para, 1–2
    bardana para, 80
    cúrcuma para, 193
    emplasto para, 462
    limpiando, 251–252
    olmo norteamericano para, 351–352
    prímula nocturna para, 407–408

rábano picante para, 415
ruibarbo para, 432–433
edemas
    amaranto para, 66
    en tobillas y muñecas, 133
    facial, 61
    lirios para, 398
elixir juvenil, 429
embarazo. *Véase también* parto
    grosella espinosa para, 86
    hemorragias durante, 194
    previniendo abortos naturales, 456
encías
    adoloridas, 345–346
    dando masajes a, 343
    sangrantes, 165–166
enema de café, 104–105
energía
    aumentando, 29–30, 259
    bananas para, 78
    legumbres para, 233
    nuez de cola para, 348
    polen para, 332–333
    tomates para, 471
    zanahoria como estimulante, 498
enfermedad celiaca
    banana para, 77–78
    cardamomo para, 123
    mijo para, 133
    sorgo para, 437
enfermedades venéreas
    maravilla para, 399
    sífilis, 80
    zarzaparrilla para, 502
enfisema, 4
ensalada anticáncer, 426
ensalada de alcachofas en tres minutos, 50
ensalada de "amante latino," 422
ensalada de col muy cremosa, 180
ensalada de col y rábano con aliño de ajonjolí y yogur, 421–422
ensalada de Daffy Duck y Daisy Duck con narciso y margarita, 403–404
ensalada de frutas con albaricoques, 48
ensalada de frutas de guayaba, 253
ensalada de hojas reblandecidas de achicoria, 15–16
ensalada de judías verdes con eneldo, 210
ensalada de pavo con piñas y almendras, 254–255
envejecimiento
    prematuro, 407–408
    retardando el proceso de, 149–150

epilepsia
previniendo los ataques de, 307
tratando ataques de, 311–312, 406
erupciones. *Véase también* piel, erupciones de
cataplasmas de mostaza para, 178
escaldaduras
azucenas para, 396–397
rábano para, 420
zanahoria para, 498
escalofríos
ajo y cebollas para, 38–39
cataplasmas de mostaza para, 178
esclerosis múltiple, 91
escozor crónico, 355. *Véase también* eczema
esguinces
calabaza, pumpkin y calabacera para, 108
malvavisco para, 299–300
esófago, cáncer de, 130
espalda
discos quebrosos, 248–249
dolores de, 108, 178, 490–491
espasmos nervios, 214
esquizofrenia, 407
estafilococos, 295
estómago. *Véase también* acidez estomacal; sistema digestivo
bananas y, 78
calambres abdominales, 178
calmando con mentas, 324–325
calmando el malestar estomacal, 118
cáncer de, 130, 199, 420
digestión, facilitando, 199–200, 221–222, 242–243, 417–418
dolores abdominales, 183–184
dolores de, 93
gases en, 196, 322
inflamaciones abdominales, 133
kiwis como agente digestivo, 289
problemas de, 170–171
estreñimiento. *Véase también* laxantes
aguacate para, 18
col para, 176
hojas del melocotonero para, 316
jugo de frijoles para, 233
manzanas para prevenirlo, 301
maravilla para, 399

nabo y rutabaga para, 341–342
psilio para, 410
sopa de ajonjolí para, 449–450
estrés. *Véase también* tensión
aliviando, 287–288
problemas provocados por, 259–260
estrógenos, 297

F
fatiga, combatiendo, 259. *Véase también* energía
feniletilamina (PEA), 156
fettucini de tomate, 473
fiebre del heno
fenogreco para, 225
manzanilla para, 307
miel para, 328
fiebres
altas, 418
calabaza, pumpkin y calabacera para, 109
cataplasmas de mostaza para, 178
de las infecciones infantiles, 204
intermitentes, 316
jengibre para reducir, 284
mejorana y orégano para, 311–312
reduciendo, 71, 278
tomillo para, 476–477
flan de tapioca, 463–464
flebitis, 267
Folk Medicine Journal, 510
fórmulas herbarias elaboradas hechas a la orden, 507–508
fracturas. *Véase* huesos
frigidez sexual. *Véase* sexualidad, frigidez sexual
frijoles horneadas con manzanas, 303–304
frijoles horneados al estilo de Boston, 236
fuerza, aumentando, 78–79, 131
fumar, hábito de. *Véase* tabaco
furúnculos
cataplasma para, 272
dondiego de día, 207
emplasto para, 462
hojas del melocotonero, 314
narcisos para, 395–396
olmo norteamericano para, 351–352
tomillo para, 477

G
galletas de melaza y canela, 120
gallina cornish sazonada con comino, 184

gangrenas, 187–188
garganta
dolor de, 272
eliminando la flema, 284, 309–310
grosella espinosa para, 86
infecciones en, 45
irritada, 77, 122, 170, 330, 339, 476–477
GLA. *Véase* ácido gammalinoleico (GLA)
golpes
en el cráneo, 178
moretones de, 343
gota
cataplasmas de mostaza para, 178
cerezas para, 145
margaritas para, 396
mazorca de maíz para, 133
romero para, 429
granola básica, 441
granola de frutas y nueces, 440–441
gripe
canela para, 119
cataplasmas de mostaza para, 178
estomacal, 302
evitando, 477–478
jarabe de melocotones para, 316
pimienta Cayena para, 28
recuperando de, 255
sopa con nabo y rutabaga para, 342–343
guacamole, la mejor salsa de, 19

H
hamburguesas McSol, 454–455
Healing Benefits of Garlic, 510
hemorragias
amaranto para, 63–64
cola de caballo para, 182
deteniendo, 27, 360
durante el embarazo, 194
internas, 94–95
nasal, 94
hemorroides
gordolobo, 265
piña para, 251–252
previniendo con salvado, 437
hepatitis, 23–24
ruibarbo para, 432–433
Herbs—An Indexed Biography, 21
Herbs, Spices and Medicinal Plants, 73–74
heridas
abedul para, 2
baya de enebro para, 88

consuelda sana para, 185
de piernas, 122
difíciles de tratar, 447–448
grandes, 331–332
infectadas, 470–471
lavando, 207, 477
menores, 111–112
papaya para, 250–251
ungüento de malvavisco para, 300
hernias, 299
herpes
abedul para, 1–2
áloe para, 61
cúrcuma para, 193
hojas del melocotonero para, 315
inflamaciones oculares causadas por, 97
inhibiendo, 325
lesiones del, 330–331
llagas/úlceras producidas por, 80
ruibarbo para, 432–433
hiedra venenosa
botón de oro para, 102
emplasto de quingombó para, 412–413
grosella espinosa para, 86
hojas del melocotonero para, 315
maicena para, 133
piña para, 251–252
sandía para, 323
hígado. *Véase también* ictericia
achicoria para, 14
acumulación en, 195
ajenjo para, 23–24
alcachofa para, 50
arrayán para, 71
arzolla para, 73–74
cáncer de, 130, 140
diente de león para, 203
inflamaciones de, 396
regenerando, 307–308
romero para, 429
tomates para, 471–472
higos y dátiles frescos a la parrilla, 274
hinchazón, 306–307
hiperactividad
en niños, 275
estragón para, 221
jugo de frijoles para, 233
manzanilla para, 305
nébeda para, 345
hipertensión
apio para, 68
cacao para, 155–156
cáscaras de banana para, 76
cebollas verdes para, 35–36

cimifuga para, 160
crisantemos para, 394–395
diente de león para, 203
dolores de cabeza causados por, 284
espárrago para, 216
geranio de jardín para, 392
kiwis para, 289
kumquats para, 165
mango para, 241–242
prímula nocturna para, 407–408
reduciendo, 40
tomates madurados para, 469–470
valeriana para, 490–491
hipoglucemia
botón de oro y, 102
fatiga de, 471
remolacha para, 425
histeria, 358–359, 489, 490–491. *Véase también* estrés; sistema nervioso
hogazas trenzadas de varios cereales, 141–142
hoja de tomate, 473–474
hojas de ortigas al estilo de Georgia, 362
hongos
de pies, 115, 116–117, 252, 303
infecciones causadas por, 91, 119–120, 177
limpiando, 251–252
huesos. *Véase también* osteoporosis
dolores en, 166
fortaleciendo, 182
fracturas, 137, 181, 194–195
menores, 108

I
ictericia
achicoria para, 14
ajenjo para, 23–24
melones para, 322
peonías para, 400
increíble pan de dátiles con higo y nueces, 200–201
indigestión. *Véase también* estómago; sistema digestivo
achicoria para, 15
alcaravea para, 51–52
anís para, 67
canela para, 118
hojas del melocotonero para, 316
kiwis para, 289
toronja para, 170–171
infecciones
ajo y cebollas para, 41–42

alfalfa para, 53–54
causadas por hongos, 91, 119–120
de estafilococo, 212
del oído interno, 251
del sistema urinario, 86–87
infantiles, 204
intestinal, 264
manzanas para, 302
matando las bacterias de, 295–296
papas para extraer, 372
por los hongos, 177
propóleos para, 333
té negro para, 465
inflamaciones. *Véase también* quemaduras
abdominales, 133
aceite de oliva para, 7–8
bayas del saúco para, 89
caléndula para, 115, 116–117
cataplasma de papa para, 369–370
de adenoides, 77
de la vejiga, 257, 322
de tejidos y articulaciones, 335–336
fárfara para, 224
intestinales, 189–190, 396
manzanilla para, 306–307
oculares, 97
influenza, 476–477
información nutricional
alfalfa, 55
áloe, 61–62
inhibidores de la proteasea (PI), 234
inmunidad, mejorando, 485–486
insectos
aguijonazo de los avispones, 69
ajo y cebollas para las picaduras de, 36–37
insecticida, 388–389
manteniendo alejados de la casa, 172
picaduras de, 61, 133, 172, 206, 243–244, 419
arañas, 450–451
avispas, 379–380
ciempiés, 450–451
de escorpión, 483
vinagre de sidra para, 303
repelente para los, 23, 42–43
insomnio
como síntoma del abandonó de las drogas, 99

eneldo para, 209
estragón para, 221
lúpulo para, 296–297
miel para, 328
nébeda para, 345
petunia para, 401
reduciendo, 40
squawvine para, 457
intestinos, trastornos de.
    Véase también dia-
    rrea; estómago; la-
    xantes; parásitos
    intestinales; sistema
    digestivo
colitis, 115–116
delgados, cáncer de, 140
enema de café para
    limpiar, 104–105
evacuación, estimulando,
    176, 216, 373–374,
    439–440
fresno espinoso para,
    228
frutas tropicales para,
    242–243
infecciones de, 264
inflamaciones de,
    189–190, 396
úlceras intestinales, 61
zarzamora para, 92
intoxicación
    por pescados, 146
    por tomaína, 91
    protegiendo contra, 499
    tomates para, 471–472

J
jalea de melocotón, 319

K
Kyolic, 42

L
labios
    bálsamo de cerca de
        abeja para, 334
    bálsamo de pepinos
        para, 380
    partidos, 336–337
    úlceras de, 161–162,
        339–340
laxantes. *Véase también*
    estreñimiento; intesti-
    nos, trastornos de
aguacate como, 18
áloe como, 61
cáscara sagrada como,
    125
ciruelas como, 162
dátiles como, 199
higo como, 272
linaza como, 294
melones como, 322
pan de trigo como, 365
ruibarbo como, 432, 433
salvado como, 437–438

sopa vegetal de guisantes
    como, 270
sorgo como, 437
tamarindo como,
    460–461
zanahoria como, 499
leche de pecho
    estimulando la produc-
        ción de, 45, 67, 125,
        209, 252–253, 275
    senos adoloridos por la
        lactancia, 463
lepra, 295
leucemia, 152
levadura casera, 317
libros de cocina, 508–509
libros de hierbas, 508–509
ligamentos, roturas de, 181
limonada de olmo, 352–353
linfosarcoma, 152, 195
llagas
    abedul para, 2
    áloe para, 60
    amaranto para, 64
    baya de enebro para, 88
    cáscaras de banana para,
        75
    cataplasma para, 272
    causadas por prolongada
        estadía en cama,
        330–331
    en la boca, 98
    infectadas, 470–471
    lavando, 207
    olmo norteamericano
        para, 351–352
    papaya para, 250–251
    pasta de semillas de
        ajonjolí para,
        450–451
    producidas por la sífilis y
        el herpes, 80
    que niegan a cicatrizar,
        314
    ungüento de malvavisco
        para, 300
lombrices, 41
longevidad, 40
lupus eritematoso, 331

M
magalladuras, 186
mal aliento. *Véase* boca, mal
    aliento
malaria, 365
mamas. *Véase también* leche
    de pecho
    cáncer de, 130, 420
mango helado, 253–254
manos
    agrietadas, 336–337
    congelación de, 388
    loción para, 294
    manteniendo cálidas, 29
    sensaciones de frío en,
        415
    suavizando, 168

*Manual de prescripciones
    para emergencias,*
    22–23
manzanas horneadas con
    relleno de dátiles, 303
marihuana, nébeda como
    sustituto de, 346–347
masajes, aceite para, 415
Mature Health, 510
melanomas, 152
memoria, mejorando, 67, 266
meningitis
    ajo para, 34
    uva silvestre de Oregon
        para, 482–483
menopausia
    amaranto para, 66
    milenrama para, 337
menstruación
    irregular, 222, 337
    tardía, 51
mermelada del trópico, 461
mermelada de melocotón,
    pera y manzana,
    319–320
metales pesados, eliminando
    del cuerpo, 374
miel de geranio fragante, 404
miel de tomillo, 480–481
migrañas. *Véase también*
    cabeza, dolores de
    calabaza, pumpkin y ca-
        labacera para,
        109–110
    consuelda para, 76
    limón para, 171–172
    menta piperita para, 324
    pimienta picante para, 45
    sandía para, 322
    té negro para, 465
    valeriana para, 490–491
milagrosa sopa de zanaho-
    rias, 501
moretones, 29, 186
    de golpes, 343
    hojas del melocotonero
        para, 314–315
    lirios para, 398
    papas para, 371
    perejil para, 384–385
mostaza al estilo sureño, 180
muelas. *Véase* dientes
músculos
    adoloridos, 429–430,
        477
    adquiriendo más, 78–79,
        131
    compresas de jengibre
        para malestares de,
        282–283
    desgarro de, 181
    dolores en, 166
    problemas de, 115,
        116–117
    rigidez de, 306–307
    trastornos externos,
        503–504

N

nariz
  congelación de, 388
  eliminando la flema, 284,
    309–310
  hemorragias nasal, 94
  senos nasales, 102
natilla de papaya horneada,
  254
náusea
  jengibre para, 281–282
  jugo de limas para, 171
  piña o papaya para, 252
NDGA. *Véase* ácido nordihidroguaiarético
  (NDGA)
nervios. *Véase también* sistema nervioso; tensión
  calmando, 68
nerviosismo, calmando,
  296–297, 324–325
neumonía
  cataplasmas de mostaza
    para, 178
  escaramujo para, 89
neuralgia
  cataplasmas de mostaza
    para, 178
  papas para, 371
Nienast, Paul, 166–169, 314
nutrición
  conservando los alimen-
    tos, 196
  información
    alfalfa, 55
    áloe, 61–62
    té nutritivo, 144
    y la drogadicción,
      100–101

O

obesidad
  alga marina *kelp* para, 56
  apio para, 69
  controlando el apetito,
    131–132
  goma de guar para, 262
  kumquats para, 165
  miel para, 329
  pan para combatir,
    364–365
  papas en la dieta para,
    370
  programa herbario para
    bajar de peso,
    355–356
  psilio para, 410
  recetas de ortiga mayor
    para, 361–363
  reduciendo el apetito con
    salvado, 438
oídos
  dolores de, 10–11, 37–38,
    42, 109–110, 265
  infecciones de, 10–11, 251
  secando secreciones de,
    194

timbre en, 226, 452
  tupidos por cera endure-
    cida, 448
ojos
  cansados, 379, 395
  cataratas, 337–338, 387
  conjuntivitis, 193–194, 387
  dolores en, 206
  enguajes para, 45
  enrojecidos, 395
  fatiga visual, 370–371
  glaucoma, 337–338, 387
  inflamaciones oculares, 97
  inflamados, 379
  involucrados con la acu-
    mulación de agua,
    448–449
  irritados, 275, 402
  lavado de nébeda para,
    346
  lavado para bebés y
    ancianos, 457
  mejorando la ceguera
    nocturna, 4–5, 204
  pérdida de la transparen-
    cia del lente ocular,
    386
  perifollo para, 386–387
  retinopatía diabética, 242
  separación de la retina
    de las coroides, 386
olores
  de las axilas, 343, 419
  de los pies, 419
  genitales, 191–192
orinarse en la cama, hábito
  de, 133
osteoporosis, 181

P

pancreatitis, 434
pan de centeno, 366–367
pan de maíz dorado,
  142–143
panecillos de semillas de
  adormidera, 452–453
pan mohicano de calabaza y
  pumpkin, 113–114
papas irlandesas, 374–375
paperas
  gordolobo para, 264–265
  mejorana y orégano para,
    311–312
parálisis, 228–229
  temporal, 306–307
parásitos intestinales
  ajenjo para, 22–23
  arrayán para, 71
  caqui para, 122
  granada para, 268
  jarabe de melocotones
    para, 316
  papaya y piña para,
    247–248
  semillas de sandía para,
    322
  solitarias, 110–111

parto. *Véase también*
  embarazo
  agilizando, 90
  haciéndolo más rápido,
    456
pasta primavera, 378
pastel de cerezas, 147
PEA. *Véase* feniletilamina
  (PEA)
pescados, intoxicación por,
  146
pezones adoloridos,
  336–337
PI. *Véase* inhibidores de la
  proteasea (PI)
picazón. *Véase también*
  escozor crónico;
  insectos, picaduras de
  rectal y vaginal, 140
piel
  aclarando, 415
  acné, 1–2, 80, 285,
    432–433, 478–479
  anís para, 67
  astringentes para, 397
  dando firmeza a, 168–169
  decoloración de, 168
  dermatitis candidal pri-
    maria, 60–61
  eliminando las arrugas
    de, 154–155, 327,
    381–382
  erupciones de, 135–136,
    400
  emplasto para, 462
  lavando, 251–252, 270
  estirando, 9, 405
  humectante para, 484
  limpiando, 63–64,
    132–133, 135–136,
    249–250
  las grasas de, 8–9
  manchas de, 202–203,
    216, 415
  mejorando la textura y el
    tono de, 182, 314, 485
  rejuveneciendo, 168,
    305–306
  revitalizando, 104
  seca, 155
  suavizando, 18, 47–48,
    90–91, 137–138,
    249–250, 285–286
  trastornos de, 91, 115,
    116–117, 133, 265
  crónicas, 1–2, 80
  cúrcuma para, 193
  inflamación, 3
  manzanilla para,
    305–306
  tomillo para, 478–479
piernas, sensaciones de frío
  en, 415
pies
  adoloridos, 380
  cansados y adoloridos,
    136, 169–170

congelación de, 388
desodorante para, 419
hongos de, 115, 116–117,
252, 303, 477
manteniendo cálidos, 29
sensaciones de frío en,
415
pimientos morrones relle-
nos, 30
piorrea, 94
pizza de berenjena, 95–96
poderes mentales, aumen-
tando, 50
polio
ajo para, 34
manzanas para combatir,
302
previniendo, 485–486
pólipos, 437
polvo de hornear, alternativa
al, 461
prímula nocturna y ternera
con vino de Madeira,
409
Pritikin, Nathan, 138
problemas femeninos,
65–66, 72. *Véase tam-
bién* trastornos
específicos
cáncer del útero, 424–425
fuentes de hierro, 425,
458
grosella espinosa para, 86
milenrama para, 337
problemas mentales, 365
productos herbarios,
505–507
próstata
cáncer de, 424–425
próstata, calabaza, pumpkin
y calabacera para, 109
protectora ensalada de zanahoria y col, 501
proteína, frijoles como,
235–236
pulmones. *Véase también*
trastornos específicos
congestión bronquial,
39–40
congestión de, 399–400,
477
congestión respiratoria,
223–224
eliminando la flema, 284,
309–310
irritación en, 89
irritados, 272
problemas respiratorios,
89–90
tuberculosis pulmonar,
295
tumores de, 423–424

Q
quemaduras. *Véase también*
inflamaciones
abedul para, 2

aceite de oliva y, 7–8
ajo y cebollas para, 36–37
áloe para, 60, 61
azucenas para, 396–397
calabaza pumpkin para,
107–108
caléndula para, 115,
116–117
cáscaras de banana para,
76
del sol, 60, 265, 286,
396–397, 470
emplasto de quingombó
para, 411–412
lavando, 477
leves, 419
papas para, 371
pasta de semillas de
ajonjolí para, 450–451
rábano para, 420
sandía para, 323
vinagre de sidra para, 302
zanahoria para, 498
químicos tóxicos
centeno para, 139–140
tomate para, 471–472
zanahoria para, 499

R
radiaciones, protegiendo
contra, 177–178
raíces de bardana al estilo
hawaiano, 81
rasguños, 111–112
raspaduras, 314–315
ratones, eliminando, 156
recuperación
de la drogadicción,
100–101
de la gripe, 255
olmo norteamericano
para, 352–353
té nutritivo para, 144
rejuvenecimiento
de la piel, 168, 305–306
elixir juvenil, 429
sexual, 334, 493–494
reovirus, previniendo,
485–486
resacas alcohólicas, 121, 139
resfrío
ascaramujos para, 89–90
canela para, 119
cataplasmas de mostaza
para, 178
dolores de cabeza provo-
cados por, 34
evitando, 477–478
jarabe de melocotones
para, 316
pimienta Cayena para, 28
sopa con nabo y rutaba-
ga para, 342–343
retoños, cosechando, 54–55
retortijones, 479–480
retraso mental, 266
reumatismo, 429

riñones. *Véase también* cálculos renales
arrayán para, 71
deficiencia de, 57
espárrago para, 216
estimulando la función
de, 278
jugo de arándano agrio
para, 86–87
maíz para, 132, 133
remedio yucateco para,
384
semillas de calabaza
para, 108
rupturas, 396

S
sabrosa salsa de purerro y
cebollino, 44
sabrosa sopa de crema de
hongos, 278
sabroso aperitivo, 454
salsa básica de rábano
picante de mi abuela,
416
salsa básica de tomate, 474
salsa de tomate catsup de
Nueva Inglaterra,
472–473
salsa de tomate no picante, 31
salsa dorada de fenogreco,
226
sangre
bayas para, 85
circulación, 92
estimulando, 477
mejorando, 246, 447
sensaciones de frío
de la mala, 415
disolviendo coágulos en,
269–270
envenenamiento de,
354–355
previniendo coágulos en, 40
previniendo coágulos, 282
previniendo coágulos en,
27–28, 246
promoviendo coagu-
lación, 360
purificando, 3, 80,
354–355
reduciendo los niveles de
azúcar en, 17, 132, 235
sarampión
gordolobo para, 264–265
mejorana y orégano para,
311–312
sedativo, apio como, 68
senos adoloridos por la lactancia, 463
senos nasales, 102
serpientes, mordidas de,
244–245, 483
sexualidad
estimulando
con ajedrea, 20
con chocolate, 156

con ginseng, 260–261
con vainilla, 488–489
frigidez sexual, 280, 384
rejuvenecimiento sexual,
334, 493–494
SIDA
ajo y cebollas para evitar,
41–42
equinácea para, 212–213
hongos para, 278
sífilis, 80. *Véase también*
enfermedades
venéreas
síndrome premenstrual
angélica para, 65
cimifuga para, 160
grosellas para, 91–92
prímula nocturna para,
407–408
suma para, 458
sinusitis, dolores de cabeza
causados por, 309–310
sistema digestivo. *Véase
también* estómago;
intestinos
delicado, 316–317
enfermedades de,
433–434
expulsando los residuos
de, 314
infecciones de, 465
sistema nervioso. *Véase también* tensión
apoyando, 99–100
calmando con mentas,
324–325
calmando nervios, 68
espasmos nervios, 214
estimulante para, 348
valeriana para, 490–491
sobrepeso. *Véase* obesidad
solitarias, eliminando, 110
sopa cremosa de calabaza,
112
sopa cremosa de ortiga,
362–363
sopa de ajonjolí, 449–450
sopa de hierba y pescado,
82
sopa de nabos y rutabagas,
343–344
sopa de pollo con nabo y
rutabaga, 342–343
sopa fría de espinaca, 220
sopa sureña de pollo con
quingombó, 413
sopa vegetal de guisantes,
270
soriasis
abedul para, 1–2
aguacate y manzanilla
para, 17–18

amaranto para, 66
bardana para, 80
cúrcuma para, 193
emplasto de quingombó
para, 412–413
hojas del melocotonero
para, 315
limpiando, 251–252
ruibarbo para, 432–433
suicidios, previniendo con
almidón, 372–373

T
tabaco
adicción al, 348–349
dejando de fumar,
136–137, 353,
451–452, 499–500
tallarines y espaguetis de
trigo integral,
377–378
taquicardia, 14
tendinitis
cataplasmas de mostaza
para, 178
hojas de calabazas para,
108
narcisos para, 395–396
piña para, 245–246
tendones
dislocación de, 181
inflamaciones de, 291
tensión. *Véase también*
estrés; sistema
nervioso
relajando, 278
tétanos
cataplasma de pan para,
365
maravilla para, 398–399
Thisilyn, 74
tofu casero, 237–238
tomaína, intoxicación por, 91
tomates a la griega, 475
tomates rellenos, 475
torceduras
calabaza, pumpkin y ca-
labacera para, 108
cola de caballo para, 181
cúrcuma para, 194–195
laurel para, 291
pimienta picante para, 29
torsiones, 178
tos
ajo y cebollas para, 39
anís para, 67
bayas del saúco para, 89
cerezas para, 145–146
crónica, 418
grosellas para, 91
laurel para, 291
seca, 403

tranquilizantes, 490–491
trastornos autoinmunológicos, 407–408
trastornos crónicos, 408–409
trastornos de alimentación.
Véase anorexia ner-
vosa; bulimia
*Treatment of Cancer without
Herbs, The,* 510
triglicéridos, bajando, 234
tuberculosis pulmonar, 295
tumores. *Véase* cáncer,
tratamientos de

U
úlceras
aceite de oliva y, 7
de las piernas, 75, 207
del estómago, 462–463
de los labios, 161–162,
339–340
duodenales, 115, 397
estomacales, 28, 371
gangrenosas, 122
gástricas, 129–130
gastrointestinales, 177,
185
intestinales, 61
leprosas, 193
pépticas, 358, 397
producidas por la sífilis y
el herpes, 80
salvado para, 438
urticaria, 355

V
varicela, 264–265
vejiga
estimulantes para, 85
inflamación de, 257, 322
inflamaciones de, 396
venas varicosas
arrayán para, 71
caléndula para, 116
gotu kola para, 267
verrugas
áloe para, 60
cáscaras de banana para,
76
diente de león para, 202
papaya y piña para, 247
vichyssoise, 36–37
vida sexual. *Véase* sexualidad
vinagreta de lima y licor, 12
vino de diente de león, 205
viruses, 85–86. *Véase también* viruses específi-
cos

Z
zinc, 278